#최강 TOT 수능 킬러를 집필하신 선생님

김동현 서울대_평촌설연고학원
손인준 서울대_평촌설연고학원
박광성 서울대_평촌설연고학원
김찬규 서울대_평촌설연고학원
해법수학연구회

#최강 TOT 수능 킬러를 검토하신 선생님

전준홍(강남구청 인강), 박성웅(MCM 수학 학원), 황교일(케이스 수학 학원), 이원규(무한꿈터), 이영진(무한꿈터 남천점), 정다영(무한꿈터 남천점),
노태범(부산 자하연 학원), 문정연(수학의 힘, 제주), 박종철(수학의 힘, 제주), 현주현(수학의 힘, 제주), 고건용(수학의 힘, 제주), 김지운(깊은 생각, 분당),
권윤서(깊은 생각, 서초), 한병일(깊은 생각, 평촌), 바준회(자유자재 학원, 본원), 김연진(큘라비스하원), 홍인철(분당 메이져 하원),
최희철(Speedmath 수학 전문학원), 이태형(가토 수학과학 학원), 김봉조(퍼스트 클래스 수학전문학원), 김민채(자유자재 학원, 김해),
구평완(구평완 수학전문학원), 윤성길(몬스터 매쓰 학원), 성준우(수학 걱정없는 세상 만들기), 최수남(영수 배움교실),
조은영(고려 수학), 김동철(토트라 수학 학원), 김주현(KIST 수학), 전성호(탑시크릿 학원), 양형준(대들보 수학원), 서영덕(탑앤탑 학원),
김진규(서울 바움 수학), 류미진(수학 교실), 천은경(수학 멘토), 김지윤(광교 오드 수학), 정하윤(랑 수학교습소), 김치욱(비상 아이비츠),
김민정(위홈 스터디), 배진문(수학의 달인 광주 양산학원), 신주환(올마이티 학원), 정원구(지성과 감성),
이아람(퍼펙트 브레인학원), 나혜림(평촌 퍼스트수학 학원), 노명훈(노명훈쌤의 알수학 학원), 이명환(다산 더원 수학 학원),
윤인영(브레인 학원), 이대종(풀린다 수학 교습소), 기미나(기쌤 수학), 봉우리(하이클래스),
김민정(수와 상상), 김성은(블랙박스 수학과학 전문학원), 이혜림(다오른 수학), 김지원(백곰 수학),
문재웅(성북 메가스터디 학원), 김보름(레벨업 수학), 유혜원(아이위너)

Chunjae
Makes
Chunjae

▼

편집개발	이영욱, 김문선, 김혜림
디자인총괄	김희정
표지디자인	윤순미
내지디자인	박희춘, 조유정
제작	황성진, 조규영

발행일	2021년 2월 15일 초판 2022년 2월 15일 2쇄
발행인	(주)천재교육
주소	서울시 금천구 가산로9길 54
신고번호	제2001-000018호
고객센터	1577-0902
교재 내용문의	(02)3282-1712

최강 TOT

|공통+미적분|

구성과 특징 structure & features

○ 유형 소개 및 대표 문제

출제 가능성이 높은 준킬러 문제와 킬러 문제를 17개의 유형으로 나누어 각 유형별로 출제 경향을 소개하였다.
각 유형의 기출에서 고른 대표 문제를 풀면서 자신의 현재 상태를 점검하고, 만약 부족하다면 그 유형에 속한 모든 문제를 빼놓지 않고 공부할 것을 추천한다.

○ 쌍둥이 문제

이 문제집의 유형 10 '도형과 등비급수'를 제외한 나머지 16개 각 유형에서 소개한 **02**-1, **02**-2와 **03**-1, **03**-2는 쌍둥이 문제이다. 단순히 문제 내용에서 숫자만 바꾼 것도 일부 있지만 변형 정도가 조금 큰 문제도 있으므로 1등급을 받기에 조금 부족한 상태라면 쌍둥이 문제라 하더라도 빼놓지 않고 학습하도록 한다.

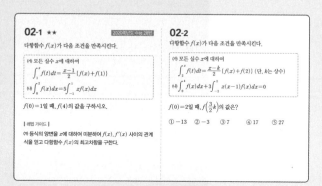

○ 난이도 표시

★ 틀리면 절대 안 되는 4점 문제   ★★ 조금 어려운 4점 문제
★★☆ 준킬러 문제   ★★★ 킬러 문제

---

04 ★

최고차항의 계수가 양수인 삼차함수 $f(x)$에 대하여 다음이 성립할 때, $f(1)+f(3)$의 값을 구하시오.

(가) $\displaystyle\int_1^x f(t)dt \geq \frac{x-1}{2}\{f(x)+f(1)\}$ (단, $x>1$)이고,

$x=5$이면 등호가 성립하며, 이때 $\displaystyle\int_1^x f(t)dt=12$이다.

(나) $f(5)=5$

---

07 ★★

다항함수 $f(x)$에 대하여 $f(1)=4$이고, 다음 등식이 성립할 때, $f(2)=k$이다. k^2의 값을 구하시오.

$$\int_1^x (x+t)f'(t)dt = 2xf(x)+2x^3+ax^2+bx$$

---

09 ★★☆

함수 $f(x)=x^3+ax^2+bx+c$와 직선인 함수 $y=g(x)$에 대하여 $h(x)=\dfrac{f(x)+g(x)-|f(x)-g(x)|}{2}$이다.

또 $x\geq 0$에서 정의된 함수 $p(x)=\displaystyle\int_{-x}^{3x} h(t)dt$에 대하여 다음이 성립할 때 $f(3)$의 값을 구하시오.

(단, a, b, c는 상수, $f(1)=g(1)$)

(가) 구간 $0<x<2$에서만 $p(x)$는 일차함수이다.
(나) 구간 $0<x<3$에서 $p(x)$는 증가한다.
(다) 구간 $x>3$에서 $p(x)$는 감소한다.

---

12 ★★★

다음과 같은 조건을 만족시키는 함수 $f(x)$가 있다. 이때 함수 $g(x)=\displaystyle\int_x^{x+2} f(t)dt$에 대한 설명으로 보기에서 옳은 것만을 있는대로 고른 것은?

(가) $f(x)=x$ ($-1\leq x\leq 1$)   (나) $f(2-x)=f(x)$
(다) $f(-x)=-f(x)$

┤ 보기 ├

ㄱ. $g'(1)=-2$
ㄴ. $0\leq x\leq 10$에서 $g(x)$의 극댓값은 1만 존재한다.
ㄷ. 함수 $g(x)$는 주기가 2인 주기함수이다.
ㄹ. $g(-x)=-g(x)$

○ 문제 분류

유형 이름	비킬러 문제		소계	킬러 문제		소계	합계
	기출	변형/예상		기출	변형/예상		
유형 1 지수·로그함수의 그래프 활용하기	5	7	12	1	3	4	16
유형 2 지수·로그함수에서 옳은 것 찾기(합답형)	3	7	10	0	0	0	10
유형 3 삼각함수와 그 활용	2	11	13	0	1	1	14
유형 4 수열의 합과 수열의 규칙성	2	9	11	2	3	5	16
유형 5 함수의 극한과 연속	2	10	12	1	2	3	15
유형 6 미분과 접선	2	4	6	3	7	10	16
유형 7 그래프의 분석과 활용	4	3	7	3	9	12	19
유형 8 정적분으로 정의된 함수	3	7	10	2	2	4	14
유형 9 정적분의 활용	3	6	9	1	5	6	15
유형 10 도형과 등비급수	3	9	12	0	0	0	12
유형 11 함수의 극한 활용	4	12	16	0	1	1	17
유형 12 초월함수의 미분(계산형)	2	5	7	2	6	8	15
유형 13 초월함수의 그래프(합답형)	2	5	7	2	6	8	15
유형 14 그래프의 분석과 활용(심화)	0	0	0	6	10	16	16
유형 15 치환적분법과 부분적분법의 활용	1	9	10	1	3	4	14
유형 16 정적분으로 정의된 함수(초월함수)	2	7	9	3	2	5	14
유형 17 새로운 함수를 찾거나 미완성인 함수 완성하기	1	3	4	6	5	11	15
합계	41	114	155	33	65	98	253

❗ 문제에서 ★★☆로 표시한 것은 킬러 문제로 분류하였다. 또 기출 문제 대부분은 단계를 낮추어 표시하였다. 가령 킬러 문제라 할 수 있는 2021학년도 이전 수능이나 모평 21번, 30번 문제를 ★★☆ 또는 ★★으로 표시하였고, 일부만 ★★★로 그대로 표시하였다.

○ 난이도별 문제 개수

비킬러	155문제
킬러	98문제

○ 출처별 문제 개수

기출	74문제
변형+예상	179문제

차례 contents

공통+미적분

유형 01

지수·로그함수의 그래프 활용하기

◀ **Mentor Comment**

지수·로그함수는 2016학년도(2015년 실시) 수능까지 문·이과 공통 파트에 있었는데, 2017학년도 수능부터 이과 전용 파트로 옮겨졌다가 다시 2021학년도 수능부터 문·이과 공통 파트가 되었다. 특히 문·이과 공통 파트에 있었던 2016학년도 이전 수능에서는 격자점 개수 구하기 같은 고난도 문제가 출제되었고, 그 이후에는 길이, 넓이 및 방정식과 부등식에 관한 문제가 출제되었다. 이제 문·이과 공통 파트에 속하는 만큼 어려운 문제가 출제될 가능성도 높다.

대표 문제

01

2014학년도 수능 30번

좌표평면에서 $a>1$인 자연수 a에 대하여 두 곡선 $y=4^x$, $y=a^{-x+4}$과 직선 $y=1$로 둘러싸인 영역의 내부 또는 그 경계에 포함되고 x좌표와 y좌표가 모두 정수인 점의 개수가 20 이상 40 이하가 되도록 하는 a의 개수를 구하시오.

풀이 preview

두 곡선 $y=4^x$, $y=a^{-x+4}$과 직선 $y=1$로 둘러싸인 영역에서
내부 또는 그 경계선 위에 포함된 x좌표와 y좌표가 모두 정수인 점의 개수를 $f(a)$라 하자.
지수함수 $y=4^x$의 그래프는 $(0, 1)$, $(1, 4)$를 지난다고 생각해 간단히 그릴 수 있다.
한편 $y=a^{-x+4}$의 그래프는 $(0, a^4), (1, a^3), (2, a^2), (3, a), (4, 1)$
을 차례로 지나며, 특히 a값에 관계없이 점 $(4, 1)$을 지난다.
또 밑 a^{-1}이 1보다 작으므로 감소함수임을 알 수 있다.
이때 $a=4$이면 두 곡선은 $x=2$일 때 만나고,
$a<4$, 즉 $a=2, 3$이면 두 곡선은 $x<2$인 점에서 만난다.
또 $a\geq5$이면 두 곡선은 $x>2$인 점에서 만난다.
즉 a값에 따라 다음과 같이 나누어 $f(a)$를 구해본다.

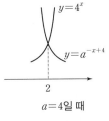

$a=4$일 때

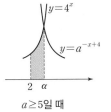

$2\leq a<4$일 때

$a\geq5$일 때

✔ 해법 Tip

자연수 a값에 따라 격자점 개수가 달라진다는 점을 생각하고 이를 그래프에서 확인할 수 있어야 한다. 이때 기준이 되는 특별한 a, 가령 $a=4$일 때 조건을 만족시키는지 확인해 보고, $a<4$, $a\geq5$인 경우에도 확인하면 된다. $a=4$일 때는 다음과 같다.

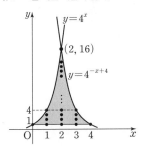

※ 격자점 관련 문제는 기본적으로 직접 그려보고 하나씩 헤아려 보는 것이 중요하다. 이 경우는 x를 기준으로 헤아려보면 좀 더 쉽게 풀 수 있다.

02-1 ★★ 2019학년도 9월 고2 학력평가 29번

직선 $y=x+n-2^n$이 두 함수 $y=\log_2 x$, $y=\left(\dfrac{1}{2}\right)^x$의 그래프와 제1사분면에서 만나는 점을 각각 A, B라 하면, 점 A의 좌표는 $(2^n, n)$이다. $1<\dfrac{\overline{AB}}{\sqrt{2}}<10$을 만족시키는 모든 자연수 n의 값의 합을 구하시오.

┃해법 가이드┃

$n \ge 2$일 때 주어진 함수를 그림으로 나타내면 다음과 같다.

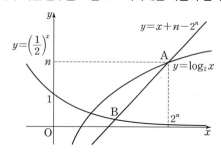

┃풀이 점검┃

① $n=1$일 때, $\overline{AB}$의 범위는 **❶** _____

② $n \ge 2$일 때 조건을 만족시키는 가장 큰 자연수 $n=$ **❷** _____

02-2

직선 $y=x+n-2^n$이 두 함수 $y=\log_2 x$, $y=\left(\dfrac{1}{2}\right)^x$의 그래프와 제1사분면에서 만나는 점을 각각 A, B라 하면, 점 A의 좌표는 $(2^n, n)$이다. **보기**에서 옳은 것만을 있는대로 고른 것은?

┃ 보기 ┃
ㄱ. $n=1$일 때, $\overline{AB}<\sqrt{2}$
ㄴ. $n=4$일 때, $3\sqrt{2}<\overline{AB}<4\sqrt{2}$
ㄷ. $4\sqrt{2}<\overline{AB}<20\sqrt{2}$를 만족시키는 자연수 n값의 합은 200이다.

① ㄱ ② ㄴ ③ ㄱ, ㄴ
④ ㄴ, ㄷ ⑤ ㄱ, ㄴ, ㄷ

┃풀이 점검┃

① $n=4$일 때, $\overline{AB}$의 범위는 **❶** _____

② $n \ge 2$일 때 $\overline{AB}$의 범위를 n을 써서 나타내면
   ❷ _____

03-1 ★★
2019학년도 6월 고2 학력평가 29번

$0 \leq x \leq 8$에서 정의된 함수 $f(x)$가 다음 조건을 만족시킨다. 함수 $y=f(x)$의 그래프와 x축으로 둘러싸인 부분의 넓이를 S라 할 때, $32S$의 값을 구하시오.

(가) $f(x)=\begin{cases} 2^x-1 & (0 \leq x \leq 1) \\ 2-2^{x-1} & (1 < x \leq 2) \end{cases}$

(나) $n=1, 2, 3$일 때,
$\quad 2^n f(x)=f(x-2n) \ (2n < x \leq 2n+2)$

∥ 해법 가이드 ∥

$n=1$일 때, $2f(x)=f(x-2) \ (2 < x \leq 4)$

즉 $f(x)=\dfrac{1}{2}f(x-2)$이므로 구간 $2 < x < 4$에서 함수 $f(x)$는 구간 $0 < x < 2$의 $f(x)$를 x축으로 2만큼 평행이동한 다음 함숫값을 $\dfrac{1}{2}$만큼 축소한 것과 같다.

∥ 풀이 점검 ∥

① $0 \leq x \leq 2$에서 $y=f(x)$의 그래프와 x축으로 둘러싸인 부분의 넓이는 ❶ _____

② $2 \leq x \leq 4$에서 $y=f(x)$의 그래프와 x축으로 둘러싸인 부분의 넓이는 ❷ _____

03-2

자연수 p에 대하여 $0 \leq x \leq 2p$에서 정의된 함수 $f(x)$가 다음 조건을 만족시킨다.

(가) $f(x)=\begin{cases} 3^x-1 & (0 \leq x \leq 1) \\ 3-3^{x-1} & (1 < x \leq 2) \end{cases}$

(나) $n=1, 2, 3, \cdots, p-1$일 때,
$\quad 2^n f(x)=f(x-2n) \ (2n < x \leq 2n+2)$

함수 $y=f(x)$의 그래프와 x축으로 둘러싸인 부분의 넓이를 S라 할 때, $S=4-\left(\dfrac{1}{2}\right)^{10}$이다. p의 값을 구하시오.

∥ 풀이 점검 ∥

① $0 \leq x \leq 2$에서 $y=f(x)$의 그래프와 x축으로 둘러싸인 부분의 넓이는 ❶ _____

② $2 \leq x \leq 4$에서 $y=f(x)$의 그래프와 x축으로 둘러싸인 부분의 넓이는 ❷ _____

04 ★

2019학년도 수능 14번

이차함수 $y=f(x)$의 그래프와 일차함수 $y=g(x)$의 그래프가 그림과 같을 때, 부등식 $\left(\dfrac{1}{2}\right)^{f(x)g(x)}\geq\left(\dfrac{1}{8}\right)^{g(x)}$를 만족시키는 모든 자연수 x값의 합은?

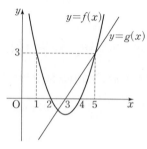

① 7   ② 9   ③ 11
④ 13   ⑤ 15

| 해법 가이드 |

주어진 지수부등식에서 밑을 같게 만든 다음 그래프를 이용한다.

05 ★★

함수 $f(x)=\left(\dfrac{1}{2}\right)^{x-3}-16$에 대하여 함수 $y=|f(x)|$의 그래프와 곡선 $g(x)=\left(\dfrac{1}{2}\right)^{x-a}+b$가 제1사분면에서 만나도록 하는 순서쌍 (a,b)의 개수를 구하시오.

(단, $1\leq a\leq 5$인 자연수, b는 정수이다.)

| 해법 가이드 |

두 곡선 $y=|f(x)|$와 $y=g(x)$가 제1사분면에서 만나지 않는 경우를 생각해 본다.

| 풀이 점검 |

주어진 조건을 만족시키는 자연수 x를 모두 구하면

_____

| 풀이 점검 |

$y=|f(x)|$의 그래프와 곡선 $g(x)=\left(\dfrac{1}{2}\right)^{x-a}+b$가 제1사분면에서 만나려면 $g(0)>$ **❶**_____이고, $b<$ **❷**_____이어야 한다.

06 ★★

2019학년도 3월 학력평가 27번

그림처럼 직선 $y=2$가 두 곡선 $y=\log_2 4x$, $y=\log_2 x$와 만나는 점을 각각 A, B라 하고, 직선 $y=k$ $(k>2)$가 두 곡선 $y=\log_2 4x$, $y=\log_2 x$와 만나는 점을 각각 C, D라 하자. 점 B를 지나고 y축과 평행한 직선이 직선 CD와 만나는 점을 E라 하면 점 E는 선분 CD를 $1:2$로 내분한다. 사각형 ABDC의 넓이를 S라 할 때, $12S$의 값을 구하시오.

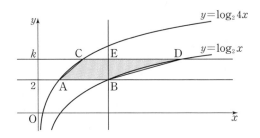

┃ 해법 가이드 ┃

· 교점 C, D의 좌표를 k로 나타낸다.
· 점 E의 x좌표가 점 B의 x좌표와 같다.

┃ 풀이 점검 ┃

① E가 선분 CD를 $1:2$로 내분하는 점이므로 $k=$ ❶ _____

② $\overline{AB}=$ ❷ _____ 이고, $\overline{CD}=$ ❸ _____ 이므로 $S=$ ❹ _____

07 ★★

자연수 n에 대하여 두 곡선 $y=3^x-n$, $y=\log_3(x+n)$으로 둘러싸인 영역의 내부 또는 그 경계에 포함되고 x좌표와 y좌표가 모두 정수인 점의 개수를 a_n이라 한다. 예를 들면 $a_4=21$이다. a_{12}의 값을 구하시오.

┃ 해법 가이드 ┃

· $y=3^x-n$에서 x, y를 바꿔 정리하면 $y=\log_3(x+n)$, 즉 역함수 관계이므로 두 곡선 $y=3^x-n$, $y=\log_3(x+n)$은 $y=x$에 대칭이다.
· $a_4=21$인지 확인하면서 문제를 푸는 방법을 생각해 본다.

┃ 풀이 점검 ┃

$y=3^x-12$와 $y=\log_3(x+12)$의 그래프를 그려 격자점을 확인하면 다음과 같다.

제1사분면 ⇨ ❶ _____ (개)

y축과 제2사분면 ⇨ ❷ _____ (개)

제3사분면 $(x, y$축 포함$)$ ⇨ ❸ _____ (개)

x축과 제4사분면 ⇨ ❹ _____ (개)

08 ★★

그림과 같이 지수함수 $f(x)=a^x$와 $g(x)=a^{2x}$의 그래프는 직선 $y=x$와 각각 서로 다른 두 점에서 만난다. $f(x)=a^x$의 그래프, $g(x)=a^{2x}$의 그래프와 직선 $x=k$의 교점이 각각 P, Q이고, 두 직선 $y=x$와 $x=k$의 교점이 R이며, $k=2$일 때는 두 점 Q, R가 일치한다. $\overline{PQ}=\dfrac{1}{n}$을 만족시키는 실수 k의 개수를 p_n이라 하자. $\sum\limits_{n=1}^{10} p_n$의 값을 구하시오. (단, $a>1$)

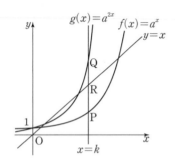

| 해법 가이드 |

$P(k, a^k)$, $Q(k, a^{2k})$, $R(k, k)$에서 두 점 Q와 R가 일치하면 두 점의 y좌표가 같다.

09 ★★

2018학년도 사관학교 18번

좌표평면에서 자연수 n에 대하여 다음 조건을 만족시키는 정사각형의 개수를 a_n이라 하자.

> (가) 한 변의 길이가 n이고 네 꼭짓점의 x좌표와 y좌표가 모두 자연수이다.
> (나) 두 곡선 $y=\log_2 x$, $y=\log_{16} x$와 각각 서로 다른 두 점에서 만난다.

a_3+a_4의 값은?

① 21　　② 23　　③ 25　　④ 27　　⑤ 29

| 해법 가이드 |

$n=3$일 때 (가), (나)를 만족시키는 경우를 그려보면 다음과 같다.

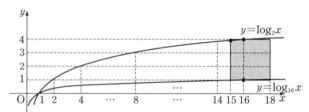

| 풀이 점검 |

1 $p_1=p_2=p_3=$ ❶ _____

2 $p_5=p_6=p_7=\cdots\cdots=p_{10}=$ ❷ _____

| 풀이 점검 |

1 $n=3$일 때 $a_3=$ ❶ _____

2 $n=4$일 때 $a_4=$ ❷ _____

10 ★★

그림과 같이 함수 $y=\log_2 32x$의 그래프 위의 두 점 A, B와 함수 $y=\log_2 2x$의 그래프 위의 점 C에 대하여 선분 AC가 y축에 평행하고 △ABC가 정삼각형일 때, 정삼각형 ABC의 무게중심 G의 좌표는 $(p,\ q)$이다. 이때 함수 $y=\log_{\frac{1}{2}} x+k$의 그래프가 점 G를 지난다고 한다. $k\times p\times 2^q$의 값을 구하시오.

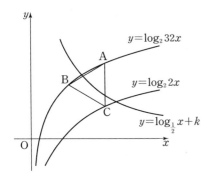

| 해법 가이드 |

- 정삼각형 ABC의 꼭짓점 B에서 밑변에 내린 수선의 발은 변 AC를 수직이등분한다.
- 점 A의 x좌표를 t라 하고 점 B의 자표를 t로 나타낸다.

| 풀이 점검 |

① 점 A의 x좌표를 t라 하면 $t=$ ❶_____

② △ABC의 무게중심 G의 좌표에서

  $p=$ ❷_____ , $q=$ ❸_____

11 ★★

함수 $y=\log_2|5x|$의 그래프와 함수 $y=\log_2(x+2)$의 그래프가 만나는 서로 다른 두 점을 각각 A, B라 하고, 함수 $y=\log_2|5x|$의 그래프와 함수 $y=\log_2(x+m)$의 그래프가 만나는 서로 다른 두 점을 각각 C$(p,\ q)$, D$(r,\ s)$라 하자. 다음 조건을 만족시킬 때, 사각형 ABDC의 넓이는 $\log_2 k$이다. $200k^2$의 값을 구하시오.

> (가) $m>2$인 자연수이다.
> (나) 직선 AB 기울기의 2배는 직선 CD 기울기의 3배와 같다.
> (다) 점 A의 x좌표는 점 B의 x좌표보다 작고, $p<r$이다.

| 해법 가이드 |

네 교점 A, B, C, D의 좌표를 모두 구하고 직선 AB 기울기의 2배가 직선 CD 기울기의 3배임을 이용한다.

| 풀이 점검 |

① 두 꼭짓점 A, B의 좌표는

  ❶_____

② m값을 대입해 구한 두 꼭짓점 C, D의 좌표는

  ❷_____

12 ★★☆   2012학년도 수능 30번 변형

자연수 a, b에 대하여 곡선 $y=a^{x+1}$과 곡선 $y=b^x$이 직선 $x=t$와 만나는 점을 각각 P, Q라 하자. 다음 조건을 만족시키는 a, b의 모든 순서쌍 (a, b)의 개수를 구하시오.

(가) $2 \le a \le 10$, $2 \le b \le 12$
(나) $t \ge 1$인 어떤 실수 t에 대하여 $\overline{\mathrm{PQ}} \le 12$이다.

┃ 해법 가이드 ┃

· $\overline{\mathrm{PQ}} \le 12$를 만족시키는 실수가 적어도 하나 존재하려면 $\overline{\mathrm{PQ}}$의 최솟값이 12 이하이면 된다.

· $a \ge b$와 $a < b$인 경우로 나누어 생각한다.

┃ 풀이 점검 ┃

① $a \ge b$일 때 순서쌍 (a, b)의 개수는 ❶ _____

② $a < b$일 때 순서쌍 (a, b)의 개수는 ❷ _____

13 ★★☆

2013학년도 수능 30번 변형

좌표평면에서 자연수 n에 대하여 영역

$$\{(x, y) \mid 3^x - n \leq y \leq \log_3(x+n)\}$$

은 곡선 $y=3^x-n$과 곡선 $y=\log_3(x+n)$ 사이에 있는 경계선을 포함하는 부분(그림에서 색칠해서 나타낸 부분)과 같다. 이 영역에 속하는 점 중 다음 조건을 만족시키는 점의 개수를 a_n이라 하자.

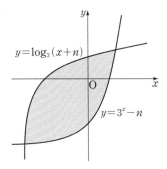

㉮ x좌표와 y좌표는 서로 같다.

㉯ x좌표와 y좌표는 모두 정수이다.

예를 들어, $a_1=1$, $a_2=3$이다. $\sum\limits_{n=1}^{100} a_n$의 값은?

① 5340   ② 5344   ③ 5348

④ 5352   ⑤ 5356

| 해법 가이드 |

- $y=3^x-n$, 즉 $x=\log_3(y+n)$에서 x, y를 바꾸면 $y=\log_3(x+n)$이므로 두 함수가 서로 역함수 관계임을 이용한다.

- 원점을 포함한 제3사분면에 있는 격자점과 제1사분면에 있는 격자점으로 나누어 생각한다.

| 풀이 점검 |

원점을 포함해 제3사분면에 있는 격자점의 개수를 b_n, 제1사분면에 있는 격자점의 개수를 c_n이라 하면

$a_n=b_n+c_n$이므로 $\sum\limits_{n=1}^{100} a_n=\sum\limits_{n=1}^{100} b_n+\sum\limits_{n=1}^{100} c_n$에서

$$\sum\limits_{n=1}^{100} b_n=❶\underline{\hspace{2cm}}, \quad \sum\limits_{n=1}^{100} c_n=❷\underline{\hspace{2cm}}$$

14 ★★☆   2014학년도 수능 30번 (대표문제) 변형

좌표평면 위의 두 곡선 $f(x)=x^3+2$, $g(x)=a^{-x+5}$과 직선 $y=1$로 둘러싸인 경계선을 포함하는 영역에서 x좌표와 y좌표가 모두 정수인 점의 개수를 $N(a)$라 하자. $35 \le N(a) \le 100$을 만족시키는 자연수 a의 개수는?

(단, $a>1$)

① 51   ② 52   ③ 53

④ 54   ⑤ 55

┃ 해법 가이드 ┃

함수 $g(x)=a^{-x+5}$의 그래프가 점 $(5, 1)$을 지나고, 감소하는 모양임을 감안해 두 함수의 그래프 개형을 함께 나타낸다.

┃ 풀이 점검 ┃

1️⃣ $1<k \le 2$일 때 $N(a)=$ ❶_____

2️⃣ $2<k \le 3$일 때 $N(a)=$ ❷_____

3️⃣ $3<k \le 4$일 때 $N(a)=$ ❸_____

유형 02

지수·로그함수에서 옳은 것 찾기 (합답형)

◀ **Mentor Comment**

지수·로그함수 단원에서 합답형(ㄱ, ㄴ, ㄷ에서 옳은 것 찾기) 유형은 과거 수능에서 꾸준히 나왔다. 이번 교육 과정에서도 함수 영역이 강조된다면 충분히 출제 가능한 유형이다. 대개 그래프를 이용해 대소 비교, 기울기 비교, 넓이 비교 등을 어떻게 이용하느냐가 관건이다. 또한 지수함수와 로그함수가 역함수인 관계를 이용하는 문제나 위로 볼록, 아래로 볼록 관계를 물어보는 문제들도 대표적인 유형이다.

※ 합답형은 물음 하나 하나가 독립적이기 보다는 ㄱ, ㄴ, ㄷ이 연결되는 경우가 많으므로 ㄷ이 어려우면 ㄱ, ㄴ에서 힌트를 찾아보도록 한다.

대표 문제

01 2011학년도 수능 16번

좌표평면에서 두 곡선 $y=|\log_2 x|$와 $y=\left(\dfrac{1}{2}\right)^x$이 만나는 두 점을 $P(x_1, y_1)$, $Q(x_2, y_2)(x_1<x_2)$라 하고, 두 곡선 $y=|\log_2 x|$와 $y=2^x$이 만나는 점을 $R(x_3, y_3)$이라 하자. 옳은 것만을 **보기**에서 있는 대로 고른 것은?

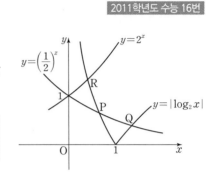

◀ 보기 ▶

ㄱ. $\dfrac{1}{2}<x_1<1$ 　ㄴ. $x_2 y_2 - x_3 y_3 = 0$ 　ㄷ. $x_2(x_1-1)>y_1(y_2-1)$

① ㄱ　　　　　② ㄷ　　　　　③ ㄱ, ㄴ
④ ㄴ, ㄷ　　　　⑤ ㄱ, ㄴ, ㄷ

풀이 preview

ㄱ. $y=|\log_2 x|$에서 $x=\dfrac{1}{2}$일 때

$y=-\log_2 \dfrac{1}{2}=1$이므로

점 $\left(\dfrac{1}{2}, 1\right)$과 $P(x_1, y_1)$의 x, y좌표를

각각 비교해 본다.

ㄴ. 두 곡선 $y=\left(\dfrac{1}{2}\right)^x$과 $y=\log_2 x$가

만나는 점이 Q이다.

이때 $y=\left(\dfrac{1}{2}\right)^x$의 역함수인

$y=-\log_2 x$와 $y=\log_2 x$의 역함수인 $y=2^x$이 만나는 점 R는

점 Q를 직선 $y=x$에 대하여 대칭이동한 것과 같다.

ㄷ. 점 $(0, 1)$과 점 P를 지나는 직선의 기울기와 점 $(0, 1)$과
점 Q를 지나는 직선의 기울기를 이용한다.

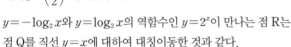

✓ 해법 **Tip**

1 ㄱ은 크기 비교, ㄴ은 넓이 비교, ㄷ은 기울기 비교로 생각할 수 있다.

2 $y=\left(\dfrac{1}{2}\right)^x$, $y=2^x$, $y=|\log_2 x|$에서 역함수 관계인 것을 찾아 직선 $y=x$에 대한 대칭을 이용한다.

02-1 ★

2009학년도 수능 11번

직선 $y=x$가 곡선 $y=\log_a x$와 만나는 점을 $(p,\,p)$라 하고, 직선 $y=x$가 곡선 $y=\log_{2a} x$와 만나는 점을 $(q,\,q)$라 하자. 보기에서 옳은 것만을 있는 대로 고른 것은? $\left(\text{단},\ 0<a<\dfrac{1}{2}\right)$

┤ 보기 ├

ㄱ. $p=\dfrac{1}{2}$이면 $a=\dfrac{1}{4}$이다.   ㄴ. $p<q$

ㄷ. $a^{p+q}=\dfrac{pq}{2^q}$

① ㄱ   ② ㄱ, ㄴ   ③ ㄱ, ㄷ
④ ㄴ, ㄷ   ⑤ ㄱ, ㄴ, ㄷ

| 해법 가이드 |

$0<a<\dfrac{1}{2}$인 $a=\dfrac{1}{4}$을 이용하여 $y=\log_a x$와 $y=\log_{2a} x$의 그래프를 그려본다.

02-2

직선 $y=x$가 곡선 $y=a^x$과 만나는 점을 $(p,\,p)$, 직선 $y=x$가 곡선 $y=(2a)^x$과 만나는 점을 $(q,\,q)$라 하자. 보기에서 옳은 것만을 있는 대로 고른 것은? $\left(\text{단},\ 0<a<\dfrac{1}{2}\right)$

┤ 보기 ├

ㄱ. $p>q$ ㄴ. $p=\log_a p,\ q=\log_{2a} q$

ㄷ. $a^{p+q}=\dfrac{pq}{2^p}$

① ㄱ   ② ㄴ   ③ ㄱ, ㄷ
④ ㄴ, ㄷ   ⑤ ㄱ, ㄴ, ㄷ

| 풀이 점검 |

$y=\log_{2a} x$와 직선 $y=x$가 만나는 점의 좌표가 $(q,\,q)$이므로
$a^q=$ _____

| 풀이 점검 |

두 곡선과 직선 $y=x$가 만나는 점을 이용하면
$a^p={}^{\bullet}$ _____ 이고, $(2a)^q={}^{\bullet}$ _____ 이다.

03-1 ★★ 2010학년도 수능 16번

자연수 n $(n \geq 2)$에 대하여 직선 $y=-x+n$과 곡선 $y=|\log_2 x|$가 만나는 서로 다른 두 점의 x좌표를 각각 a_n, b_n $(a_n < b_n)$이라 할 때, **보기**에서 옳은 것만을 있는 대로 고른 것은?

─┤ 보기 ├─

ㄱ. $a_2 < \dfrac{1}{4}$ ㄴ. $0 < \dfrac{a_{n+1}}{a_n} < 1$

ㄷ. $1 - \dfrac{\log_2 n}{n} < \dfrac{b_n}{n} < 1$

① ㄱ   ② ㄴ   ③ ㄷ
④ ㄴ, ㄷ   ⑤ ㄱ, ㄴ, ㄷ

┃ 해법 가이드 ┃

$y=|\log_2 x|$와 $y=-x+n$, $y=-x+n+1$을 함께 그려 놓고, 두 직선과 $y=-\log_2 x$의 그래프가 만나는 점의 x좌표를 a_n, a_{n+1}이라 하고, 두 직선과 $y=\log_2 x$의 그래프가 만나는 점의 x좌표를 b_n, b_{n+1}이라 한다.

03-2

자연수 n $(n \geq 2)$에 대하여 직선 $y=-x+n$과 곡선 $y=|\log_2 x|$가 만나는 서로 다른 두 점의 x좌표를 각각 a_n, b_n $(a_n < b_n)$이라 할 때, **보기**에서 옳은 것만을 있는 대로 고른 것은?

─┤ 보기 ├─

ㄱ. $\dfrac{a_{n+1}}{a_n} < \dfrac{b_{n+1}}{b_n}$

ㄴ. $\dfrac{\log_2 a_n b_n}{a_n - b_n} + \dfrac{\log_2 a_{n+1} b_{n+1}}{a_{n+1} - b_{n+1}} = 2$

ㄷ. $\dfrac{\log_2 b_n}{b_n - 1} < \dfrac{\log_2 b_{n+1}}{b_{n+1} - 1}$

① ㄱ   ② ㄴ   ③ ㄷ
④ ㄱ, ㄴ   ⑤ ㄱ, ㄴ, ㄷ

┃ 풀이 점검 ┃

ㄴ. n값이 커질수록 a_n의 값은 ❶ _____

ㄷ. $n \geq 2$에서 n과 b_n의 대소를 생각하면 ❷ _____

┃ 풀이 점검 ┃

ㄴ. 두 점 $A_n(a_n, -\log_2 a_n)$, $B_n(b_n, \log_2 b_n)$에 대하여 직선 A_nB_n의 기울기는 _____

04 ★★

$f(x)=\log_k x \ (k>1)$의 그래프를 이용하여 보기에서 옳은 것만을 있는 대로 고른 것은? (단, $1<a<b$)

┌─ 보기 ────────────────────

ㄱ. $3\log_k \dfrac{2a+b}{3} > 2\log_k a + \log_k b$

ㄴ. $b\log_k a < a\log_k b$

ㄷ. $\dfrac{\log_k a}{2(b-1)} < \dfrac{\log_k b}{2(a-1)}$

────────────────────────────

① ㄱ　　　　　② ㄱ, ㄴ　　　　　③ ㄱ, ㄷ

④ ㄴ, ㄷ　　　　⑤ ㄱ, ㄴ, ㄷ

│ 해법 가이드 │

$y=f(x)$의 그래프에서 점의 위치(함숫값), 기울기 비교, 넓이 비교를 이용한다.

05 ★★

곡선 $f(x)=2^x-1$ 위의 임의의 두 점에 대하여 x좌표를 각각 a, b $(0<a<b)$라 하고, 직선 $y=-x+4$와 만나는 점을 $A(a_1, a_2)$라 한다. 또 곡선 $g(x)=\log_3(x+1)$이 직선 $y=-x+4$와 만나는 점을 $B(b_1, b_2)$라 하고, 두 곡선 $y=f(x)$, $y=g(x)$의 교점을 $C(c_1, c_2)$라 할 때. **보기**에서 옳은 것만을 있는 대로 고른 것은?

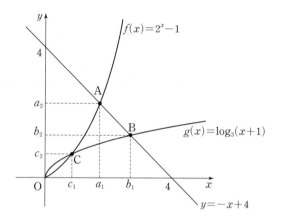

┌─ 보기 ────────────────────

ㄱ. $0<c_1<1$　　　　　　ㄴ. $b-a<2^b-2^a$

ㄷ. $a_1 a_2 < b_1 b_2$

────────────────────────────

① ㄱ　　　　　② ㄴ　　　　　③ ㄱ, ㄴ

④ ㄱ, ㄷ　　　　⑤ ㄱ, ㄴ, ㄷ

│ 해법 가이드 │

- $f(x)=2^x-1$의 역함수인 $h(x)=\log_2(x+1)$을 생각한다.
- ㄱ은 점의 위치, ㄴ은 기울기, ㄷ은 넓이를 각각 비교한다.

│ 풀이 점검 │

그래프 위에 두 점 $P(a, f(a))$, $Q(b, f(b))$를 잡을 때

1 y축에 평행하고 선분 PQ를 $1:2$로 내분하는 점의 좌표는

❶ _____

2 점 $C(1, 0)$에 대하여 △PCA의 넓이는 ❷ _____

│ 풀이 점검 │

1 곡선 $f(x)=2^x-1$ 위의 임의의 두 점 $P(a, f(a))$, $Q(b, f(b))$를 지나는 직선의 기울기는 ❶ _____

2 $a_1 a_2$와 $b_1 b_2$의 크기를 비교하면 ❷ _____

06 ★★ 2021학년도 수능 6월 모의평가 21번 변형

두 곡선 $y=|4^{-x}-1|$과 $y=-2x^2+2$가 만나는 두 점을 (x_1, y_1), (x_2, y_2)라 하자. $x_1<x_2$일 때, **보기**에서 옳은 것만을 있는 대로 고른 것은?

┤ 보기 ├

ㄱ. $-\dfrac{1}{\sqrt{2}}<x_1<-\dfrac{1}{2}$

ㄴ. $1<\dfrac{y_1}{y_2}<2$

ㄷ. $\dfrac{y_1-y_2}{x_2-x_1}<1$

① ㄱ   ② ㄴ   ③ ㄱ, ㄷ

④ ㄴ, ㄷ   ⑤ ㄱ, ㄴ, ㄷ

▌해법 가이드 ▌

$f(x)=|4^{-x}-1|$과 $g(x)=-2x^2+2$의 그래프를 함께 그려 보고, 교점을 기준으로 x좌표, y좌표를 비교해 본다.

▌풀이 점검 ▌

$\boxed{1}$ $g\left(-\dfrac{1}{2}\right)=\dfrac{3}{2}$에서 y_1값의 범위는 ❶ _____

$\boxed{2}$ $g\left(\dfrac{1}{\sqrt{2}}\right)=1$과 $f(1)=\dfrac{3}{4}$에서 y_2값의 범위는 ❷ _____

07 ★★

함수 $f(x)=5\times 2^x+a$의 그래프를 x축 방향으로 $\log_2 40$만큼 평행이동한 그래프가 함수 $g(x)=\log_2 bx$의 그래프를 x축 방향으로 2만큼 평행이동한 그래프와 직선 $y=x$에 대하여 대칭이다. 또 함수 $y=g(x)$와 $y=x$의 교점의 x좌표를 α, β라 할 때, **보기**에서 옳은 것만을 있는 대로 고른 것은? (단, $\alpha<\beta$)

┤ 보기 ├

ㄱ. $a+b=10$ ㄴ. $6<8\alpha+\beta<8$

ㄷ. $\dfrac{\log_2\beta-\log_2\alpha}{\beta-\alpha}<\dfrac{\log_2\beta}{\beta-3}$

① ㄱ   ② ㄴ   ③ ㄱ, ㄴ

④ ㄴ, ㄷ   ⑤ ㄱ, ㄴ, ㄷ

▌해법 가이드 ▌

• $y=5\times 2^{x-\log_2 40}+a$ ……㉠, $y=\log_2 b(x-2)$ ……㉡ 이라 하면 ㉠과 ㉡이 역함수 관계이므로 ㉠의 역함수가 ㉡과 같음을 이용할 수 있다.

• $y=g(x)$와 $y=x$를 그려 두 교점 P, Q의 위치를 확인한다.

• 직선 PQ의 기울기가 1임을 이용한다.

▌풀이 점검 ▌

$\boxed{1}$ $y=5\times 2^{x-\log_2 40}+a$의 역함수는 ❶ _____

$\boxed{2}$ $\dfrac{\log_2\beta}{\beta-3}=$ ❷ _____

08 ★★

2013학년도 수능 6월 모의평가 30번 변형

3보다 큰 자연수 n에 대하여 $f(n)$을 다음 조건을 만족시키는 가장 작은 자연수 a라 하자.

> (가) $a \geq 3$
>
> (나) 두 점 $(2, 0)$, $(a, \log_n a)$를 지나는 직선의 기울기는 $\dfrac{1}{2}$보다 작거나 같다.

보기에서 옳은 것만을 있는 대로 고른 것은?

┤ 보기 ├

ㄱ. $\log_n a \leq \dfrac{1}{2}(a-2)$ ㄴ. $f(4) = 4$

ㄷ. $\displaystyle\sum_{n=4}^{32} f(n) = 98$

① ㄱ   ② ㄴ   ③ ㄱ, ㄴ

④ ㄴ, ㄷ   ⑤ ㄱ, ㄴ, ㄷ

┃ 해법 가이드 ┃

$f(4) = 4$가 맞는지 확인하면서 $f(n)$의 뜻을 알아보자.

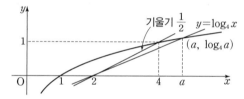

┃ 풀이 점검 ┃

① (나)를 부등식으로 나타내면 ❶ _____

② $n = 5, 6, 7, \cdots, 32$일 때 두 점 $(2, 0)$, $(a, \log_n a)$를 지나는 직선의 기울기를 확인해 보면 $f(9) = $ ❷ _____

유형 03

삼각함수와 그 활용

◀ Mentor Comment

수능 실시 이후 삼각함수 단원에서 최고난도로 나온 문제는 드물었지만 2015 개정 교육과정의 수 I 에서 이 단원이 차지하는 비중은 적지 않다. 한편 확률과 통계를 선택하려는 학생들에게는 삼각함수라는 이름만으로도 까다롭다는 느낌을 가지기 일쑤이므로 기본부터 착실히 해놓아야 한다. 수 I, 수 II 중 도형(삼각형, 사각형, 원)을 적극적으로 활용하는 몇 안 되는 단원이므로 도형에 약한 학생들일수록 더 많은 연습이 필요하다. 특히 예전에 고정 유형으로 나왔던 무한급수의 활용이 미적분으로 옮겨진 만큼 까다로운 도형 문제는 이 단원에서 출제 될 가능성이 높다는 점도 생각해야 한다.

대표 문제

01
2019학년도 9월 고2 학력평가 19번

반지름 길이가 3인 원의 둘레를 6등분하는 점 중에서 연속된 세 점을 각각 A, B, C라 하자. 점 B를 포함하지 않는 호 AC 위의 점 P에 대하여 $\overline{AP}+\overline{CP}=8$이다. 사각형 ABCP의 넓이는?

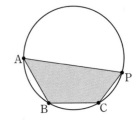

① $\dfrac{13\sqrt{3}}{3}$ ② $\dfrac{16\sqrt{3}}{3}$ ③ $\dfrac{19\sqrt{3}}{3}$

④ $\dfrac{22\sqrt{3}}{3}$ ⑤ $\dfrac{25\sqrt{3}}{3}$

풀이 preview

원의 중심을 O라 하자.

$\triangle OAB$와 $\triangle OBC$는 정삼각형이므로 $\overline{AB}=\overline{BC}=3$

$\triangle ABC$에서 $\angle ABC=\dfrac{2\pi}{3}$이므로 코사인법칙에 따라

$\overline{AC}^2=3^2+3^2-2\times3\times3\times\cos\dfrac{2\pi}{3}=27$

$\therefore \overline{AC}=3\sqrt{3}$

□ABCP가 원에 내접하므로

$\angle ABC+\angle APC=\pi$, 즉 $\angle APC=\dfrac{\pi}{3}$

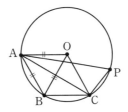

✓ 해법 Tip

1 □ABCP가 원에 내접하므로
$\angle ABC+\angle APC=\pi$

2 $\overline{AC}$의 길이를 구하고 $\triangle PAC$에서
$\angle APC$에 대한 코사인법칙을 사용한다.

3 (□ABCP의 넓이)
$=\triangle ABC+\triangle PAC$

02-1 ★

그림과 같이 $\overline{AB}=3$, $\overline{BC}=5$, $\angle ABC=60°$인 평행사변형 ABCD에 대하여 $\angle ABC$의 이등분선을 BE라 하자. $\angle EBD=\theta$라 할 때, $\sin\theta$의 값은?

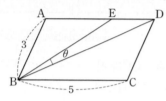

① $\dfrac{1}{5}$ ② $\dfrac{1}{6}$ ③ $\dfrac{1}{7}$ ④ $\dfrac{1}{8}$ ⑤ $\dfrac{1}{9}$

∥ 해법 가이드 ∥

$\overline{BD}$ 또는 $\overline{BE}$의 길이를 구한다.

02-2

그림과 같이 $\overline{AB}=3$, $\overline{BC}=5$, $\angle ABC=\dfrac{2\pi}{3}$인 둔각삼각형 ABC에 대하여 $\angle ABC$의 이등분선을 BD라 하자. $\angle BDC=\theta$라 할 때, $\sin\theta$의 값은?

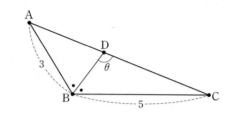

① $\dfrac{\sqrt{3}}{2}$ ② $\dfrac{5}{6}$ ③ $\dfrac{4\sqrt{3}}{7}$

④ $\dfrac{5\sqrt{2}}{8}$ ⑤ 1

∥ 풀이 점검 ∥

$\overline{ED}=$ ❶_____ , $\overline{BD}=$ ❷_____

∥ 풀이 점검 ∥

$\overline{AC}=$ ❶_____ , $\overline{CD}=$ ❷_____

03-1 ★ 2019학년도 수능 9월 모의평가 14번

실수 k에 대하여 함수

$$f(x) = \cos^2\left(x - \frac{3}{4}\pi\right) - \cos\left(x - \frac{\pi}{4}\right) + k$$

의 최댓값은 3, 최솟값은 m이다. $k+m$의 값은?

① 2   ② $\frac{9}{4}$ ③ $\frac{5}{2}$ ④ $\frac{11}{4}$ ⑤ 3

| 해법 가이드 |

$x - \frac{3}{4}\pi$와 $x - \frac{\pi}{4}$의 차가 $\frac{\pi}{2}$임을 이용한다.

03-2

실수 k에 대하여 함수

$$f(x) = \sin^2\left(x - \frac{\pi}{6}\right) + 2k\sin\left(x + \frac{\pi}{3}\right) + 1$$

의 최댓값은 5, 최솟값은 m이다. 가능한 k, m에 대하여 $k^2 + m^2$의 값을 구하시오.

| 풀이 점검 |

① 최댓값 조건에서 $k =$ **❶**_____

② 최솟값 조건에서 $m =$ **❷**_____

| 풀이 점검 |

① 최댓값 조건에서 $k =$ **❶**_____

② 최솟값 조건에서 $m =$ **❷**_____

04 ★

삼차방정식 $x^3-15x^2+kx-105=0$의 세 실근이 등차수열을 이루며 △ABC의 세 변의 길이가 될 때, **보기**에서 옳은 것만을 모두 고른 것은?

┤ 보기 ├
ㄱ. $k=72$
ㄴ. △ABC의 세 내각 중 가장 큰 각의 크기는 $120°$다.
ㄷ. △ABC의 넓이는 $\dfrac{15\sqrt{3}}{4}$이다.

① ㄱ   ② ㄴ   ③ ㄱ, ㄷ
④ ㄴ, ㄷ   ⑤ ㄱ, ㄴ, ㄷ

┃ 해법 가이드 ┃

△ABC에서 세 변의 길이를 알 때 사용할 수 있는 넓이 공식을 이용한다.

05 ★

2020학년도 7월 학력평가 27번 변형

자연수 n에 대하여 $-2^n \leq x < 2^n$일 때, 부등식
$$\sin\left(\frac{\pi}{2^n}x\right) \geq -\frac{\sqrt{2}}{2}$$
를 만족시키는 서로 다른 정수 x의 개수를 a_n이라 하자. $\displaystyle\sum_{n=1}^{5} a_n$의 값을 구하시오.

① 53   ② 60   ③ 75   ④ 82   ⑤ 97

┃ 해법 가이드 ┃

$y=\sin x$의 그래프에서 $\sin\left(\dfrac{\pi}{2^n}x\right) \geq -\dfrac{\sqrt{2}}{2}$인 $\dfrac{\pi}{2^n}x$의 범위를 구한다.

┃ 풀이 점검 ┃

① 삼차방정식에서 $k=$ ❶ _____

② △ABC에서 가장 큰 각의 크기가 A이면 $A=$ ❷ _____

┃ 풀이 점검 ┃

주어진 부등식에서 구한 $a_3=$ ❶ _____, $a_5=$ ❷ _____

06 ★

양의 실수 x에서 정의된 두 함수 $f(x)$, $g(x)$가 다음과 같을 때, $y=f(x)$ 그래프와 $y=g(x)$ 그래프의 교점의 개수를 구하시오.

$$f(x)=|2\cos \pi x+1|, \ g(x)=\log_4 x$$

| 해법 가이드 |

· $y=2\cos \pi x+1$의 그래프에서 x축 아랫부분을 대칭이동한 것이 $y=f(x)$의 그래프다.
· $y=g(x)$의 그래프를 그릴 때, $y=1$, $y=3$인 점을 확인한다.

07 ★★

x에 대한 방정식 $4\cos^2\left(\dfrac{\pi}{2}+x\right)+4\cos x+a-4=0$에 대하여 서로 다른 실근의 개수가 2개가 되도록 하는 정수 a의 개수를 구하시오. (단, $0\le x<2\pi$)

| 해법 가이드 |

삼각함수의 종류를 같게 한 후 치환한다.

| 풀이 점검 |

① $1\le x<4$에서 구하려는 교점의 개수는 ^❶_____

② $4\le x<64$에서 구하려는 교점의 개수는 ^❷_____

③ $x=64$일 때 구하려는 교점의 개수는 ^❸_____

| 풀이 점검 |

① $a=-1$일 때, 실근 x는 ^❶_____개

② $-1<a<0$일 때, 실근 x는 ^❷_____개

③ $a=0$일 때, 실근 x는 ^❸_____개

08 ★★

2022학년도 수능 예시문항 21번 변형

그림처럼 한 평면 위에 있는 두 삼각형 ABC, ACD의 외심을 각각 O, O′이라 하고 $\angle ABC = \alpha$, $\angle ADC = \beta$라 할 때, $\dfrac{\sin \beta}{\sin \alpha} = \dfrac{5}{3}$, $\cos(\alpha + \beta) = -\dfrac{1}{5}$, $\overline{OO'} = 1$이 성립한다.

삼각형 ABC의 외접원의 넓이가 $\dfrac{q}{p}\pi$일 때, $p + q$의 값을 구하시오. (단, p, q는 서로소인 자연수이다.)

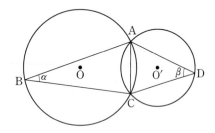

| 해법 가이드 |

△ABC와 △ADC에서 각각 사인법칙을 이용해 두 외접원의 반지름 길이를 한 문자로 나타낸다.

09 ★★

그림과 같이 좌표평면 위에 있는 반지름 길이가 1인 원의 둘레를 10등분한 점을 차례로 P_0, P_1, P_2, $\cdots$, P_9라 하고, $\angle P_0 O P_1 = \theta$라 하자. $\displaystyle\sum_{k=1}^{9}(k\cos k\theta + \tan k^2\theta)$의 값은?

(단, $P_0(1, 0)$이다.)

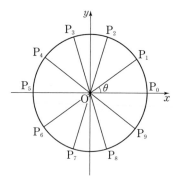

① -5 ② -4 ③ -3

④ -2 ⑤ -1

| 해법 가이드 |

두 점 P_1과 P_4는 y축에 대하여 대칭이다. 마찬가지로 y축에 대하여 대칭인 점들을 찾을 수 있다.

| 풀이 점검 |

큰 외접원의 반지름 길이를 R라 할 때

① 작은 외접원의 반지름 길이는 ❶ _____

② $R^2 =$ ❷ _____

| 풀이 점검 |

$\displaystyle\sum_{k=1}^{9} k\cos k\theta =$ ❶ _____ , $\displaystyle\sum_{k=1}^{9} \tan k^2\theta =$ ❷ _____

10 ★★

2020학년도 3월 학력평가 29번 변형

그림과 같이 삼각형 ABC가 한 원에 내접하고 있다. $\overline{AB}=8$이고, $\angle ABC=\alpha$라 할 때, $\cos\alpha=\dfrac{13}{14}$이다. 점 A를 지나지 않는 호 BC 위의 점 D에 대하여 $\overline{CD}=5$이다. 두 삼각형 ABD, CBD의 넓이를 각각 S_1, S_2라 할 때, $S_1 : S_2 = 8 : 5$이다. 삼각형 ADC의 넓이를 S라 할 때, $S=\dfrac{p}{q}\sqrt{3}$이다. $p+q$의 값을 구하시오.

(단, p, q는 서로소인 자연수이다.)

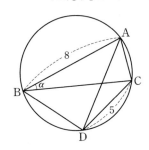

| 해법 가이드 |

주어진 △ABD와 △CBD의 넓이 비에서 $\overline{BC}$와 $\overline{AD}$의 길이 관계를 구한다.

| 풀이 점검 |

① $\overline{AD}=$❶_____

② $S=$❷_____

11 ★★

두 함수 $f(x)=2\sin x\cos x$, $g(x)=\sqrt{x+1}-\sqrt{1-x}$에 대하여 합성함수 $h(x)=(g\circ f)(x)$라 하자. **보기**에서 옳은 것만을 모두 고른 것은?

| 보기 |

ㄱ. $h\left(\dfrac{\pi}{5}\right)=2\cos\dfrac{\pi}{5}$

ㄴ. 함수 $y=h(x)$의 주기는 π

ㄷ. 함수 $y=h(x)$의 최댓값은 $\sqrt{2}$

① ㄱ ② ㄴ ③ ㄱ, ㄷ
④ ㄴ, ㄷ ⑤ ㄱ, ㄴ, ㄷ

| 해법 가이드 |

$1\pm2\sin x\cos x=(\sin x\pm\cos x)^2$임을 이용해 $h(x)$를 간단히 정리한 다음, 그 그래프 개형을 그려본다.

| 풀이 점검 |

① $0\le x<\dfrac{\pi}{4}$일 때 $h(x)=$❶_____

② $\dfrac{\pi}{4}\le x<\dfrac{3}{4}\pi$일 때 $h(x)=$❷_____

③ $\dfrac{3}{4}\pi\le x<\dfrac{5}{4}\pi$일 때 $h(x)=$❸_____

12 ★★☆　2020학년도 수능 6월 모의평가 21번 변형

실수 전체의 집합에서 정의된 함수 $f(x)$가 다음과 같다.

$$f(x)=\begin{cases} \dfrac{\left|\sin \dfrac{\pi x}{5}\right|}{\sin \dfrac{\pi x}{5}}+n & (x\neq 5k) \\[4mm] n & (x=5k) \end{cases} \quad (k\text{는 정수})$$

함수 $(f \circ f)(x)$가 상수함수가 되지 않도록 하는 30 이하의 자연수 n의 개수를 구하시오.

┃ 해법 가이드 ┃

- $y=\sin \dfrac{\pi x}{5}$의 그래프에서 $\dfrac{\left|\sin \dfrac{\pi x}{5}\right|}{\sin \dfrac{\pi x}{5}}+n$의 값을 생각한다.

- 함수 $f(x)$의 특징을 확인한 후 함수 $(f \circ f)(x)$가 상수함수가 되는 n의 조건을 구한다.

┃ 풀이 점검 ┃

① $(f \circ f)(x)=n+1$이 되는 자연수 n값을 정수 k를 써서 나타내면 ❶_____ , _____

② $(f \circ f)(x)=n-1$이 되는 자연수 n값을 정수 k를 써서 나타내면 ❷_____ , _____

유형 04

수열의 합과 수열의 규칙성

◀ Mentor Comment

최근 수능에서 수열의 합과 규칙성은 수학 나형에서만 3~4 문제가 꾸준히 나왔고 그중 한 문제는 2019학년도 수능의 29번이나 2020학년도 수능의 21번처럼 상당히 난이도 높은 문제로 출제가 되었다. 특히 개정 교육 과정에서는 공통 필수로 다뤄지는 만큼 더 신경써야 하는 단원이 되었다.

수열의 합은 등차수열과 등비수열, 그리고 시그마의 성질을 이해하고 활용 문제를 연습해야 하고, 규칙성 찾기는 점화식으로 나오거나 직관력이 필요한 문제로 출제되므로 출제자의 의도를 잘 찾는 것이 필요하다.

대표 문제

01
2020학년도 수능 21번

수열 $\{a_n\}$이 모든 자연수 n에 대하여 다음 조건을 만족시킨다.

> (가) $a_{2n} = a_n - 1$
> (나) $a_{2n+1} = 2a_n + 1$

$a_{20} = 1$일 때, $\sum_{n=1}^{63} a_n$의 값은?

① 704　　　② 712　　　③ 720　　　④ 728　　　⑤ 736

풀이 preview

(가)에서 $a_{10} = a_{20} + 1 = 1 + 1 = 2$, $a_5 = a_{10} + 1 = 2 + 1 = 3$

(나)에서 $a_2 = \dfrac{a_5 - 1}{2} = \dfrac{3 - 1}{2} = 1$

(가)에서 $a_1 = a_2 + 1 = 1 + 1 = 2$

또 (가), (나)를 더하면 $a_{2n} + a_{2n+1} = 3a_n$

$\sum_{n=1}^{63} a_n = a_1 + (a_2 + a_3) + (a_4 + \cdots + a_7) + (a_8 + \cdots + a_{15}) + (a_{16} + \cdots + a_{31}) + (a_{32} + \cdots + a_{63})$

이때 규칙을 찾아 $(a_2 + a_3)$, $(a_4 + \cdots + a_7)$, $(a_8 + \cdots + a_{15})$, $(a_{16} + \cdots + a_{31})$, $(a_{32} + \cdots + a_{63})$ 각각을 간단한 꼴로 나타낸다.

✓ 해법 Tip

1 (가), (나)를 이용해 a_1, a_2, …등을 직접 구해본다.

2 (가), (나)에서 수열의 합을 구할 수 있는 단서를 찾아본다.

02-1 ★

2014학년도 3월 학력평가 15번

첫째항이 30이고 공차가 $-d$인 등차수열 $\{a_n\}$에 대하여 등식 $a_m+a_{m+1}+a_{m+2}+\cdots+a_{m+k}=0$을 만족시키는 두 자연수 m, k가 존재하도록 하는 자연수 d의 개수는?

① 11   ② 12   ③ 13

④ 14   ⑤ 15

| 해법 가이드 |

$$a_m+a_{m+1}+a_{m+2}+\cdots+a_{m+k}=\frac{(k+1)(a_m+a_{m+k})}{2}$$

02-2

첫째항이 30이고 공차가 $-d$인 등차수열 $\{a_n\}$에 대하여 다음이 성립할 때, 가능한 자연수 d의 합을 구하시오.

> ㈎ 모든 자연수 n에 대하여 $a_n\neq0$이다.
>
> ㈏ $a_m+a_{m+1}+a_{m+2}+\cdots+a_{m+k}=0$인 두 자연수 m, k가 존재한다.

| 풀이 점검 |

① $a_m+a_{m+1}+\cdots+a_{m+k}=0$에서 **❶** _____ $=60$

② 조건에 맞는 d는 **❷** _____ 와 같다.

| 풀이 점검 |

① ㈎에 따라 d는 **❶** _____ 의 약수가 아니다.

② 조건에 맞는 d값을 모두 구하면 **❷** ____ , ____ , ____ , ____

03-1 ★★

2019학년도 10월 학력평가 29번 변형

첫째항이 4의 배수인 수열 $\{a_n\}$은 자연수 n에 대하여

$$a_{n+1}=\begin{cases} a_n+3 & (a_n\text{이 홀수인 경우}) \\ \dfrac{a_n}{2} & (a_n\text{이 짝수인 경우}) \end{cases}$$

를 만족시킨다. $a_5=7$일 때, 수열 $\{a_n\}$의 첫째항이 될 수 있는 모든 수의 합을 p, $\displaystyle\sum_{n=9}^{32} a_n$의 값을 q라 하자. $p+q$의 값을 구하시오.

┃ 해법 가이드 ┃

- $a_1=4k$ (k는 자연수)로 두고 가능한 a_5를 구한다.
- $a_5=7$을 이용해 가능한 k값을 찾는다.

03-2

첫째항이 짝수인 수열 $\{a_n\}$은 모든 자연수 n에 대하여

$$a_{n+1}=\begin{cases} a_n+3 & (a_n\text{이 홀수인 경우}) \\ \dfrac{a_n}{2} & (a_n\text{이 짝수인 경우}) \end{cases}$$

를 만족시킨다. $a_5=6$일 때 가능한 a_1 값의 합을 구하시오.

┃ 풀이 점검 ┃

① $a_5=7$이 될 수 있는 $a_1=$ ❶ ＿＿＿＿＿, ＿＿＿＿＿

② $a_9=a_{12}=\cdots=a_{30}=$ ❷ ＿＿＿＿＿

┃ 풀이 점검 ┃

$a_5=6$일 때, a_1이 될 수 있는 수는 모두 ❶ ＿＿＿＿＿개

04 ★

2015학년도 6월 고2 학력평가 10번 변형

어느 공장에서 생산하는 직원뿔대 모양 유리컵의 높이는 a 이고, 크기와 모양은 모두 일정하다. [그림 1]과 같이 유리컵 두 개를 밑면이 지면과 평행하도록 포개어 쌓으면 유리컵 한 개 높이의 $\frac{3}{5}$만큼 항상 겹치게 된다. [그림 2]와 같이 유리컵 3개를 쌓을 때, 마지막으로 쌓은 유리컵의 밑면까지의 높이가 18이다. 이와 같은 방법으로 유리컵 n개를 쌓을 때, 마지막으로 쌓은 유리컵 밑면까지의 높이는 a_n이다. $\sum_{n=1}^{10} \frac{1}{a_n a_{n+1}} = \frac{q}{p}$에서 서로소인 두 자연수 p, q의 합 $p+q$ 를 구하시오. (단, 유리컵을 쌓은 지면은 평평하다.)

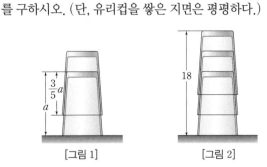

[그림 1]   [그림 2]

| 해법 가이드 |

유리컵 밑면까지의 높이 a_n은 등차수열이다.

05 ★

2020학년도 수능 15번 변형

첫째항이 -21이고 공차가 4인 등차수열의 첫째항부터 제 n항까지의 합을 S_n이라 할 때, $\sum_{k=m}^{m+4} S_k$의 최솟값은?

① -330 ② -320 ③ -315
④ -310 ⑤ -305

| 해법 가이드 |

$\sum_{k=m}^{m+4} S_k$는 연속한 항 5개의 합이므로 수열 $\{S_n\}$에서 연속한 항 5개를 뽑을 때 어떤 경우에 최소가 될지 생각한다.

| 풀이 점검 |

① 수열 $\{a_n\}$은 첫째항이 a이고 공차가 ❶_____인 등차수열이다.

② $a_3 = 18$을 이용하면 $a =$ ❷_____

| 풀이 점검 |

$S_n =$ ❶_____ 이고, $\sum_{k=m}^{m+4} S_k$가 최소가 되도록 하는 $m =$ ❷_____이다.

06 ★

첫째항이 2이고 공비가 정수인 등비수열 $\{a_n\}$과 자연수 m이 다음 조건을 만족시킬 때, a_m의 값을 구하시오.

> (가) $4 < a_2 + a_3 \leq 12$
>
> (나) $\displaystyle\sum_{k=1}^{m} a_k = 122$

| 해법 가이드 |

공비를 r (r는 정수)라 하면 (가)에서 $4 < 2r + 2r^2 \leq 12$이므로 가능한 정수 r를 구한다.

07 ★

자연수 n에 대하여 $S_n = \displaystyle\sum_{k=1}^{n} \frac{1}{\sqrt{2k+1}}$이라 할 때, 다음은 S_{264}의 정수부분을 구하는 과정이다.

> 모든 자연수 k에 대하여
>
> $$\frac{\boxed{\text{(가)}}}{2} < \sqrt{2k+1} < \frac{\sqrt{2k+1} + \sqrt{2k+3}}{2}$$
>
> 을 만족한다. 그러므로
>
> $$\frac{2}{\sqrt{2k+1} + \sqrt{2k+3}} < \frac{1}{\sqrt{2k+1}} < \frac{2}{\boxed{\text{(가)}}}$$ 이고
>
> $$\sum_{k=1}^{264} \frac{2}{\sqrt{2k+1} + \sqrt{2k+3}} < \sum_{k=1}^{264} \frac{1}{\sqrt{2k+1}} < \sum_{k=1}^{264} \frac{2}{\boxed{\text{(가)}}}$$
>
> 이때
>
> $$\sum_{k=1}^{264} \frac{2}{\sqrt{2k+1} + \sqrt{2k+3}}$$
>
> $$= \sum_{k=1}^{264} \left(\sqrt{2k+3} - \sqrt{2k+1} \right)$$
>
> $$= (\sqrt{5} - \sqrt{3}) + (\sqrt{7} - \sqrt{5}) + \cdots + (\sqrt{531} - \sqrt{529})$$
>
> $$= -\sqrt{3} + \sqrt{531}$$
>
> 이고, 같은 방법으로 $\displaystyle\sum_{k=1}^{264} \frac{2}{\boxed{\text{(가)}}} = \boxed{\text{(나)}}$
>
> 즉 $\sqrt{531} - \sqrt{3} < \displaystyle\sum_{k=1}^{264} \frac{1}{\sqrt{2k+1}} < \boxed{\text{(나)}}$ 이므로
>
> S_{264}의 정수부분은 $\boxed{\text{(다)}}$ 이다.

위의 (가)에 알맞은 식을 $f(k)$라 하고 (나), (다)에 알맞은 수를 각각 a, b라 할 때, $f(24) + 2a + b = m + \sqrt{n}$이다. 두 자연수 m, n의 합은?

① 117 ② 119 ③ 121
④ 123 ⑤ 125

| 해법 가이드 |

$\displaystyle\sum_{k=1}^{n} \frac{1}{\sqrt{2k+1}}$은 바로 계산할 수 없으므로 부등식을 이용해 값의 범위를 구한다.

| 풀이 점검 |

등비수열 $\{a_n\}$의 공비를 r(r는 정수)라 하면

$r = \boxed{\text{❶}\underline{}}$, $m = \boxed{\text{❷}\underline{}}$ 이다.

08 ★★
2019학년도 수능 16번 변형

그림과 같이 $\overline{OA_1}=6$, $\overline{OB_1}=6\sqrt{3}$ 인 직각삼각형 OA_1B_1 이 있다. 중심이 O이고 반지름 길이가 $\overline{OA_1}$ 인 원이 선분 OB_1과 만나는 점을 B_2라 하자. 삼각형 OA_1B_1의 내부와 부채꼴 OA_1B_2의 내부에서 공통부분을 제외한 ◣ 모양의 도형에 칠하여 얻은 그림을 R_1이라 하자.

그림 R_1에서 점 B_2를 지나고 선분 A_1B_1에 평행한 직선이 선분 OA_1과 만나는 점을 A_2, 중심이 O이고 반지름 길이가 $\overline{OA_2}$인 원이 선분 OB_2와 만나는 점을 B_3이라 하자. 삼각형 OA_2B_2의 내부와 부채꼴 OA_2B_3의 내부에서 공통부분을 제외한 ◣ 모양의 도형에 색칠하여 얻은 그림을 R_2라 하자. 이와 같은 과정을 계속하여 n번째 얻은 그림 R_n에 색칠되어 있는 부분의 넓이를 S_n이라 할 때, S_{12}의 값은?

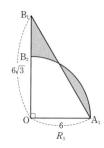

R_1

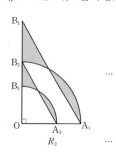

R_2

① $\dfrac{1}{2}\pi\left\{1-\left(\dfrac{1}{3}\right)^{12}\right\}$

② $\dfrac{5}{2}\pi\left\{1-\left(\dfrac{2}{3}\right)^{12}\right\}$

③ $\dfrac{5}{2}\pi\left\{1-\left(\dfrac{1}{3}\right)^{12}\right\}$

④ $\dfrac{9}{2}\pi\left\{1-\left(\dfrac{1}{3}\right)^{12}\right\}$

⑤ $\dfrac{9}{2}\pi\left\{1-\left(\dfrac{2}{3}\right)^{12}\right\}$

| 해법 가이드 |

부채꼴 OA_1B_2의 호 A_1B_2와 선분 A_1B_1이 만나는 점을 C_1이라 하면

$S_1=\{(\text{부채꼴 } OC_1A_1)-(\triangle C_1OA_1)\}$
$\quad\quad +\{(\triangle B_1OC_1)-(\text{부채꼴 } OC_1B_2)\}$

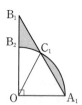

| 풀이 점검 |

① $S_1=$ ❶_____

② $S_2=S_1+$ ❷_____

09 ★★

스웨덴 수학자 코흐는 넓이는 유한하지만 둘레 길이가 무한한 도형을 소개하였는데, 이것을 '코흐 눈송이'라 한다. 이 도형을 만드는 방법은 다음과 같다.

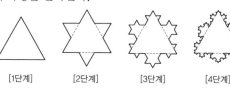

1 정삼각형을 한 개 그린다.
2 정삼각형의 각 변을 삼등분하여 가운데 부분을 지운 다음, 그 길이를 한 변의 길이로 하는 정삼각형을 그려 변을 연결한다.
3 위 과정을 반복한다.

[1단계]   [2단계]   [3단계]   [4단계]

[1단계]에서 정삼각형의 넓이는 10이다. 위 과정을 반복하여 [10단계]에서 만들어진 코흐 눈송이의 넓이가 $p-6\left(\dfrac{2}{3}\right)^q$ 일 때, $p+q$의 값은? (단, p, q는 자연수이다.)

① 25   ② 30   ③ 32   ④ 34   ⑤ 36

| 해법 가이드 |

n단계에서 새롭게 만들어지는 삼각형 개수는 $(n-1)$단계의 도형의 변의 개수와 같음을 생각한다.

| 풀이 점검 |

① n단계에서 새로 만들어지는 정삼각형 1개의 넓이는 $(n-1)$단계에서 만들어진 정삼각형 1개 넓이의 ❶_____

② 각 단계 도형에서 변의 개수는 첫째항이 3이고 공비가 ❷_____인 등비수열을 따른다.

10 ★★ 2016학년도 3월 고2 학력평가 28번 변형

두 함수 $f(x)=k(x-1)\ (k\neq 0)$, $g(x)=2x^2-3x+1$에 대하여 함수

$$h(x)=\begin{cases} f(x) & (f(x)\geq g(x)) \\ g(x) & (f(x)<g(x)) \end{cases}$$

가 다음 조건을 만족시킬 때, $\sum\limits_{n=1}^{10} h(n)$의 값은?

┌───┐
(가) 세 수 $h(2)$, $h(3)$, $h(4)$는 차례로 등차수열을 이룬다.
(나) 세 수 $h(3)$, $h(4)$, $h(5)$는 차례로 등비수열을 이룬다.
└───┘

① 625   ② 626   ③ 627
④ 628   ⑤ 629

│ 해법 가이드 │

- 함수 $h(x)$가 취하는 값은 $f(x)$ 또는 $g(x)$이다.
- $h(2)$, $h(3)$, $h(4)$가 등차수열이려면 세 점 $(2, h(2))$, $(3, h(3))$, $(4, h(4))$가 한 직선 위에 있어야 한다.
- (가) 조건에서 $h(3)$, $h(4)$가 결정되므로 공비를 알 수 있다.
- n값에 따라 $h(n)$의 꼴이 다르다는 것을 주의한다.

│ 풀이 점검 │

1 $h(3)$, $h(4)$, $h(5)$가 이루는 등비수열의 공비는 ❶ _____

2 $h(5)$의 값을 이용해 구한 $k=$ ❷ _____

11 ★★☆ 2019학년도 수능 29번

첫째항이 자연수이고 공차가 음의 정수인 등차수열 $\{a_n\}$과 첫째항이 자연수이고 공비가 음의 정수인 등비수열 $\{b_n\}$이 다음 조건을 만족시킬 때, a_7+b_7의 값을 구하시오.

┌───┐
(가) $\sum\limits_{n=1}^{5}(a_n+b_n)=27$ (나) $\sum\limits_{n=1}^{5}(a_n+|b_n|)=67$

(다) $\sum\limits_{n=1}^{5}(|a_n|+|b_n|)=81$
└───┘

│ 해법 가이드 │

(가), (나)에서 구한 $\sum\limits_{n=1}^{5}(|b_n|-b_n)=40$에서 공비를 정한다.

│ 풀이 점검 │

1 수열 $\{b_n\}$의 일반항 $b_n=$ ❶ _____

2 수열 $\{a_n\}$의 첫째항을 a_1, 공차를 d라 하면
$a_3=a_1+2d=$ ❷ _____

12 ★★☆ 2010학년도 수능 25번 변형

그림과 같이 한 변의 길이가 2인 정사각형 A와 한 변의 길이가 1인 정사각형 B는 변이 서로 평행하고, A의 두 대각선의 교점과 B의 두 대각선의 교점이 일치하도록 놓여 있다. A와 A의 내부에서 B의 내부를 제외한 영역을 R라 하자.

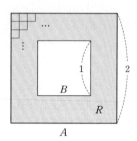

2 이상인 자연수 n에 대하여 한 변의 길이가 $\dfrac{1}{n}$인 작은 정사각형을 다음 규칙에 따라 R에 그린다.

(가) 작은 정사각형의 한 변은 A의 한 변에 평행하다.
(나) 작은 정사각형들의 내부는 서로 겹치지 않도록 한다.

이와 같은 규칙에 따라 R에 그릴 수 있는 한 변의 길이가 $\dfrac{1}{n}$인 작은 정사각형의 최대 개수를 a_n이라 하자. 예를 들어, $a_2=12$, $a_3=20$이다. $\displaystyle\sum_{n=2}^{25}(-1)^{n+1}a_n$의 값을 구하시오.

| 해법 가이드 |

A의 내부에 한 변의 길이가 $\dfrac{1}{3}$인 정사각형은 $6^2=36$개 그릴 수 있고, B의 내부에 한 변의 길이가 $\dfrac{1}{3}$인 정사각형은 $3^2=9$개 그릴 수 있으므로 $36-9=27$인데 주어진 예시인 $a_3=20$과 맞지 않다. 그 이유는 A와 B의 경계를 걸치는 정사각형이 존재하기 때문이다.

$a_3=6^2-4^2=20$

| 풀이 점검 |

① n이 짝수, 즉 $n=2k$일 때 $a_{2k}=$❶＿＿＿＿＿＿＿＿

② n이 홀수, 즉 $n=2k+1$일 때 $a_{2k+1}=$❷＿＿＿＿＿＿＿＿

13 ★★☆ 2019학년도 수능 9월 모의평가 29번 변형

좌표평면에서 그림과 같이 길이가 2인 선분이 수직으로 만나도록 연결된 경로가 있다. 이 경로를 따라 원점에서 멀어지도록 움직이는 점 P의 위치를 나타내는 점 A_n을 다음과 같은 규칙으로 정한다. **보기**에서 옳은 것만을 있는 대로 고른 것은?

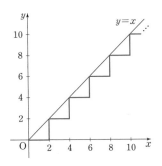

(가) A_0은 원점이다.

(나) n이 자연수일 때, A_n은 점 A_{n-1}에서 점 P가 경로를 따라 $\dfrac{2n-1}{36}$만큼 이동한 위치에 있는 점이다.

────■ 보기 ■────

ㄱ. A_{16}의 위치는 $\left(4, \dfrac{28}{9}\right)$

ㄴ. A_n 중 직선 $y=x$ 위에 있는 점을 원점에서 가까운 순서대로 나열할 때, 세 번째 점의 x좌표는 18이다.

ㄷ. 경로 중 x축에 평행한 선분에 있는 A_n을 A_0을 포함해서 n의 크기순으로 나열할 때, 17번째 n값은 24다.

① ㄱ   ② ㄴ   ③ ㄱ, ㄴ
④ ㄱ, ㄷ   ⑤ ㄱ, ㄴ, ㄷ

│ 해법 가이드 │

A_n이 경로를 따라 이동한 거리를 $f(A_n)$이라 하고, $f(A_n)$을 구한다.

│ 풀이 점검 │

1 직선 $y=x$ 위에 있는 A_n 중 원점에서 세 번째로 가까운 점은 ❷_____이다.

2 경로를 따라 움직일 때 $y=0$ $(0 \le x \le 2)$에 존재하는 점 A_n의 개수는 ❸_____

14 ★★★

두 수열 $\{a_n\}$, $\{b_n\}$이 다음을 만족시킨다.

> (가) $a_{n+1}=a_n+n+1$
>
> (나) $b_p=2b_q\ (p=a_{n+1},\ q=a_n)$
>
> (다) $b_{m+1}=\dfrac{3}{2}b_m\ (a_n\le m<a_{n+1}-1)$

$a_4=10$, $b_1=2$일 때, $\displaystyle\sum_{n=1}^{54} b_n$의 값은?

① $\dfrac{3^{10}-1}{2}-2^{10}$ ② $\dfrac{3^{11}-1}{2}-2^{10}$

③ $\dfrac{3^{11}-1}{2}-2^{11}$ ④ $\dfrac{3^{12}-1}{2}-2^{11}$

⑤ $\dfrac{3^{12}-1}{2}-2^{12}$

┃ 해법 가이드 ┃

- $a_4=10$과 (가)를 이용해 a_n을 구한다.
- (나)에서 $b_3=2b_1=2^2$, $b_6=2b_3=2^3$, $b_{10}=2b_6=2^4$
- (다)를 이용해 b_2, b_4, b_5, b_7, b_8, b_9를 구해 본다.

┃ 풀이 점검 ┃

① 수열 $\{a_n\}$에서 $a_1=$ ❶ _____

② 수열 $\{b_n\}$에서 $b_7=$ ❷ _____

유형 05

함수의 극한과 연속

◀ **Mentor Comment**

모든 수능과 모의평가에서 함수의 극한과 연속 관련 문제는 중요하게 다뤄졌으며 쉽게는 4점 기본 문항으로, 어렵게는 킬러 문항으로 출제되었다. 이런 경향은 새로 바뀌는 2022학년도 수능 이후에도 계속될 것이다. 함수의 극한의 기본 계산은 물론 곱과 나눗셈 및 합성된 함수의 연속성까지 모든 개념이 적용되기 때문에 문제를 꼼꼼히 읽고 토시 하나까지 놓치지 않아야 한다.

대표 문제

01

2019학년도 수능 21번

최고차항의 계수가 1인 삼차함수 $f(x)$에 대하여 실수 전체의 집합에서 연속인 함수 $g(x)$가 다음 조건을 만족시킨다. $f(1)$이 자연수일 때, $g(2)$의 최솟값은?

> (가) 모든 실수 x에 대하여 $f(x)g(x) = x(x+3)$이다.   (나) $g(0) = 1$

① $\dfrac{5}{13}$ ② $\dfrac{5}{14}$ ③ $\dfrac{1}{3}$ ④ $\dfrac{5}{16}$ ⑤ $\dfrac{5}{17}$

풀이 preview

모든 실수 x에 대하여 $f(x)g(x) = x(x+3)$이고 $g(0) = 1$이므로 (가)에서 $f(0) = 0$, 즉 $f(x) = x(x^2 + ax + b)$로 놓을 수 있다.

이때 $g(x) = \dfrac{x(x+3)}{f(x)} = \dfrac{x(x+3)}{x(x^2+ax+b)} = \dfrac{x+3}{x^2+ax+b}$에서

$g(0) = 1$이므로 $g(0) = \dfrac{3}{b} = 1$ ∴ $b = 3$

즉 $g(x) = \dfrac{x+3}{x^2+ax+3}$에서 함수 $g(x)$가 연속이려면

분모가 0이 되면 안 된다는 걸 알 수 있다.

✓ 해법 Tip

1 최고차항의 계수가 1인 삼차함수이고, $f(0) = 0$이므로 $f(x) = x^3 + ax^2 + bx$라 할 수 있다.

2 함수 $g(x)$가 모든 실수에서 연속이려면 분수함수의 분모가 0이 되는 실수 x가 존재하지 않아야 한다.

3 $f(1)$이 자연수가 되는 경우를 생각한다.

02-1 ★

2013학년도 3월 학력평가 30번

그림은 실수 전체에서 정의된 함수 $y=f(x)$의 그래프이고, $f(x)$는 $x=1$, $x=2$, $x=3$에서만 불연속이다.

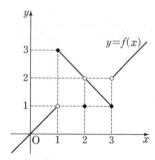

이차함수 $g(x)=x^2-4x+k$에 대하여 함수 $(f \circ g)(x)$가 $x=2$에서 불연속이 되도록 하는 모든 실수 k값의 합을 구하시오.

| 해법 가이드 |

함수 $(f \circ g)(x)$가 $x=2$에서 불연속이려면
$\lim_{x \to 2} f(g(x)) \neq f(g(2))$이다.

02-2

그림은 실수 전체에서 정의된 함수 $y=f(x)$의 그래프이고, $f(x)$는 $x=0$, $x=1$, $x=2$, $x=3$에서만 불연속이다.

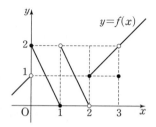

이차함수 $g(x)=-x^2+6x-k$에 대하여 함수 $(f \circ g)(x)$가 $x=3$에서 불연속이 되도록 하는 모든 실수 k값의 합을 구하시오.

| 풀이 점검 |

$x=2$에서 $(f \circ g)(x)$가 불연속이 되도록 하는 k값을 모두 구하면 _____

| 풀이 점검 |

$x=3$에서 $(f \circ g)(x)$가 불연속이 되도록 하는 k값을 모두 구하면 _____

03-1 ★★

2011학년도 수능 8번

다음과 같이 정의된 함수 $f(x)$가 있다.

$$f(x)=\begin{cases} x+2 & (x<-1) \\ 0 & (x=-1) \\ x^2 & (-1<x<1) \\ x-2 & (x\geq1) \end{cases}$$

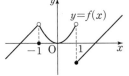

보기에서 옳은 것만을 있는 대로 고른 것은?

┤ 보기 ├
ㄱ. $\lim\limits_{x\to1+}\{f(x)+f(-x)\}=0$
ㄴ. 함수 $f(x)-|f(x)|$가 불연속인 점은 1개다.
ㄷ. 함수 $f(x)f(x-a)$가 실수 전체의 집합에서 연속이 되는 상수 a는 없다.

① ㄱ ② ㄱ, ㄴ ③ ㄱ, ㄷ
④ ㄴ, ㄷ ⑤ ㄱ, ㄴ, ㄷ

┃ 해법 가이드 ┃

$g(x)=f(x)-|f(x)|$라 하고, $f(x)<0$일 때와 $f(x)\geq0$일 때로 나누어 생각한다.

┃ 풀이 점검 ┃

ㄴ. $g(x)=f(x)-|f(x)|$가 불연속인 x값은 ❶ _____

ㄷ. 함수 $f(x)f(x-a)$는 $a=$ ❷ _____ 일 때 실수 전체의 집합에서 연속이다.

03-2

다음과 같이 정의된 함수 $f(x)$가 있다.

$$f(x)=\begin{cases} 2x+2 & (x<0) \\ 0 & (x=0) \\ x-2 & (x>0) \end{cases}$$

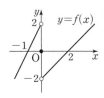

보기에서 옳은 것만을 있는 대로 고른 것은?

┤ 보기 ├
ㄱ. $\lim\limits_{x\to0+}\{f(x)+f(-x)\}=0$
ㄴ. 함수 $f(x)+|f(x)|$는 $x=0$에서 불연속이다.
ㄷ. 함수 $f(x)f(x-a)$가 실수 전체의 집합에서 연속이 되도록 하는 상수 a가 존재한다.

① ㄱ ② ㄱ, ㄴ ③ ㄴ, ㄷ
④ ㄱ, ㄷ ⑤ ㄱ, ㄴ, ㄷ

┃ 풀이 점검 ┃

ㄴ. $g(x)=f(x)+|f(x)|$가 불연속인 x값은 ❶ _____

ㄷ. (i) $f(x)$에서 불연속일 때의 x와 $f(x-a)$에서 연속이면서 0이 되는 x가 같아지도록 하는 $a=$ ❷ _____

(ii) $f(x-a)$에서 불연속일 때의 x와 $f(x)$에서 연속이면서 0이 되는 x가 같아지도록 하는 $a=$ ❸ _____

04 ★

실수 전체의 집합에서 정의된 함수 $y=f(x)$의 그래프가 그림과 같다.

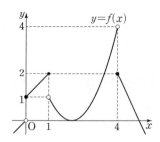

$\lim\limits_{x \to \infty} f\left(\dfrac{x+1}{x-1}\right) + \lim\limits_{x \to -\infty} f\left(\dfrac{4x+1}{x+1}\right) + \lim\limits_{x \to 0-} f\left(\dfrac{x}{x-1}\right)$의

값을 구하시오.

| 해법 가이드 |

$\lim\limits_{x \to \infty} f\left(\dfrac{x+1}{x-1}\right)$, $\lim\limits_{x \to -\infty} f\left(\dfrac{4x+1}{x+1}\right)$, $\lim\limits_{x \to 0-} f\left(\dfrac{x}{x-1}\right)$

각각을 $\lim\limits_{t \to \alpha} f(t)$ 꼴로 나타낸다.

05 ★

모든 실수에서 정의된 함수 $f(x)$, $g(x)$는 다음 조건을 만족시킨다.

㈎ 함수 $f(x)$는 모든 실수에서 연속이다.
㈏ 함수 $g(x)$는 $x=a$에서 불연속이다.

이때 **보기**에서 옳은 것만을 있는 대로 고른 것은?

┤ 보기 ├
ㄱ. 함수 $f(x)+g(x)$는 $x=a$에서 불연속이다.
ㄴ. 함수 $f(x)g(x)$가 $x=a$에서 연속이면, $f(a)=0$이다.
ㄷ. $f(a)=0$이면 함수 $f(x)g(x)$가 $x=a$에서 연속이다.

① ㄱ   ② ㄱ, ㄴ   ③ ㄱ, ㄷ
④ ㄴ, ㄷ   ⑤ ㄱ, ㄴ, ㄷ

| 해법 가이드 |

불연속이면 다음과 같은 경우를 생각한다.
• 극한값이 존재하지 않는다.
• 함숫값이 존재하지 않는다.
• 극한값과 함숫값이 같지 않다.

| 풀이 점검 |

1️⃣ $x \to \infty$일 때, $\dfrac{x+1}{x-1} \to$ ❶_____

2️⃣ $x \to -\infty$일 때, $\dfrac{4x+1}{x+1} \to$ ❷_____

3️⃣ $x \to 0-$일 때, $\dfrac{x}{x-1} \to$ ❸_____

| 풀이 점검 |

ㄱ. $f(x)+g(x)$가 $x=a$에서 연속이면
$\lim\limits_{x \to a} \{f(x)+g(x)\}=$ ❶_____

ㄴ. 함수 $f(x)g(x)$가 $x=a$에서 연속이면 $f(a)=$ ❷_____

06 ★★

2014학년도 수능 28번 변형

함수

$$f(x)=\begin{cases} \dfrac{1}{4}x+4 & (x<0) \\ 6 & (x=0) \\ -3x+9 & (x>0) \end{cases}$$

에 대하여 함수 $f(x)f(k-x)$가 $x=k$에서 연속이 되도록 하는 모든 실수 k값의 개수를 a, k값의 총합을 b라 할 때, $a-b$의 값을 구하시오.

┃ 해법 가이드 ┃

• $y=f(x)$의 그래프는 그림과 같다.

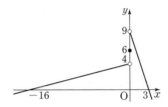

• $\displaystyle\lim_{x\to k+} f(x)f(k-x)=\lim_{x\to k-} f(x)f(k-x)=f(k)f(0)$이 되도록 하는 k값을 $k>0$, $k=0$, $k<0$인 경우에서 각각 따져본다.

┃ 풀이 점검 ┃

$\boxed{1}$ $k>0$일 때 함수 $f(x)f(k-x)$가 $x=k$에서 연속이 되도록 하는 $k=$ ❶_____

$\boxed{2}$ $k<0$일 때 함수 $f(x)f(k-x)$가 $x=k$에서 연속이 되도록 하는 $k=$ ❷_____

$\boxed{3}$ $k=0$일 때 함수 $f(x)f(k-x)$는 $x=$ ❸_____에서 연속이다.

07 ★★

실수 t에 대하여 x에 대한 방정식 $tx^2+4x+t-3=0$의 실근의 개수를 $f(t)$라 한다. 또 최고차항의 계수가 1인 삼차함수 $g(t)$에 대하여 $f(t)g(t)$가 모든 실수 t에 대하여 연속일 때, $g(5)$의 값을 구하시오. (단, 중근은 실근 1개로 생각한다.)

┃ 해법 가이드 ┃

• $t=0$일 때, $t\neq0$일 때로 구분하고 함수 $f(t)$를 찾는다.
• (연속) × (불연속)일 때 연속함수가 되는 경우를 생각한다.

┃ 풀이 점검 ┃

$\boxed{1}$ $t=0$일 때 $f(t)=$ ❶_____

$\boxed{2}$ $0<t<4$일 때 $f(t)=$ ❷_____

$\boxed{3}$ $t=-1$, 4일 때 $f(t)=$ ❸_____

$\boxed{4}$ $t<-1$, $t>4$일 때 $f(t)=$ ❹_____

08 ★★

다항함수 $f(x)$가 $\lim\limits_{x \to \infty} \dfrac{f(x)}{x^3}=1$, $\lim\limits_{x \to 1} \dfrac{f(x)}{x-1}=k$를 만족

시키고, 함수 $g(x)=\begin{cases} x^2-3x+1 & (x \leq 3) \\ \dfrac{1}{x-3} & (x>3) \end{cases}$ 이다.

함수 $h(x)=f(x)g(x)$가 $x=3$에서 연속이 되도록 하는
상수 k값을 구하시오.

| 해법 가이드 |

함수 $h(x)=f(x)g(x)$가 $x=3$에서 연속이고 $g(x)$는 $x=3$에서 불연속이므로 $f(3)=0$이어야 한다.
또 $\lim\limits_{x \to 3+} h(x)=\lim\limits_{x \to 3-} h(x)=h(3)$을 이용한다.

| 풀이 점검 |

$\lim\limits_{x \to \infty} \dfrac{f(x)}{x^3}=1$, $\lim\limits_{x \to 1} \dfrac{f(x)}{x-1}=k$와 $h(x)$가 $x=3$에서 연속임을

이용하면 삼차함수 $f(x)$의 두 인수는 ❶_____과 ❷_____

이고, 이때 $f(x)=$ ❸_____

09 ★★

2015학년도 수능 6월 모의평가 21번 변형

최고차항의 계수가 1인 두 삼차함수 $f(x)$, $g(x)$가 다음
조건을 만족시킨다. $g(5)$의 값을 구하시오.

> ㈎ $g(0)=0$
> ㈏ $\lim\limits_{x \to n} \dfrac{f(x)}{g(x)}=\dfrac{n(n-1)}{2}$ $(n=0, 1, 2, 3)$

| 해법 가이드 |

- $\dfrac{0}{0}$ 꼴의 극한값이 존재할 때, (분모) → 0이면 (분자) → 0임을 이용한다.
- ㈏에 $n=0, 1, 2, 3$을 각각 대입해 본다.

| 풀이 점검 |

① 삼차함수 $f(x)=$ ❶_____

② 삼차함수 $g(x)=xp(x)$라 할 때
  $p(x)=(x-2)(x-3)+$ ❷_____

10 ★★

다항함수 $f(x)$는 다음 조건을 만족시킨다.

> (가) $\displaystyle\lim_{x \to 0+} \dfrac{x^3 f\left(\dfrac{1}{x}\right) - 1}{x^2 + 2x} = 3$
>
> (나) 함수 $\dfrac{x}{f(x)}$는 $x = -2$에서만 불연속이다.

$f(1)$의 최솟값을 구하시오.

| 해법 가이드 |

- $\dfrac{1}{x} = t$로 치환하면 $x \to 0+$일 때 $t \to \infty$임을 이용한다.

- $\dfrac{x}{f(x)}$가 $x = -2$에서만 불연속이면 $f(x)$가 $x = -2$에서 극한값이 0이고, $f(x) = 0$에서 $x = -2$를 제외한 실근이 존재하지 않는다.

| 풀이 점검 |

1. (가)에서 $\dfrac{1}{x} = t$로 치환해서 생각하면

   $f(x) = $ ❶_____ $+ ax + b$로 놓을 수 있다.

2. (나)에서 $\dfrac{x}{f(x)}$가 $x = -2$에서만 불연속인 것을 이용하면 a값의 범위는 ❷_____이다.

11 ★★

실수 전체에서 정의된 함수 $f(x)=|x^2-2ax|$에 대하여 $y=f(x)$의 그래프와 직선 $y=t$가 만나는 교점의 개수를 $g(t)$라 할 때, **보기**에서 옳은 것만 있는 대로 고른 것은?

> ──┤ 보기 ├──
>
> ㄱ. $\displaystyle\lim_{t\to 0-}g(t)+\lim_{t\to a^2+}g(t)=2$
>
> ㄴ. 함수 $y=g(x)$의 불연속점은 2개다.
>
> ㄷ. 함수 $y=f(x)g(x)$가 모든 실수 x에 대하여 연속이 되도록 하는 양의 실수 a가 존재한다.

① ㄱ   ② ㄴ   ③ ㄱ, ㄴ

④ ㄱ, ㄷ   ⑤ ㄱ, ㄴ, ㄷ

| 해법 가이드 |

- $a\ne 0$일 때 뿐만 아니라 $a=0$일 때도 생각한다.
- $x=\alpha$일 때 $g(x)$가 불연속점이면 $f(\alpha)=0$을 생각한다.

| 풀이 점검 |

ㄱ. $\displaystyle\lim_{t\to 0-}g(t)=$ **❶** _____ , $\displaystyle\lim_{t\to a^2+}g(t)=$ **❷** _____

ㄷ. 모든 실수 x에 대하여 $f(x)g(x)$가 연속이 되도록 하는
$a=$ **❸** _____

12 ★★☆ 2018학년도 6월 고2 학력평가 30번 변형

실수 k와 함수 $f(x)=ax(x-b)$ (a, b는 자연수)에 대하여 함수 $g(x)$를

$$g(x)=\begin{cases} f(x) & (x<b) \\ kf(x-b) & (x\geq b) \end{cases}$$

라 하자. 함수 $g(x)$가 다음을 만족시킨다. (단, $k>1$)

㉮ $g(3)=8$

㉯ 방정식 $|g(x)|=\dfrac{b}{4}$ 의 서로 다른 실근은 5개다.

직선 $y=mx-\dfrac{7}{4}$ (m은 양수)이 함수 $y=|g(x)|$의 그래프와 만나는 점의 개수를 $h(m)$이라 하자. 함수 $h(m)$에 대하여 $\lim\limits_{m\to t-}h(m)\times\lim\limits_{m\to t+}h(m)=8$을 만족시키는 모든 양의 실수 t값의 곱을 S라 할 때, $2S$의 값을 구하시오.

| 해법 가이드 |

m값을 바꿔보면서 $\left(0,-\dfrac{7}{4}\right)$을 지나는 직선과 $y=|g(x)|$의 그래프와 만나는 점의 개수를 따져 $y=h(m)$을 그린다.

| 풀이 점검 |

1 조건을 만족시키는 자연수 a, b의 순서쌍은 ❶ _____

2 직선 $y=mx-\dfrac{7}{4}$이 $x>0$에서 포물선과 접할 때, $m=$ ❷ _____

이고, $x<0$에서 포물선과 접할 때, $m=$ ❸ _____

13 ★★☆ 2018학년도 4월 학력평가 30번 변형

양의 실수 a에 대하여 정의역이 $\{x \mid x > 0\}$인 함수

$$f(x) = \frac{a - 3x}{x}$$

가 있다. 실수 k에 대하여 정의역이 $\{x \mid x > 0\}$인 함수

$$g(x) = \begin{cases} 2k - f(x) & (f(x) < k) \\ f(x) & (f(x) \geq k) \end{cases}$$

가 다음 조건을 만족시킨다.

> (가) $\displaystyle\lim_{x \to \infty} |g(x)| = 1$
>
> (나) 함수 $y = |g(x)|$의 그래프와 직선 $y = -\dfrac{k}{2}$는 두 점 $\left(1, -\dfrac{k}{2}\right)$, $\left(\alpha, -\dfrac{k}{2}\right)$에서만 만난다. (단, $\alpha > 1$)

직선 $y = m\left(x - \dfrac{22}{3}\right) + 2$가 함수 $y = |g(x)|$의 그래프와 만나는 서로 다른 점의 개수를 $h(m)$이라 할 때, 함수 $h(m)$이 불연속이 되는 모든 실수 m값의 합은 M이다. $\left|\dfrac{ka}{M}\right|$의 값을 구하시오.

│ 해법 가이드 │

- $y = 2k - f(x)$의 그래프는 $y = f(x)$의 그래프를 직선 $y = k$에 대하여 대칭이동한 것이다.
- 기울기가 m이고 점 $\left(\dfrac{22}{3}, 2\right)$를 지나는 직선을 생각해 m값이 변할 때 $y = |g(x)|$와 만나는 점의 개수를 확인한다.

│ 풀이 점검 │

(가) 조건에서 $k = $ **❶**_____ 이고, (나) 조건에서

$\quad a = $ **❷**_____ , $\alpha = $ **❸**_____

유형 06
미분과 접선

◀ Mentor Comment

수학Ⅱ 관련 기출문제를 보면 적분보다 미분에서 조금 더 어려운 문제들이 출제되고 있다. 최근 기출 나형 30번은 모두 미분 문제였으며, 2022학년도 수능 예시 문항에서도 공통 마지막 자리를 차지하였다. 미분가능성, 접선의 개수, 삼차함수 또는 사차함수 그래프의 개형 등 다양한 유형이 출제되었는데, 무난한 수준으로 나오던 접선 관련 문제들이 **최근 들어 좀 더 어려워진 것이 특징이다. 특히 접선의 개수 문제는 함수의 그래프와 연결되는 복합적인 문제이므로 충분한 연습이 필요하다.**

대표 문제

01
2020학년도 수능 9월 모의평가 30번

최고차항의 계수가 1인 사차함수 $f(x)$에 대하여 네 개의 수 $f(-1)$, $f(0)$, $f(1)$, $f(2)$가 이 순서대로 등차수열을 이루고, 곡선 $y=f(x)$ 위의 점 $(-1, f(-1))$에서의 접선과 점 $(2, f(2))$에서의 접선이 점 $(k, 0)$에서 만난다. $f(2k)=20$일 때, $f(4k)$의 값을 구하시오. (단, k는 상수이다.)

풀이 preview

-1, 0, 1, 2가 1씩 증가하고, $f(-1)$, $f(0)$, $f(1)$, $f(2)$가 이 순서대로 등차수열을 이루므로 $y=f(x)$ 그래프 위의 네 점 $(-1, f(-1))$, $(0, f(0))$, $(1, f(1))$, $(2, f(2))$는 모두 한 직선 위에 있다.
이 네 점을 지나는 직선을 $y=mx+n$이라 하자.
이때 사차함수의 그래프 $y=f(x)$와 직선 $y=mx+n$이 만나는 점의
x좌표가 -1, 0, 1, 2이므로 방정식 $f(x)=mx+n$의 해는 -1, 0, 1, 2이고,
$f(x)$는 최고차항의 계수가 1인 사차함수이므로
$f(x)-(mx+n)=x(x+1)(x-1)(x-2)$에서
$f(x)=x(x-1)(x+1)(x-2)+mx+n$

✓ 해법 Tip

1 수열 $\{a_n\}$이 등차수열을 이루는 경우 등차수열의 일반항을 자연수 n에 대한 함수라 생각할 수 있다.

2 두 접선이 각각 점 $(k, 0)$을 지난다는 것을 이용한다.

02-1 ★★ 2014학년도 수능 21번

좌표평면에서 삼차함수 $f(x)=x^3+ax^2+bx$와 실수 t에 대하여 곡선 $y=f(x)$ 위의 점 $(t, f(t))$에서의 접선이 y축과 만나는 점을 P라 할 때, 원점에서 P까지의 거리를 $g(t)$라 하자. 두 함수 $f(x)$와 $g(t)$는 다음 조건을 만족시킨다.

> ㈎ $f(1)=2$
> ㈏ 함수 $g(t)$는 실수 전체 집합에서 미분 가능하다.

$f(3)$의 값은? (단, a, b는 상수이다.)

① 21　　　② 24　　　③ 27
④ 30　　　⑤ 33

| 해법 가이드 |

원점에서 $P(0, k)$까지의 거리 $g(t)$는 $g(t)=|k|$

02-2

좌표평면에서 최고차항의 계수가 2이고 원점을 지나는 삼차함수 $f(x)$와 실수 t에 대하여 $y=f(x)$ 위의 점 $(t, f(t))$에서의 접선이 y축과 만나는 점을 P라 할 때, 원점에서 P까지의 거리를 $g(t)$라 하자. 두 함수 $f(x)$와 $g(t)$는 다음 조건을 만족시킨다.

> ㈎ $f(1)=3$
> ㈏ 함수 $g(t)$는 $t=1$에서만 미분 불가능하다.

$g(2)+f(4)$의 값을 구하시오.

| 풀이 점검 |

① ㈏ 조건을 만족시키는 $a=$ ❶ _____

② 주어진 조건에서 $f(x)=$ ❷ _____

| 풀이 점검 |

① ㈏ 조건을 만족시키는 $a=$ ❶ _____

② 함수 $g(t)=$ ❷ _____

③ 주어진 조건에서 $f(x)=$ ❸ _____

03-1 ★★☆ 2018학년도 수능 29번

두 실수 a와 k에 대하여 두 함수 $f(x)$, $g(x)$는

$$f(x) = \begin{cases} 0 & (x \leq a) \\ (x-1)^2(2x+1) & (x > a) \end{cases}$$

$$g(x) = \begin{cases} 0 & (x \leq k) \\ 12(x-k) & (x > k) \end{cases}$$

이고, 다음 조건을 만족시킨다.

> ㈎ 함수 $f(x)$는 실수 전체 집합에서 미분 가능하다.
> ㈏ 모든 실수 x에 대하여 $f(x) \geq g(x)$이다.

k의 최솟값이 $\dfrac{q}{p}$일 때, $a+p+q$의 값을 구하시오.

(단, p, q는 서로소인 자연수이다.)

| 해법 가이드 |

• $f(x)$가 실수 전체에서 미분 가능하려면 먼저 $x=a$에서 연속, 즉 $f(a)=0$이고, (좌미분계수)$=$(우미분계수)이다.
• $y=f(x)$, $y=g(x)$의 그래프 개형을 그려 ㈏ 조건을 생각한다.

03-2

두 실수 a와 k에 대하여 두 함수 $f(x)$, $g(x)$는

$$f(x) = \begin{cases} 0 & (x \leq a) \\ (x+1)(x-3)^3 & (x > a) \end{cases}$$

$$g(x) = \begin{cases} 0 & (x \leq k) \\ 16(x-k) & (x > k) \end{cases}$$

이고, 다음 조건을 만족시킨다.

> ㈎ 함수 $f(x)$는 실수 전체 집합에서 미분 가능하다.
> ㈏ 모든 실수 x에 대하여 $f(x) \geq g(x)$이다.

k의 최솟값이 $\dfrac{q}{p}$일 때, $a+p+q$의 값을 구하시오.

(단, p, q는 서로소인 자연수이다.)

| 풀이 점검 |

① ㈎ 조건에서 구한 $a = $ ❶ _____

② 함수 $y=g(x)$의 그래프가 함수 $y=f(x)$의 그래프에 접할 때
 $g(x) = $ ❷ _____

| 풀이 점검 |

① $x=a$에서 연속이고, 미분 가능해야 하므로 $a = $ ❶ _____

② 함수 $y=g(x)$의 그래프가 함수 $y=f(x)$의 그래프에 접할 때
 접점의 좌표는 ❷ _____

04 ★★

최고차항의 계수가 1인 삼차함수 $f(x)$가 다음 조건을 만족시킬 때, $(2, f(2))$에서의 접선을 구하면 $y=mx+n$이다. $3m+n$의 값은?

> 함수 $|f(x)-x^2+9x|$와 $|x-1|f(x)$는 모든 실수 x에 대하여 미분가능하다.

① 35   ② 36   ③ 37
④ 38   ⑤ 39

| 해법 가이드 |

$g(x)$가 삼차함수일 때 $|g(x)|$가 모든 실수 x에 대하여 미분 가능하려면 $g(x)=a(x-\alpha)^3$ 꼴이어야 한다.

| 풀이 점검 |

① $|x-1|f(x)$가 모든 실수 x에 대하여 미분 가능함을 이용하면 $f(1)=$ ❶ _____

② 주어진 조건을 만족시키는 $f(x)=$ ❷ _____

05 ★★

$\sqrt{5}$보다 큰 실수 a와 $f(x)=x^3-5x$에서 다음이 성립한다.

> ㈎ 곡선 $y=f(x)$는 점 $(a, 0)$을 지나는 직선 l_1과 서로 다른 두 점에서 만난다.
> ㈏ 곡선 $y=f(x)$는 점 $(0, 7a)$를 지나는 직선 l_2와 서로 다른 두 점에서 만난다.
> ㈐ 두 직선 l_1, l_2는 서로 평행하다.

$a=\dfrac{q}{p}$일 때, 서로소인 두 자연수 p, q의 합은?

① 23   ② 24   ③ 25
④ 26   ⑤ 27

| 해법 가이드 |

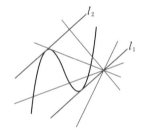

- 직선과 삼차함수의 그래프가 서로 다른 두 점에서 만나는 경우는 직선이 곡선에 접할 때이다.
- $f(x)=x^3-5x$가 원점에 대하여 대칭인 함수이므로 두 접선이 서로 평행하다면 두 접선끼리도 원점에 대하여 대칭이다.

| 풀이 점검 |

① 두 직선 l_1, l_2의 기울기는 ❶ _____

② 점 $(a, 0)$을 지나는 직선 l_1의 방정식은 ❷ _____

06 ★★

함수 $f(x)$가 다음과 같이 정의된다.

$$f(x) = \begin{cases} 1-x & (x<0) \\ x^2-1 & (0 \le x < 1) \\ x^3-1 & (x \ge 1) \end{cases}$$

다음 조건을 만족시키는 함수 $g(x)$에 대하여 $g(5)$의 값을 구하시오.

> (가) $g(x)$는 최고차항의 계수가 1인 사차함수이다.
> (나) 함수 $f(x)g(x)$는 실수 전체 집합에서 미분 가능하다.
> (다) $g'(2)=44$

| 해법 가이드 |

함수 $f(x)g(x)$가 다음과 같으므로 실수 전체 집합에서 미분 가능하려면 $x=0$과 $x=1$에서 연속이고, $x=1$에서 미분 가능해야 한다.

$$f(x)g(x) = \begin{cases} (1-x)g(x) & (x<0) \\ (x^2-1)g(x) & (0 \le x < 1) \\ (x^3-1)g(x) & (x \ge 1) \end{cases}$$

| 풀이 점검 |

$g(x) =$ _____

07 ★★

2020학년도 수능 20번

함수

$$f(x) = \begin{cases} -x & (x \le 0) \\ x-1 & (0 < x \le 2) \\ 2x-3 & (x > 2) \end{cases}$$

와 상수가 아닌 다항식 $p(x)$에 대하여 **보기**에서 옳은 것만을 있는 대로 고른 것은?

> **◁ 보기 ▷**
> ㄱ. 함수 $p(x)f(x)$가 실수 전체의 집합에서 연속이면 $p(0)=0$이다.
> ㄴ. 함수 $p(x)f(x)$가 실수 전체의 집합에서 미분 가능하면 $p(2)=0$이다.
> ㄷ. 함수 $p(x)\{f(x)\}^2$이 실수 전체의 집합에서 미분 가능하면 $p(x)$는 $x^2(x-2)^2$으로 나누어 떨어진다.

① ㄱ   ② ㄱ, ㄴ   ③ ㄱ, ㄷ
④ ㄴ, ㄷ   ⑤ ㄱ, ㄴ, ㄷ

| 해법 가이드 |

함수 $p(x)f(x)$가 실수 전체의 집합에서 연속이면

$$\lim_{x \to 0-} p(x)f(x) = \lim_{x \to 0+} p(x)f(x) = p(0)f(0)$$

| 풀이 점검 |

$$\lim_{x \to 2-} \frac{p(x)f(x)-p(2)f(2)}{x-2} = ❶ \underline{\qquad\qquad}$$

$$\lim_{x \to 2+} \frac{p(x)f(x)-p(2)f(2)}{x-2} = ❶ \underline{\qquad\qquad}$$

08 ★★☆

2019학년도 7월 학력평가 21번 변형

점 $(0, t)$를 지나고 곡선 $y=x^3-ax^2+3x-5$에 접하는 서로 다른 모든 직선의 개수를 $f(t)$라 할 때, 함수 $f(t)$가 불연속이 되는 모든 실수 t값의 합이 54다. 자연수 a값을 구하시오.

| 해법 가이드 |

$x=\alpha$에서 곡선과 직선이 접한다고 할 때, 접선의 방정식을 구한 후 점 $(0, t)$를 대입하면 $t=(\alpha$에 대한 삼차식$)$을 만들 수 있다. 이때 직선 $y=t$와 곡선 $y=(\alpha$에 대한 삼차식$)$의 교점의 개수가 $f(t)$이다.

09 ★★☆

삼차함수 $f(x)$가 다음 조건을 만족시킬 때, 곡선 밖의 점 (m, n)에서 곡선에 그은 접선이 3개다. $0 \leq m \leq 6$일 때, 가능한 정수 m, n의 순서쌍 (m, n)의 개수는?

㈎ 함수 $f(x)$는 $(-2, -6)$, $(3, 29)$를 지난다.
㈏ 함수 $|f(x)-2|$는 모든 실수 x에 대하여 미분 가능하다.

① 434 ② 435 ③ 436
④ 437 ⑤ 438

| 해법 가이드 |

• ㈏에서 $f(x)=a(x-b)^3+2$로 놓을 수 있다.
• 접점을 $(t, f(t))$라 하고 접선의 방정식을 세운 다음 점 (m, n)을 대입하여 t에 대한 삼차방정식을 구하면 이 방정식이 서로 다른 세 실근을 가져야 한다.

| 풀이 점검 |

① 곡선과 직선이 $x=\alpha$에서 접할 때, 접선이 점 $(0, t)$를 지나므로 $t=h(\alpha)$로 놓으면 $h(\alpha)=$ ❶ _____

② $f(t)$가 불연속이 되는 모든 실수 t값은 ❷ _____, _____

| 풀이 점검 |

① 조건을 이용해 구한 $f(x)=$ ❶ _____

② 접선이 지나는 점이 (m, n)임을 이용해 구한 t에 대한 삼차방정식은 ❷ _____

10 ★★☆ 2021학년도 수능 9월 모의평가 30번 변형

최고차항의 계수가 1인 사차함수 $f(x)$가 다음 조건을 만족시킨다.

> (가) $f(1)=f(3)=0$
> (나) 집합 $\{x \mid x \geq 1$이고 $f'(x)=0\}$의 원소는 2개다.

상수 a에 대하여 함수 $g(x)=|f(x)f(a-x)|$가 실수 전체의 집합에서 미분 가능하고 함수 $h(x)=|f(x)|$의 미분 불가능한 점은 한 개일 때, 가능한 $f(a)$값들의 합을 구하시오.

| 해법 가이드 |

$f(x)f(a-x)$의 인수에서 $(x-\alpha)^n(n \geq 2)$ 꼴만 있을 때 함수 $g(x)$는 실수 전체에서 미분 가능하다.

| 풀이 점검 |

① $f(x)=(x-1)(x-3)^3$인 경우 가능한 $f(a)$의 값을 모두 구하면 ❶_____

② $f(x)=(x-1)^3(x-3)$인 경우 가능한 $f(a)$의 값을 모두 구하면 ❷_____

11 ★★☆

이차함수 $f(x)$는 $x=-1$에서 극대이고, 삼차함수 $g(x)$는 이차항의 계수가 0이다. 함수

$$h(x)=\begin{cases} f(x) & (x \leq 0) \\ g(x) & (x > 0) \end{cases}$$

가 실수 전체의 집합에서 미분 가능하고 다음 조건을 만족시킬 때, $h'(-3)+h'(4)$의 값을 구하시오.

> (가) 방정식 $h(x)=h(0)$의 모든 실근의 합은 1이다.
> (나) 닫힌구간 $[-2, 3]$에서 함수 $h(x)$의 최댓값과 최솟값의 차는 $3+4\sqrt{3}$이다.

| 해법 가이드 |

$x < 0$에서 위로 볼록한 포물선을 그려 놓고 생각하면 $h(x)$는 $x > 0$에서 극솟값을 가지는 꼴이어야 함을 알 수 있다.

| 풀이 점검 |

닫힌구간 $[-2, 3]$에서 함수 $h(x)$의 최댓값을 기호를 나타내면 ❶_____이고, 함수 $h(x)$의 최솟값을 기호로 나타내면 ❷_____

12 ★★☆ 〔2017학년도 10월 학력평가 30번〕

함수 $f(x)=|3x-9|$에 대하여 함수 $g(x)$는

$$g(x)=\begin{cases} \dfrac{3}{2}f(x+k) & (x<0) \\ f(x) & (x\geq0) \end{cases}$$

이다. 최고차항의 계수가 1인 삼차함수 $h(x)$가 다음 조건을 만족시킬 때, 모든 $h(k)$값의 합을 구하시오. (단, $k>0$)

> (개) 함수 $g(x)h(x)$는 실수 전체 집합에서 미분 가능하다.
> (내) $h'(3)=15$

| 해법 가이드 |

- $g(x)$가 $x=0$에서 연속일 때와 불연속일 때로 나눈다.
- 함수 $g(x)h(x)$가 $x=3$에서 미분 가능하려면 $h(3)=0$이어야 함을 이용한다.

| 풀이 점검 |

1 함수 $g(x)$가 $x=0$에서 연속일 때

　$h(x)=$❶_____

2 함수 $g(x)$가 $x=0$에서 불연속일 때

　$h(x)=$❷_____는 (내)에 어긋난다.

13 ★★★

점 $A(2, a)$에서 곡선 $y=x^3-3x+1$에 서로 다른 세 개의 접선을 그었을 때, 이 세 접선의 기울기의 곱이 양수가 되도록 하는 정수 a의 개수는?

① 1　　　　　② 2　　　　　③ 3

④ 4　　　　　⑤ 5

| 해법 가이드 |

· 점 (t, t^3-3t+1)에서의 접선을 구하고 $(2, a)$를 대입하여 t에 관한 방정식을 만들어 본다.

· $x=t$에서 접선의 기울기인 $3(t^2-1)$이 t의 범위에 따라 부호가 결정됨을 생각한다.

| 풀이 점검 |

① 서로 다른 세 접선이 그려지는 a값의 범위는

❶ _____

② 세 접선의 기울기 곱이 양수인 a값의 범위는

❷ _____

14 ★★★

2018학년도 사관학교 21번 변형

자연수 n에 대하여 함수 $f(x)$를 $f(x)=x^2+\dfrac{3}{n}$이라 하고, 함수 $g(x)$를

$$g(x)=\begin{cases}(x-2)f(x) & (x\geq2)\\(x-2)^2f(x) & (x<2)\end{cases}$$

이라 할 때, 함수 $g(x)$가 극대 또는 극소가 되는 x의 개수가 하나뿐이다. **보기**에서 옳은 것만을 있는 대로 고른 것은?

┤ 보기 ├

ㄱ. $g(x)$는 $x=2$에서 미분 불가능하다.

ㄴ. 가능한 자연수 n값의 합은 15이다.

ㄷ. $y=|g(x)-k|$에서 미분할 수 없는 점이 2개 뿐이면 $k=\dfrac{27}{16}$

① ㄱ   ② ㄷ   ③ ㄱ, ㄴ

④ ㄱ, ㄷ   ⑤ ㄱ, ㄴ, ㄷ

│ 해법 가이드 │

$g(x)$의 그래프는 $(2, 0)$을 지나고, 삼차함수 부분과 사차함수 부분이 합쳐진 꼴이다. 한 점에서만 극값을 가지므로 $g(x)$의 그래프 개형을 [그림 1]이 아니라 [그림 2]처럼 생각할 수 있다.

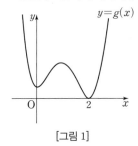
[그림 1]

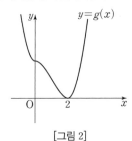
[그림 2]

│ 풀이 점검 │

ㄱ. $\displaystyle\lim_{x\to2+}g'(x)=$ ❶ _____ , $\displaystyle\lim_{x\to2-}g'(x)=$ ❷ _____

ㄴ. $g(x)$가 주어진 조건을 만족시킬 때 가능한 자연수 n값의 합은 ❸ _____

유형 07

그래프의 분석과 활용

◀ Mentor Comment

수학Ⅱ의 학습 내용 중 수능에서 소위 말하는 킬러 문제는 삼차, 사차함수의 그래프 개형과 관련된 것이 많다. 최근에는 아래 대표 문제처럼 특별한 조건을 주고 그 조건을 만족시키는 삼차함수와 사차함수를 구하는 문제가 자주 출제 된다. 또한 미분 가능성이나 접선의 개수에 관한 조건, 새로운 정의에 따른 새로운 함수의 특징에 관한 조건 등 다양한 유형의 문제들이 꾸준히 출제되어 왔고 앞으로도 출제될 것이므로 이 부분의 연습은 아무리 강조해도 지나침이 없다.

대표 문제

01

2019학년도 수능 30번

최고차항의 계수가 1인 삼차함수 $f(x)$와 최고차항의 계수가 -1인 이차함수 $g(x)$가 다음 조건을 만족시킨다.

> ㈎ 곡선 $y=f(x)$ 위의 점 $(0, 0)$에서의 접선과 곡선 $y=g(x)$ 위의 점 $(2, 0)$에서의 접선은 모두 x축이다.
> ㈏ 점 $(2, 0)$에서 곡선 $y=f(x)$에 그은 접선은 2개다.
> ㈐ 방정식 $f(x)=g(x)$는 오직 하나의 실근을 가진다.

$x>0$인 모든 실수 x에 대하여 $g(x) \leq kx-2 \leq f(x)$를 만족시키는 실수 k의 최댓값과 최솟값을 차례로 α, β라 할 때, $\alpha-\beta=a+b\sqrt{2}$이다. a^2+b^2의 값을 구하시오. (단, a, b는 유리수이다.)

풀이 preview

㈎에서 이차함수 $g(x)$ 위의 점 $(2, 0)$에서의 접선이 x축이고,
$g(x)$는 최고차항의 계수가 -1이므로 $g(x)=-(x-2)^2$
최고차항의 계수가 1인 삼차함수 $f(x)$가 원점에서 x축과 접하므로
$f(x)=x^2(x+p)$ (단, p는 상수)로 놓을 수 있다.
$y=f(x)$ 위의 점 (t, t^3+pt^2)에서의 접선의 방정식은
$y=(3t^2+2pt)x-2t^3-pt^2$ ······ ㉠
㉠이 점 $(2, 0)$을 지나므로 $t\{2t^2-(6-p)t-4p\}=0$ ······ ㉡
㈏에서 점 $(2, 0)$에서 $y=f(x)$에 그은 접선이 2개이므로
방정식 ㉡의 근도 2개다. 즉 다음 두 경우로 생각할 수 있다.
(i) 이차방정식 $2t^2-(6-p)t-4p=0$이 중근을 갖는 경우
(ii) 이차방정식 $2t^2-(6-p)t-4p=0$의 한 근이 0인 경우

✓ 해법 Tip

1 원점에서 x축에 접하는 최고차항의 계수가 1인 삼차함수는 $f(x)=x^2(x+p)$
(단, p는 상수)

2 직선 $y=kx-2$는 점 $(0, -2)$를 지나고 기울기가 k인 직선이므로 $x>0$에서 $g(x) \leq kx-2 \leq f(x)$를 만족시키는 k의 최댓값과 최솟값은 $y=kx-2$가 함수 $f(x)$, $g(x)$와 접할 때 생긴다.

02-1 ★★   2015학년도 수능 21번

다음 조건을 만족시키는 모든 삼차함수 $f(x)$에 대하여 $f(2)$의 최솟값은?

> (개) $f(x)$의 최고차항의 계수는 1이다.
> (내) $f(0)=f'(0)$
> (대) $x \geq -1$인 모든 실수 x에 대하여 $f(x) \geq f'(x)$이다.

① 28   ② 33   ③ 38   ④ 43   ⑤ 48

┃ 해법 가이드 ┃

$f(x)=x^3+ax^2+bx+c,\ g(x)=f(x)-f'(x)$라 하면
$g(x)=x^3+(a-3)x^2+(b-2a)x+(c-b)$

02-2

다음 조건을 만족시키는 모든 삼차함수 $f(x)$에 대하여 $f(1)$의 최솟값을 구하시오.

> (개) $f(x)$의 최고차항의 계수는 1이다.
> (내) $f(0)=2f'(0)$
> (대) $x \geq -1$인 모든 실수 x에 대하여 $f(x) \geq 2f'(x)$이다.

┃ 풀이 점검 ┃

① $f(x)=x^3+ax^2+bx+c$라 하고, b, c를 a로 나타내어 $f(x)$를 구하면 $f(x)=$ **❶** _____

② 상수 a값의 범위는 **❷** _____

┃ 풀이 점검 ┃

① $f(x)=x^3+ax^2+bx+c$라 하고, b, c를 a로 나타내어 $f(x)$를 구하면 $f(x)=$ **❶** _____

② 상수 a값의 범위는 **❷** _____

03-1 ★★ 2018학년도 수능 20번

최고차항의 계수가 1인 사차함수 $f(x)$가 다음 조건을 만족
시킨다.

> (가) $f'(0) = 0$, $f'(2) = 16$
> (나) 어떤 양수 k에 대하여 두 열린구간 $(-\infty, 0)$, $(0, k)$에
> 서 $f'(x) < 0$이다.

보기에서 옳은 것만을 있는 대로 고른 것은?

> ── 보기 ──
> ㄱ. 방정식 $f'(x) = 0$은 열린구간 $(0, 2)$에서 한 개의 실
> 근을 갖는다.
> ㄴ. 함수 $f(x)$는 극댓값을 갖는다.
> ㄷ. $f(0) = 0$이면 모든 실수 x에 대하여 $f(x) \geq -\dfrac{1}{3}$이다.

① ㄱ   ② ㄴ   ③ ㄱ, ㄷ

④ ㄴ, ㄷ   ⑤ ㄱ, ㄴ, ㄷ

| 해법 가이드 |

(가), (나)에서 그림과 같은 $y = f(x)$의 그래프와 $y = f'(x)$의 그래
프를 그려 놓고 생각한다.

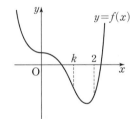 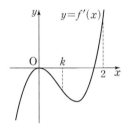

| 풀이 점검 |

① (가), (나)를 이용해 구한 $f(x) = $ ^❶ _____

② 함수 $f(x)$의 극솟값은 ^❷ _____

03-2

최고차항의 계수가 양수인 사차함수 $f(x)$가 다음 조건을
만족시킨다.

> (가) $f(0) = 0$, $f'(0) = 0$, $f'(1) = -16$
> (나) 어떤 양수 k에 대하여 두 열린구간 $(-\infty, 0)$, $(0, k)$에
> 서 $f'(x) < 0$이다.
> (다) 함수 $|f(x)|$는 $x = 4$에서 미분 불가능하다.

$-1 \leq x \leq 5$에서 함수 $f(x)$의 최댓값을 M, 최솟값을 m이
라 할 때, $M + m$의 값을 구하시오.

| 풀이 점검 |

① (가), (나)를 이용해 구한 $f(x) = $ ^❶ _____

② 함수 $f(x)$의 극솟값은 ^❷ _____

04 ★

사차함수 $f(x)=x^4+ax^3+bx^2+cx+10$이 다음 조건을 만족시킬 때, $f(4)$의 값은?

함수 $f(x)$가 실수 t를 포함하는 어떤 열린구간에 속하는 모든 x에 대하여 $f(x) \geq f(t)$일 때, 서로 다른 t는 2개고, 그때의 t를 각각 α, β라 하면 다음이 성립한다.

(개) $\alpha+\beta=0$ (내) $f(\alpha)=f(\beta)=-6$

① 132 ② 134 ③ 136 ④ 138 ⑤ 140

| 해법 가이드 |

함수 $f(x)$가 실수 α를 포함하는 어떤 열린구간 (a, b)에 속하는 모든 x에 대하여 $f(x) \geq f(\alpha)$일 때, 함수 $f(x)$는 $x=\alpha$에서 극소이고 $f(\alpha)$를 극솟값이라 한다.

05 ★★

2018학년도 10월 학력평가 20번

사차함수 $f(x)$가 다음 조건을 만족시킨다.

(개) $f'(x)=x(x-2)(x-a)$ (단, a는 실수)
(내) 방정식 $|f(x)|=f(0)$은 실근을 갖지 않는다.

보기에서 옳은 것만을 있는 대로 고른 것은?

── 보기 ──
ㄱ. $a=0$이면 방정식 $f(x)=0$은 서로 다른 두 실근을 갖는다.
ㄴ. $0<a<2$이고 $f(a)>0$이면, 방정식 $f(x)=0$은 서로 다른 네 실근을 갖는다.
ㄷ. 함수 $|f(x)-f(2)|$가 $x=k$에서만 미분 가능하지 않으면 $k<0$이다.

① ㄱ ② ㄱ, ㄴ ③ ㄱ, ㄷ
④ ㄴ, ㄷ ⑤ ㄱ, ㄴ, ㄷ

| 해법 가이드 |

사차함수 식에 대한 절댓값 함수가 한 점에서만 미분 가능하지 않으면 사차함수 식은 삼중근을 포함하므로 삼중근을 가지는 사차함수 그래프의 개형을 이용한다.

| 풀이 점검 |

1 (내)에서 $f(0)$값의 범위는 ❶ _____

2 함수 $|f(x)-f(2)|$가 $x=k$에서만 미분 가능하지 않으면
$f(x)-f(2)=$ ❷ _____

| 풀이 점검 |

함수 $f(x)$를 구하면 $f(x)=$ _____

06 ★★

2020학년도 경찰대 12번

두 실수 a, b와 최고차항의 계수가 1인 삼차함수 $f(x)$에 대하여 함수 $g(x)$는 다음과 같다.

$$g(x) = \begin{cases} a & (x < -1) \\ |f(x)| & (-1 \le x \le 5) \\ b & (x > 5) \end{cases}$$

$g(x)$가 $x=-1$, $x=5$에서 미분 가능할 때, **보기**에서 옳은 것만을 있는 대로 고른 것은?

┤ 보기 ├
ㄱ. $f(x)$는 $x=-1$에서 극댓값을 갖는다.
ㄴ. $f(9)=0$이면 $a>b$이다.
ㄷ. $a=b$이면 $f(0)=46$이다.

① ㄱ   ② ㄴ   ③ ㄱ, ㄷ
④ ㄴ, ㄷ   ⑤ ㄱ, ㄴ, ㄷ

▍해법 가이드 ▍

$g(x)$가 $x=-1$과 $x=5$에서 미분 가능하므로
$|f(-1)|=a$, $f'(-1)=0$이다. 또 $|f(5)|=b$, $f'(5)=0$이다.
즉 $f'(x)=3(x+1)(x-5)$임을 이용한다.

▍풀이 점검 ▍

ㄴ. $f(9)=0$일 때, $f(x)=$^❶_____

ㄷ. $a=b$일 때, $f(x)=$^❷_____

07 ★★☆

삼차함수 $f(x)$의 최고차항의 계수가 1이고, 함수 $g(x)$는 $g(x)=f(x)-|f'(x)|$이다. 두 함수 $f(x)$와 $g(x)$가 다음 조건을 만족시킨다.

⑺ $f(a)=g(a)=0$이 되는 a가 존재한다.
⑷ 함수 $f(x)$의 극댓값은 4다.

$g(1)=0$이 되는 a의 개수는?

① 1   ② 2   ③ 3   ④ 4   ⑤ 5

▍해법 가이드 ▍

$g(1)=0$에서 $f(1)=|f'(1)|$이므로 $y=f(1)$과 $y=|f'(1)|$을 각각 그려서 교점의 개수를 구한다. ($y=f(1)$, $y=|f'(1)|$은 모두 a에 관한 함수이다.)

▍풀이 점검 ▍

① 함수 $f(x)$의 극댓값 조건을 이용해 구한
   $f(x)=$^❶_____

② $g(1)=f(1)-|f'(1)|=0$에서 얻은 a에 대한 등식은
   ^❷_____

08 ★★☆ 　　　　　　2013학년도 수능 21번 변형

함수 $f(x)=-\dfrac{1}{6}x^2(x-k)$와 실수 t에 대하여 곡선 $y=f(x)$ 위의 점 $(t, f(t))$에서 x축까지의 거리와 y축까지의 거리 중 크지 않은 값을 $g(t)$라 하자. 함수 $g(t)$가 세 점에서만 미분 가능하지 않도록 하는 자연수 k의 최댓값은?

① 1　　　② 2　　　③ 3　　　④ 4　　　⑤ 5

| 해법 가이드 |

만약 $f(x)=x^3$이면 두 점 P, Q에 대하여 x축까지의 거리와 y축까지의 거리 중 크지 않은 값 $g(t_1)$, $g(t_2)$를 그림처럼 생각할 수 있다.

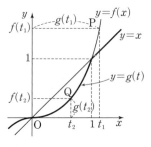

| 풀이 점검 |

1 $y=f(x)$가 $y=x$와 원점에서만 만나거나 접하는 경우일 때는 미분 불가능한 점이 ❶＿＿＿＿＿개다.

2 $y=f(x)$가 $y=x$와 원점 외에 다른 두 점에서 더 만나는 경우일 때는 미분 불가능한 점이 ❷＿＿＿＿＿개다.

09 ★★☆ 　　　　　　2020년 6월 평가원 30번 변형

이차함수 $f(x)$는 $x=-1$에서 극대이고 사차함수 $g(x)$는 $x=2$에서만 극소이고 삼차항의 계수가 0이다. 함수

$$h(x)=\begin{cases} f(x) & (x\le 0) \\ g(x) & (x>0) \end{cases}$$

이 실수 전체의 집합에서 미분 가능하고 다음 조건을 만족시킬 때, $h'(-3)+h'(3)$의 값을 구하시오.

> (가) 방정식 $h(x)=h\left(-\dfrac{1}{2}\right)$의 서로 다른 실근은 3개이고, 그 합은 1이다.
> (나) 닫힌구간 $[-2, 3]$의 최댓값과 최솟값의 차는 28이다.

| 해법 가이드 |

이차함수 그래프는 축에 대하여 대칭임을 생각한다.

| 풀이 점검 |

$f'(x)=$ ❶＿＿＿＿＿ , $g(x)'=$ ❷＿＿＿＿＿

10 ★★☆

상수 a, b에 대하여 삼차함수 $f(x)=x^3+ax^2+2bx$가 다음 조건을 만족시킨다.

> ㈎ $f(-1)+1\geq 0$
> ㈏ $f(1)-f(-1)>9$

보기에서 옳은 것만을 있는 대로 고른 것은?

┤ 보기 ├
ㄱ. 방정식 $f(x)=p$는 어떤 실수 p에 대하여 서로 다른 세 실근을 가진다.
ㄴ. 구간 $(-1, 0)$에서 함수 $y=f(x)$는 극솟값을 가진다.
ㄷ. $ab=8$인 두 정수 a, b에 대하여 $f(x)-f'(k)x=0$의 서로 다른 실근이 2개가 되도록 하는 정수 k는 한 개뿐이다.

① ㄱ   ② ㄱ, ㄴ   ③ ㄱ, ㄷ
④ ㄴ, ㄷ   ⑤ ㄱ, ㄴ, ㄷ

┃ 해법 가이드 ┃

• 방정식 $f(x)=p$가 어떤 실수 p에 대하여 서로 다른 세 실근을 가지려면 $y=f(x)$에서 극댓값과 극솟값이 존재해야 한다. 즉 방정식 $f'(x)=0$은 서로 다른 두 실근을 가져야 한다.
• $f(x)=f'(k)x$의 서로 다른 실근이 2개가 되려면 직선 $y=f'(k)x$는 곡선 $y=f(x)$의 접선이어야 한다.

┃ 풀이 점검 ┃

1 ㈎와 ㈏에서 $a\geq 2b>$ ❶ _____

2 $ab=8$일 때 함수 $y=f(x)$에 대하여 기울기인 $f'(k)$의 값으로 가능한 값을 모두 구하면 ❷ _____

11 ★★☆

2022학년도 수능 예시문항 22번

함수 $f(x)=x^3-3px^2+q$가 다음 조건을 만족시키도록 하는 25 이하의 두 자연수 p, q의 모든 순서쌍 (p, q)의 개수를 구하시오.

> (가) 함수 $|f(x)|$가 $x=a$에서 극대 또는 극소가 되도록 하는 모든 실수 a의 개수는 5이다.
> (나) 닫힌구간 $[-1, 1]$에서 함수 $|f(x)|$의 최댓값과 닫힌구간 $[-2, 2]$에서 함수 $|f(x)|$의 최댓값은 같다.

| 해법 가이드 |

$y=f(x)$의 그래프가 다음과 같은 꼴이면 함수 $|f(x)|$의 극값이 3개이므로 (가) 조건에 어긋난다. (가)를 만족시키는 $y=f(x)$의 그래프 개형은 어떤 모양일까 생각해 본다.

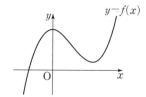 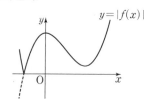

| 풀이 점검 |

1 (가) 조건에서 구한 q값의 범위는 ❶ _____

2 (나) 조건에서 구한 q값의 범위는 ❷ _____

12 ★★★

함수 $g(x)=x^2(x-3)$과 최고차항의 계수가 1인 사차함수 $f(x)$에 대하여 다음이 성립할 때, $f(4)$의 값은?

> (가) $f(x)=0$의 해가 모두 음이 아닌 정수다.
> (나) $-1 \leq x \leq 3$에서 항상 $g(x) \leq f(x) \leq |g'(x)|$가 성립한다.

① 32 ② 48 ③ 64 ④ 80 ⑤ 96

| 해법 가이드 |

- $-1 \leq x \leq 3$에서 $y=g(x)$의 그래프와 $y=|g'(x)|$의 그래프를 함께 나타내 본다.
- (가)를 만족시키는 가능한 함수 $f(x)$의 식을 모두 생각해 보고 이중에서 (나)를 만족시키는 것을 찾는다.

| 풀이 점검 |

1 그래프에서 $g(x) \leq f(x) \leq |g'(x)|$를 만족시키는 경우를 생각하면 함수 $f(x)$는 반드시 ❶ _____ 을 인수로 가진다.

2 주어진 조건에서 가능한 함수 $f(x)$의 식은
$f(x) =$ ❷ _____

13 ★★★

최고차항의 계수가 양수인 삼차함수 $f(x)$에 대하여 함수 $g(x)$와 $h(x)$는 다음과 같다.

$$g(x)=\begin{cases} f(x) & (x \geq 1) \\ f(2-x) & (x < 1) \end{cases}$$

$$h(x)=\begin{cases} f(x) & (f(x) \geq 5) \\ 10-f(x) & (f(x) < 5) \end{cases}$$

두 함수 $f(x)$, $g(x)$에 대하여 다음이 성립할 때, $f(a+4)$의 값을 구하시오. (단, a는 상수)

> ㈎ 함수 $g(x)$는 실수 전체의 집합에서 미분 가능하고, 방정식 $g(x)=5$는 서로 다른 세 실근을 가진다.
>
> ㈏ 함수 $h(x)$는 $x=7$에서만 미분 가능하지 않다.
>
> ㈐ $x \geq 1$에서 함수 $h(x)-f(x)$는 $x=a$에서 최댓값 32를 가진다.

┃ 해법 가이드 ┃

$y=f(2-x)$의 그래프는 $y=f(x)$의 그래프와 직선 $x=1$에 대하여 대칭이고, $y=10-f(x)$의 그래프는 $y=f(x)$의 그래프와 직선 $y=5$에 대하여 대칭이다.

┃ 풀이 점검 ┃

① 주어진 조건에서 $f(1)=f(7)=$ **❶**＿＿＿＿＿＿＿

② 주어진 조건에서 구한 상수 $a=$ **❷**＿＿＿＿＿＿＿

③ $f(x)=$ **❸**＿＿＿＿＿＿＿＿＿＿＿＿＿

14 ★★★ 2011학년도 수능 24번 변형

최고차항의 계수가 양수이고, $f(0)=1$, $f'(4)=0$인 사차함수 $f(x)$가 있다. 실수 t에 대하여 집합 S를
$S=\{a\,|\,$함수 $|f(x)-t|$가 $x=a$에서 <u>미분가능하지 않다.</u>$\}$
라 하고, 집합 S의 원소의 개수를 $g(t)$라 하자. 함수 $g(t)$가 $t=1$과 $t=17$에서만 불연속일 때, 가능한 $f(-2)$ 값의 합을 구하시오.

│ 해법 가이드 │

• 함수 $y=|f(x)-t|$에서 미분 가능하지 않은 점의 개수를 $g(t)$라 하면 $g(t)$는 $f'(a)=0$일 때 $t=f(a)$에서 불연속이다.
• 함수 $g(t)$가 $t=1$과 $t=17$에서만 불연속이 되는 최고차항의 계수가 양수인 함수 $f(x)$의 개형을 그려 보면 다음 두 가지 경우가 있다.

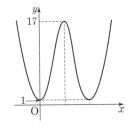 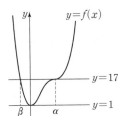

│ 풀이 점검 │

조건을 만족시키는 사차함수는 3가지가 있다. 이때 $f(x)$가 $x=4$에서 극값을 갖는 것을 생각하면 극댓값에 대하여 대칭인 2가지는 극소가 되는 x값이 $x=$ ❶_____인 경우와 극소가 되는 x값이 $x=$ ❷_____인 경우로 나눌 수 있다.

또 삼중근을 가지는 1가지가 있는데, 삼중근을 가질 때의 함수를 구해 보면 $f(x)=$ ❸_____

15 ★★★

최고차항의 계수가 1인 사차함수 $y=f(x)$에 대하여 두 함수 $g(x), h(x)$를

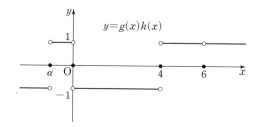

이라 하자. 함수 $g(x)h(x)$의 그래프 개형이 그림과 같을 때, $f(8)$의 값을 구하시오. (단, α는 상수이다.)

해법 가이드

• 함수 $g(x)h(x)$의 부호는 사차함수 $y=f(x)$의 그래프 개형에 따라 결정된다.

 (i) $g(x)h(x)=0$인 경우
  ⇨ $f(x)=0$ 또는 $f'(x)=0$

 (ii) $g(x)h(x)>0$인 경우
  ⇨ $f(x)>0$이고 증가하거나 $f(x)<0$이고 감소한다.

 (iii) $g(x)h(x)<0$인 경우
  ⇨ $f(x)>0$이고 감소하거나 $f(x)<0$이고 증가한다.

• 함수 $y=g(x)h(x)$에 맞는 사차함수 $y=f(x)$의 그래프의 개형을 그린 후 $y=f(x)$의 식을 세운다.

풀이 점검

1 $y=g(x)h(x)$의 그래프에서 추론해 보면 함수 $f(x)$에 대하여
 $f(\alpha)=0$이고, $f'(6)=$❶ _____

2 주어진 조건에서 가능한 함수 $f(x)$의 식은
 $f(x)=$❷ _____

16 ★★★

최고차항의 계수가 1이고, $f'(0)=0$인 사차함수 $f(x)$에 대하여 함수 $g(x)$가 다음 조건을 만족시킨다.

> (가) $-1 \le x < 1$일 때, $g(x)=f(x)$이다.
>
> (나) 모든 실수 x에 대하여 $g(1+x)=g(-1+x)$이고, 함수 $g(x)$는 실수 전체의 집합에서 미분가능하다.

함수 $y=|f(x)-t|$가 미분 불가능한 점이 2개가 되는 t의 최솟값이 8일 때, $g(999)$의 값을 구하시오.

| 해법 가이드 |

• 사차함수 $f(x)$에 대하여 $-1 \le x < 1$일 때, $g(x)=f(x)$이고, 주기가 2인 주기함수 $g(x)$가 실수 전체에서 미분 가능하려면 다음과 같은 모양을 생각할 수 있다.

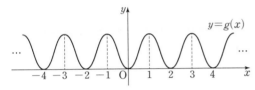

• t를 조금씩 변화시켜보면서 함수 $y=|f(x)-t|$에서 미분 불가능한 점의 개수를 찾는다.

| 풀이 점검 |

1 함수 $g(x)$가 주기함수이므로 $f(1)=$ **❶**＿＿＿＿＿＿

2 주어진 조건에서 구한 $f(x)=$ **❷**＿＿＿＿＿＿＿＿

17 ★★★

최고차항의 계수가 1이고 원점을 지나는 삼차함수 $f(x)$가 있다. 실수 t에 대하여 부등식 $f(x) \le f(t)$를 만족시키는 실수 x의 최댓값을 $g(t)$라 할 때, 함수 $g(t)$는 다음 조건을 만족시킨다.

┌─────────────────────────────────────┐
㈎ 함수 $g(t)$는 $t=0$에서만 불연속이다.
㈏ 함수 $g(t)$의 극댓값은 4이다.
└─────────────────────────────────────┘

이때 $0 \le x \le 3$인 모든 실수 x에 대하여 $f(x) - f(k) \le f'(k)(x-k)$가 되는 실수 k의 최댓값을 p라 할 때, $24p$의 값을 구하시오.

│ 해법 가이드 │

· 실수 t에 대하여 부등식 $f(x) \le f(t)$를 만족시키는 실수 x의 최댓값 $g(t)$의 정의를 이해하고 삼차함수 $f(x)$의 그래프를 그려본다.

· $f(x)$의 그래프를 이용해 $f(x)$의 식을 완성하고 실수 k의 최댓값을 구한다.

│ 풀이 점검 │

① 조건을 이용해 구한 $f(x) =$ ❶ _____

② $f(x) \le f'(k)(x-k) + f(k)$에서 부등식의 우변 $y = f'(k)(x-k) + f(k)$는 곡선 $y = f(x)$ 위의 점 $(k, f(k))$에서의 접선이므로 이 접선이 $(3, 0)$을 지나는 경우를 생각해 실수 k의 최댓값 p를 구하면 $p =$ ❷ _____

유형 08

정적분으로 정의된 함수

◀ Mentor Comment

수Ⅱ에서 어려운 문제는 주로 미분과 적분이고, 적분에서는 정적분으로 정의된 함수를 포함한 유형이 많았다. 정적분으로 정의된 함수는 구간이 모두 상수인 경우보다는 구간에 변수가 있는 경우가 주로 출제된다. 구간에 변수가 있는 경우, 기본적으로 적분 구간을 같게 만들어 함수의 정보를 찾고, 양변을 미분하여 함수를 찾는데, 반드시 이런 경우만 있지 않다는 점도 생각해야 한다. 최근 이 유형에서는 미분과 연계되는 합답형 문제도 자주 출제되므로 충분히 연습하도록 하자.

대표 문제

01
2017학년도 수능 20번

최고차항의 계수가 양수인 삼차함수 $f(x)$가 다음 조건을 만족시킨다.

> ㈎ 함수 $f(x)$는 $x=0$에서 극댓값, $x=k$에서 극솟값을 가진다. (단, k는 상수이다.)
>
> ㈏ 1보다 큰 모든 실수 t에 대하여 $\displaystyle\int_0^t |f'(x)|\,dx = f(t)+f(0)$

보기에서 옳은 것만을 있는 대로 고른 것은?

┤ 보기 ├

ㄱ. $\displaystyle\int_0^k f'(x)\,dx < 0$　　　ㄴ. $0 < k \le 1$　　　ㄷ. 함수 $f(x)$의 극솟값은 0이다.

① ㄱ　　　　② ㄷ　　　　③ ㄱ, ㄴ　　　　④ ㄴ, ㄷ　　　　⑤ ㄱ, ㄴ, ㄷ

풀이 preview

함수 $f(x)$에서 삼차항의 계수를 양수 a라 하고, 그림과 같이 그래프의 개형을 생각하면 ㈎에서 $f'(x) = 3ax(x-k)$ $(a>0)$이고, $k>0$임을 알 수 있다.

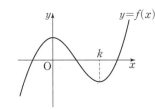 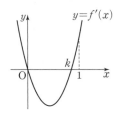

㈏의 등식 $\displaystyle\int_0^t |f'(x)|\,dx = f(t)+f(0)$을 t에 대하여 미분하면

$|f'(t)| = f'(t)$를 얻을 수 있는데, 조건에서 이 등식은 $t>1$일 때 성립하므로 이 범위에서 $f'(t) \ge 0$임을 알 수 있다.

✓ 해법 Tip

1　조건에 따라 삼차함수 $f(x)$와 $f'(x)$의 그래프 개형을 그려 본다.

2　$|f'(t)| = f'(t)$이면 $f'(t) \ge 0$이다.

02-1 ★★   2020학년도 수능 28번

다항함수 $f(x)$가 다음 조건을 만족시킨다.

(가) 모든 실수 x에 대하여
$$\int_1^x f(t)\,dt = \frac{x-1}{2}\{f(x)+f(1)\}$$

(나) $\int_0^2 f(x)\,dx = 5\int_{-1}^1 xf(x)\,dx$

$f(0)=1$일 때, $f(4)$의 값을 구하시오.

| 해법 가이드 |

(가) 등식의 양변을 x에 대하여 미분하여 $f(x)$, $f'(x)$ 사이의 관계식을 얻고 다항함수 $f(x)$의 최고차항을 구한다.

02-2

다항함수 $f(x)$가 다음 조건을 만족시킨다.

(가) 모든 실수 x에 대하여
$$\int_2^x f(t)\,dt = \frac{x-k}{2}\{f(x)+f(2)\} \ (\text{단, } k\text{는 상수})$$

(나) $\int_0^4 f(x)\,dx + 3\int_{-2}^2 x(x-1)f(x)\,dx = 0$

$f(0)=2$일 때, $f\left(\dfrac{3}{2}k\right)$의 값은?

① -13 ② -3 ③ 7 ④ 17 ⑤ 27

| 풀이 점검 |

1 $f(x)$의 최고차항을 ax^n이라 하고, n을 구하면 $n =$ ❶ _____

2 (나)를 이용해 구한 $f(x) =$ ❷ _____

| 풀이 점검 |

두 조건 (가), (나)를 이용해 구한 $f(x) =$ _____

03-1 ★★

2020학년도 수능 9월 모의평가 21번

함수 $f(x)=x^3+x^2+ax+b$에 대하여 함수 $g(x)$를 $g(x)=f(x)+(x-1)f'(x)$라 하자. **보기**에서 옳은 것만을 있는 대로 고른 것은? (단, a, b는 상수이다.)

┤ 보기 ├

ㄱ. $h(x)=(x-1)f(x)$이면 $h'(x)=g(x)$이다.

ㄴ. 함수 $f(x)$가 $x=-1$에서 극값 0을 가지면 $\int_0^1 g(x)dx=-1$이다.

ㄷ. $f(0)=0$이면 방정식 $g(x)=0$은 열린구간 $(0,1)$에서 적어도 하나의 실근을 갖는다.

① ㄱ   ② ㄴ   ③ ㄱ, ㄴ

④ ㄱ, ㄷ   ⑤ ㄱ, ㄴ, ㄷ

┃ 해법 가이드 ┃

• 곱의 미분법으로 $h(x)=(x-1)f(x)$의 도함수를 구한다.

• $f(x)$가 $x=-1$에서 극값 0을 가지면 $f(-1)=0$, $f'(-1)=0$

03-2

미분 가능한 함수 $f(x)$, $g(x)$에 대하여

$$\int_0^x \{g(t)-f(t)\}dt=(x-2)f(x)-\int_0^x f(s)ds$$

가 성립할 때, **보기**에서 옳은 것만을 있는 대로 고른 것은?

┤ 보기 ├

ㄱ. $f(0)=0$

ㄴ. 함수 $h(x)$에 대하여 $h'(x)=f(x)+(x-2)f'(x)$이면 $g(3)=h'(3)$이고, $h(0)=h(2)$이다.

ㄷ. $f'(x)=\dfrac{f(x)}{2-x}$를 만족시키는 실수 x가 열린구간 $(0,2)$에서 적어도 하나 존재한다.

① ㄱ   ② ㄴ   ③ ㄱ, ㄴ

④ ㄱ, ㄷ   ⑤ ㄱ, ㄴ, ㄷ

┃ 풀이 점검 ┃

ㄴ. $f(x)=x^3+x^2+ax+b$가 $x=-1$에서 극값 0을 가지는 조건을 이용해 $g(x)$를 구하면 $g(x)=$❶＿＿＿＿＿＿

ㄷ. $\int_0^1 g(x)dx=$❷＿＿＿＿

┃ 풀이 점검 ┃

① $\int_0^x g(t)dt=$❶＿＿＿＿＿＿

② $\int_0^2 g(t)dt=$❷＿＿＿＿

04 ★

최고차항의 계수가 양수인 삼차함수 $f(x)$에 대하여 다음이 성립할 때, $f(1)+f(3)$의 값을 구하시오.

> (가) $\displaystyle\int_1^x f(t)dt \geq \dfrac{x-1}{2}\{f(x)+f(1)\}$ (단, $x>1$)이고,
>
> $x=5$이면 등호가 성립하며, 이때 $\displaystyle\int_1^x f(t)dt=12$이다.
>
> (나) $f(5)=5$

┃ 해법 가이드 ┃

$\dfrac{x-1}{2}\{f(x)+f(1)\}$을 $y=f(x)$의 그래프에서 생각하면 네 꼭짓점의 좌표가 $(1,\,0),\,(1,\,f(1)),\,(x,\,0),\,(x,\,f(x))$인 사다리꼴의 넓이임을 이용한다.

05 ★

$\displaystyle\int_0^1 6xf(x)dx=1$을 만족시키는 일차함수 $f(x)$에 대하여 함수 $g(x)$는 $g(x)=\displaystyle\int_0^x \{f(t)\}^2 dt$이고, $g(1)$의 최솟값은 m이다. $60m$의 값을 구하시오.

┃ 해법 가이드 ┃

$f(x)=ax+b$라 놓고, $\displaystyle\int_0^1 6xf(x)dx=1$에 대입한다.

┃ 풀이 점검 ┃

1 $f(x)=ax+b$라 하고, b를 a로 나타내면 ❶ _____

2 $g(1)$을 a에 대한 식으로 나타내면 ❷ _____

┃ 풀이 점검 ┃

주어진 조건에서 $f(3)=$ _____

06 ★

두 다항함수 $f(x)$, $g(x)$가 다음 조건을 만족시킨다. $a+b+c$의 값을 구하시오. (단, c는 양수이다.)

(가) $f(x)=ax^3+bx^2+x+\displaystyle\int_{-1}^{x}(x-t)g(t)dt$가

$(x+1)^2$으로 나누어 떨어진다.

(나) 모든 실수 x에 대하여 $\displaystyle\int_{0}^{x}g(t)dt=x^2\int_{0}^{c}g(t)dt$를 만

족시키는 실수 c가 존재한다.

▍해법 가이드 ▍

· $\left[\displaystyle\int_{-1}^{x}(x-t)g(t)dt\right]'=\displaystyle\int_{-1}^{x}g(t)dt$

· $f(x)$가 $(x+1)^2$으로 나누어 떨어지므로

$f(-1)=0, f'(-1)=0$

▍풀이 점검 ▍

① (가)를 이용해 a, b를 구하면 $a=$ **❶**＿＿＿ , $b=$ **❷**＿＿＿

② (나)에서 $c=$ **❸**＿＿＿

07 ★★

다항함수 $f(x)$에 대하여 $f(1)=4$이고, 다음 등식이 성립할 때, $f(2)=k$이다. k^2의 값을 구하시오.

$$\int_{1}^{x}(x+t)f'(t)dt=2xf(x)+2x^3+ax^2+bx$$

▍해법 가이드 ▍

· $\displaystyle\int_{a}^{x}f(t)dt=g(x)$ 꼴 식은 양변을 미분해서 얻은

$f(x)=g'(x)$과 $x=a$를 대입하여 얻은 $0=g(a)$를 이용한다.

· 적분 기호 안에 x를 포함하면 x를 적분 기호 밖으로 빼내 미분한다.

▍풀이 점검 ▍

① 주어진 조건에서 $f'(x)$를 a를 포함해서 나타내면

$f'(x)=$ **❶**＿＿＿＿＿＿＿＿

② 조건을 이용해 구한 $f(x)=$ **❷**＿＿＿＿＿＿＿＿

08 ★★

모든 실수 x에 대하여 정의된 다항함수 $f(x)$에 대하여

$$\int_1^x f(t)\,dt = xf(x) + x^n - x^{n+1}$$

이 성립하고, $g(n) = f(0)$, $h(n)$은 $f(x)$와 x축의 교점의 개수라 한다. **보기**에서 옳은 것만을 모두 고른 것은?

(단, n은 자연수이다.)

┤ 보기 ├

ㄱ. $n = 2, 3, 4$일 때 함수 $f(x)$의 극점의 개수를 모두 더한 값은 4

ㄴ. $h(2) + h(3) + h(4) = 7$

ㄷ. $\displaystyle\sum_{n=2}^{999} g(n) = \frac{998}{999}$이다.

① ㄱ   ② ㄱ, ㄴ   ③ ㄱ, ㄷ

④ ㄴ, ㄷ   ⑤ ㄱ, ㄴ, ㄷ

| 해법 가이드 |

- 주어진 식에 $x = 1$을 대입하여 $f(1)$을 구하고, 미분하여 $f'(x)$도 구한다.
- n값에 따라 함수 $f(x)$의 그래프를 그린다.

| 풀이 점검 |

① $f(x) = $ **❶** ＿＿＿＿＿＿＿＿＿＿＿＿＿＿＿

② $f(0)$을 이용하면 $g(n) = $ **❷** ＿＿＿＿＿＿＿

09 ★★☆

함수 $f(x)=x^3+ax^2+bx+c$와 직선인 함수 $y=g(x)$에 대하여 $h(x)=\dfrac{f(x)+g(x)-|f(x)-g(x)|}{2}$이다.

또 $x \geq 0$에서 정의된 함수 $p(x)=\displaystyle\int_{-x}^{3x} h(t)\,dt$에 대하여 다음이 성립할 때 $f(3)$의 값을 구하시오.

$$(\text{단, } a, b, c \text{는 상수}, f(1)=g(1))$$

㈎ 구간 $0<x<2$에서만 $p(x)$는 일차함수이다.

㈏ 구간 $0<x<3$에서 $p(x)$는 증가한다.

㈐ 구간 $x>3$에서 $p(x)$는 감소한다.

┃ 해법 가이드 ┃

· ㈎에서 함수 $h(x)$는 $-2<x<6$에서 상수함수이다.

· $g(1)=f(1)$이므로 $g(x)$는 $x=1$일 때 함수 $f(x)$와 접한다.

10 ★★☆ 2018학년도 수능 9월 모의평가 30번

두 함수 $f(x)$와 $g(x)$가

$$f(x)=\begin{cases}0 & (x\le 0)\\ x & (x>0)\end{cases}, \quad g(x)=\begin{cases}x(2-x) & (\,|x-1|\le 1\,)\\ 0 & (\,|x-1|>1\,)\end{cases}$$

이다. 양수 $k, a, b\ (a<b<2)$에 대하여, 함수 $h(x)$를

$$h(x)=k\{f(x)-f(x-a)-f(x-b)+f(x-2)\}$$

라 정의하자. 모든 실수 x에서 $0\le h(x)\le g(x)$일 때,

$\displaystyle\int_{0}^{2}\{g(x)-h(x)\}dx$의 값이 최소가 되게 하는 k, a, b에

대하여 $60(k+a+b)$의 값을 구하시오.

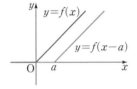
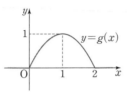

| 해법 가이드 |

$a\le x\le b$일 때 $f(x)-f(x-a)=a$이고,

$x\ge b$일 때 $f(x)-f(x-a)-f(x-b)$는 감소하는 직선임을 짐작할 수 있다.

| 풀이 점검 |

주어진 정적분이 최소일 때 a, b 사이에 _____인 관계가 성립한다.

11 ★★☆

2021학년도 수능 20번

실수 $a\ (a>1)$에 대하여 함수 $f(x)$를
$$f(x)=(x+1)(x-1)(x-a)$$
라 하자. 함수
$$g(x)=x^2\int_0^x f(t)dt-\int_0^x t^2 f(t)dt$$
가 오직 하나의 극값을 갖도록 하는 a의 최댓값은?

① $\dfrac{9\sqrt{2}}{8}$ ② $\dfrac{3\sqrt{6}}{4}$ ③ $\dfrac{3\sqrt{2}}{2}$ ④ $\sqrt{6}$ ⑤ $2\sqrt{6}$

| 해법 가이드 |

$g'(x)=0$이 되는 경우를 생각한다.

| 풀이 점검 |

조건을 만족시키는 등식을 정적분을 포함한 식으로 나타내면

12 ★★★

다음과 같은 조건을 만족시키는 함수 $f(x)$가 있다. 이때 함수 $g(x)=\displaystyle\int_{x}^{x+2} f(t)dt$에 대한 설명으로 **보기**에서 옳은 것만을 있는대로 고른 것은?

㈎ $f(x)=x$ $(-1\leq x\leq 1)$ ㈏ $f(2-x)=f(x)$

㈐ $f(-x)=-f(x)$

보기

ㄱ. $g'(1)=-2$

ㄴ. $0\leq x\leq 10$에서 $g(x)$의 극댓값은 1만 존재한다.

ㄷ. 함수 $g(x)$는 주기가 2인 주기함수이다.

ㄹ. $g(-x)=-g(x)$

---

① ㄱ, ㄴ   ② ㄱ, ㄷ   ③ ㄴ, ㄷ

④ ㄱ, ㄴ, ㄷ   ⑤ ㄴ, ㄷ, ㄹ

| 해법 가이드 |

• 함수 $f(x)$가 $x=1$에 대하여 대칭이면서 원점에 대하여 대칭이다.

• 함수 $f(x)$의 그래프를 구하고 구간별로 적분하여 함수 $g(x)$를 구한다.

| 풀이 점검 |

1 $0\leq x<1$일 때 $g(x)=$ ❶ _____

2 $1\leq x<2$일 때 $g(x)=$ ❷ _____

3 $2\leq x<3$일 때 $g(x)=$ ❸ _____

4 $3\leq x<4$일 때 $g(x)=$ ❹ _____

유형 09

정적분의 활용

◀ Mentor Comment
정적분의 활용은 넓이 문제와 속도·거리 문제, 이 두 가지 유형으로 나눌 수 있다. 넓이 문제는 주로 구간을 나누어서 정적분하는 유형으로 출제된다. 속도와 거리 문제는 위치의 변화량과 이동거리를 잘 구분해야 하며, 특히 속도-시간 그래프를 해석하는 연습이 필요하다. 이 유형은 꾸준히 출제되는 것에 비해 크게 어렵지 않지만 가끔 넓이에서 삼차·사차함수와 연계된 것, 함수 또는 수열 등 다른 단원과 연계된 것 등이 까다롭게 다뤄지기도 한다. 한편 넓이를 계산할 때 몇 가지 공식을 이용하면 꽤 편리하므로 연습해 두는 것도 좋을 것이다.

대표 문제

01

2019학년도 수능 17번

실수 전체의 집합에서 증가하는 연속함수 $f(x)$가 다음 조건을 만족시킨다.

> (가) 모든 실수 x에 대하여 $f(x)=f(x-3)+4$이다.
> (나) $\displaystyle\int_0^6 f(x)dx=0$

함수 $f(x)$의 그래프와 x축 및 두 직선 $x=6$, $x=9$로 둘러싸인 부분의 넓이는?

① 9   ② 12   ③ 15   ④ 18   ⑤ 21

풀이 preview

(나)에서 $\displaystyle\int_0^6 f(x)dx=\int_0^3 f(x)dx+\int_3^6 f(x)dx$

$$=\int_0^3 f(x)dx+\int_3^6 \{f(x-3)+4\}dx$$

$$=\int_0^3 f(x)dx+\int_0^3 \{f(x)+4\}dx$$

$$=\int_0^3 f(x)dx+\int_0^3 f(x)dx+\int_0^3 4dx$$

$$=2\int_0^3 f(x)dx+12$$

$\displaystyle\int_0^6 f(x)dx=0$이므로 $2\displaystyle\int_0^3 f(x)dx+12=0$

즉 $\displaystyle\int_0^3 f(x)dx=-6$이고, 이때 $\displaystyle\int_3^6 f(x)dx=6$

이 사실을 이용해 함수 $f(x)$의 그래프와
x축 및 두 직선 $x=6$, $x=9$로 둘러싸인 부분의 넓이인

$\displaystyle\int_6^9 f(x)dx$를 구한다.

✓ 해법 Tip

1 $f(x)=f(x-3)+4$는 구간의 길이가 3일 때마다 같은 모양의 그래프가 반복된다는 뜻이므로 정적분에서 구간의 길이를 3씩 나누는 걸 생각한다.

2 정적분에서 다음이 성립한다.
$$\int_a^b f(x-a)dx=\int_0^{b-a} f(x)dx$$

02-1 ★

2020학년도 경찰대 15번

두 곡선 $y=x^3+4x^2-6x+5$, $y=x^3+5x^2-9x+6$이 만나는 점의 x좌표를 α, β $(\alpha<\beta)$라 하자.

곡선 $y=6x^5+4x^3+1$과 두 직선 $x=\alpha$, $x=\beta$와 x축으로 둘러싸인 부분의 넓이는 $a\sqrt{5}$일 때, 자연수 a의 값은?

① 160　　　② 162　　　③ 164

④ 166　　　⑤ 168

| 해법 가이드 |

- 두 곡선의 교점을 구하는 식을 세우고 α, β 사이의 관계식을 찾는다.
- 넓이를 α, β로 나타내고 곱셈공식의 변형을 이용한다.

02-2

두 곡선 $y=x^3+3x^2$, $y=x^3+5x^2+6x+2$가 만나는 점의 x좌표를 α, β $(\alpha<\beta)$라 하자.

곡선 $y=5x^4+6x^2+1$과 두 직선 $x=\alpha$, $x=\beta$와 x축으로 둘러싸인 부분의 넓이는 $a\sqrt{5}$일 때, 자연수 a의 값은?

① 68　　　② 70　　　③ 72

④ 74　　　⑤ 76

| 풀이 점검 |

1 $\beta^2-\alpha^2=$ ❶ _____

2 $\beta^4-\alpha^4=$ ❷ _____

3 $\beta^6-\alpha^6=$ ❸ _____

| 풀이 점검 |

1 $\beta^3-\alpha^3=$ ❶ _____

2 $\beta^5-\alpha^5=$ ❷ _____

03-1 ★★

2011학년도 수능 17번

원점을 출발하여 수직선 위를 움직이는 점 P의 시각 $t(0 \leq t \leq 5)$에서의 속도 $v(t)$가 다음과 같다.

$$v(t) = \begin{cases} 4t & (0 \leq t < 1) \\ -2t+6 & (1 \leq t < 3) \\ t-3 & (3 \leq t \leq 5) \end{cases}$$

$0 < x < 3$인 실수 x에 대하여 점 P가

   시각 $t=0$에서 $t=x$까지 움직인 거리

   시각 $t=x$에서 $t=x+2$까지 움직인 거리

   시각 $t=x+2$에서 $t=5$까지 움직인 거리

중에서 최소인 값을 $f(x)$라 할 때, **보기**에서 옳은 것만을 있는 대로 고른 것은?

┤ 보기 ├

ㄱ. $f(1) = 2$

ㄴ. $f(2) - f(1) = \displaystyle\int_1^2 v(t)dt$

ㄷ. 함수 $f(x)$는 $x=1$에서 미분 가능하다.

① ㄱ   ② ㄴ   ③ ㄱ, ㄴ

④ ㄱ, ㄷ   ⑤ ㄴ, ㄷ

| 해법 가이드 |

• 시간－속도 그래프에서 움직인 거리는 $v(t)$의 그래프와 x축 사이의 넓이와 같음을 생각한다.

• 충분히 작은 양수 h에 대하여 $1-h < x < 1$일 때와 $1 < x < 1+h$일 때로 나누어 $f(x)$를 구해 본다.

| 풀이 점검 |

ㄱ. $f(1) = $ ^❶_____

ㄴ. $\displaystyle\int_1^2 v(t)dt = $ ^❷_____

ㄷ. 충분히 작은 양수 h에 대하여

   $1-h < x < 1$일 때 $f'(x) = $ ^❸_____

   $1 < x < 1+h$일 때 $f'(x) = $ ^❹_____

03-2

03-1과 같은 조건에서 $v(t)$가 다음과 같다.

$$v(t) = \begin{cases} 2t & (0 \leq t < 1) \\ -t+3 & (1 \leq t < 3) \\ \dfrac{1}{2}t - \dfrac{3}{2} & (3 \leq t \leq 5) \end{cases}$$

이때 $\displaystyle\int_0^3 f(x)dx$의 값은?

① $\dfrac{4}{3}$ ② $\dfrac{5}{3}$ ③ 2 ④ $\dfrac{7}{3}$ ⑤ $\dfrac{8}{3}$

| 풀이 점검 |

1️⃣ $0 < x < 1$일 때 $f(x) = $ ^❶_____

2️⃣ $1 < x < 3$일 때 $f(x) = $ ^❷_____

04 ★

네 꼭짓점의 좌표가 O(0, 0), A(t, 0), B(t, t), C(0, t)인 정사각형 OABC가 있다. 포물선 $y=mx^2$ ($m>0$)이 그림과 같이 정사각형 OABC의 넓이를 이등분 할 때, $\dfrac{1}{m}$의 값을 $f(t)$라 하자.

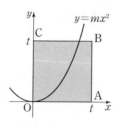

$f(t)$가 정수가 되는 두 자리 자연수 t값들의 합을 구하시오.

▌해법 가이드 ▌

• 이등분된 각 부분의 넓이를 따로 생각한다.
• 곡선 $y=mx^2$과 $\overline{BC}$의 교점의 좌표를 (a, t)라 놓자.

05 ★★

수직선 위를 움직이는 두 점 P, Q의 시각 t ($t \geq 0$)에서 각각의 위치 x_1, x_2가
$$x_1=t^3+t^2, \quad x_2=at^2+bt$$
이다. 처음에는 점 P가 앞서기 시작하여 두 점 사이의 거리 차가 44까지 되었다가 나중에는 점 Q가 점 P를 추월하여 거리 차는 64까지 벌어졌다. $t=4$일 때, 점 Q의 위치를 구하시오.

▌해법 가이드 ▌

• $f(t)=x_1-x_2$라 하고 조건을 만족시키는 $f(t)$를 구한다.
• $x_2=x_1-f(t)$임을 이용하여 x_2를 구한다.

▌풀이 점검 ▌

① 곡선 $y=mx^2$과 변 $\overline{BC}$가 만나는 점의 x좌표를 a라 하고, a를 t로 나타내면 $a=$ ❶ _____

② $f(t)=$ ❷ _____

▌풀이 점검 ▌

① $f(t)=x_1-x_2$라 하면 $f(t)=$ ❶ _____

② 점 Q의 위치 $x_2=$ ❷ _____

06 ★★

두 함수

$$f(x)=\begin{cases}3x-x^3 & (x\geq0)\\-x^2-3x & (x<0)\end{cases}, \; g(x)=tx$$

가 서로 다른 세 점에서 만나고 있다. 두 함수의 그래프로 둘러싸인 부분의 넓이를 $S(t)$라 할 때, $S(t)$가 최소가 되는 t값을 m, $S(t)$의 최솟값을 n이라 하자. $6(m+n)$의 값을 구하시오.

┃ 해법 가이드 ┃

- 두 함수 $f(x)$, $g(x)$ 모두 원점을 지나므로 그래프 개형을 그려 놓고 세 점에서 만나는 경우를 생각한다.
- $f(x)-g(x)$를 정적분하여 $S(t)$를 구한다.

┃ 풀이 점검 ┃

① 두 함수 $f(x)$, $g(x)$의 그래프가 만나는 점의 x좌표는
$x>0$일 때 $x=$ **❶**_____, $x<0$일 때 $x=$ **❷**_____

② $S(t)=$ **❸**_____

07 ★★

최고차항의 계수가 1인 삼차함수 $f(x)$와 $g(x)=2x-1$이 있다. 또 함수 $h(x)$에 대하여 $h'(x)=f(x)+xf'(x)$이고, 다음 조건을 만족시킨다. $f(4)$의 값을 구하시오.

> ㈎ 두 함수 $g(x)$, $h(x)$는 $x=1$, α일 때만 만난다. $(\alpha>1)$
>
> ㈏ $h(x)\geq g(x)$
>
> ㈐ 두 함수 $g(x)$, $h(x)$로 둘러싸인 영역의 넓이는 $\dfrac{16}{15}$

┃ 해법 가이드 ┃

- $(xf(x))'=f(x)+xf'(x)$
- $h(x)$와 $g(x)$의 그래프를 생각하면 직선 $y=g(x)$가 곡선 $y=h(x)$에 접할 때 두 조건 ㈎, ㈏를 만족시킨다.

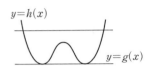

┃ 풀이 점검 ┃

① 조건 ㈎, ㈏에서 $h(x)-g(x)=$ **❶**_____

② 조건 ㈐에서 $\alpha=$ **❷**_____

③ $f(x)=$ **❸**_____

08 ★★☆

두 함수 $f(x)=x^2-2x+4$, $g(x)=m(x-2)+5$에 대하여 함수 $h(x)$는 다음과 같다.

$$h(x)=\begin{cases} f(x) & (f(x)\geq g(x)) \\ g(x) & (f(x)<g(x)) \end{cases}$$

제 1 사분면에서 $y\leq h(x)$이고, $x\leq 4$인 부분의 넓이를 $S(m)$이라 하자. $S(m)$이 최소가 되는 m의 값을 a, $S(m)$의 최솟값을 b라 할 때, $a+b=\dfrac{q}{p}$이다. $p+q$의 값을 구하시오. $\left(\text{단, } \dfrac{1}{2}\leq m\leq\dfrac{5}{2}\text{이고 } p, q\text{는 서로소인 자연수이다.}\right)$

┃ 해법 가이드 ┃

- 두 함수 $f(x)$, $g(x)$의 교점을 구한다.
- 그래프의 개형을 그려 각 구간별로 정적분한다.

09 ★★☆

그림과 같이 포물선 $f(x)=x^2-6x+11$과 이 곡선 위의 네 점 $A(2, 3)$, $B(5, 6)$, $P(a, f(a))$, $Q(b, f(b))$가 있다. 이때 사각형 APQB 넓이의 최댓값을 구하시오.

(단, $2<a<b<5$)

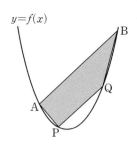

┃ 해법 가이드 ┃

곡선 $f(x)$와 네 변 $\overline{AB}$, $\overline{AP}$, $\overline{PQ}$, $\overline{QB}$로 둘러싸인 부분의 넓이를 차례로 S_1, S_2, S_3, S_4라 하면
(사각형 APQB의 넓이)$=S_1-(S_2+S_3+S_4)$임을 이용한다.

┃ 풀이 점검 ┃

1 두 함수 $f(x)$, $g(x)$의 그래프가 만나는 점의 x좌표를 α, β라 할 때, $\alpha+\beta=$ ❶_____, $\alpha\beta=$ ❷_____

2 $S(m)$을 m에 대한 식으로 나타내면

$S(m)=$ ❸_____

┃ 풀이 점검 ┃

1 곡선 $f(x)$와 네 변 $\overline{AB}$, $\overline{AP}$, $\overline{PQ}$, $\overline{QB}$로 둘러싸인 부분의 넓이를 차례로 S_1, S_2, S_3, S_4라 할 때, $S_1=$ ❶_____

$S_2+S_3+S_4=$ ❷_____

2 $(S_2+S_3+S_4)$의 최솟값은 ❸_____

10 ★★☆

다음에 주어진 조건을 만족시키는 함수 $f(x)$에 대하여 함수 $g(x)$를 $g(x)=\int_0^x f(t)dt$라 할 때, $\int_0^{12} g(x)dx$의 값을 구하시오.

> (가) $f(x)=\dfrac{1}{2}x \ (0 \le x < 2)$ (나) $f(-x)=f(x)$
>
> (다) $f(x+4)=f(x)$

| 해법 가이드 |

• $0 \le x < 2$, $2 \le x < 4$일 때 $g(x)$를 구해 보자.

• $f(x)$가 주기함수이므로 $g(x)$에서도 규칙이 있음을 생각한다.

| 풀이 점검 |

① $0 \le x < 2$일 때 $g(x) = ^{❶}$ _____

② $2 \le x < 4$일 때 $g(x) = ^{❷}$ _____

③ $\int_0^{12} g(x)dx = 3\left\{ \int_0^2 g(x)dx + \int_2^4 g(x)dx \right\} + ^{❸}$ _____

11 ★★★

2018학년도 수능 30번

이차함수 $f(x)=\dfrac{3x-x^2}{2}$에 대하여 구간 $[0, \infty)$에서 정의된 함수 $g(x)$가 다음 조건을 만족시킨다.

> ㈎ $0 \le x < 1$일 때, $g(x)=f(x)$
> ㈏ 자연수 n에 대하여 $n \le x < n+1$일 때,
> $$g(x)=\dfrac{1}{2^n}\{f(x-n)-(x-n)\}+x$$

어떤 자연수 k $(k \ge 6)$에 대하여 함수 $h(x)$는
$$h(x)=\begin{cases} g(x) & (0 \le x < 5 \text{ 또는 } x \ge k) \\ 2x-g(x) & (5 \le x < k) \end{cases}$$
이다. 수열 $\{a_n\}$을 $a_n=\displaystyle\int_0^n h(x)dx$라 할 때,

$\displaystyle\lim_{n \to \infty}(2a_n-n^2)=\dfrac{241}{768}$이다. k의 값을 구하시오.

▌해법 가이드 ▐

· $\displaystyle\int_0^n x\,dx=\dfrac{n^2}{2}$이고 $a_n=\displaystyle\int_0^n h(x)dx$이므로

$$\lim_{n \to \infty}(2a_n-n^2)=2\lim_{n \to \infty}\left(a_n-\dfrac{n^2}{2}\right)=2\lim_{n \to \infty}\int_0^n\{h(x)-x\}dx$$

· $g(x)-x=\dfrac{1}{2^n}\{f(x-n)-(x-n)\}$은 $\dfrac{1}{2^n}\{f(x)-x\}$를

x축 방향으로 n만큼 평행이동하면서 $\dfrac{1}{2}$을 n번 곱한 것과 같다.

▌풀이 점검 ▐

$\boxed{1}$ $\displaystyle\int_0^1\{f(x)-x\}dx=$❶_____

$\boxed{2}$ $\displaystyle\int_n^{n+1}\{g(x)-x\}dx=$❷_____

12 ★★★

함수 $f(x)=x^4-6x^2-10x-1$과 일차함수 $g(x)$에 대하여 함수 $h(x)$는 다음과 같고, 아래 조건들을 모두 만족시킬 때, 두 곡선 $f(x)$, $g(x)$로 둘러싸인 부분의 넓이는 $\frac{q}{p}$이다. $p+q$의 값을 구하시오. (단, p, q는 서로소이다.)

$$h(x)=\begin{cases} f(x) & (f(x)\leq g(x)) \\ g(x) & (f(x)>g(x)) \end{cases}$$

> (가) 함수 $h(x)$는 한 점에서만 미분이 불가능하다.
> (나) $g'(x)>-10$

| 해법 가이드 |

함수 $h(x)$는 크지 않은 값을 취하므로 그림처럼 생각하면 (가)를 만족시키는 경우는 $g(x)$가 $f(x)$의 접선이면서 접점을 제외한 다른 한 점에서만 $f(x)$와 다시 만나는 경우에만 가능하다.

| 풀이 점검 |

① 조건을 만족시키는 $g(x)=$ ❶ _____

② 구하려는 두 곡선 $f(x)$, $g(x)$로 둘러싸인 부분의 넓이는
   ❷ _____

13 ★★★

사차함수 $f(x)$가 다음을 만족시킬 때, 보기에서 옳은 것만을 모두 고른 것은? (단, $a<b<c$)

> (가) $f'(a)=f'(b)=f'(c)=0$
>
> (나) 충분히 작은 실수 h에 대하여 $\dfrac{f(a+h^2)-f(a)}{h^2}>0$
>
> (다) $y=f'(x)$와 x축 사이 넓이 합은 $9k+6$ (단, k는 정수)
>
> (라) $f(a)-f(c)=-2k^2+5k+18$

> ┤ 보기 ├
>
> ㄱ. $f(a)<f(b)$
>
> ㄴ. $y=|f(x)|$의 극댓값이 3개일 때,
> $g(k)=|f(b)|+|f(c)|$라 하면 모든 정수 k에 대한 $g(k)$의 최댓값이 24다.
>
> ㄷ. $f(b)-f(a)=18$이면 $f(b)-f(c)=24$이다.

① ㄱ   ② ㄴ   ③ ㄱ, ㄷ

④ ㄴ, ㄷ   ⑤ ㄱ, ㄴ, ㄷ

| 해법 가이드 |

- $f(x)$의 극점의 개수와 최고차항의 부호를 파악하여 그래프 개형을 그려본다.

- $\dfrac{f(a+h^2)-f(a)}{h^2}$는 점 $(a, f(a))$와 그보다 오른쪽에 있는 점 $(a+h^2, f(a+h^2))$을 지나는 직선의 기울기를 의미한다.

- $y=f'(x)$의 그래프와 x축 사이의 넓이가 가지는 의미를 생각해 보고, 극값의 차를 구한다.

| 풀이 점검 |

삼차함수 $f'(x)$와 x축으로 둘러싸인 부분의 넓이를 각각 S_1, S_2라 할 때, S_1, S_2를 각각 k에 대한 식으로 나타내면

$S_1=$ ❶ _____

$S_1=$ ❷ _____

유형 10
도형과 등비급수

◀ Mentor Comment

도형을 이용한 등비급수 문제는 꾸준히 출제되어 온 주제이므로 2015 교육 과정에서도 크게 달라지지 않을 것으로 보인다. 다만 이 단원이 미적분으로 옮겨가면서 '2022 수능 예시'처럼 점수가 낮아지거나 문제가 더 까다롭게 출제될 수 있다는 점도 염두에 두어야 한다. 이 유형의 문제는 닮음비, 넓이비와 같은 비율을 이용하여 공비를 구해야 쉽게 풀 수 있다. 피타고라스 정리와 원이 접할 때 나타나는 성질을 이용한 유형부터 삼각함수의 활용(사인법칙과 코사인법칙, 삼각함수의 덧셈정리)을 이용하는 유형까지 여러 가지 유형을 확실히 연습해 두어야 한다.

대표 문제

01

2020학년도 수능 18번

그림과 같이 한 변의 길이가 5인 정사각형 ABCD에 중심이 A이고 중심각의 크기가 90°인 부채꼴 ABD를 그린다. 선분 AD를 3:2로 내분하는 점을 A_1, 점 A_1을 지나고 선분 AB에 평행한 직선이 호 BD와 만나는 점을 B_1이라 하자. 선분 A_1B_1을 한 변으로 하고 선분 DC와 만나도록 정사각형 $A_1B_1C_1D_1$을 그린 후, 중심이 D_1이고 중심각의 크기가 90°인 부채꼴 $D_1A_1C_1$을 그린다. 선분 DC가 호 A_1C_1, 선분 B_1C_1과 만나는 점을 각각 E_1, F_1이라 하고, 두 선분 DA_1, DE_1

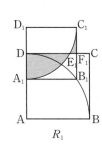
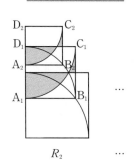

과 호 A_1E_1로 둘러싸인 부분과 두 선분 E_1F_1, F_1C_1과 호 E_1C_1로 둘러싸인 부분인 ⌐ 모양의 도형에 색칠하여 얻은 그림을 R_1이라 하자. 그림 R_1에서 정사각형 $A_1B_1C_1D_1$에 중심이 A_1이고 중심각의 크기가 90°인 부채꼴 $A_1B_1D_1$을 그린다. 선분 A_1D_1을 3:2로 내분하는 점을 A_2, 점 A_2를 지나고 선분 A_1B_1에 평행한 직선이 호 B_1D_1과 만나는 점을 B_2라 하자. 선분 A_2B_2를 한 변으로 하고 선분 D_1C_1과 만나도록 정사각형 $A_2B_2C_2D_2$를 그린 후, 그림 R_1을 얻은 것과 같은 방법으로 정사각형 $A_2B_2C_2D_2$에 ⌐ 모양의 도형을 그리고 색칠하여 얻은 그림을 R_2라 하자. 이와 같은 과정을 계속하여 n번째 얻은 그림 R_n에 색칠되어 있는 부분의 넓이를 S_n이라 할 때, $\lim\limits_{n\to\infty} S_n$의 값은?

① $\dfrac{50}{3}\left(3-\sqrt{3}+\dfrac{\pi}{6}\right)$

② $\dfrac{100}{9}\left(3-\sqrt{3}+\dfrac{\pi}{3}\right)$

③ $\dfrac{50}{3}\left(2-\sqrt{3}+\dfrac{\pi}{3}\right)$

④ $\dfrac{100}{9}\left(3-\sqrt{3}+\dfrac{\pi}{6}\right)$

⑤ $\dfrac{100}{9}\left(2-\sqrt{3}+\dfrac{\pi}{3}\right)$

풀이 preview

그림 R_1에서 $\overline{AA_1}=3$, $\overline{AB_1}=5$이므로 $\overline{A_1B_1}=4$

즉 $\overline{D_1E_1}=4$, $\overline{D_1D}=2$이므로 $\angle DD_1E_1=60°$, $\angle C_1D_1E_1=30°$

$\therefore S_1=\left(\dfrac{8}{3}\pi-2\sqrt{3}\right)+\left(8-2\sqrt{3}-\dfrac{4}{3}\pi\right)$

$\qquad =8-4\sqrt{3}+\dfrac{4}{3}\pi$

✓ 해법 Tip

그림과 같은 두 정사각형의 닮음비가 $m:n$이면 같은 규칙에 따라 그린 두 부채꼴 역시 닮음이며, 닮음비가 $m:n$이면 넓이비는 $m^2:n^2$이다.

02 ★

$\overline{AB}=2$인 직사각형 ABCD 안에 꼭짓점 A, C가 중심이고, 반지름이 각각 $\overline{AB}$, $\overline{CD}$인 사분원을 그리면 두 사분원은 서로 접한다. 이때 두 사분원과 직사각형 ABCD로 둘러싸인 ⌐ 모양의 도형을 색칠하여 얻은 그림을 R_1이라 하자.

또 중심이 A인 사분원의 호 위의 한 점에서 $\overline{AB}$와 $\overline{AD}$에 수선의 발을 내려 직사각형 ABCD와 닮음인 직사각형을 그리고, 중심이 C인 사분원의 호 위의 한 점에서 $\overline{CD}$와 $\overline{BC}$에 수선의 발을 내려 직사각형 ABCD와 닮음인 직사각형을 그린 후, 두 직사각형의 내부에 그림 R_1과 같은 방법으로 만들어지는 ⌐ 모양의 도형을 색칠하여 얻은 그림을 R_2라 하자. 이와 같은 과정을 계속하여 n번째 얻은 그림 R_n에 색칠되어 있는 부분의 넓이를 S_n이라 할 때, $\displaystyle\lim_{n\to\infty} S_n$의 값은?

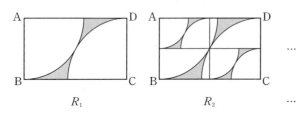

R_1 R_2 ...

① $5\sqrt{2}-3\pi$ ② $6\sqrt{2}-4\pi$ ③ $4\sqrt{3}-3\pi$

④ $8\sqrt{3}-4\pi$ ⑤ $16\sqrt{3}-3\pi$

▎해법 가이드 ▎

• $\overline{AC}$의 길이를 이용하여 직사각형의 가로 길이와 S_1을 구한다.
• 닮음비를 이용해 R_2에서 그린 직사각형의 넓이를 구한다.

03 ★

길이가 2인 $\overline{A_1B_0}$이 지름인 반원이 존재한다. $\overline{A_1B_0}$과 호 A_1B_0 위에 각각 점 B_1, 점 C_1을 잡고 가로 길이와 세로 길이의 비가 $2:1$인 직사각형 $A_1B_1C_1D_1$을 그림 R_1처럼 그린 후, ⌐ ⌐ 부분을 색칠한다.

또 그림 R_1에서 중심이 O이고 반지름이 $\overline{OB_1}$인 반원을 그린 후, 반원과 $\overline{A_1B_0}$이 만나는 점을 A_2라 할 때, $\overline{A_2B_1}$과 호 A_2B_1 위에 각각 점 B_2, C_2를 잡고 가로 길이와 세로 길이의 비가 $2:1$인 직사각형 $A_2B_2C_2D_2$를 그림 R_2처럼 그린 후, 새로 생긴 ⌐ ⌐ 부분을 색칠한다. 이와 같은 과정을 계속하여 n번째 얻은 그림 R_n에 색칠되어 있는 부분의 넓이를 S_n이라 할 때, $\displaystyle\lim_{n\to\infty} S_n$의 값을 구하시오.

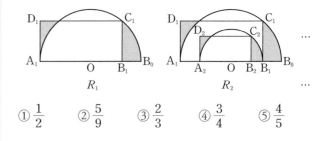

R_1 R_2 ...

① $\dfrac{1}{2}$ ② $\dfrac{5}{9}$ ③ $\dfrac{2}{3}$ ④ $\dfrac{3}{4}$ ⑤ $\dfrac{4}{5}$

▎해법 가이드 ▎

• 그림 R_1에서 색칠한 도형의 넓이를 구할 때, 합동인 부분을 찾아 본다.
• $\overline{OB_1}$의 길이를 구하여 닮음비를 이용한다.

▎풀이 점검 ▎

① 그림 R_1에서 색칠한 부분의 넓이는 ❶ _____

② 그림 R_n에 색칠되어 있는 부분의 넓이 S_n에 대하여 $\{S_n\}$이 따르는 등비급수의 공비는 ❷ _____

▎풀이 점검 ▎

① 그림 R_1에서 색칠한 부분의 넓이는 ❶ _____

② 그림 R_n에 색칠되어 있는 부분의 넓이 S_n에 대하여 $\{S_n\}$이 따르는 등비급수의 공비는 ❷ _____

04 ★★

그림과 같이 $\overline{A_1B_1}=1$이고, $\angle A_1=\dfrac{\pi}{2}$인 직각이등변삼각형 $A_1B_1C_1$에 대하여 선분 A_1B_1을 공유하며 $\overline{B_1D_1}=2$이고, $\angle B_1=\dfrac{\pi}{2}$인 직각삼각형 $A_1B_1D_1$이 있을 때, 선분 B_1C_1과 선분 A_1D_1의 교점이 점 E_1이다. 이때 오각형 $A_1B_1D_1E_1C_1$의 내부와 삼각형 $A_1B_1E_1$의 외부로 둘러싸인 도형 N을 색칠하여 얻은 그림을 R_1이라 하자.

또 선분 A_1D_1 위에 C_2, 선분 B_1C_1 위에 D_2, 선분 A_1B_1 위에 A_2, B_2를 잡아 오각형 $A_1B_1D_1E_1C_1$과 닮음인 오각형 $A_2B_2D_2E_2C_2$를 그리고, 오각형 $A_2B_2D_2E_2C_2$의 내부와 삼각형 $A_2B_2E_2$의 외부로 둘러싸인 도형 N을 색칠하여 얻은 그림을 R_2라 하자. 이와 같은 과정을 계속하여 n번째 얻은 그림 R_n에 색칠되어 있는 부분의 넓이를 S_n이라 할 때, $\displaystyle\lim_{n\to\infty}S_n$의 값은?

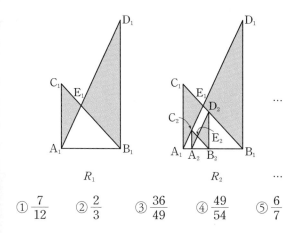

R_1 $\qquad$ R_2 $\qquad$ ...

① $\dfrac{7}{12}$ ② $\dfrac{2}{3}$ ③ $\dfrac{36}{49}$ ④ $\dfrac{49}{54}$ ⑤ $\dfrac{6}{7}$

┃ 해법 가이드 ┃

- 점 E_1에서 선분 A_1B_1에 수선의 H_1이라 하고, 내려 특수각인 삼각형의 비를 이용하여 S_1을 구한다.
- $\overline{A_1H_1}=x$로 놓고 닮음인 삼각형임을 이용하여, $\overline{A_2B_2}$를 구한다.

┃ 풀이 점검 ┃

1 그림 R_1에서 색칠한 부분의 넓이는 ❶ _____

2 그림 R_n에 색칠되어 있는 부분의 넓이 S_n에 대하여 $\{S_n\}$이 따르는 등비급수의 공비는 ❷ _____

05 ★★

한 변의 길이가 1인 정사각형 $A_1B_1C_1D_1$에 대하여 그림처럼 $\overline{A_1B_1}$과 $\overline{A_1D_1}$ 위에 $\angle P_1C_1Q_1=\dfrac{\pi}{6}$인 이등변삼각형 $P_1A_1Q_1$이 되도록 두 점 P_1, Q_1을 정하고 $\triangle A_1P_1Q_1$을 색칠하여 얻은 그림을 R_1이라 하자.

또 R_1에서 선분 P_1Q_1, C_1P_1, C_1Q_1 위에 각각 점 A_2, D_2, B_2를 잡아 사각형 $A_2B_2C_2D_2$가 정사각형 $A_1B_1C_1D_1$과 각 변이 모두 평행한 정사각형이 되도록 C_2를 잡고 그려 보자.

이때 $\overline{A_2B_2}$와 $\overline{A_2D_2}$ 위에 $\angle P_2C_2Q_2=\dfrac{\pi}{6}$인 이등변삼각형 $P_2A_2Q_2$가 되도록 두 점 P_2, Q_2를 정하고 $\triangle A_2P_2Q_2$를 색칠하여 얻은 그림을 R_2라 하자. 이와 같은 과정을 계속하여 n번째 얻은 그림 R_n에 색칠되어 있는 부분의 넓이를 S_n이라 할 때, $\displaystyle\lim_{n\to\infty}S_n$의 값은?

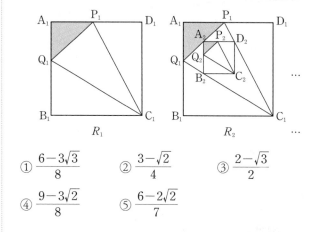

R_1 $\qquad$ R_2 $\qquad$ ...

① $\dfrac{6-3\sqrt{3}}{8}$ ② $\dfrac{3-\sqrt{2}}{4}$ ③ $\dfrac{2-\sqrt{3}}{2}$

④ $\dfrac{9-3\sqrt{2}}{8}$ ⑤ $\dfrac{6-2\sqrt{2}}{7}$

┃ 해법 가이드 ┃

- $\triangle B_1C_1Q_1$의 특수각을 이용하여 구한 $\overline{A_1Q_1}$의 길이를 이용해 S_1을 구한다.
- $\triangle A_2D_2P_1$의 각을 표현하고 특수각을 이용하여 $\overline{A_2D_2}$의 길이를 구한 다음, 두 정사각형 $A_1B_1C_1D_1$, $A_2B_2C_2D_2$의 닮음비를 이용하여 $\triangle A_1Q_1P_1$과 $\triangle A_2Q_2P_2$의 넓이비를 구한다.

┃ 풀이 점검 ┃

1 그림 R_1에서 색칠한 부분의 넓이는 ❶ _____

2 그림 R_n에 색칠되어 있는 부분의 넓이 S_n에 대하여 $\{S_n\}$이 따르는 등비급수의 공비는 ❷ _____

06 ★★

2018학년도 수능 19번

그림과 같이 한 변의 길이가 1인 정삼각형 $A_1B_1C_1$이 있다. 선분 A_1B_1의 중점을 D_1이라 하고, 선분 B_1C_1 위의 $\overline{C_1D_1}=\overline{C_1B_2}$인 점 B_2에 대하여 중심이 C_1인 부채꼴 $C_1D_1B_2$를 그린다. 점 B_2에서 선분 C_1D_1에 내린 수선의 발을 A_2, 선분 C_1B_2의 중점을 C_2라 하자. 두 선분 B_1B_2, B_1D_1과 호 D_1B_2로 둘러싸인 영역과 삼각형 $C_1A_2C_2$의 내부에 색칠하여 얻은 그림을 R_1이라 하자.

그림 R_1에서 선분 A_2B_2의 중점을 D_2라 하고, 선분 B_2C_2 위의 $\overline{C_2D_2}=\overline{C_2B_3}$인 점 B_3에 대하여 중심이 C_2인 부채꼴 $C_2D_2B_3$을 그린다. 점 B_3에서 선분 C_2D_2에 내린 수선의 발을 A_3, 선분 C_2B_3의 중점을 C_3이라 하자. 두 선분 B_2B_3, B_2D_2와 호 D_2B_3으로 둘러싸인 영역과 삼각형 $C_2A_3C_3$의 내부에 색칠하여 얻은 그림을 R_2라 하자. 이와 같은 과정을 계속하여 n번째 얻은 그림 R_n에 색칠되어 있는 부분의 넓이를 S_n이라 할 때, $\lim\limits_{n \to \infty} S_n$의 값은?

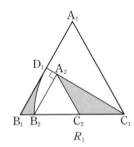
R_1

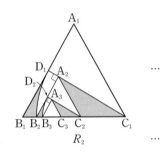
R_2

① $\dfrac{11\sqrt{3}-4\pi}{56}$ ② $\dfrac{11\sqrt{3}-4\pi}{53}$ ③ $\dfrac{15\sqrt{3}-6\pi}{56}$

④ $\dfrac{15\sqrt{3}-6\pi}{52}$ ⑤ $\dfrac{15\sqrt{3}-4\pi}{52}$

| 해법 가이드 |

- S_1이 두 부분으로 나누어져 있으므로 각 부분의 넓이를 구해서 더해야 한다.
- $\triangle A_2B_2C_2$는 정삼각형이다.

| 풀이 점검 |

1 그림 R_1에서 색칠한 부분의 넓이는 ❶ _____

2 그림 R_n에 색칠되어 있는 부분의 넓이는 S_n에 대하여 수열 $\{S_n\}$이 따르는 등비급수의 공비는 ❸ _____

07 ★★

그림과 같이 한 변의 길이가 3인 정삼각형 $A_1B_1C_1$의 세 변 B_1C_1, C_1A_1, A_1B_1을 $1:2$로 내분한 점을 각각 D_1, E_1, F_1이라 하고, 세 선분 A_1D_1, B_1E_1, C_1F_1의 교점을 차례대로 A_2, B_2, C_2라 하자. $\triangle A_2B_2C_2$의 세 변 B_2C_2, C_2A_2, A_2B_2를 $1:2$로 내분한 점을 각각 D_2, E_2, F_2라 하고, 세 선분 A_2D_2, B_2E_2, C_2F_2의 교점을 차례대로 A_3, B_3, C_3이라 하자. 이와 같이 모든 자연수 n에 대하여 $\triangle A_nB_nC_n$의 세 변 B_nC_n, C_nA_n, A_nB_n을 $1:2$로 내분한 점을 각각 D_n, E_n, F_n이라 하고, 세 선분 A_nD_n, B_nE_n, C_nF_n의 교점을 차례대로 A_{n+1}, B_{n+1}, C_{n+1}이라 하자. $\triangle A_nB_nC_n$의 넓이를 S_n이라 할 때, $\sum\limits_{n=1}^{\infty} S_n$의 값은?

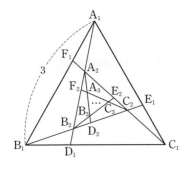

① $\dfrac{15\sqrt{3}}{8}$ ② $\dfrac{17\sqrt{3}}{8}$ ③ $\dfrac{19\sqrt{3}}{8}$

④ $\dfrac{21\sqrt{3}}{8}$ ⑤ $\dfrac{23\sqrt{3}}{8}$

┃ 해법 가이드 ┃

· $\triangle B_1B_2D_1$과 $\triangle B_1C_1E_1$이 닮음임을 확인하고 $\overline{B_1B_2}$와 $\overline{E_1C_2}$의 길이를 구한다.
· $\triangle A_1B_1C_1$과 $\triangle A_2B_2C_2$의 닮음비를 구한다.

┃ 풀이 점검 ┃

1 $\overline{B_1B_2}=$ **❶** _____ , $\overline{E_1C_2}=$ **❷** _____

2 $\triangle A_nB_nC_n$의 넓이를 S_n이라 하면 $\{S_n\}$이 따르는 등비급수의 공비는 **❸** _____

08 ★★

그림과 같이 반지름 길이가 1이고 $\angle A_1OB_1 = \dfrac{\pi}{2}$인 부채꼴 OA_1B_1에서 $\angle A_1OB_1$을 이등분하는 직선이 $\overarc{A_1B_1}$과 만나는 점을 C_1이라 하자. 이때 점 O를 지나면서 $\overline{OC_1}$과 수직인 직선 위의 두 점 P_1, Q_1에 대하여 $\triangle C_1P_1Q_1$이 정삼각형이고, 그림과 같이 사분원 OA_1B_1에서 $\triangle C_1P_1Q_1$의 내부를 제외한 ⌐ 부분을 색칠하여 얻은 그림을 R_1이라 하자.

또 $\overline{OA_1}$과 $\overline{C_1Q_1}$의 교점을 A_2, $\overline{OB_1}$과 $\overline{C_1P_1}$의 교점을 B_2라 할 때, 부채꼴 OA_2B_2에서 $\angle A_2OB_2$를 이등분하는 직선과 $\overarc{A_2B_2}$와 만나는 점을 C_2라 하자. 이때 점 O를 지나면서 $\overline{OC_2}$와 수직인 직선 위의 두 점 P_1, Q_1에 대하여 $\triangle C_2P_2Q_2$가 정삼각형이고, 그림과 같이 사분원 OA_2B_2에서 정삼각형 $C_2P_2Q_2$의 내부를 제외한 ⌐ 부분을 색칠하여 얻은 그림을 R_2라 하자. 이와 같은 과정을 계속하여 n번째 얻은 그림 R_n에 색칠되어 있는 부분의 넓이를 S_n이라 할 때, $\displaystyle\lim_{n\to\infty} S_n$의 값은?

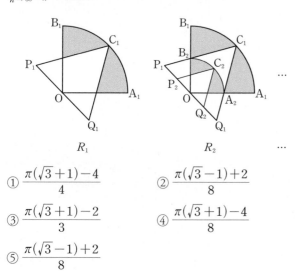

R_1 $\qquad$ R_2 $\qquad$ …

① $\dfrac{\pi(\sqrt{3}+1)-4}{4}$ ② $\dfrac{\pi(\sqrt{3}-1)+2}{8}$

③ $\dfrac{\pi(\sqrt{3}+1)-2}{3}$ ④ $\dfrac{\pi(\sqrt{3}+1)-4}{8}$

⑤ $\dfrac{\pi(\sqrt{3}-1)+2}{8}$

| 해법 가이드 |

· 두 선분 $\overline{OC_1}$과 $\overline{A_2B_2}$는 서로 수직임을 생각한다.
· $\overline{OA_1} : \overline{OA_2}$를 이용하여 도형의 닮음비를 구한다.

| 풀이 점검 |

☐ 그림 R_1에서 색칠한 부분의 넓이는 **❶** _____

☐ 그림 R_n에 색칠되어 있는 부분의 넓이 S_n에 대하여 $\{S_n\}$이 따르는 등비급수의 공비는 **❷** _____

09 ★★

직사각형 $A_1B_1C_1D_1$에서 $\overline{A_1B_1}=2$, $\overline{A_1D_1}=4$이다. 그림과 같이 $\triangle A_1B_1D_1$으로 둘러싸인 부분을 색칠하여 얻은 그림을 R_1이라 하자. $\overline{A_1B_1}$과 $\overline{A_1D_1}$ 위에 각각 점 A_2, D_2를 정하고, $\overline{B_1D_1}$ 위에 두 점 B_2, C_2를 정해 직사각형 $A_1B_1C_1D_1$과 닮음인 직사각형 $A_2B_2C_2D_2$를 그린 후, $\triangle A_2B_2D_2$로 둘러싸인 부분을 제외하여 얻은 그림을 R_2라 하자.

또 $\overline{A_2B_2}$와 $\overline{A_2D_2}$ 위에 각각 점 A_3, D_3을 정하고 선분 $\overline{B_2D_2}$ 위에 두 점 B_3, C_3을 정하여 직사각형 $A_2B_2C_2D_2$와 닮음인 직사각형 $A_3B_3C_3D_3$을 그린 후, $\triangle A_3B_3D_3$으로 둘러싸인 부분을 색칠하여 얻은 그림을 R_3이라 하자. 이와 같은 과정을 계속하여 n번째 얻은 그림 R_n에 색칠되어 있는 부분의 넓이를 S_n이라 할 때, $\lim\limits_{n \to \infty} S_n$의 값은?

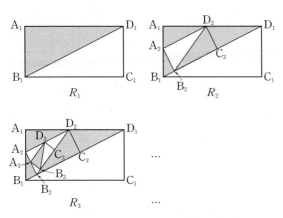

R_1

R_2

R_3

$\cdots$

① $\dfrac{324}{81}$ ② $\dfrac{324}{101}$ ③ $\dfrac{324}{121}$

④ $\dfrac{324}{141}$ ⑤ $\dfrac{324}{161}$

┃ 해법 가이드 ┃

• 그림에서 만들어지는 직각삼각형은 모두 닮음임을 이용한다.
• $\overline{A_2B_2}=x$라 두고 $\overline{A_2B_1}$, $\overline{A_1A_2}$를 x로 나타낸다.

┃ 풀이 점검 ┃

① 그림 R_2에서 $\overline{A_2B_2}=$ ^❶_____

② $\triangle A_1B_1D_1$과 $\triangle A_2B_2D_2$의 넓이비는 ^❷_____

③ 그림 R_n에 색칠되어 있는 부분의 넓이 S_n에 대하여 $\{S_n\}$이 따르는 등비급수의 공비는 ^❸_____

10 ★★
2014학년도 수능 17번

직사각형 $A_1B_1C_1D_1$에서 $\overline{A_1B_1}=1$, $\overline{A_1D_1}=2$이다. 그림과 같이 $\overline{A_1D_1}$과 $\overline{B_1C_1}$의 중점을 각각 M_1, N_1이라 하자. 중심이 N_1, 반지름 길이가 $\overline{B_1N_1}$이고 중심각 크기가 90°인 부채꼴 $N_1M_1B_1$을 그리고, 중심이 D_1, 반지름 길이가 $\overline{C_1D_1}$이고 중심각 크기가 90°인 부채꼴 $D_1M_1C_1$을 그린다. 부채꼴 $N_1M_1B_1$의 호 M_1B_1과 $\overline{M_1B_1}$로 둘러싸인 부분과 부채꼴 $D_1M_1C_1$의 호 M_1C_1과 $\overline{M_1C_1}$로 둘러싸인 부분인 ⌒ 모양에 색칠하여 얻은 그림을 R_1이라 하자.

그림 R_1에 $\overline{M_1B_1}$ 위의 점 A_2, 호 M_1C_1 위의 점 D_2와 $\overline{B_1C_1}$ 위의 점 B_2, C_2가 꼭짓점이고 $\overline{A_2B_2}:\overline{A_2D_2}=1:2$인 직사각형 $A_2B_2C_2D_2$를 그리고, 직사각형 $A_2B_2C_2D_2$에서 그림 R_1을 얻는 것과 같은 방법으로 만들어지는 ⌒ 모양에 색칠하여 얻은 그림을 R_2라 하자. 이와 같은 과정을 계속하여 n번째 얻은 그림 R_n에 색칠되어 있는 부분의 넓이를 S_n이라 할 때, $\lim_{n\to\infty} S_n$의 값은?

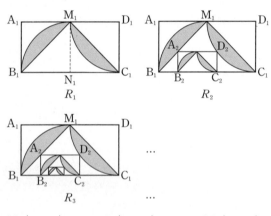

R_1

R_2

R_3

...

...

① $\dfrac{25}{19}\left(\dfrac{\pi}{2}-1\right)$ ② $\dfrac{5}{4}\left(\dfrac{\pi}{2}-1\right)$ ③ $\dfrac{25}{21}\left(\dfrac{\pi}{2}-1\right)$

④ $\dfrac{25}{22}\left(\dfrac{\pi}{2}-1\right)$ ⑤ $\dfrac{25}{23}\left(\dfrac{\pi}{2}-1\right)$

| 해법 가이드 |

직사각형 $A_1B_1C_1D_1$과 $A_2B_2C_2D_2$의 닮음비와 색칠한 두 도형의 닮음비가 같은 점을 이용한다.

| 풀이 점검 |

☐1 그림 R_1에서 색칠한 부분의 넓이는 **❶**_____

☐2 그림 R_n에 색칠되어 있는 부분의 넓이 S_n에 대하여 수열 $\{S_n\}$이 따르는 등비급수의 공비는 **❸**_____

11 ★★

길이가 2인 $\overline{A_1B_1}$이 지름인 반원 C_1이 존재한다. 이 반원의 중심을 O_1이라 할 때, 중심이 A_1, B_1이고 반지름 길이가 1인 원의 일부를 각각 그려 반원 C_1과 만나는 점을 차례로 P_1, Q_1이라 하자. 이때 $\overset{\frown}{O_1P_1}$, $\overset{\frown}{O_1Q_1}$과 선분 $\overline{A_1B_1}$, 반원 C_1로 둘러싸인 부분에 내접하는 두 원을 색칠하여 얻은 그림을 R_1이라 하자.

그림 R_1에서 $\overset{\frown}{O_1P_1}$, $\overset{\frown}{O_1Q_1}$ 위에 $\overline{A_1B_1} \parallel \overline{A_2B_2}$가 되도록 각각 점 A_2, B_2를 잡고, $\overset{\frown}{O_1P_1}$, $\overset{\frown}{O_1Q_1}$, $\overset{\frown}{P_1Q_1}$에 내접하는 지름이 $\overline{A_2B_2}$인 반원 C_2를 그린 후, 앞의 과정과 같은 방법으로 얻은 두 원을 색칠하여 얻은 그림을 R_2라 하자. 이와 같은 과정을 계속하여 n번째로 얻은 그림 R_n에 색칠되어 있는 부분의 넓이를 S_n이라 할 때, $\lim_{n \to \infty} S_n$의 값은?

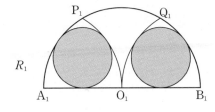

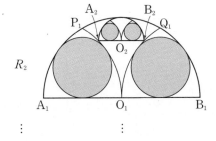

① $\dfrac{3}{40}(2\sqrt{2}+1)\pi$ ② $\dfrac{9}{112}(2\sqrt{2}+1)\pi$

③ $\dfrac{\pi}{12}(2\sqrt{2}+1)$ ④ $\dfrac{9\sqrt{2}}{32}\pi$

⑤ $\dfrac{9\sqrt{2}}{16}\pi$

| 해법 가이드 |

점 A_2에서 선분 A_1B_1에 수선의 발을 내렸을 때 생기는 직각삼각형을 이용한다.

| 풀이 점검 |

1 그림 R_1에서 색칠한 부분의 넓이는 ❶ _____

2 그림 R_n에 색칠되어 있는 부분의 넓이 S_n에 대하여 $\{S_n\}$이 따르는 등비급수의 공비는 ❷ _____

12 ★★

2021학년도 수능 14번

그림과 같이 $\overline{AB_1}=2$, $\overline{AD_1}=4$인 직사각형 $AB_1C_1D_1$이 있다. 선분 AD_1을 $3:1$로 내분하는 점을 E_1이라 하고, 직사각형 $AB_1C_1D_1$의 내부에 점 F_1을 $\overline{F_1E_1}=\overline{F_1C_1}$, $\angle E_1F_1C_1=\dfrac{\pi}{2}$가 되도록 잡고 삼각형 $E_1F_1C_1$을 그린다. 사각형 $E_1F_1C_1D_1$을 색칠하여 얻은 그림을 R_1이라 하자.

그림 R_1에서 선분 AB_1 위의 점 B_2, 선분 E_1F_1 위의 점 C_2, 선분 AE_1 위의 점 D_2와 점 A를 꼭짓점으로 하고 $\overline{AB_2}:\overline{AD_2}=1:2$인 직사각형 $AB_2C_2D_2$를 그린다. 그림 R_1을 얻은 것과 같은 방법으로 직사각형 $AB_2C_2D_2$에 삼각형 $E_2F_2C_2$를 그리고 사각형 $E_2F_2C_2D_2$를 색칠하여 얻은 그림을 R_2라 하자.

이와 같은 과정을 계속하여 n번째 얻은 그림 R_n에 색칠되어 있는 부분의 넓이를 S_n이라 할 때, $\displaystyle\lim_{\theta \to \infty} S_n$의 값은?

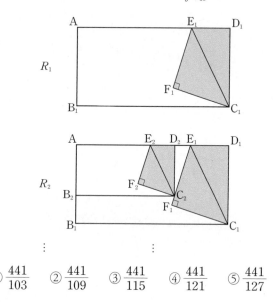

① $\dfrac{441}{103}$ ② $\dfrac{441}{109}$ ③ $\dfrac{441}{115}$ ④ $\dfrac{441}{121}$ ⑤ $\dfrac{441}{127}$

| 해법 가이드 |

직사각형 $AB_2C_2D_2$에서 $\overline{C_2D_2}$의 길이를 구한다.

| 풀이 점검 |

1 그림 R_1에서 색칠한 부분의 넓이는 ❶ _____

2 그림 R_n에 색칠되어 있는 부분의 넓이 S_n에 대하여 수열 $\{S_n\}$이 따르는 등비급수의 공비는 ❷ _____

유형 11

함수의 극한 활용

◀ Mentor Comment

함수의 극한 활용 문제는 2008학년도 수능부터 2021학년도 수능까지 한번도 빠지지 않고 출제되었다. 그 내용을 보면 삼각함수의 정의, 부채꼴 또는 삼각형의 넓이 공식 등을 이용하여 묻고자 하는 식을 주로 θ로 표현한 다음 극한값을 구해야 하는 꼴이었다. 특히 2021학년도 수능부터 사인법칙과 코사인법칙을 다시 적용하는 만큼 이를 이용한 문제를 주의해서 학습해야 한다.

대표 문제

01

2019학년도 수능 18번

그림과 같이 $\overline{AB}=1$, $\angle B=\dfrac{\pi}{2}$인 직각삼각형 ABC에서 $\angle C$를 이등분하는 직선이 변 AB와 만나는 점을 D, 중심이 A이고 반지름 길이가 $\overline{AD}$인 원과 변 AC가 만나는 점을 E라 하자. $\angle A=\theta$일 때, 부채꼴 ADE의 넓이를 $S(\theta)$, 삼각형 BCE의 넓이를 $T(\theta)$라 하자. $\lim\limits_{\theta \to 0+}\dfrac{\{S(\theta)\}^2}{T(\theta)}$의 값은?

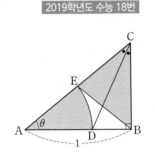

① $\dfrac{1}{4}$　　　② $\dfrac{1}{2}$　　　③ $\dfrac{3}{4}$　　　④ 1　　　⑤ $\dfrac{5}{4}$

풀이 preview

$S(\theta)$는 부채꼴의 넓이이므로 각 θ를 이용해 $\overline{AD}$의 길이를 구해야 한다.
또 $T(\theta)$는 삼각형의 넓이이므로 마찬가지로 각 θ를 이용해 $\overline{CE}$의 길이를 구해야 한다.
이 과정에서 삼각함수의 극한을 이용한다는 점을 생각할 수 있다.
직각삼각형 ABC에서 $\overline{AB}=1$, $\angle CAB=\theta$이므로

$\overline{AC}=\dfrac{1}{\cos\theta}$, $\overline{BC}=\tan\theta$이고, $\angle ACB=\dfrac{\pi}{2}-\theta$, $\angle DCB=\dfrac{\pi}{4}-\dfrac{\theta}{2}=\alpha$라 하면

$\overline{BD}=\tan\theta\tan\alpha$
이때 $\overline{AD}=\overline{AB}-\overline{BD}=1-\tan\theta\tan\alpha=\overline{AE}$

또 $\overline{CE}=\overline{AC}-\overline{AE}=\dfrac{1}{\cos\theta}-1+\tan\theta\tan\alpha$

이제 $S(\theta)$와 $T(\theta)$를 구해 $\lim\limits_{n \to \infty}\dfrac{\{S(\theta)\}^2}{T(\theta)}$의 값을 정하면 된다.

✔ **해법 Tip**

1 $\overline{AD}$의 길이를 구할 때 각을 이등분 하는 조건에서 다음 공식 $m:n=a:b$가 생각나지 않더라도 풀 수 있으니 풀 수 있다는 자신감을 가지고 차근차근 접근한다.

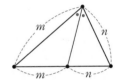

2 삼각함수 극한 관련 공식

$\lim\limits_{\theta \to 0}\dfrac{\sin\theta}{\theta}=1$, $\lim\limits_{\theta \to 0}\dfrac{\tan\theta}{\theta}=1$

$\lim\limits_{\theta \to 0}\dfrac{1-\cos\theta}{\theta^2}$

$=\lim\limits_{\theta \to 0}\dfrac{(1-\cos\theta)(1+\cos\theta)}{\theta^2(1+\cos\theta)}$

$=\lim\limits_{\theta \to 0}\dfrac{\sin^2\theta}{\theta^2(1+\cos\theta)}=\dfrac{1}{2}$

02-1 ★

2013학년도 수능 29번

삼각형 ABC에서 $\overline{AB}=1$, $\angle A=\theta$, $\angle B=2\theta$이고, 변 AB 위의 점 D를 $\angle ACD=2\angle BCD$가 되도록 잡는다.

$\displaystyle\lim_{\theta\to 0+}\frac{\overline{CD}}{\theta}=a$일 때, $27a^2$의 값을 구하시오.

$$\left(\text{단, } 0<\theta<\frac{\pi}{4}\text{이다.}\right)$$

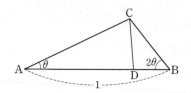

| 해법 가이드 |

· $\triangle ACD$와 $\triangle BCD$에서 $\overline{CD}$를 나타내는 것을 찾는다.
· $\overline{AD}+\overline{BD}=1$을 이용한다.

02-2

그림과 같은 $\triangle ABC$에서 $\overline{AB}=1$, $\angle A=\theta$, $\angle B=3\theta$이고, $\angle ACD=3\angle BCD$이다. $\displaystyle\lim_{\theta\to 0+}\frac{\overline{CD}}{\theta}=a$일 때, $8a^2$의 값을 구하시오. $\left(\text{단, } 0<\theta<\frac{\pi}{6}\text{이다.}\right)$

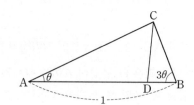

| 풀이 점검 |

$\angle BCD=\alpha$라 하고 $\overline{CD}$를 α와 θ를 써서 나타내면
$\overline{CD}=$

_____

| 풀이 점검 |

$\angle BCD=\alpha$라 하고 $\overline{CD}$를 α와 θ를 써서 나타내면
$\overline{CD}=$

_____

03-1 ★★

2020학년도 수능 9월 모의평가 20번

그림과 같이 반지름 길이가 1이고 중심각의 크기가 $\frac{\pi}{2}$인 부채꼴 OAB가 있다. 호 AB 위의 점 P에서 선분 OA에 내린 수선의 발을 H, 점 P에서 호 AB에 접하는 직선과 직선 OA의 교점을 Q라 하자. 점 Q를 중심으로 하고 반지름 길이가 QA인 원과 선분 PQ의 교점을 R라 하자. $\angle POQ=\theta$일 때, 삼각형 OHP의 넓이를 $f(\theta)$, 부채꼴 QRA의 넓이를 $g(\theta)$라 하자. $\displaystyle\lim_{\theta \to 0+} \frac{\sqrt{g(\theta)}}{\theta \times f(\theta)}$의 값은? $\left(단, 0<\theta<\frac{\pi}{2}\right)$

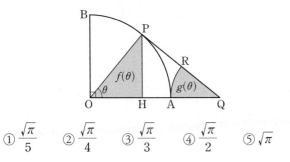

① $\dfrac{\sqrt{\pi}}{5}$　② $\dfrac{\sqrt{\pi}}{4}$　③ $\dfrac{\sqrt{\pi}}{3}$　④ $\dfrac{\sqrt{\pi}}{2}$　⑤ $\sqrt{\pi}$

| 해법 가이드 |

$\angle OPQ=\dfrac{\pi}{2}$임을 이용한다.

03-2

$\overline{AC}=1$, $\angle CAB=\theta$이고, $\angle B=\dfrac{\pi}{2}$인 직각삼각형 ABC가 있다. 점 B를 중심으로 하고 변 AC에 접하는 원과 삼각형 ABC의 교점을 각각 D, F라 하고, 점 D를 지나고 선분 AB와 수직인 직선이 선분 AC와 만나는 점을 E라 할 때, 삼각형 ADE의 넓이를 $f(\theta)$, 점 C를 중심으로 하고 반지름 길이가 CF인 원과 선분 AB의 교점을 G라 할 때 부채꼴 CFG의 넓이를 $g(\theta)$라 하자. $\displaystyle\lim_{\theta \to 0+} \frac{g(\theta)}{\theta^5 \times f(\theta)}=\frac{p}{q}\pi$일 때, $p+q$의 값을 구하시오.

$\left(단, 0<\theta<\dfrac{\pi}{2}이고, p, q는 서로소인 자연수이다.\right)$

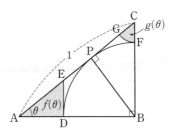

| 풀이 점검 |

$f(\theta)=$ ❶ _____

$g(\theta)=$ ❷ _____

| 풀이 점검 |

$f(\theta)=$ ❶ _____

$g(\theta)=$ ❷ _____

04 ★

그림과 같이 길이가 2인 선분 AB를 지름으로 하는 중심이 O인 반원이 있다. 반원 위의 점 P에 대하여 $\angle PAB=\theta$라 하고, $\angle OPQ=3\theta$가 되도록 점 Q를 선분 OB 위에 잡을 때, $\lim\limits_{\theta \to 0+} \overline{BQ}$의 값은? $\left(단, 0<\theta<\dfrac{\pi}{6}\right)$

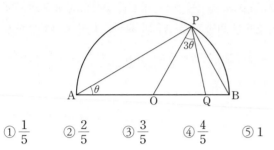

① $\dfrac{1}{5}$　　② $\dfrac{2}{5}$　　③ $\dfrac{3}{5}$　　④ $\dfrac{4}{5}$　　⑤ 1

┃ 해법 가이드 ┃

• 삼각형 OPQ의 나머지 두 내각 크기를 θ를 써서 나타낸다.
• 삼각형 OPQ에서 사인법칙을 이용해 $\overline{OQ}$를 구한다.

05 ★

그림과 같이 반지름 길이가 1인 부채꼴 AOB에 대하여 $\overline{BP}=(\overarc{AB}$의 길이)가 되도록 점 P를 $\overline{OB}$의 연장선 위에 잡는다. $\angle AOB=\theta$이고, $\overline{AP}$ 길이의 제곱을 $f(\theta)$라 할 때, $\lim\limits_{\theta \to 0+} \dfrac{f(\theta)}{\theta^2}$의 값을 구하시오.

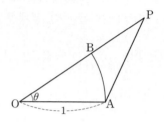

┃ 해법 가이드 ┃

• $\overline{BP}=(\overarc{AB}$의 길이)를 이용해 $\overline{OP}$를 구한다.
• $\triangle OAP$에서 $\overline{AP}^2$을 구한다.

┃ 풀이 점검 ┃

$\overline{OQ}$를 θ에 대한 삼각함수로 나타내면 $\overline{OQ}=$ _____

┃ 풀이 점검 ┃

① $\overline{OP}=$ ❶ _____

② $\overline{AP}^2=$ ❷ _____

06 ★

그림과 같이 좌표평면에서 원 $x^2+y^2=1$ 위의 점 $A(1, 0)$에서 원점을 중심으로 x축의 양의 방향으로 θ만큼 회전한 점을 B라 할 때, 점 B를 지나고 x축에 평행한 직선이 곡선 $y=\ln x$와 만나는 점을 C라 하자. $\overline{BC}$의 길이를 $f(\theta)$, 호 AB의 길이를 $g(\theta)$라 할 때, $\displaystyle\lim_{\theta \to 0+}\frac{f(\theta)}{g(\theta)}$의 값은?

$$\left(\text{단, } 0<\theta<\frac{\pi}{2}\right)$$

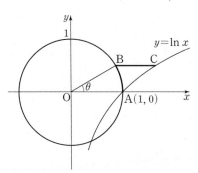

① 0   ② $\dfrac{1}{2}$ ③ 1   ④ $\dfrac{\sqrt{3}}{2}$ ⑤ 2

▍해법 가이드 ▍

• $B(\cos\theta, \sin\theta)$라 생각한다.

• $\displaystyle\lim_{x \to 0}\frac{e^x-1}{x}=1$

▍풀이 점검 ▍

$f(\theta)=$❶_____이고, $g(\theta)=$❷_____이다.

07 ★

좌표평면에서 원 $x^2+y^2=1$과 곡선 $y=\ln(x+1)$이 제1사분면에서 만나는 점을 A라 하자. 점 $B(1, 0)$에 대하여 호 AB 위의 점 P에서 y축에 내린 수선의 발을 H, 선분 PH와 곡선 $y=\ln(x+1)$이 만나는 점을 Q라 하자. $\angle POB=\theta$라 할 때, $\triangle OPQ$의 넓이를 $S(\theta)$, 선분 HQ의 길이를 $L(\theta)$라 하자. $\displaystyle\lim_{\theta \to 0+}\frac{S(\theta)}{L(\theta)}=k$일 때, $60k$의 값을 구하시오. $\left(\text{단, } 0<\theta<\frac{\pi}{6}\text{이고, O는 원점이다.}\right)$

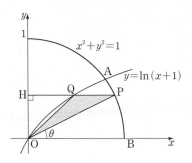

▍해법 가이드 ▍

원 위의 점 P의 좌표를 θ를 써서 나타내고 점 Q와 점 H의 좌표를 구한다.

▍풀이 점검 ▍

$S(\theta)=$❶_____

$L(\theta)=$❷_____

08 ★

반지름 길이가 1인 원에 외접하는 정n각형의 넓이를 S_n, 내접하는 정n각형의 넓이를 T_n이라 할 때, $\lim\limits_{n \to \infty} n^2(S_n - T_n)$의 값은?

① π ② $\dfrac{\pi}{2}$ ③ π^2 ④ $2\pi^2$ ⑤ π^3

▌해법 가이드 ▌

원에 외접하는 정n각형과 내접하는 정n각형을 함께 그리고 원의 중심각을 n등분한다. 그림처럼 생각하면 정n각형의 넓이는 $n \times (\triangle \text{AOB의 넓이})$가 된다.

09 ★

그림과 같이 $\overline{AB} = 6$인 선분 $\overline{AB}$ 위에 반지름 길이가 각각 1, 2인 반원 O_1, O_2가 외접한다. 반원 O_2 위의 점 R에 대하여 선분 AR가 반원 O_1, O_2와 만나는 점이 차례로 P, Q이다. $\angle \text{PAB} = \theta$일 때, $\lim\limits_{\theta \to 0+} \dfrac{\overline{PQ}}{\theta^2}$의 값을 구하시오.

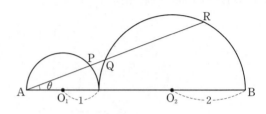

▌해법 가이드 ▌

• O_1, O_2에서 $\overline{AR}$에 수선의 발 M, N을 내려 $\overline{AM}$, $\overline{AN}$의 길이를 구한다.
• 직각삼각형 QNO_2에서 $\overline{QN}$의 길이를 구한다.

▌풀이 점검 ▌

$S_n = $ ❶ _____

$T_n = $ ❷ _____

▌풀이 점검 ▌

$\overline{QN} = $ ❶ _____

$\overline{PQ} = $ ❷ _____

10 ★★

그림과 같이 길이가 2인 $\overline{AB}$를 지름으로 가지는 반원의 원주 위의 한 점 P에 대하여 $\angle PAB=\theta$이고, $\overline{AB}=\overline{AQ}$인 점 Q가 $\overline{AP}$의 연장선 위에 있다. 호 BQ와 $\overline{PQ}$, 호 BP로 둘러싸인 도형의 둘레 길이를 $f(\theta)$, 넓이를 $g(\theta)$라 할 때, $\lim\limits_{\theta \to 0+} \dfrac{f(\theta)-4g(\theta)}{\theta^n}=\alpha$인 실수 α가 존재한다. $n+\alpha$의 값을 구하시오.(단, $\alpha \neq 0$이고, n은 자연수)

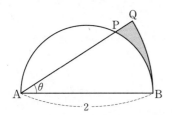

┃해법 가이드┃

· θ를 써서 $\overline{PQ}$, $\overset{\frown}{BP}$, $\overset{\frown}{BQ}$의 길이를 나타낸다.

· $\lim\limits_{\theta \to 0} \dfrac{\sin \theta}{\theta^n}=\alpha$(단, $\alpha \neq 0$)일 때, $n=1$임을 이용한다.

11 ★★

반지름 길이가 1이고, 중심각의 크기가 $\theta \left(0<\theta<\dfrac{\pi}{2}\right)$인 부채꼴 OAB가 있다. 그림과 같이 점 B에서 선분 OA에 내린 수선의 발이 C이고, $\overset{\frown}{AB}$와 $\overline{OA}$, $\overline{BC}$에 동시에 접하는 원의 반지름 길이를 $f(\theta)$라 하자.

$\lim\limits_{\theta \to 0+} \dfrac{f(\theta)}{\theta^2}=\alpha$일 때, 20α의 값을 구하시오.

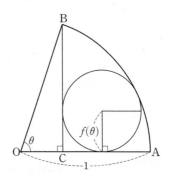

┃해법 가이드┃

내접원의 중심을 O_1이라 하고, O_1에서 선분 $\overline{OA}$, $\overline{BC}$에 내린 수선의 발을 M, N이라 하자. 이때 직각삼각형 OO_1M에서 $f(\theta)$를 구한다.

┃풀이 점검┃

주어진 조건에 따라 $f(\theta)$와 $g(\theta)$를 구해 보면

$f(\theta)=$ ❶ _____

$g(\theta)=$ ❷ _____

┃풀이 점검┃

$f(\theta)=$ _____

12 ★★

한 변의 길이가 1인 마름모 ABCD가 있다. 그림과 같이 점 C에서 변 AB의 연장선에 내린 수선의 발을 E, 점 E에서 대각선 AC에 내린 수선의 발을 F, 선분 EF와 변 BC의 교점을 G라 하자. $\angle DAB = \theta$일 때, $\triangle CFG$의 넓이를 $S(\theta)$라 하면 $\lim\limits_{\theta \to 0+} \dfrac{S(\theta)}{\theta^5}$의 값은? $\left(\text{단, } 0 < \theta < \dfrac{\pi}{2}\right)$

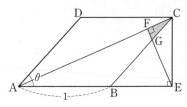

① $\dfrac{1}{24}$　② $\dfrac{1}{20}$　③ $\dfrac{1}{16}$　④ $\dfrac{1}{12}$　⑤ $\dfrac{1}{8}$

┃해법 가이드┃

$\angle DAE = \theta$이므로 $\angle ACB = \dfrac{\theta}{2}$임을 이용한다.

13 ★★

2021학년도 수능 9월 모의평가 28번 변형

그림과 같이 길이가 2인 선분 AB를 지름으로 하는 반원이 있다. 선분 AB의 중점을 O라 할 때, 호 AB 위에 두 점 P, Q의 교점을 $\angle POA = \angle QPB = \theta$가 되도록 잡는다. 두 선분 PB, OQ의 교점을 R라 한다. 삼각형 POR의 넓이를 $f(\theta)$, 두 선분 RQ, RB와 호 QB로 둘러싸인 부분의 넓이를 $g(\theta)$, 삼각형 PRQ의 넓이를 $h(\theta)$할 때,

$$\lim_{\theta \to 0+} \frac{f(\theta) + g(\theta)}{h(\theta) \times \overline{PQ}} = \frac{q}{p}$$이다. $p+q$의 값을 구하시오.

$\left(\text{단, } 0 < \theta < \dfrac{\pi}{3}\text{이고, } p\text{와 } q\text{는 서로소인 자연수이다.}\right)$

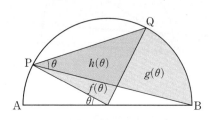

┃해법 가이드┃

$\triangle POR$에서 사인법칙을 적용하여 $\overline{OR}$의 길이를 구한다.

┃풀이 점검┃

① $\overline{CF} = $ **❶**＿＿＿＿＿＿＿＿＿＿

② $\overline{FG} = $ **❷**＿＿＿＿＿＿＿＿＿＿

② $S(\theta) = $ **❸**＿＿＿＿＿＿＿＿＿＿

┃풀이 점검┃

① $f(\theta) = $ **❶**＿＿＿＿＿＿＿＿＿＿＿＿

② $g(\theta) = $ **❷**＿＿＿＿＿＿＿＿＿＿＿＿

14 ★★

그림과 같이 $\angle B = \theta$, $\angle C = 2\theta$, $\overline{BC} = 1$인 $\triangle ABC$에 내접하는 중심이 O_1인 원의 반지름 길이를 $f(\theta)$, $\triangle ABC$에 외접하는 중심이 O_2인 원의 반지름 길이를 $g(\theta)$라 할 때, $\lim_{\theta \to 0+} f(\theta)g(\theta)$의 값은?

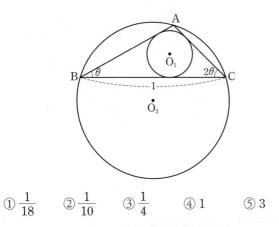

① $\dfrac{1}{18}$ ② $\dfrac{1}{10}$ ③ $\dfrac{1}{4}$ ④ 1 ⑤ 3

───

| 해법 가이드 |

• 중심이 O_1인 원이 삼각형 ABC의 내접원임을 이용하여 $f(\theta)$를 구한다.

• 중심이 O_2인 원은 삼각형 ABC의 외접원이다.

───

| 풀이 점검 |

주어진 조건을 이용해 $f(\theta)$와 $g(\theta)$를 구하면

$f(\theta) = $ ❶ _____ 이고,

$g(\theta) = $ ❷ _____ 이다.

15 ★★☆

그림과 같이 길이가 2인 선분 AB를 지름으로 하는 반원이 있다. 선분 AB의 중점 O와 반원 위를 움직이는 점 C에 대하여 부채꼴 OBC에 중심이 O_1인 원이 내접하고, $\triangle$AOC에 중심이 O_2인 원이 내접한다.

$\angle$AOC$=\theta$이고, 내접하는 두 원 O_1, O_2의 반지름 길이를 차례로 $f(\theta)$, $g(\theta)$라 할 때, $\displaystyle\lim_{\theta\to 0+}\dfrac{\left(\dfrac{1}{2}-f(\theta)\right)g(\theta)}{\theta^3}$의 값은?

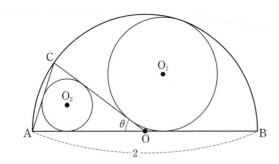

① $\dfrac{1}{4}$ ② $\dfrac{1}{8}$ ③ $\dfrac{1}{16}$

④ $\dfrac{1}{32}$ ⑤ $\dfrac{1}{64}$

| 해법 가이드 |

• 내접하는 원의 성질을 이용해 $f(\theta)$를 표현한다.
• 삼각형의 내접원임을 이용해 $g(\theta)$를 표현한다.

| 풀이 점검 |

$f(\theta)=$ ❶ _____

$g(\theta)=$ ❷ _____

유형 **12**

초월함수의 미분
(계산형)

◀ Mentor Comment

잘 알고 있듯이 수능에서 킬러 문제의 대부분은 미분과 적분 단원에서 나온다. 미분 단원은 계산형 문제와 그래프형 문제로 나눌 수 있다. 여기서는 그래프를 그리기보다 미분계수의 정의와 성질을 사용하는 유형, 합성함수, 역함수, 매개변수, 음함수의 미분법 등 여러 가지 미분법을 이용하는 유형, 접선 등을 구하는 유형의 문제를 주로 다룬다. 문제를 풀면서 정확히 미분하고 문제에서 주어진 조건을 잘 연결하는 연습이 필요하다. 특히 최근에는 대표 문제처럼 'x좌표를 함수화'하여 미분하는 유형이 자주 출제되고 있다.

대표 문제

01
2020학년도 수능 30번

양의 실수 t에 대하여 곡선 $y=t^3\ln(x-t)$가 곡선 $y=2e^{x-a}$과 오직 한 점에서 만나도록 하는 실수 a의 값을 $f(t)$라 하자. $\left\{f'\left(\dfrac{1}{3}\right)\right\}^2$의 값을 구하시오.

풀이 preview

$y=t^3\ln(x-t)$는 x에 대한 함수로 그래프는
위로 볼록이고, $y=2e^{x-a}$은 그래프 모양이 아래로 볼록이다.
아래로 볼록인 곡선과 위로 볼록인 곡선이 한 점에서만 만나려면
그림처럼 두 곡선이 접해야 하므로
접점에서 함숫값과 미분계수가 모두 같아야 한다.

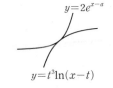

곡선 $y=t^3\ln(x-t)$와 곡선 $y=2e^{x-a}$이 만나는 점의 x좌표를 $k\,(k>t)$라 하면

$t^3\ln(k-t)=2e^{k-a}$

즉 $\ln(k-t)=\dfrac{2e^{k-a}}{t^3}$

또 곡선 $y=t^3\ln(x-t)$에서 $y'=\dfrac{t^3}{x-t}$, $y=2e^{x-a}$에서 $y'=2e^{x-a}$이므로

$\dfrac{t^3}{k-t}=2e^{k-a}$

✓ 해법 Tip

두 곡선이 접할 경우 접점에서 y좌표와 미분계수가 같음을 이용할 수 있다.
이 문제는 조금 복잡한 두 식을 어떤 식으로 연립해서 푸느냐가 관건인데, 답을 구하려면 $f'(t)$를 알아야 하므로 문제에서 주어진 'a의 값을 $f(t)$라 하자.'는 조건을 활용하는 것이 중요하다.

02-1 ★★

2018학년도 3월 학력평가 21번

함수 $f(x)=(x^2+ax+b)e^x$과 함수 $g(x)$가 다음 조건을 만족시킨다.

> (가) $f(1)=e$, $f'(1)=e$
>
> (나) 모든 실수 x에 대하여 $g(f(x))=f'(x)$이다.

함수 $h(x)=f^{-1}(x)g(x)$에 대하여 $h'(e)$의 값은?

(단, a, b는 상수이다.)

① 1　　　② 2　　　③ 3　　　④ 4　　　⑤ 5

| 해법 가이드 |

- $f(f^{-1}(x))=x$에서 $(f^{-1})'(x)=\dfrac{1}{f'(f^{-1}(x))}$

- $h(x)=f^{-1}(x)g(x)$에서

  $h'(x)=(f^{-1}(x))'g(x)+f^{-1}(x)g'(x)$이므로

  $h'(e)=(f^{-1}(e))'g(e)+f^{-1}(e)g'(e)$를 구해야 한다.

| 풀이 점검 |

1 (가) 조건에서 구한 $f(x)=$ ❶＿＿＿＿＿＿＿

2 $(f^{-1})'(e)=$ ❷＿＿＿＿＿

02-2

함수 $f(x)=(x^2+2ax+b)e^x$과 함수 $g(x)$가 다음 조건을 만족시킨다.

> (가) $f(1)=2e$, $f'(1)=2e$
>
> (나) 모든 실수 x에 대하여 $g(f(x))=f'(x)$이다.

함수 $h(x)=\dfrac{f^{-1}(x)}{g(x)}$에 대하여 $(a^2+b^2+2)h'(2e)$의 값은? (단, a, b는 상수이다.)

① $-\dfrac{3}{e^2}$　　② $-\dfrac{4}{e^2}$　　③ $\dfrac{3}{e^2}$　　④ $\dfrac{4}{e^2}$　　⑤ $\dfrac{9}{e^2}$

| 풀이 점검 |

1 (가) 조건에서 구한 $f''(1)=$ ❶＿＿＿＿＿＿

2 $g(f(x))=f'(x)$의 양변을 x에 대하여 미분한 것을 이용하면

  $g'(2e)=$ ❷＿＿＿＿＿

03-1 ★★

2016학년도 수능 21번

$0<t<41$인 실수 t에 대하여 곡선 $y=x^3+2x^2-15x+5$ 와 직선 $y=t$가 만나는 세 점 중에서 x좌표가 가장 큰 점의 좌표를$(f(t), t)$, 가장 작은 점의 좌표를 $(g(t), t)$라 하자. $h(t)=t\{f(t)-g(t)\}$라 할 때, $h'(5)$의 값은?

① $\dfrac{79}{12}$　② $\dfrac{85}{12}$　③ $\dfrac{91}{12}$　④ $\dfrac{97}{12}$　⑤ $\dfrac{103}{12}$

| 해법 가이드 |

$p(x)=x^3+2x^2-15x+5$라 하면 $f(t)$, $g(t)$에 대하여 $p(f(t))=t$, $p(g(t))=t$임을 이용한다.

03-2

실수 t에 대하여 곡선 $y=x^3-3x^2+4$에 그은 접선의 기울기가 t일 때, 곡선 위의 두 접점 중에서 x좌표가 큰 점의 x좌표를 $f(t)$, x좌표가 작은 점의 x좌표를 $g(t)$라 하자. $h(t)=t\{f(t)-g(t)\}$라 할 때, $h'(9)$의 값은?

① $\dfrac{7}{2}$　② $\dfrac{9}{2}$　③ $\dfrac{11}{2}$　④ $\dfrac{13}{2}$　⑤ $\dfrac{15}{2}$

| 풀이 점검 |

역함수의 미분법과 조건에서 구한 $f'(5)=$ ^❶_____,
$g'(5)=$ ^❷_____

| 풀이 점검 |

역함수의 미분법과 조건에서 구한 $f'(9)=$ ^❶_____,
$g'(9)=$ ^❷_____

04 ★

함수 $f(x)=a\ln x+\dfrac{b}{x}$가 다음 조건을 만족시킬 때, $f(a+b)=\ln p+q$이다. 두 유리수 p, q에 대하여 pq의 값을 구하시오.

> (가) $x_1<2<x_2$를 만족시키는 모든 실수 x_1, x_2에 대하여 $f''(x_1)f''(x_2)<0$이다.
> (나) 곡선 $y=f(x)$ 위의 점 $(2, f(2))$에서의 접선이 x축, y축과 만나는 점을 각각 A, B라 할 때, 삼각형 OAB의 넓이는 $6(\ln 2)^2$이다.

| 해법 가이드 |

- (가) 조건에서 $f''(2)$를 생각해 보자.
- $(2, f(2))$에서 접선의 방정식은 $y=f'(2)(x-2)+f(2)$

| 풀이 점검 |

① $f(x)=a\ln x+\dfrac{b}{x}$에서 $f''(x)=$❶ _____

② (나)에서 $a=$❷ _____ 이고, 이때 $f(x)=$❸ _____

05 ★★

실수 전체의 집합에서 정의된 미분 가능한 함수 $f(x)$와 $g(x)$에 대하여 다음이 성립한다.

> (가) 모든 실수 x, y에 대하여
> $$f(x+y)=f(x)f(y)+4f(x)+4f(y)+12$$
> (나) $f(\ln 2)=0$, $f'(0)=2$
> (다) $g(x)=\dfrac{1}{3}x^3+2\ln x$

이때 곡선 $y=f(x)$ 위의 점 $(\ln 2, f(\ln 2))$에서의 접선과 곡선 $y=g(x)$ 위의 점 $(k, g(k))$에서의 접선이 이루는 예각의 크기를 θ라 하면, $\tan\theta=\dfrac{3}{41}$이다. 자연수 k값을 구하시오.

| 해법 가이드 |

- 미분계수의 정의 $f'(a)=\displaystyle\lim_{h\to 0}\dfrac{f(a+h)-f(a)}{h}$에 따라 $m_1=f'(\ln 2)$의 값을 구한다.
- $(k, g(k))$에서 $y=g(x)$에 그은 접선의 기울기를 m_2라 하면 $\tan\alpha=m_1$, $\tan\beta=m_2$이고 이때 $\tan\theta=|\tan(\alpha-\beta)|=\left|\dfrac{\tan\alpha-\tan\beta}{1+\tan\alpha\tan\beta}\right|=\dfrac{3}{41}$

| 풀이 점검 |

① 점 $(\ln 2, f(\ln 2))$에서 $y=f(x)$에 그은 접선의 기울기를 m_1이라 하면 $m_1=$❶ _____

② 점 $(k, g(k))$에서 $y=g(x)$에 그은 접선의 기울기를 m_2를 k에 대한 식으로 나타내면 $m_2=$❷ _____

06 ★★

함수 $f(x)=\left(\ln\dfrac{1}{ax}\right)^2$의 변곡점이 직선 $y=2x$ 위에 있을

때, **보기**에서 옳은 것만을 있는 대로 고른 것은?

(단, 상수 a는 양수이다.)

───┤ 보기 ├───

ㄱ. $a=\dfrac{e}{2}$

ㄴ. 변곡점에서 그은 접선의 x절편은 $\dfrac{1}{4}$이다.

ㄷ. $\displaystyle\int_{\frac{1}{2}}^{\frac{e}{2}}\dfrac{f(x)}{x}dx=\dfrac{7}{3}$

① ㄱ   ② ㄱ, ㄴ   ③ ㄱ, ㄷ

④ ㄴ, ㄷ   ⑤ ㄱ, ㄴ, ㄷ

┃ 해법 가이드 ┃

· $\left(\ln\dfrac{1}{ax}\right)^2=(-\ln ax)^2=(\ln ax)^2$임을 이용한다.

· 치환적분을 이용하여 $\displaystyle\int_{\frac{1}{2}}^{\frac{e}{2}}\dfrac{f(x)}{x}dx$를 구한다.

┃ 풀이 점검 ┃

ㄱ. 변곡점을 이용해 a값을 구하면 $a=$ ❶ _____

ㄴ. 변곡점에서 그은 접선의 방정식은 $y=$ ❷ _____

ㄷ. 치환을 이용해 $\displaystyle\int_{\frac{1}{2}}^{\frac{e}{2}}\dfrac{(\ln x+\ln 2e)^2}{x}dx$를 t에 대한 정적분으로

나타내면 ❸ _____

07 ★★☆　　2020학년도 수능 30번 (대표문제) 변형

양의 실수 t에 대하여 곡선 $f(x)=t^4\ln(x-t)$와 곡선 $g(x)=3e^{x-a}$이 오직 한 점 $(k,f(k))$에서 만나도록 하는 실수 a값을 $h(t)$라 할 때, **보기**에서 옳은 것만을 있는 대로 고른 것은? (단, $k>t$이다.)

─┤ 보기 ├─

ㄱ. $t<\alpha<\beta$인 두 실수 α, β에 대하여

　$f(\alpha)+f(\beta)\le 2f\left(\dfrac{\alpha+\beta}{2}\right)$가 항상 성립한다.

ㄴ. $(k-1)e^{k-h(1)}=\dfrac{1}{3}$

ㄷ. $h'(1)=3$

① ㄱ　　　　② ㄱ, ㄴ　　　　③ ㄱ, ㄷ
④ ㄴ, ㄷ　　　⑤ ㄱ, ㄴ, ㄷ

│ 해법 가이드 │

• 아래로 볼록인 곡선과 위로 볼록인 두 곡선이 오직 한 점에서 만나려면 접해야 한다.
• 두 곡선 $y=f(x)$, $y=g(x)$의 접점의 x좌표를 k라 할 때, $f(k)=g(k)$이고 $f'(k)=g'(k)$이다.
※ 대표 문제 참고

│ 풀이 점검 │

ㄴ. $f'(k)=g'(k)$에서 $3e^{k-h(1)}=$ **❶**＿＿＿＿＿＿

ㄷ. $f(k)=g(k)$이고 $f'(k)=g'(k)$에서 $a=h(t)$임을 이용하면

　$h'(t)=$ **❷**＿＿＿＿＿＿

08 ★★☆

실수 t에 대하여 좌표평면에서 원점을 지나고 기울기가 $\tan(\sin t)$인 직선과 원 $x^2+y^2=e^{2t}$이 만나는 점 중에서 x좌표가 양수인 점을 $\mathrm{P}(f(t),\ g(t))$라 하고, 점 P가 나타내는 곡선을 C라 할 때 **보기**에서 옳은 것만을 있는 대로 고른 것은?

┤ 보기 ├

ㄱ. $f(t)=e^t\cos(\sin t)$

ㄴ. $g'\!\left(\dfrac{\pi}{2}\right)>\dfrac{\sqrt{3}}{2}e^{\frac{\pi}{2}}$

ㄷ. $t=\pi$일 때, 곡선 C 위의 점 P에서의 접선의 기울기는 -1이다.

① ㄱ   ② ㄱ, ㄴ   ③ ㄱ, ㄷ

④ ㄴ, ㄷ   ⑤ ㄱ, ㄴ, ㄷ

┃ 해법 가이드 ┃

- 원점을 지나고 기울기가 $\tan(\sin t)$인 직선의 방정식은 $y=\tan(\sin t)x$이다.
- 직선 $y=\tan(\sin t)x$와 원 $x^2+y^2=e^{2t}$을 풀어 $\mathrm{P}(f(t),\ g(t))$를 구한다.

┃ 풀이 점검 ┃

ㄱ. 직선과 원의 교점에서 $g(t)=$ ❶ _____

ㄴ. $g(t)$에서 구한 $g'\!\left(\dfrac{\pi}{2}\right)=$ ❷ _____

ㄷ. $t=\pi$일 때 구하려는 기울기는 ❸ _____

09 ★★☆   2020학년도 수능 6월 모의평가 21번 변형

$x>1$인 실수 x에서 정의된 함수 $f(x)=(x^2-1)e^{-x}$와 양의 실수 t에 대하여 기울기가 t인 직선이 곡선 $y=f(x)$에 접할 때 접점의 x좌표를 $g(t)$라 하자. 점 $(-1, 0)$에서 곡선 $y=f(x)$에 그은 접선의 기울기가 a일 때, 미분 가능한 함수 $g(t)$에 대하여 $a\times g'(a)$의 값은?

① $-\dfrac{1}{3}$ ② $-\dfrac{1}{4}$ ③ $-\dfrac{1}{5}$

④ $-\dfrac{1}{6}$ ⑤ $-\dfrac{1}{7}$

┃ 해법 가이드 ┃

$(-1, 0)$에서 $y=f(x)$에 그은 접선에 대하여 접점의 x좌표를 구하면 그 점에서의 미분계수 값이 a이다.

※ $f'(x)=t$일 때의 x좌표가 $g(t)$, 즉 $x=g(t)$이므로
   $f'(g(t))=t$임을 이용할 수 있다.

┃ 풀이 점검 ┃

① $(-1, 0)$에서 곡선 $y=f(x)$에 접선을 그었을 때, 접점의 좌표를 $(x_1, f(x_1))$이라 하면 $x_1=$ ❶_____

② $a=f'(x_1)$이므로 $a=$ ❷_____

10 ★★☆ 2018학년도 수능 6월 모의평가 21번 변형

최고차항의 계수가 1인 삼차함수 $f(x)$에 대하여
$F(x)=\ln|f(x)|$라 하고, 최고차항의 계수가 1인 이차
함수 $g(x)$에 대하여 $G(x)=\ln|g(x)\sin x|$라 하자.

$\lim_{x \to 1}(x-1)F'(x)=2$, $\lim_{x \to 0}\dfrac{F'(x)}{G'(x)}=\dfrac{1}{3}$일 때,

$f(4)+g(4)$의 값은?

① 48   ② 50   ③ 52   ④ 54   ⑤ 56

┃ 해법 가이드 ┃

- $\lim_{x \to 1}(x-1)F'(x)=\lim_{x \to 1}\dfrac{(x-1)f'(x)}{f(x)}=2$이므로 $f(1)=0$

- $f(x)=(x-1)q(x)$라 하면 $f'(x)=q(x)+(x-1)q'(x)$

  이때 $\lim_{x \to 1}\dfrac{(x-1)\{q(x)+(x-1)q'(x)\}}{(x-1)q(x)}=1 \neq 2$이므로

  $\lim_{x \to 1}q(x)=0$이어야 한다.

┃ 풀이 점검 ┃

1 주어진 조건에서 구한 $f(x)=$ ❶_____

2 주어진 조건에서 구한 $g(x)=$ ❷_____

11 ★★☆

2015학년도 수능 30번

함수 $f(x)=e^{x+1}-1$과 자연수 n에 대하여 함수 $g(x)$를

$g(x)=100|f(x)|-\displaystyle\sum_{k=1}^{n}|f(x^k)|$이라 하자. $g(x)$가 실수

전체의 집합에서 미분 가능하도록 하는 모든 자연수 n의

값의 합을 구하시오.

| 해법 가이드 |

- $y=|f(x)|$의 그래프가 그림과 같 으므로 $x=-1$에서만 미분 가능하 지 않다. 즉 $|f(x)|$를 포함한 $g(x)$ 가 실수 전체에서 미분 가능하려면 $x=-1$에서 $g(x)$가 미분 가능하면 된다.

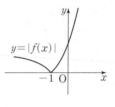

$y=|f(x)|$

- $g(x)=100|f(x)|-(|f(x)|+|f(x^2)|+\cdots+|f(x^n)|)$
  $\qquad=100|f(x)|-(|f(x)|+|f(x^3)|+\cdots+|f(x^m)|)$
  $\qquad\quad-(|f(x^2)|+|f(x^4)|+\cdots+|f(x^{m\pm1})|)$

  (m은 홀수이고, $m=n$ 또는 $m=n-1$)

  에서 $|f(x)|+|f(x^3)|+\cdots+|f(x^m)|$이 $x=-1$일 때 미분 가능하면 된다.

| 풀이 점검 |

주어진 조건에서 $g(x)$가 실수 전체의 집합에서 미분 가능하도록 하는 자연수 n을 모두 구하면 _____

12 ★★☆ 2015학년도 수능 30번 변형

함수 $f(x)=|\sin x|$와 자연수 n에 대하여 함수 $g(x)$를

$g(x)=mf\left(2x+\dfrac{\pi}{2}\right)+\displaystyle\sum_{k=1}^{n}f\left(x+(-1)^{k}\dfrac{\pi}{4}\right)$라 하자.

실수 m의 범위가 $-2\leq m\leq 2$일 때 함수 $g(x)$가 닫힌구간 $[0,\,\pi]$에서 미분 가능한 함수가 되도록 하는 모든 자연수 n값들의 합을 구하시오.

┃ 해법 가이드 ┃

- $\displaystyle\sum_{k=1}^{n}f\left(x+(-1)^{k}\dfrac{\pi}{4}\right)$

  $=\left\{f\left(x-\dfrac{\pi}{4}\right)+f\left(x+\dfrac{\pi}{4}\right)+\cdots+f\left(x+(-1)^{n}\dfrac{\pi}{4}\right)\right\}$에서

  $f\left(x-\dfrac{\pi}{4}\right)$가 α개, $f\left(x+\dfrac{\pi}{4}\right)$가 β개 있다면

  $g(x)=mf\left(2x+\dfrac{\pi}{2}\right)+\alpha f\left(x-\dfrac{\pi}{4}\right)+\beta f\left(x+\dfrac{\pi}{4}\right)$

  $\qquad=m\left|\sin\left(2x+\dfrac{\pi}{2}\right)\right|+\alpha\left|\sin\left(x-\dfrac{\pi}{4}\right)\right|+\beta\left|\sin\left(x+\dfrac{\pi}{4}\right)\right|$

- $y=\sin x$는 미분 가능한 함수이므로 구간 $[0,\,\pi]$에서 $g(x)$의 미분 가능성은 절댓값 안이 0이 되는 이 구간에 속한 x값 즉, $x=\dfrac{\pi}{4}$와 $x=\dfrac{3}{4}\pi$에서 생각한다.

┃ 풀이 점검 ┃

1부터 n까지의 자연수 중 홀수 개수를 α, 짝수 개수를 β라 하고, $x=\dfrac{\pi}{4}$일 때와 $x=\dfrac{3}{4}\pi$일 때 $g(x)$가 미분 가능하도록 하는 α값을 모두 구하면 ❶ _____ 이므로 이때 n값은 ❷ _____

13 ★★★

2018학년도 수능 21번 변형

0보다 크고 1보다 작은 실수 t에 대하여 구간 $[1, \infty)$에서 정의된 함수 $f(x)$가

$$f(x)=\begin{cases} e^{-x+1}-1 & (1\leq x<2) \\ e^{-x+1}-t & (x\geq 2) \end{cases}$$

이고, 다음 조건을 만족시키는 일차함수 $g(x)$ 중에서 직선 $y=g(x)$ 기울기의 최댓값을 $h(t)$라 하자.

> 1 이상의 모든 실수 x에 대하여
> $(x-2)\{f(x)-g(x)\}\geq 0$

미분 가능한 함수 $h(t)$에 대하여 양수 a가 $h(a)=-\dfrac{1}{e^3}$을 만족시킨다. $h'\left(\dfrac{13}{6e}\right)\times h'(a)$의 값은?

① 1 ② $\dfrac{1}{2}$ ③ $\dfrac{1}{3}$ ④ $\dfrac{1}{4}$ ⑤ $\dfrac{1}{5}$

| 해법 가이드 |

일차함수 $g(x)$가 주어진 조건을 만족시키려면
$1\leq x\leq 2$일 때 $f(x)\leq g(x)$이고, $x\geq 2$일 때 $f(x)\geq g(x)$이어야 하고, 점 $(1, 0)$을 지나야 한다.

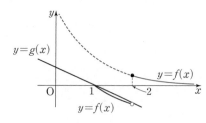

| 풀이 점검 |

⑴ 범위 조건을 확인하면 $h'\left(\dfrac{13}{6e}\right)=$ ❶ _____

⑵ $h'(a)=$ ❷ _____

유형 13

초월함수의 그래프 (합답형)

◀ **Mentor Comment**

수능에서 합답형 (ㄱ, ㄴ, ㄷ)은 1문제라도 꼭 출제되는 편이고, 최근 합답형 관련 기출 문제 대부분은 미적분에서 나왔다. 미분의 경우 구체적으로 함수를 주거나 함수의 특징을 주어서 그 함수의 극값을 찾고 오목 볼록을 확인하고 평균값 정리를 적용하거나 그래프의 개형을 그려서 방정식 또는 부등식의 해를 찾는 유형이 주로 출제되었다. 최근에는 수열이나 접선과 연계하거나 새로운 함수를 정의하고 정적분을 섞는 등 다양한 유형으로 발전하고 있다. 합답형 문제에서 ㄱ, ㄴ, ㄷ 각각이 따로 노는 경우도 있지만 대부분의 경우에서는 ㄱ, ㄴ이 ㄷ의 힌트가 될 수 있음을 명심하도록 한다.

대표 문제

01

2020학년도 수능 21번

실수 t에 대하여 곡선 $y=e^x$ 위의 점 (t, e^t)에서의 접선의 방정식을 $y=f(x)$라 할 때, 함수 $y=|f(x)+k-\ln x|$가 양의 실수 전체의 집합에서 미분 가능하도록 하는 실수 k의 최솟값을 $g(t)$라 하자. 두 실수 a, b $(a<b)$에 대하여 $\int_a^b g(t)dt=m$이라 할 때, **보기**에서 옳은 것만을 있는 대로 고른 것은?

보기

ㄱ. $m<0$이 되도록 하는 두 실수 a, b $(a<b)$가 존재한다.

ㄴ. 실수 c에 대하여 $g(c)=0$이면 $g(-c)=0$이다.

ㄷ. $a=\alpha, b=\beta$ $(\alpha<\beta)$일 때 m의 값이 최소이면 $\dfrac{1+g'(\beta)}{1+g'(\alpha)}<-e^2$이다.

① ㄱ   ② ㄴ   ③ ㄱ, ㄴ   ④ ㄱ, ㄷ   ⑤ ㄱ, ㄴ, ㄷ

풀이 preview

직선 $y=f(x)$와 $y=\ln x$의 그래프의 위치를 생각해 보자.

[그림 1]처럼 직선 $y=f(x)$가 곡선 $y=\ln x$보다 위쪽에 있는 경우, $k>0$이면 항상 $f(x)+k-\ln x>0$이 되어 양수 전체에서 $y=|f(x)+k-\ln x|$가 미분 가능하다는 것을 알 수 있다.

또 직선이 오른쪽 아래로 움직일 때도 항상 미분 가능하다가 접선이 되는 경계 더 아래로 움직이면 $y=|f(x)+k-\ln x|$에서 미분할 수 없는 점이 두 개 생긴다.

[그림 2]처럼 직선 $y=f(x)$가 곡선 $y=\ln x$와 서로 다른 두 점에서 만나는 경우 $k<0$이면 $y=|f(x)+k-\ln x|$에서 미분할 수 없는 점이 두 개 있다.

이때 이 직선을 왼쪽 위로 움직이면 접선이 되는 순간부터 $y=|f(x)+k-\ln x|$는 항상 미분 가능하게 된다.

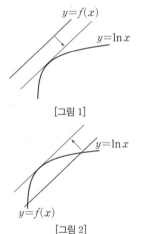

[그림 1]

[그림 2]

✓ 해법 Tip

1. $y=|f(x)+k-\ln x|$에서 $h(x)=f(x)+k$라 하면 직선 $y=h(x)$와 곡선 $y=\ln x$가 한 점에서 만날 때, 즉 접하는 경우를 생각한다.

2. 접점의 x좌표를 p라 하면 $h(p)=\ln p$, $h'(p)=\dfrac{1}{p}$이다.

02-1 ★★   2012학년도 수능 18번

정의역이 $\{x\,|\,0\leq x\leq\pi\}$인 함수 $f(x)=2x\cos x$에 대하여 **보기**에서 옳은 것만을 있는 대로 고른 것은?

┤ 보기 ├

ㄱ. $f'(a)=0$이면 $\tan a=\dfrac{1}{a}$이다.

ㄴ. 함수 $f(x)$가 $x=a$에서 극댓값을 가지는 a가 열린구간 $\left(\dfrac{\pi}{4},\dfrac{\pi}{3}\right)$에 있다.

ㄷ. 닫힌구간 $\left[0,\dfrac{\pi}{2}\right]$에서 방정식 $f(x)=1$의 서로 다른 실근의 개수는 2이다.

① ㄱ   ② ㄷ   ③ ㄱ, ㄴ
④ ㄴ, ㄷ   ⑤ ㄱ, ㄴ, ㄷ

│ 해법 가이드 │

• $f'(x)$를 구해 ㄱ을 확인한다.
• $y=f(x)$의 그래프 개형을 생각한다.

02-2

정의역이 $\left\{x\,\Big|\,0\leq x\leq\dfrac{3}{2}\pi\right\}$인 함수 $f(x)=2x\sin x$에 대하여 **보기**에서 옳은 것만을 있는 대로 고른 것은?

┤ 보기 ├

ㄱ. $f'(a)=0$이면 $\tan a+a=0$이다.

ㄴ. 함수 $f(x)$가 $x=a$에서 극댓값을 가지는 a가 열린구간 $\left(\dfrac{2\pi}{3},\dfrac{3\pi}{4}\right)$에 있다.

ㄷ. 구간 $\left[0,\dfrac{3\pi}{2}\right]$에서 방정식 $f(x)=2\sqrt{3}$의 서로 다른 실근의 개수는 2이다.

① ㄱ   ② ㄴ   ③ ㄱ, ㄷ
④ ㄴ, ㄷ   ⑤ ㄱ, ㄴ, ㄷ

│ 풀이 점검 │

ㄱ. $f'(a)=0$일 때 $\tan a=$ **❶**_____

ㄴ. $f(a)>$ **❷**_____

│ 풀이 점검 │

ㄱ. $f'(a)=0$일 때 $\tan a+$ **❶**_____$=0$

ㄴ. $f(x)$는 $x=a$에서 **❷**_____을 가진다.

03-1 ★★

2019학년도 수능 20번

점 $\left(-\dfrac{\pi}{2},\,0\right)$에서 곡선 $y=\sin x\ (x>0)$에 접선을 그어 접점의 x좌표를 작은 수부터 크기순으로 모두 나열할 때, n번째 수를 a_n이라 하자. 모든 자연수 n에 대하여 **보기**에서 옳은 것만을 있는 대로 고른 것은?

┤ 보기 ├
ㄱ. $\tan a_n=a_n+\dfrac{\pi}{2}$

ㄴ. $\tan a_{n+2}-\tan a_n>2\pi$

ㄷ. $a_{n+1}+a_{n+2}>a_n+a_{n+3}$

① ㄱ   ② ㄱ, ㄴ   ③ ㄱ, ㄷ

④ ㄴ, ㄷ   ⑤ ㄱ, ㄴ, ㄷ

┃ 해법 가이드 ┃

• 접점을 $(a_n,\ \sin a_n)$으로 놓고 기울기를 생각한다.

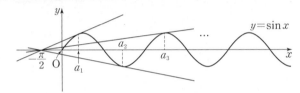

• n값이 커질수록 $a_{n+1}-a_n$은 어떻게 되는지 확인한다.

03-2

원점에서 곡선 $y=\cos x\ (x>0)$에 접선을 그어 접점의 x좌표를 작은 수부터 크기순으로 모두 나열할 때, n번째 수를 a_n이라 하자. 모든 자연수 n에 대하여 **보기**에서 옳은 것만을 있는 대로 고른 것은?

┤ 보기 ├
ㄱ. $\tan a_n=\dfrac{1}{a_n}$

ㄴ. $\tan a_{n+1}-\tan a_n>\dfrac{1}{n(n+1)\pi}$

ㄷ. $a_{n+1}+a_{n+2}>a_n+a_{n+3}$

① ㄱ   ② ㄴ   ③ ㄷ

④ ㄱ, ㄷ   ⑤ ㄴ, ㄷ

┃ 풀이 점검 ┃

ㄱ. $\tan a_n=$ [❶] _____

ㄴ. $a_{n+1}-a_n>$ [❷] _____

ㄷ. n값이 커질수록 $a_{n+1}-a_n$은 점점 [❸] _____

┃ 풀이 점검 ┃

ㄱ. $\tan a_n=$ [❶] _____

ㄴ. $a_{n+1}-a_n>$ [❷] _____

ㄷ. n값이 커질수록 $a_{n+1}-a_n$은 점점 [❸] _____

04 ★★

함수 $f(x)=\ln(4+x^2)$에 대하여 **보기**에서 옳은 것만을 있는 대로 고른 것은?

---보기---

ㄱ. 방정식 $f'(x)=\dfrac{1}{999}$의 서로 다른 실근은 3개다.

ㄴ. 임의의 실수 a, b $(a<b)$에 대하여
$2|f(a)-f(b)| \le |a-b|$이다.

ㄷ. 점 $(t, f(t))$에서의 접선의 y절편을 $g(t)$라 할 때, $g(t)$의 최솟값은 $\ln\dfrac{8}{e}$이다.

---

① ㄱ   ② ㄷ   ③ ㄱ, ㄴ
④ ㄴ, ㄷ   ⑤ ㄱ, ㄴ, ㄷ

| 해법 가이드 |

• $y=f'(x)$의 그래프 개형을 생각한다.
• 임의의 구간 (a, b)에서 평균값의 정리를 이용한다.
• $g'(t)$를 구해 $g(t)$의 극솟값을 구해 본다.

| 풀이 점검 |

ㄱ. $f''(x)=0$이 되는 $x=$ ❶ _____

ㄴ. $|f'(x)| \le$ ❷ _____

ㄷ. $g(t)=$ ❶ _____

05 ★★

함수 $f(x)=\dfrac{x^2-k}{x-2}$ (단, k는 상수)에 대하여 **보기**에서 옳은 것만을 있는 대로 고른 것은?

---보기---

ㄱ. $\displaystyle\lim_{x\to\infty}\{f(x)-ax-b\}=1$이면 $a+b=2$이다.

ㄴ. $k=3$이면 극댓값과 극솟값이 존재하고 그 합은 8이다.

ㄷ. $k>4$이면 자연수 n에 대하여 x에 대한 방정식
$f(x)=\dfrac{3n^3}{n^3-n+1}$은 서로 다른 두 실근을 가진다.

---

① ㄱ   ② ㄷ   ③ ㄱ, ㄴ
④ ㄴ, ㄷ   ⑤ ㄱ, ㄴ, ㄷ

| 해법 가이드 |

• $f(x)=\dfrac{x^2-k}{x-2}=\dfrac{(x^2-4)+(4-k)}{x-2}=x+2+\dfrac{4-k}{x-2}$
• $f'(x)$를 이용해 $y=f(x)$의 그래프 개형을 생각한다.

| 풀이 점검 |

ㄱ. $\displaystyle\lim_{x\to\infty}\{f(x)-ax-b\}=1$이면 $a+b=$ ❶ _____

ㄴ. $k=3$이면 $x=$ ❷ _____ 일 때 극값을 가진다.

ㄷ. 곡선 $y=f(x)$와 직선 $y=\dfrac{3n^3}{n^3-n+1}$의 그래프를 생각하면
$f(x)=\dfrac{3n^3}{n^3-n+1}$의 실근 개수는 ❸ _____

06 ★★

자연수 n $(3 \leq n \leq 10)$에 대하여 함수 $f(x)$가 $f(x)=x^n e^{-x}$ 일 때, **보기**에서 옳은 것만을 있는 대로 고른 것은?

─┤ 보기 ├─

ㄱ. 함수 $f(x)$는 $x=n$에서 항상 극댓값을 갖는다.

ㄴ. 변곡점의 개수를 a_n이라 하면 $\sum\limits_{n=3}^{10} a_n = 20$이다.

ㄷ. $f(x)=1$의 서로 다른 근의 개수를 b_n이라 하면 $\sum\limits_{n=3}^{10} b_n = 20$이다.

① ㄱ   ② ㄱ, ㄴ   ③ ㄱ, ㄷ

④ ㄴ, ㄷ   ⑤ ㄱ, ㄴ, ㄷ

| 해법 가이드 |

· 이계도함수에서 n이 홀수일 때와 짝수일 때로 나누어 변곡점의 개수를 구한다.

· n이 홀수일 때와 짝수일 때로 나누어 $f(x)$의 개형을 그린다.

| 풀이 점검 |

ㄱ. n이 홀수이면 $x=$ ❶ _____ 일 때 극값을 가진다.

ㄴ. n이 짝수일 때, $a_n=$ ❶ _____

ㄷ. n이 짝수일 때, $b_n=$ ❶ _____

07 ★★☆

2015학년도 4월 학력평가 21번 변형

$f(x) = \begin{cases} (x-2)^2 e^x + k & (x \geq 0) \\ -x^2 & (x < 0) \end{cases}$ 와 실수 k에 대하여 함수

$h(k)$는 함수 $g(x) = |f(x)| - f(x)$에서 미분 불가능한 점의 개수라 하자. **보기**에서 옳은 것만을 있는 대로 고른 것은?

┃ 보기 ┃

ㄱ. $k \geq 0$일 때, $h(k) = 0$

ㄴ. $h(k) = 2$일 때, $-4 < k < 0$이다.

ㄷ. $h(k) = 1$일 때, x에 대한 방정식 $g(x) = t$의 서로 다른 실근이 3개가 되도록 하는 정수 t는 4개다.

① ㄱ   ② ㄴ   ③ ㄱ, ㄷ

④ ㄴ, ㄷ   ⑤ ㄱ, ㄴ, ㄷ

┃ 해법 가이드 ┃

$y = (x-2)^2 e^x + k$의 극댓값 $k+4$이고, 극솟값이 k이므로

(i) $k \geq 0$ (ii) $-4 < k < 0$

(iii) $k = -4$ (iv) $k < -4$

로 경우를 나누어 $y = f(x)$의 그래프를 그려본다.

┃ 풀이 점검 ┃

ㄱ. $k \geq 0$일 때, $h(k) =$ ❶ _____

ㄴ. $h(k) = 2$가 되는 k값의 범위를 모두 찾아 보면
❷ _____ 또는 ❸ _____

ㄷ. $h(k) = 1$일 때 방정식 $g(x) = t$의 서로 다른 실근이 3개가 되도록 하는 정수 t는 모두 ❹ _____개

08 ★★☆

함수 $f(x)=x^x$ $(x>0)$에 대하여 보기에서 옳은 것만을 있는 대로 고른 것은? (단, $\lim\limits_{x\to 0+} x^x=1$)

┤ 보기 ├

ㄱ. $0<\alpha<\beta$에 대하여 항상 $\int_{\alpha}^{\beta}\left\{f(x)-e^{-\frac{1}{e}}\right\}dx\geq 0$

ㄴ. $\int_{1}^{e}\dfrac{f''(x)}{f(x)}dx=2e$

ㄷ. $\pi^e<e^\pi$

① ㄱ   ② ㄷ   ③ ㄱ, ㄴ

④ ㄴ, ㄷ   ⑤ ㄱ, ㄴ, ㄷ

| 해법 가이드 |

- $f(x)=x^x$에 로그를 취해 미분한 것을 이용해 $y=f(x)$의 그래프 개형을 그린다.

- 모든 x에 대하여 $f(x)\geq a$이면 $\alpha<\beta$에 대하여
  $\int_{\alpha}^{\beta}\{f(x)-a\}dx\geq 0$임을 이용한다.

- $\dfrac{f''(x)}{f(x)}$를 구해 정적분한다.

| 풀이 점검 |

ㄱ. $x>0$에서 함수 $f(x)$의 최솟값은 ❶ _____

ㄴ. $\dfrac{f''(x)}{f(x)}=$ ❷ _____

09 ★★☆

2016학년도 10월 학력평가 21번

실수 전체의 집합에서 미분 가능한 함수 $f(x)$가 다음 조건을 만족시킨다.

> (가) 모든 실수 x에 대하여 $f(x)=f(-x)$이다.
> (나) 모든 양의 실수 x에 대하여 $f'(x)>0$이다.
> (다) $\lim\limits_{x \to 0} f(x)=0$, $\lim\limits_{x \to \infty} f(x)=\pi$

함수 $g(x)=\dfrac{\sin f(x)}{x}$에 대하여 **보기**에서 옳은 것만을 있는 대로 고른 것은?

> ┤ 보기 ├
> ㄱ. 모든 양의 실수 x에 대하여 $g(x)+g(-x)=0$이다.
> ㄴ. $\lim\limits_{x \to 0} g(x)=0$
> ㄷ. $f(\alpha)=\dfrac{\pi}{2}\ (\alpha>0)$이면 방정식 $|g(x)|=\dfrac{1}{\alpha}$의 서로
> 　　다른 실근의 개수는 2이다.

① ㄱ　　　　　② ㄷ　　　　　③ ㄱ, ㄴ
④ ㄴ, ㄷ　　　　⑤ ㄱ, ㄴ

┃ 해법 가이드 ┃

· $y=f(x)$의 그래프 개형을 다음과 같이 생각해도 된다.

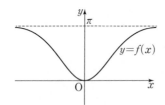

· $f(\alpha)=\dfrac{\pi}{2}$일 때 $g(\alpha)=\dfrac{\sin f(\alpha)}{\alpha}=\dfrac{1}{\alpha}$이고

$g'(x)=\dfrac{xf'(x)\cos f(x)-\sin f(x)}{x^2}$에서

$g'(\alpha)=\dfrac{\alpha f'(\alpha)\cos f(\alpha)-\sin f(\alpha)}{\alpha^2}=-\dfrac{1}{\alpha^2}<0$

┃ 풀이 점검 ┃

ㄱ. $g(-x)=$ ❶ _____

ㄴ. $\lim\limits_{x \to 0} g(x)=$ ❷ _____

ㄷ. $|g(x)|=\dfrac{1}{\alpha}$의 서로 다른 실근의 개수는 적어도 ❸ _____

10 ★★☆　　2014학년도 수능 9월 모의평가 21번 변형

자연수 n에 대하여 함수 $y=f(x)$를 매개변수 t로 나타내면 $x=e^t$, $y=(2t^2+nt+n)e^t$이고, $x \geq e^{-\frac{n}{2}}$일 때 함수 $y=f(x)$는 $x=a_n$에서 최솟값 b_n을 갖는다. 보기에서 옳은 것만을 있는 대로 고른 것은?

┤ 보기 ├
ㄱ. $n=6$일 때, $f'(1)=24$

ㄴ. $1 \leq n \leq 4$일 때, $b_n=ne^{-\frac{n}{2}}$이다.

ㄷ. $\sum\limits_{n=1}^{10} \dfrac{b_n}{a_n}=13$

① ㄱ　　　　　② ㄴ　　　　　③ ㄱ, ㄷ

④ ㄴ, ㄷ　　　　⑤ ㄱ, ㄴ, ㄷ

┃ 해법 가이드 ┃

• 매개변수로 이루어진 함수에서 $\dfrac{dy}{dx}$를 구한다.

• $1 \leq n \leq 3$일 때, $n=4$일 때, $n \geq 5$일 때로 나누어서 $y=f(x)$의 그래프 개형을 그려 보고 a_n, b_n을 구한다.

• t값을 구한 후 대응되는 x, y를 찾는다.

┃ 풀이 점검 ┃

ㄱ. $n=6$일 때 $f'(1)$의 값은 $t=$❶_____을 대입한다.

ㄴ. $1 \leq n \leq 4$일 때 $a_n=$❷_____

ㄷ. $n \geq 5$일 때 $\dfrac{b_n}{a_n}=$❸_____

11 ★★☆ 2019학년도 수능 9월 모의평가 20번 변형

구간 $(0, 2\pi)$에서 정의된 함수 $f(x) = \cos x + 2x \sin x$가 $x = \alpha$와 $x = \beta$에서 극값을 가진다. **보기**에서 옳은 것만을 있는 대로 고른 것은? (단, $\alpha < \beta$)

─┤ 보기 ├─

ㄱ. $\tan(\alpha + \beta) = \dfrac{2(\alpha + \beta)}{4\alpha\beta - 1}$

ㄴ. $g(x) = \tan x$라 할 때, $g'(\alpha + \pi) > g'(\beta)$이다.

ㄷ. $\sec^2 \alpha < \dfrac{2(\beta - \alpha)}{\alpha + \pi - \beta} < \sec^2 \beta$

① ㄱ   ② ㄴ   ③ ㄱ, ㄷ

④ ㄴ, ㄷ   ⑤ ㄱ, ㄴ, ㄷ

❘ 해법 가이드 ❘

$f'(x) = \sin x + 2x \cos x$이므로

$f'(\alpha) = \sin \alpha + 2\alpha \cos \alpha = 0$에서 $\tan \alpha + 2\alpha = 0$이고

$f'(\beta) = \sin \beta + 2\beta \cos \beta = 0$에서 $\tan \beta + 2\beta = 0$

즉 α, β는 방정식 $\tan x = -2x$ $(0 < \alpha < \beta < 2\pi)$의 근이다.

❘ 풀이 점검 ❘

ㄱ. $\tan \alpha = $ ❶ _____

ㄴ. $\cos \beta$와 $\cos(\alpha + \pi)$의 대소를 비교하면
❷ _____

12 ★★★

2018학년도 수능 9월 모의평가 30번 변형

함수 $f(x)=\ln(e^x+1)+2e^x$에 대하여 이차함수 $g(x)$와 실수 k는 다음 조건을 만족시킨다. **보기**에서 옳은 것만을 있는 대로 고른 것은? $\left(\text{단, } \dfrac{5}{2}<e<3\text{이다.}\right)$

> 함수 $h(x)=|g(x)-f(x-k)|$는 $x=k$에서 최솟값 $g(k)$를 가지고, 닫힌구간 $[k-1,\ k+1]$에서 최댓값 $2e+\ln\left(\dfrac{1+e}{\sqrt{2}}\right)$를 갖는다.

―《 보기 》―

ㄱ. $g(k)=\dfrac{1}{2}\ln 2+1$ ㄴ. $h(k-1)>h(k+1)$

ㄷ. $g'\left(k-\dfrac{1}{2}\right)=5$

① ㄱ   ② ㄴ   ③ ㄱ, ㄴ

④ ㄴ, ㄷ   ⑤ ㄱ, ㄴ, ㄷ

| 해법 가이드 |

[그림 1]처럼 $g(x)$와 $f(x-k)$의 교점이 있으면 $h(x)$의 최솟값이 0이고, [그림 2]처럼 $g(x)$와 $f(x-k)$의 교점이 없으면 $h(x)$의 최솟값은 0이 아니다.

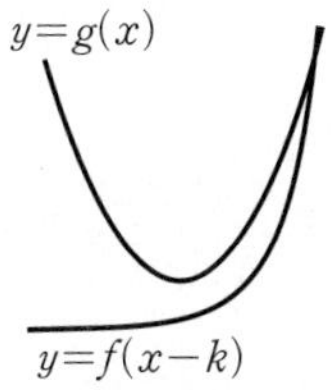

[그림 1]

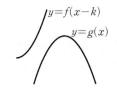

[그림 2]

| 풀이 점검 |

ㄱ. $g(k)=$ ❶ _____

ㄴ. $h(k+1)-h(k-1)=$ ❷ _____

ㄷ. $g'(x)=$ ❸ _____

13 ★★★

이계도함수를 가지는 함수 $f(x)$에 대하여 다음 표는 x값에 따른 $f(x)$, $f'(x)$, $f''(x)$의 변화 중 일부를 나타낸 것이다.

x	$\cdots$	$a-1$	$\cdots$	3	$\cdots$	$a+3$	$\cdots$	b	$\cdots$
$f'(x)$		0		$+$		0		$-$	$-$
$f''(x)$	$+$	$+$	$+$	0	$-$	$-$	$-$	0	$+$
$f(x)$		0				5			

실수 t에 대하여 x에 대한 방정식

$$\frac{f(x)-f(t)}{x-t}=f'(t) \ (x\neq t)$$

의 서로 다른 실근의 개수를 $g(t)$라 하자.
$\lim\limits_{x\to\infty} f(x)=0$, $\lim\limits_{x\to-\infty} f(x)=\infty$일 때, **보기**에서 옳은 것만을 있는 대로 고른 것은?

─┤ 보기 ├─

ㄱ. 방정식 $f(x)=3$은 서로 다른 세 실근을 가진다.

ㄴ. 점 $(3, f(3))$에서 $y=f(x)$에 그은 접선이 접점 이외에 $y=f(x)$와 만나는 점은 없다.

ㄷ. 함수 $g(t)$가 불연속인 실수 t값의 합이 16이 되도록 하는 가능한 자연수 a, b의 순서쌍의 개수는 5이다.

① ㄱ   ② ㄴ   ③ ㄱ, ㄴ
④ ㄴ, ㄷ   ⑤ ㄱ, ㄴ, ㄷ

│ 해법 가이드 │

• 증감표와 주어진 조건을 써서 $f(x)$의 그래프 개형을 그린다.

• $\dfrac{f(x)-f(t)}{x-t}=f'(t)$를 정리하면 $f(x)=f'(t)(x-t)+f(t)$

이므로 방정식 $\dfrac{f(x)-f(t)}{x-t}=f'(t) \ (x\neq t)$의 서로 다른 실근의 개수는 $y=f(x)$와 $y=f(x)$ 위의 점 $(t, f(t))$에서의 접선이 접점 이외에 만나는 점의 개수이다.

│ 풀이 점검 │

ㄱ. 방정식 $f(x)=3$의 서로 다른 실근은 **❶**_____개

ㄷ. $g(t)$가 불연속인 실수 t값의 합이 16이 되도록 하는 a, b에 대한 식을 구하면 **❷**_____

유형 **14**

그래프의 분석과 활용 (심화)

Mentor Comment

수능과 모의고사에서 킬러 문제의 끝판왕이라 할 수 있는 유형이다. 소위 말하는 30번 문제 유형으로 자주 출제되었다. 특히 다항함수와 초월함수의 결합 문제(곱, 합성), 절댓값이 포함된 함수의 미분 가능성 관련 문제가 가장 대표적인 유형이며, 그 밖에도 특정 조건을 만족시키는 점들의 수열 연계, 접선과 연계, 새로운 함수를 정의하는 유형 등 다양한 형태로 출제되고 있다. 단순히 미분을 하고 그래프를 그리는 것만이 아니라 출제자의 의도를 정확히 파악하고 여러 가지 경우로 나누어 정리하거나 다양한 방법으로 그래프를 그려서 분석하는 연습이 필요하다.

대표 문제

01

2019학년도 수능 가형 30번

최고차항의 계수가 6π인 삼차함수 $f(x)$에 대하여 함수 $g(x)=\dfrac{1}{2+\sin\left(f(x)\right)}$이 $x=\alpha$에서 극대 또는 극소이고, $\alpha\geq 0$인 모든 α를 작은 수부터 크기순으로 나열한 것을 $\alpha_1,\ \alpha_2,\ \alpha_3,\ \alpha_4,\ \cdots$라 할 때, $g(x)$는 다음 조건을 만족시킨다. $g'\left(-\dfrac{1}{2}\right)=a\pi$라 할 때, a^2의 값을 구하시오. $\left(\text{단},\ 0<f(0)<\dfrac{\pi}{2}\right)$

> (가) $\alpha_1=0$이고 $g(\alpha_1)=\dfrac{2}{5}$이다.
>
> (나) $\dfrac{1}{g(\alpha_5)}=\dfrac{1}{g(\alpha_2)}+\dfrac{1}{2}$

풀이 preview

함수 $g(x)=\dfrac{1}{2+\sin f(x)}$에 대하여 $g'(x)=\dfrac{-f'(x)\cos f(x)}{\{2+\sin f(x)\}^2}$이고

$g'(x)=0$이 되는 경우는 $f'(x)=0$ 또는 $\cos f(x)=0$

그런데 함수 $g(x)$가 $x=\alpha$에서 극대 또는 극소이므로 $f'(\alpha)=0$ 또는 $\cos f(\alpha)=0$이고

$\cos f(\alpha)=0$일 때는 $f(\alpha)=\pm\dfrac{\pi}{2},\ \pm\dfrac{3}{2}\pi,\ \pm\dfrac{5}{2}\pi,\ \cdots$이다.

(가)에서 $g(\alpha_1)=g(0)=\dfrac{1}{2+\sin f(0)}=\dfrac{2}{5}$이므로

$\sin f(0)=\dfrac{1}{2}$이고, $0<f(0)<\dfrac{\pi}{2}$이므로 $f(0)=\dfrac{\pi}{6}$

한편 (나) 조건의 $\dfrac{1}{g(\alpha_5)}=\dfrac{1}{g(\alpha_2)}+\dfrac{1}{2}$은 $2+\sin f(\alpha_5)=2+\sin f(\alpha_2)+\dfrac{1}{2}$과 같다.

$\therefore\ \sin f(\alpha_5)=\sin f(\alpha_2)+\dfrac{1}{2}$

이때 $\cos f(\alpha)=0$이면 $\sin f(\alpha)=\pm 1$이므로 $\cos f(\alpha_5)=\cos f(\alpha_2)=0$이면 안 된다.

즉 $\cos f(\alpha_5)=0$이고 $f'(\alpha_2)=0$인 경우와

$\cos f(\alpha_2)=0$이고 $f'(\alpha_5)=0$인 경우로 나눌 수 있다.

✓ 해법 Tip

1 (나)에서 $\sin f(\alpha_5)=\sin f(\alpha_2)+\dfrac{1}{2}$이므로 $\alpha_2,\ \alpha_5$ 둘 다 $\pm\dfrac{\pi}{2},\ \pm\dfrac{3}{2},\ \cdots$이 되면 $\sin f(\alpha_2)$ 또는 $\sin f(\alpha_5)$가 가질 수 있는 값이 1 또는 -1이므로 위 등식을 만족시킬 수 없다.

또 $\alpha_2,\ \alpha_5$가 모두 $f'(\alpha)=0$을 만족시키면 (가)에서 $\alpha_1=0$이므로 삼차함수 $f(x)$가 0, $\alpha_2,\ \alpha_5$에서 극값을 가지게 되므로 모순이다.

즉 $\alpha_2,\ \alpha_5$ 중 하나는 $f'(\alpha)=0$이고, 다른 하나는 $\cos f(\alpha)=0$이어야 한다.

2 위 내용을 정리하면

(i) $\sin f(\alpha_5)=1,\ \sin f(\alpha_2)=\dfrac{1}{2}$

(ii) $\sin f(\alpha_5)=-\dfrac{1}{2},\ \sin f(\alpha_2)=-1$

02-1 ★★☆　　　　　　2013학년도 수능 21번

함수 $f(x)=kx^2e^{-x}$ $(k>0)$과 실수 t에 대하여 곡선 $y=f(x)$ 위의 점 $(t, f(t))$에서 x축까지의 거리와 y축까지의 거리 중 크지 않은 값을 $g(t)$라 하자. 함수 $g(t)$가 한 점에서만 미분 가능하지 않도록 하는 k의 최댓값은?

① $\dfrac{1}{e}$　　② $\dfrac{1}{\sqrt{e}}$　　③ $\dfrac{e}{2}$　　④ $\sqrt{e}$　　⑤ e

▎해법 가이드 ▎

$f(x)=kx^2e^{-x}$ $(k>0)$의 그래프의 개형과 직선 $y=\pm x$를 함께 나타내 본다. 이때 $g(t)$는 x축까지의 거리와 y축까지의 거리 중 크지 않은 값이므로 한 점에서만 미분 가능하지 않으려면 $g(t)$의 그래프는 그림에서 색으로 나타낸 선과 같은 모양이어야 한다.

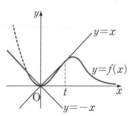

▎풀이 점검 ▎

1 함수 $g(t)$가 한 점에서만 미분 가능하지 않기 위한 곡선과 직선의 위치 관계는 $x>0$에서는

❶ _____

2 $y=f(x)$와 $y=x$의 접점의 x좌표를 t라 할 때 $t=$❷_____

02-2

함수 $f(x) = kx^3 e^{-x}$ $(k > 0)$과 실수 t에 대하여 곡선 $y = f(x)$ 위의 점 $(t, f(t))$에서 x축까지의 거리와 y축까지의 거리 중 작지 않은 값을 $g(t)$라 하자. 함수 $g(t)$가 미분 미분 불가능한 점의 개수가 4가 되도록 하는 k값의 범위는?

① $k > \dfrac{e^2}{4}$ ② $k \leq \dfrac{e^2}{4}$ ③ $k \leq \dfrac{e}{4}$

④ $k > \dfrac{1}{4e^2}$ ⑤ $k \leq \dfrac{1}{4e^2}$

| 풀이 점검 |

1 미분 불가능한 점이 4개이려면 원점에서 곡선 $y = f(x)$에 그은 접선의 기울기가 ❶_____ 보다 커야 한다.

2 원함수 $y = f(x)$와 $y = x$의 접점의 x좌표가 t일 때 $t = $❷_____

03-1 ★★☆   2019학년도 수능 6월 모의평가 21번

열린구간 $\left(-\dfrac{\pi}{2}, \dfrac{3}{2}\pi\right)$에서 정의된 함수

$$f(x)=\begin{cases} 2\sin^3 x & \left(-\dfrac{\pi}{2}<x<\dfrac{\pi}{4}\right) \\ \cos x & \left(\dfrac{\pi}{4}\leq x<\dfrac{3}{2}\pi\right) \end{cases}$$

가 있다. 실수 t에 대하여 다음 조건을 만족시키는 모든 실수 k의 개수를 $g(t)$라 하자.

> (가) $-\dfrac{\pi}{2}<k<\dfrac{3}{2}\pi$
>
> (나) 함수 $\sqrt{|f(x)-t|}$는 $x=k$에서 미분 가능하지 않다.

함수 $g(t)$에 대하여 합성함수 $(h\circ g)(t)$가 실수 전체의 집합에서 연속이 되도록 하는 최고차항의 계수가 1인 사차함수 $h(x)$가 있다. $g\left(\dfrac{\sqrt{2}}{2}\right)=a$, $g(0)=b$, $g(-1)=c$라 할 때, $h(a+5)-h(b+3)+c$의 값은?

① 96   ② 97   ③ 98   ④ 99   ⑤ 100

┃ 해법 가이드 ┃

- 함수 $|f(x)-t|$가 미분 가능하지 않은 점이면 $\sqrt{|f(x)-t|}$도 미분 불가능하므로 $y=f(x)$의 그래프를 그려 놓고 직선 $y=t$를 위, 아래로 움직이면서 t값의 변화에 따라 미분할 수 없는 점이 몇 개인지 확인하여 $g(t)$를 구한다. 이때 $f(x)$와 $y=t$가 만나는 점뿐만 아니라 $f(x)$에서 미분 불가능한 점도 있음을 생각한다.
- $h(g(t))$가 모든 실수에서 연속이려면 $g(t)$가 불연속인 점에서 $h(g(t))$가 연속이 되는 경우를 생각한다.

┃ 풀이 점검 ┃

1️⃣ 조건에서 구한 함수 $g(t)$를 이용하면

    $a=$❶_____, $b=$❷_____, $c=$❸_____

2️⃣ 합성함수 $(h\circ g)(t)$가 실수 전체의 집합에서 연속인 조건을 이용하면 $h(x)=$❹_____$+\alpha$로 놓을 수 있다.

03-2

열린구간 $\left(-\dfrac{\pi}{2}, \dfrac{3}{2}\pi\right)$에서 정의된 함수

$$f(x)=\begin{cases}\cos x & \left(-\dfrac{\pi}{2}<x<\dfrac{\pi}{6}\right) \\ \sqrt{3}\sin x & \left(\dfrac{\pi}{6}\leq x<\dfrac{3}{2}\pi\right)\end{cases}$$

가 있다. 실수 t에 대하여 다음 조건을 만족시키는 모든 실수 k의 개수를 $g(t)$라 하자.

(가) $-\dfrac{\pi}{2}<k<\dfrac{3}{2}\pi$

(나) 함수 $\sqrt{|f(x)-t|}$는 $x=k$에서 미분 가능하지 않다.

함수 $g(t)$에 대하여 $a=g\left(\dfrac{\sqrt{3}}{2}\right)$, $b=g(1)$, $c=g(\sqrt{3})$이고 불연속인 점의 개수를 d라 할 때, $a+b+c+d$의 값을 구하시오.

| 풀이 점검 |

1 조건에서 구한 함수 $g(t)$를 이용하면

   $a=$ **❶** _____, $b=$ **❷** _____, $c=$ **❸** _____

2 함수 $g(t)$에서 불연속점의 개수 $d=$ **❹** _____

04 ★★☆　2014학년도 4월 학력평가 30번 변형

함수 $f(x) = \dfrac{\ln x^2}{x}$과 자연수 n에 대하여 y축 위의 한 점

$\left(0,\ 4e^{-\frac{n}{4}}\right)$에서 곡선 $y=f(x)$에 그은 서로 다른 접선의 개

수를 a_n이라 하자. $\displaystyle\sum_{n=1}^{20} a_n$의 값을 구하시오.

┃ 해법 가이드 ┃

- $f(x) = \dfrac{\ln x^2}{x}$의 그래프가 원점에 대하여 대칭임을 이용해 그
  래프의 개형을 그린다.

- 접선의 접점을 $(t, f(t))$로 두고 접선의 방정식을 구한 후
  $\left(0,\ 4e^{-\frac{n}{4}}\right)$을 대입한 후 t에 대한 방정식을 세운다. 이 방정식의
  실근의 개수를 n에 따라 구한다.

┃ 풀이 점검 ┃

$1 \le n \le 5$일 때 $a_n=$❶_____, $n=6$일 때 $a_n=$❷_____,

$n > 6$일 때 $a_n=$❸_____

05 ★★☆

$x \neq 0$에서 정의된 함수 $f(x) = \dfrac{\ln|x|}{x} + \dfrac{1}{e}$에 대하여 함수 $|f(x) - k|$가 미분 불가능한 점의 개수를 $g(k)$라 하고, 최고차항의 계수가 2인 삼차함수를 $h(x)$라 하자. 모든 실수 k에 대하여 함수 $h(g(k))$가 연속일 때, $h'(4)$의 값을 구하시오.

┃ 해법 가이드 ┃

· $y = \dfrac{\ln|x|}{x}$의 그래프는 원점에 대하여 대칭이므로 $x > 0$ 부분인 $y = \dfrac{\ln|x|}{x}$를 그리고, 이것을 원점에 대하여 대칭이동한 것도 함께 나타내면 된다. 또 $f(x) = \dfrac{\ln|x|}{x} + \dfrac{1}{e}$은 $y = \dfrac{\ln x}{x}$의의 그래프를 y축 방향으로 $\dfrac{1}{e}$만큼 평행이동한 것이다.

· $h(x)$가 연속함수이므로 $k = \alpha$에서 $g(k)$가 불연속일 때, $\displaystyle \lim_{x \to \alpha-} h(g(k)) = \lim_{x \to \alpha-} h(g(k)) = h(g(\alpha))$이면 $h(g(k))$는 $k = \alpha$에서 연속임을 이용한다.

┃ 풀이 점검 ┃

① $0 < k < \dfrac{1}{e}$일 때 $g(k) = $ ❶ _____

② 모든 실수 k에 대하여 함수 $h(g(k))$가 연속인 조건을 이용하면 $h(x) = $ ❷ _____ $+\alpha$

06 ★★☆   〔2019학년도 수능 30번 (대표 문제) 변형〕

최고차항의 계수가 $\dfrac{\pi}{6}$ 인 삼차함수 $f(x)$ 에 대하여 함수

$g(x) = \dfrac{1}{2 + \cos f(x)}$ 이 $x = \alpha$ 에서 극대 또는 극소이고,

$\alpha \geq 0$ 인 모든 α 를 작은 수부터 크기순으로 나열한 것을 α_1, α_2, α_3, α_4, $\cdots$ 라 할 때, $g(x)$ 는 다음 조건을 만족시킨다.

(가) $\alpha_1 = 0$ 이고 $g(\alpha_1) = \dfrac{2}{5}$

(나) $\dfrac{1}{g(\alpha_6)} = \dfrac{1}{g(\alpha_3)} + \dfrac{1}{2}$

(다) $\dfrac{f(3)}{\pi}$ 은 유리수다.

$f(2\alpha_3) = a\pi$ 라 할 때, $12a^2$ 의 값을 구하시오.

$$\left(\text{단, } 0 < f(0) < \dfrac{\pi}{2}\right)$$

│ 해법 가이드 │

- $g'(x) = \dfrac{f'(x)\sin f(x)}{(2 + \cos f(x))^2}$ 에서 $f'(\alpha) = 0$ 또는 $\sin f(\alpha) = 0$

- $\sin f(\alpha_6) = 0$, $\sin f(\alpha_3) = 0$ 이 동시에 성립하지 않으므로

 (ⅰ) $\sin f(\alpha_6) = 0$, $f'(\alpha_3) = 0$ 인 경우

 (ⅱ) $\sin f(\alpha_3) = 0$, $f'(\alpha_6) = 0$ 인 경우로 나눌 수 있다.

│ 풀이 점검 │

1 $g'(x)$ 과 (가) 조건에서 $f(0) = $ ❶ _____

2 주어진 조건에서 구한 $f(x) = $ ❷ _____

07 ★★☆

최고차항의 계수가 음수인 이차함수 $f(x)$에 대하여 함수 $g(x)=f(x)e^{-x}$이 다음 조건을 만족시킨다.

> (가) 점 $(1, g(1))$과 점 $(4, g(4))$는 곡선 $y=g(x)$의 변곡점이다.
>
> (나) $1 \le x_1 < x_2$인 임의의 두 실수 x_1, x_2에 대하여 $g(x_2)-g(x_1)+x_1-x_2 \le 0$이다.

$f\left(\dfrac{1}{2}\right)$의 최댓값은?

① $\dfrac{e^4}{12}$ ② $\dfrac{e^4}{16}$ ③ $\dfrac{e^4}{20}$

④ $\dfrac{e^4}{24}$ ⑤ $\dfrac{e^4}{28}$

| 해법 가이드 |

- $f(x)=ax^2+bx+c \ (a<0)$로 놓고, $g''(1)=g''(4)=0$임을 이용한다.
- 함수 $g(x)$는 닫힌구간 $[x_1, x_2]$에서 연속이고, 열린구간 (x_1, x_2)에서 미분 가능하므로 평균값 정리에 따라 $\dfrac{g(x_2)-g(x_1)}{x_2-x_1}=g'(k)$를 만족시키는 실수 k가 이 구간에 적어도 하나 존재한다. 즉 $x_1<k<x_2$에 대하여 $g'(k) \le 1$

| 풀이 점검 |

① 이차함수 $f(x)$를 계수 a를 써서 나타내면

$f(x)=$ ❶ _____

② 함수 $\dfrac{g'(x)}{a}=h(x)$라 할 때,

$h(x)$의 최솟값은 ❷ _____

08 ★★☆

함수 $f(x) = \left| x^2 - 3x - \dfrac{1}{x} + \alpha \right|$ 가 다음 조건을 만족시킨다. $\alpha \times m \times n$의 값은? (단, α는 상수이다.)

> (가) 함수 $f(x)$는 0을 제외한 모든 실수 x에 대하여 미분 가능하다.
>
> (나) x에 대한 방정식
>
> $$\left| x^2 - 3x - \frac{1}{x} + \alpha \right| = \left| k^2 - 3k - \frac{1}{k} + \alpha \right|$$
>
> 이 서로 다른 세 실근을 가질 때, 서로 다른 실수 k는 m 개이고 자연수 k의 값은 n이다.

① 24 ② 27 ③ 36 ④ 45 ⑤ 48

┃ 해법 가이드 ┃

- $x^2 - 3x - \dfrac{1}{x} = g(x)$라 하고 $g(x)$의 그래프를 그려 (가)를 만족 시키는 경우를 생각한다.

- $\left| x^2 - 3x - \dfrac{1}{x} + \alpha \right| = \left| k^2 - 3k - \dfrac{1}{k} + \alpha \right|$

  는 $f(x) = f(k) = p$ (p는 양수)라 할 수 있으므로
  $f(x) = p$가 서로 다른 세 실근을 가지는 경우를 생각한다.

┃ 풀이 점검 ┃

1 함수 $f(x)$가 모든 실수 x에 대하여 미분 가능하기 위한 α값 은 $\alpha =$ ❶ _____

2 x에 대한 방정식 $f(x) = f(k)$가 서로 다른 세 실근을 가질 때 $f(k) =$ ❷ _____

09 ★★☆

2021학년도 수능 30번

최고차항의 계수가 1인 삼차함수 $f(x)$에 대하여 실수 전체의 집합에서 정의된 함수 $g(x)=f(\sin^2 \pi x)$가 다음 조건을 만족시킨다.

> ㈎ $0<x<1$에서 함수 $g(x)$가 극대가 되는 x의 개수가 3이고, 이때 극댓값이 모두 동일하다.
>
> ㈏ 함수 $g(x)$의 최댓값은 $\dfrac{1}{2}$이고 최솟값은 0이다.

$f(2)=a+b\sqrt{2}$일 때, a^2+b^2의 값을 구하시오.

(단, a와 b는 유리수이다.)

│ 해법 가이드 │

- $g'(x)=f'(\sin^2 \pi x)\times 2\sin \pi x\times \cos \pi x\times \pi=0$이 되는 경우를 생각한다.
- 함수 $g(x)=f(\sin^2 \pi x)$에 대하여 $0\le \sin^2 \pi x\le 1$이므로 함수 $g(x)$의 정의역은 닫힌구간 $[0, 1]$이다.

│ 풀이 점검 │

1 $y=g(x)$의 그래프는 **❶**＿＿＿＿에 대하여 대칭이다.

2 $f(k)=$ **❷**＿＿＿＿＿＿＿＿＿＿

10 ★★★

함수 $f(x)=x^2e^{-x}$에 대하여 함수 $g(x)$를

$$g(x)=\begin{cases}m-f(x) & (f'(x)<0)\\f(x) & (f'(x)\geq0)\end{cases}$$

으로 정의하자. 함수 $|g(x)-n|$이 실수 전체의 집합에서 연속이고, 오직 한 점에서만 미분 가능하지 않도록 하는 n의 최솟값은 $a\times e^b$이다. $a+b$의 값을 구하시오. (단, m, n, a, b는 상수이고 e는 자연상수이다.)

│ 해법 가이드 │

• $f'(x)=x(2-x)e^{-x}$이므로

$$g(x)=\begin{cases}m-f(x) & (x<0,\ x>2)\\f(x) & (0<x<2)\end{cases}$$

• $f(x)$와 $m-f(x)$의 그래프는 연속이므로 $|g(x)-n|$이 실수 전체에서 연속이려면 $x=0$과 $x=2$에서 연속이어야 한다.

• m값을 바꿔가면서 $|g(x)-n|$이 한 점에서만 미분 불가능하기 위한 조건을 찾는다.

│ 풀이 점검 │

1 함수 $|g(x)-n|$이 실수 전체에서 연속일 때 m, n의 관계는 ❶_____이다.

2 함수 $|g(x)-n|$이 한 점에서만 미분 불가능하도록 하는 n의 최소값은 ❷_____이다.

11 ★★★

최고차항의 계수가 $\frac{1}{2}$이고 최솟값이 0인 사차함수 $f(x)$와
함수 $g(x)=2x^4 e^{-x}$에 대하여 함수 $h(x)=(f\circ g)(x)$가
다음 조건을 만족시킨다.

> ㈎ 방정식 $h(x)=0$의 서로 다른 실근의 개수는 4이다.
> ㈏ 함수 $h(x)$는 $x=0$에서 극소이다.
> ㈐ 방정식 $h(x)=8$의 서로 다른 실근의 개수는 6이다.

$f'(5)$의 값을 구하시오. $\left($단, $\lim\limits_{x\to\infty} g(x)=0\right)$

│ 해법 가이드 │

최솟값이 0인 사차함수 $f(x)$의 그래프 개형을 그림처럼 생각할
수 있다. $g(x)$의 그래프 개형을 그려보고, 이중에서 $h(x)=0$의
실근이 4개가 되는 경우를 찾는다.

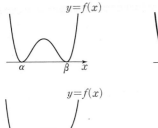
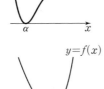

│ 풀이 점검 │

1. $f(x)$의 최솟값이 0이므로 $x=\alpha$, β $(\alpha<\beta)$일 때 $f(x)=0$이
   면 $f(x)=$ ❶ _____이라 할 수 있다.

2. $hx=f(g(x))$가 $x=0$에서 극솟값을 가지는 조건에서
   $\alpha=$ ❷ _____임을 알 수 있다.

3. $h(x)=8$의 서로 다른 실근이 6개가 되려면
   $(f(x)$의 극댓값$)=$ ❸ _____이어야 한다.

12 ★★★

2018학년도 4월 학력평가 30번 변형

함수 $f(x)=e^{-x}(ax^3+bx^2)$과 양의 실수 t에 대하여 닫힌 구간 $[-t, t]$에서 함수 $f(x)$의 최댓값을 $M(t)$, 최솟값을 $m(t)$라 할 때, 두 함수 $M(t)$, $m(t)$는 다음을 만족시킨다.

> (가) 양수 t에 대하여 $m(t)=f(-t)$이다.
> (나) 양수 k에 대하여 닫힌구간 $[k, k+2]$에 있는 임의의 실수 t에 대해서만 $M(t)=f(t)$가 성립한다.
> (다) $\int_1^5 \{e^t \times M(t)\}dt = 8e - \dfrac{7}{3}$

$f(k+1)=\dfrac{q}{p}e^{-(k+1)}$일 때, $p+q$의 값을 구하시오.

$\left(\text{단, } a\text{와 } b\text{는 0이 아닌 상수, } p\text{와 } q\text{는 서로소인 자연수이고,}\right.$

$\left. \lim\limits_{x \to \infty} \dfrac{x^3}{e^x}=0\text{이다.}\right)$

│ 해법 가이드 │

· 양수 t에 대하여 $[-t, t]$에서 $f(x)$의 최솟값이 $f(-t)$인 것은 $f(x)$가 $x<0$에서 증가함을 뜻한다.

· 조건에서 a, b의 부호를 정하고, $f(x)$의 그래프 개형을 그려본다.

│ 풀이 점검 │

1. $\lim\limits_{x \to \infty} f(x) = \text{❶}$ _____과 $f'(x)=0$에서 그래프의 개형을 그릴 수 있다.

2. (나)조건에서 구한 $M(t)$와 (다) 조건을 이용하면 $a = \text{❷}$ _____

13 ★★★

2017학년도 수능 30번

$x>a$에서 정의된 함수 $f(x)$와 최고차항의 계수가 -1인 사차함수 $g(x)$가 다음 조건을 만족시킨다. $\beta-\alpha=6\sqrt{3}$일 때, M의 최솟값을 구하시오. (단, a는 상수이다.)

(가) $x>a$인 모든 실수 x에서 $(x-a)f(x)=g(x)$이다.
(나) 서로 다른 두 실수 α, β에 대하여 함수 $f(x)$는 $x=\alpha$, $x=\beta$에서 동일한 극댓값 M을 갖는다. (단, $M>0$)
(다) 함수 $f(x)$가 극대 또는 극소가 되는 x의 개수는 함수 $g(x)$가 극대 또는 극소가 되는 x의 개수보다 많다.

| 해법 가이드 |

(가) 조건에서 $f(x)=\dfrac{g(x)}{x-a}$ $(x>a)$이므로 $f(x)$가 점 $(a, 0)$과 곡선 $g(x)$ 위의 점 $(x, g(x))$을 잇는 직선의 기울기와 같다.

| 풀이 점검 |

곡선 $y=g(x)$에 대하여 공통 접선은 기울기가 M이고, 점 $(a, 0)$을 지나면서 $x=\alpha$, β에서 접하므로

$M(x-a)-g(x)=$ _____ 이다.

14 ★★★

함수 $f(x)=\dfrac{(24-k)x^2+48x+72}{x^2+2x+3}$ 가 다음 조건을 만족

시킬 때, 자연수 k를 작은 것부터 나열한 것을 $k_1, k_2, k_3, \cdots$

이라 하자. $\displaystyle\sum_{k=k_1}^{m} g(k)>770$ 을 만족시키는 자연수 m의 최솟

값을 M이라 할 때, $\displaystyle\sum_{k=k_1}^{M} g(k)+M$의 값을 구하시오.

(단, $m>k_1$이다.)

(개) 함수 $|f(x)|$에서 미분 불가능한 점은 2개고 두 점의 x
좌표는 부호가 다르다.

(내) 방정식 $|f(x)|=n$의 실근의 개수가 3인 자연수 n은 2
개 이하다.

(대) (내) 조건을 만족시키는 n값의 합을 $g(k)$라 하고, n이 존
재하지 않으면 $g(k)=0$이다.

| 해법 가이드 |

• $f(x)=24-\dfrac{kx^2}{x^2+2x+3}$ 를 미분하고 그래프 개형을 그려본다.

• (개)를 만족시키는 k값의 범위를 찾는다.

• k의 범위에 따라 $|f(x)|$의 그래프 개형을 그리고 (내)를 만족시
키는 n과 $g(k)$를 구해본다.

| 풀이 점검 |

1 (개) 조건을 만족시키는 k값의 범위는 ❶ _____

2 $24<k<32$일 때, $\displaystyle\sum_{k=25}^{31} g(k)=$ ❷ _____

3 $32<k<48$일 때, $\displaystyle\sum_{k=33}^{47} g(k)=$ ❸ _____

4 $\displaystyle\sum_{k=k_1}^{m} g(k)>770$을 만족시키는 m의 최솟값은 ❹ _____

유형 15

치환적분법과
부분적분법의 활용

Mentor Comment

수능에서 정적분을 계산하는 문제는 꾸준히 출제되어 왔다. 특히 치환적분법과 부분적분법은 중요한 적분 스킬이고 항상 출제되므로 집중적인 연습이 필요하다. 또한 4점 유형에서는 치환적분법 또는 부분적분법을 단순히 한번만 사용하는 문제보다 부분적분법과 치환적분법을 함께 이용하는 문제이거나, 부분적분법을 한번 더 이용하는 문제가 더 많다는 점도 기억하자.

대표 문제

01

2020학년도 수능 9월 모의평가 30번

실수 전체의 집합에서 미분 가능한 함수 $f(x)$가 모든 실수 x에 대하여

$$f'(x^2+x+1)=\pi f(1)\sin \pi x+f(3)x+5x^2$$

을 만족시킬 때, $f(7)$의 값을 구하시오.

풀이 preview

함성함수 $f(g(x))$에 대하여 $[f(g(x))]'=f'(g(x))g'(x)$임을 생각해 보자.

이때 $g(x)=x^2+x+1$이라 하고 $[f(g(x))]'=f'(g(x))g'(x)$를 다시 정리하면

$$f'(x^2+x+1)(2x+1)=[f(x^2+x+1)]'$$

즉 $\int f'(x^2+x+1)(2x+1)dx=f(x^2+x+1)+C$

이므로 주어진 등식에 $(2x+1)$을 곱하고 양변을 적분하는 것을 생각할 수 있다.

$f(1), f(3)$이 모두 상수이므로 $f(1)=a, f(3)=b$ (a, b는 상수)라 하고

우변에 $(2x+1)$을 곱하면 $a\pi(2x+1)\sin \pi x+(bx+5x^2)(2x+1)$

이므로 $\int \{a\pi(2x+1)\sin \pi x\}dx$에서 부분적분법을 이용한다.

✔ 해법 Tip

주어진 등식에서 $f(1), f(2)$를 포함하고 있으므로 $x^2+x+1=1$ 또는 $x^2+x+1=3$이 되는 x의 값을 대입한다.

02-1 ★

2020학년도 수능 9월 모의평가 17번

두 함수 $f(x)$, $g(x)$는 실수 전체의 집합에서 도함수가 연속이고 다음 조건을 만족시킨다.

> ㈎ 모든 실수 x에 대하여 $f(x)g(x)=x^4-1$이다.
>
> ㈏ $\displaystyle\int_{-1}^{1}\{f(x)\}^2 g'(x)dx=120$

$\displaystyle\int_{-1}^{1} x^3 f(x)dx$의 값은?

① 12   ② 15   ③ 18   ④ 21   ⑤ 24

| 해법 가이드 |

㈏에서 $v=\{f(x)\}^2$, $u'=g'(x)$라 생각한다.

| 풀이 점검 |

1 $\displaystyle\int_{-1}^{1} (x^4-1)f'(x)dx=$ ❶_____

2 $\displaystyle\int_{-1}^{1} (x^4-1)f'(x)dx$을 부분적분법을 써서 나타내면

   ❷_____

02-2

두 함수 $f(x)$, $g(x)$는 실수 전체의 집합에서 도함수가 연속이고 다음 조건을 만족시킨다.

> ㈎ 모든 실수 x에 대하여 $f(x)g(x)=\sin \pi x$이다.
>
> ㈏ $\displaystyle\int_{-1}^{1}\{f(x)\}^2 g'(x)dx=2$

$\displaystyle\int_{-1}^{1} f(x)\cos \pi x$의 값은?

① $-\pi$ ② $-\dfrac{1}{\pi}$ ③ 0 ④ $\dfrac{1}{\pi}$ ⑤ π

| 풀이 점검 |

1 $\displaystyle\int_{-1}^{1} f'(x)\sin \pi xdx=$ ❶_____

2 $\displaystyle\int_{-1}^{1} f'(x)\sin \pi xdx$을 부분적분법을 써서 나타내면

   ❷_____

03-1 ★★ 2011학년도 수능 28번 변형

실수 전체의 집합에서 미분 가능한 함수 $f(x)$가 있다. 모든 실수 x에 대하여 $f(2x)=2f(x)f'(x)$이고, $f\left(\dfrac{a}{2}\right)=0$,

$\displaystyle\int_{2a}^{4a}\dfrac{f(x)}{x}\,dx=\dfrac{1}{4}$ $(a>0)$일 때, $\displaystyle\int_{a}^{2a}\dfrac{\{f(x)\}^2}{x^2}\,dx=k$이다.

$100k$의 값을 구하시오.

│ 해법 가이드 │

$\displaystyle\int f(x)g'(x)\,dx=f(x)g(x)-\int f'(x)g(x)\,dx$

이므로 부분적분법을 이용해 적분한 결과에 적분 기호를 포함한 식이 있다. 그것이 조건과 같거나 조건을 변형해 얻을 수 있는지 확인하자.

03-2

실수 전체에서 미분 가능하고 양수인 함수 $f(x)$가 있다. 모든 실수 x에서 $f(x)f(2x)=f'(x)$이고, $f(a)=1$,

$f(2a)=e^2$, $\displaystyle\int_{2a}^{4a}\dfrac{f(x)}{x}\,dx=\dfrac{3}{7}$ $(a>0,\ f(x)>0)$일 때,

$\displaystyle\int_{a}^{2a}\dfrac{\ln f(x)}{x^2}\,dx=p-\dfrac{q}{a}$이다. $p+q$의 값은?

① $-\dfrac{4}{7}$　　　② $-\dfrac{3}{7}$　　　③ $\dfrac{3}{7}$

④ $\dfrac{10}{7}$　　　⑤ $\dfrac{13}{7}$

│ 풀이 점검 │

$\displaystyle\int_{a}^{2a}\dfrac{\{f(x)\}^2}{x^2}\,dx=\int_{a}^{2a}\dfrac{\boxed{}}{x}\,dx$이다.

$\boxed{}$ 안에 적당한 내용은 _____

│ 풀이 점검 │

$\displaystyle\int_{a}^{2a}\dfrac{\ln f(x)}{x^2}\,dx=-\dfrac{1}{a}+$ _____

04 ★★

미분 가능한 함수 $f(x)$에 대하여 $f'(x)=x^3 e^{x^2}$이고 닫힌 구간 $[-1, 2]$에서 함수 $f(x)$의 최솟값이 $-\dfrac{1}{2}$일 때, 이 구간에서 함수 $f(x)$의 최댓값은?

① $\dfrac{1}{2}e^4$ ② e^4 ③ $\dfrac{3}{2}e^4$ ④ $2e^4$ ⑤ $\dfrac{5}{2}e^4$

┃ 해법 가이드 ┃

• 미분 가능한 함수의 어떤 구간에서의 최솟값이 극솟값과 같음을 이용해 $f(x)$를 결정한다.
• 함수 $f(x)$의 개형을 생각해 어떤 경우에 주어진 구간에서 최댓값을 갖는지 결정한다.

05 ★★

$f(x)=\dfrac{2}{\sqrt[4]{3}}\sqrt{\dfrac{(x+2)\ln x}{x^2}}$와 x축, $x=1$, $x=e$로 둘러싸인 도형을 밑면으로 하는 입체도형이 있다. 이 입체도형을 x축에 수직으로 자른 단면이 모두 정삼각형일 때, 이 입체도형의 부피는 $a-\dfrac{b}{e}$이다. 두 상수 a, b의 곱을 구하시오.

(단, e는 자연상수이다.)

┃ 해법 가이드 ┃

구하려는 입체도형의 부피는 $V=\displaystyle\int_1^e (\text{정삼각형의 넓이})dx$

┃ 풀이 점검 ┃

① 정삼각형의 한 변 길이가 $f(x)$이므로 단면의 넓이 $S(x)$는

$S(x)=$❶_____ ($1\le x\le e$)

② 부피 $V=\displaystyle\int_1^e S(x)dx$에서 구한 값은

$V=$❷_____

┃ 풀이 점검 ┃

① $f(x)=$❶_____

② 구간 $[-1, 2]$에서 함수 $f(x)$의 최댓값은

$x=$❷_____일 때의 값이다.

06 ★★

실수 전체의 집합에서 미분 가능한 함수 $f(x)$가 다음 조건을 만족시킬 때, $\int_0^3 f(x)dx$의 값을 구하시오.

(가) $f(0)=6$	(나) $\int_0^1 (x-1)f'(3x)dx=-4$

(단, $f'(x)$는 연속함수이다.)

| 해법 가이드 |

대부분 피적분함수 $f(\bigstar)$에서 $\bigstar$은 x가 되도록
(즉 $\bigstar$이 간단한 꼴이 되도록) 치환하면 편리하다.

| 풀이 점검 |

① $\int_0^1 (x-1)f'(3x)dx=-4$에서 $3x=t$로 치환하면

$\quad \int_0^3 (t-3)f'(t)dt=$ ❶＿＿＿＿

② $\int_0^3 (t-3)f'(t)dt=$ ❷＿＿＿$-\int_0^3 f(t)dt$

07 ★★

열린구간 $\left(-\dfrac{\pi}{2}, \dfrac{\pi}{2}\right)$에서 정의된 두 함수 $f(x)$, $g(x)$에 대하여 $f(x)=\tan x$, $g'(x)=\ln(\cos x)$일 때, $\int_0^{\frac{\pi}{4}} f'(x)g(x)dx-g\left(\dfrac{\pi}{4}\right)=\dfrac{(\ln 2)^2}{k}$이다.

자연수 k값을 구하시오.

| 해법 가이드 |

주어진 등식의 좌변을 간단히 나타낸다.

※ $g(x)$를 구하지 않아도 되는 이유를 생각해 보자.

| 풀이 점검 |

① $\int_0^{\frac{\pi}{4}} f'(x)g(x)dx$

$\quad =$ ❶＿＿＿＿＿$-\int_0^{\frac{\pi}{4}} \tan x \ln(\cos x)dx$

② $\int_0^{\frac{\pi}{4}} \tan x \ln(\cos x)dx=$ ❷＿＿＿＿＿＿＿

08 ★★

미분 가능한 함수 $f(x)$에 대하여 정적분

$$\int_0^a xf(x)f'(x)dx+\int_0^{\sqrt{a}} x\{f(x^2)\}^2 dx=g(a)\{f(a)\}^2$$

(단, $a>0$)이 항상 성립할 때, $\sum_{n=2}^{10} g(n)g(n+1)=\dfrac{n}{m}$이다. 서로소인 두 자연수 m, n의 합을 구하시오.

┃ 해법 가이드 ┃

· $\int_0^{\sqrt{a}} x\{f(x^2)\}^2 dx$에서 $x^2=t$로 치환한다.

· $\int_0^a xf(x)f'(x)dx+\int_0^{\sqrt{a}} x\{f(x^2)\}^2 dx$를 정리한 다음 $g(a)\{f(a)\}^2$와 비교한다.

┃ 풀이 점검 ┃

① $\int_0^a xf(x)f'(x)dx$에서 ❶＿＿＿＿＿＿$=\dfrac{1}{2}[\{f(x)\}^2]'$

② $x^2=t$로 치환해 t에 대한 정적분으로 나타내면

$$\int_0^{\sqrt{a}} x\{f(x^2)\}^2 dx=\text{❷＿＿＿＿＿＿＿＿＿＿}$$

③ $\int_0^a xf(x)f'(x)dx+\int_0^{\sqrt{a}} x\{f(x^2)\}^2 dx=g(a)\{f(a)\}^2$에서

$g(a)=\text{❸＿＿＿＿＿}$

09 ★★

2019학년도 수능 16번 변형

$x>0$에서 정의된 연속함수 $f(x)$가 모든 양수 x에 대하여 $2f(x)+\dfrac{1}{x^2}f\left(\dfrac{1}{x}\right)=\ln x+\dfrac{1}{x^2}$ 을 만족시킬 때,

$\int_{\frac{1}{4}}^{4} \dfrac{f(\sqrt{x})}{\sqrt{x}}dx$의 값은?

① $\dfrac{5}{4}\ln 2$ 　② $\dfrac{5}{3}\ln 2$ 　③ $\dfrac{5}{2}\ln 2$

④ $5\ln 2-\dfrac{3}{2}$ 　⑤ $5\ln 2$

┃ 해법 가이드 ┃

· $\sqrt{x}$를 다른 문자로 치환해 간단한 꼴로 고친다.

· $2f(x)+\dfrac{1}{x^2}f\left(\dfrac{1}{x}\right)=\ln x+\dfrac{1}{x^2}$ 을 정리해 구하려는 정적분에 활용할 수 있는지 확인한다.

┃ 풀이 점검 ┃

$\int_{\frac{1}{4}}^{4} \dfrac{f(\sqrt{x})}{\sqrt{x}}dx=A$라 하면 $\int_{\frac{1}{2}}^{2} \dfrac{1}{x^2}f\left(\dfrac{1}{x}\right)dx=\text{＿＿＿＿＿＿}$

10 ★★☆
2017학년도 수능 9월 모의평가 21번 변형

양의 실수 전체의 집합에서 미분 가능한 두 함수 $f(x)$와 $g(x)$가 모든 양의 실수 x에 대하여 다음 조건을 만족시킨다. $f(1)=\dfrac{2}{3e}$일 때, $g'(2)-4g(2)$의 값은?

> (가) $\left(\dfrac{f(x)}{x}\right)'=x^2 e^{-x^2}$ (나) $g(x)=\dfrac{4}{e^4}\displaystyle\int_1^x e^{t^2}f(t)\,dt$

① $\dfrac{6}{e^4}$ ② $\dfrac{12}{e^4}$ ③ $\dfrac{18}{e^4}$

④ $\dfrac{24}{e^4}$ ⑤ $\dfrac{30}{e^4}$

| 해법 가이드 |

(나)를 이용하면 $g'(2)$를 구할 수 있다. 또 (가)를 이용하려면 (나) 등식의 우변을 어떻게 변형할지 생각한다.

| 풀이 점검 |

① $g'(2)=$ ^❶ _____

② $f(2)-g(2)=$ ^❷ _____

11 ★★☆

실수 전체의 집합에서 이계도함수를 갖는 두 함수 $f(x)$, $g(x)$에 대하여 $0\le a\le\dfrac{15}{2}$일 때, 정적분의 값을 다음과 같이 정의한다.

$$A=\int_0^a f'(x)g(a-x)\,dx,\quad B=\int_0^a g'(x)f(a-x)\,dx$$

$$C=\int_0^a f(x)g'(a-x)\,dx,\quad D=\int_0^a g(x)f'(a-x)\,dx$$

보기에서 옳은 것을 모두 고른 것은?

> ┤ 보기 ├
> ㄱ. $AB=CD$
> ㄴ. $A-C=f(0)g(a)-f(a)g(0)$
> ㄷ. $f(x)=\sin(x^3-2ax^2+a^2x+2\pi x)$
> $g(x)=\cos(x^3-2ax^2+a^2x+2\pi x)$라 하면
> $B-D=e^{-a}$를 만족시키는 실수 a는 16개다.

① ㄱ   ② ㄷ   ③ ㄱ, ㄴ

④ ㄱ, ㄷ   ⑤ ㄱ, ㄴ, ㄷ

| 해법 가이드 |

· $a-x=t$로 놓고 생각해 보자.
· $f(x)=\sin(x^3-2ax^2+a^2x+2\pi x)$일 때 $f(a)=\sin 2\pi a$

| 풀이 점검 |

ㄴ. $A=\displaystyle\int_0^a f'(x)g(a-x)\,dx$에서

$A-C=$ ^❶ _____

ㄷ. $B=\displaystyle\int_0^a g'(x)f(a-x)\,dx$와 주어진 $f(x)$와 $g(x)$를 이용하면

$B-D=$ ^❷ _____

12 ★★★

함수 $f(x)$는 실수 전체에서 미분 가능하고, 다음 조건을 만족시킨다. 곡선 $y=f(x)$ 위의 점 $(t, f(t))$에서의 접선의 y절편을 $g(t)$라 하자.

> (가) $f(1)=3$
>
> (나) $\displaystyle\int_0^1 f(x)dx=a+b\ln 10$
>
> (다) $\displaystyle 2\int_{-3}^3 f(x)dx-3\{f(3)+f(-3)\}=30$

$(1+t^2)\{g(t+1)-g(t)\}=2t$가 모든 실수 t에서 성립할 때, $20(a+b)$의 값을 구하시오.

┃ 해법 가이드 ┃

• $g(t+1)-g(t)=\dfrac{2t}{1+t^2}$에서 등식의 양변을 구간 $[0, x]$에서 적분하는 것을 생각한다.

• $\displaystyle\int_0^x g(t+1)dt=\int_1^{x+1} g(t)dt$

┃ 풀이 점검 ┃

1 $\displaystyle\int_x^{x+1} g(t)dt=$ ❶_____ $+\displaystyle\int_0^1 g(t)dt$

2 $\displaystyle\int_{-3}^3 g(t)dt$를 $f(t)$에 대한 식으로 나타내면

   ❷_____

유형 16

정적분으로 정의된 함수 (초월함수)

◀ **Mentor Comment**

$f(x)=\int_a^x g(t)dt$ 처럼 $f(x)$가 정적분으로 정의된 함수인 경우 $f(a)=0$, $f'(x)=g(x)$임을 이용하는 것은 기본이다. 다만 문제를 풀려면 이 사실 말고도 이미 배운 내용들을 종합해야 하는 경우가 많으므로 여러 유형의 문제를 풀어보고 익혀야 한다.

※ 이 유형에서는 보기에서 옳은 것을 찾는 합답형 문제도 자주 나온다.

대표 문제

01

2017학년도 수능 21번

닫힌구간 $[0, 1]$에서 증가하는 연속함수 $f(x)$가 $\int_0^1 f(x)dx=2$, $\int_0^1 |f(x)|dx=2\sqrt{2}$를 만족시킨다.

함수 $F(x)$가 $F(x)=\int_0^x |f(t)|dt \ (0 \le x \le 1)$일 때, $\int_0^1 f(x)F(x)dx$의 값은?

① $4-\sqrt{2}$ ② $2+\sqrt{2}$ ③ $5-\sqrt{2}$ ④ $1+2\sqrt{2}$ ⑤ $2+2\sqrt{2}$

풀이 preview

연속함수 $f(x)$가 증가하는 함수이므로

$\int_0^1 f(x)dx=2$, $\int_0^1 |f(x)|dx=2\sqrt{2}$에서 그림처럼 간단한 경우를 생각할 수 있다. $[0, 1]$에서 $y=f(x)$의 그래프가 x축과 만나는 점의 x좌표를 k라 하자.

$\int_0^1 f(x)dx=2$에서 $-S_1+S_2=2$ ······㉠

$\int_0^1 |f(x)|dx=2\sqrt{2}$에서 $S_1+S_2=2\sqrt{2}$ ······㉡

㉠, ㉡에서 $S_1=\sqrt{2}-1$, $S_2=\sqrt{2}+1$

이때 $F(x)=\begin{cases} -\int_0^x f(t)dt & (0 \le x < k) \\ -\int_0^k f(t)dt + \int_k^x f(t)dt & (k \le x \le 1) \end{cases}$

을 이용한다.

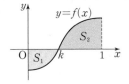

✔ 해법 **Tip**

1. $\int_0^1 f(x)dx < \int_0^1 |f(x)|dx$이므로 구간 $[0, 1]$에서 $f(x)$는 $f(x)<0$인 경우가 있음을 생각한다.

2. $F(x)$와 $F'(x)$를 구한다. 이때 $F'(x)$는 구간에 따라 $f(x)=\int_0^x |f(t)|dt$의 양변을 미분해서 구한다.

3. $[\{F(x)\}^2]'=2F(x)F'(x)$임을 이용한다.

02-1 ★★

2020학년도 수능 6월 모의평가 20번

실수 전체의 집합에서 미분 가능한 함수 $f(x)$가 모든 실수 x에 대하여 다음 조건을 만족시킨다.

> ㈎ $f(x) > 0$
>
> ㈏ $\ln f(x) + 2\displaystyle\int_0^x (x-t)f(t)dt = 0$

보기에서 옳은 것만을 있는 대로 고른 것은?

> ─ 보기 ├
>
> ㄱ. $x > 0$에서 함수 $f(x)$는 감소한다.
>
> ㄴ. 함수 $f(x)$의 최댓값은 1이다.
>
> ㄷ. 함수 $F(x)$를 $F(x) = \displaystyle\int_0^x f(t)dt$라 할 때,
>
> $f(1) + \{F(1)\}^2 = 1$이다.

① ㄱ   ② ㄱ, ㄴ   ③ ㄱ, ㄷ

④ ㄴ, ㄷ   ⑤ ㄱ, ㄴ, ㄷ

| 해법 가이드 |

- $f(x) > 0$이므로 $x > 0$이면 $\displaystyle\int_0^x f(t)dt > 0$

  $x < 0$이면 $\displaystyle\int_0^x f(t)dt < 0$

- $\left[\displaystyle\int_0^x (x-t)f(t)dt\right]' = \displaystyle\int_0^x f(t)dt$

02-2

실수 전체의 집합에서 미분 가능한 함수 $f(x)$가 모든 실수 x에 대하여 다음 조건을 만족시킨다.

> ㈎ $f(x) > 0$
>
> ㈏ $\ln f(x) + 2\displaystyle\int_0^x (t-x)f(t)dt = 0$

보기에서 옳은 것만을 있는 대로 고른 것은?

> ─ 보기 ├
>
> ㄱ. $0 < a < b$인 실수 a, b에 대하여 $f(a) > f(b)$이다.
>
> ㄴ. 함수 $f(x)$의 최솟값은 1이다.
>
> ㄷ. 함수 $F(x)$를 $F(x) = \displaystyle\int_0^x f(t)dt$라 할 때, 모든 자연수
>
> n에 대하여 $\displaystyle\sum_{k=1}^{n} \{F(k)\}^2 = n + \sum_{k=1}^{n} f(k)$이다.

① ㄱ   ② ㄴ   ③ ㄱ, ㄷ

④ ㄴ, ㄷ   ⑤ ㄱ, ㄴ, ㄷ

| 풀이 점검 |

ㄱ. $x > 0$일 때 함수 $f(x)$는 ❶_____한다.

ㄴ. 함수 $f(x)$는 $x =$ ❷_____일 때 극댓값을 가진다.

ㄷ. $f(x) + \{F(x)\}^2 =$ ❸_____

| 풀이 점검 |

ㄱ. $x > 0$일 때 함수 $f(x)$는 ❶_____한다.

ㄴ. 함수 $f(x)$ 최솟값은 ❷_____

ㄷ. 자연수 k에 대하여 $\{F(k)\}^2 +$ ❸_____ $= f(k)$

03-1 ★★☆ 2015학년도 수능 9월 모의평가 30번

양의 실수 전체의 집합에서 감소하고 연속인 함수 $f(x)$가 다음 조건을 만족시킨다.

> (가) 모든 양의 실수 x에 대하여 $f(x) > 0$이다.
>
> (나) 임의의 양의 실수 t에 대하여 세 점 $(0, 0)$, $(t, f(t))$, $(t+1, f(t+1))$이 꼭짓점인 삼각형 넓이는 $\dfrac{t+1}{t}$이다.
>
> (다) $\displaystyle\int_1^2 \dfrac{f(x)}{x}\,dx = 2$

$\displaystyle\int_{\frac{7}{2}}^{\frac{11}{2}} \dfrac{f(x)}{x}\,dx = \dfrac{q}{p}$라 할 때, $p+q$의 값을 구하시오.

(단, p, q는 서로소인 자연수이다.)

┃ 해법 가이드 ┃

$\triangle ABC$의 세 꼭짓점이 $A(x_1, y_1)$, $B(x_2, y_2)$, $C(x_3, y_3)$일 때 이 삼각형의 넓이 S는

$$S = \dfrac{1}{2}\,|\,(x_1 y_2 + x_2 y_3 + x_3 y_1) - (x_1 y_3 + x_3 y_2 + x_2 y_1)\,|$$

┃ 풀이 점검 ┃

1 (나) 조건을 정리하면 $\dfrac{f(t+1)}{t+1} - \dfrac{f(t)}{t} =$ ❶ _____

2 $\displaystyle\int_t^{t+1} \dfrac{f(x)}{x}\,dx =$ ❷ _____

03-2

양의 실수 전체의 집합에서 증가하고 연속인 함수 $f(x)$가 다음 조건을 만족시킬 때 $\displaystyle\int_1^{10} \dfrac{f(x)}{x}\,dx$의 값을 구하시오.

> (가) $0 < x < 10$에 대하여 $f(x) > 0$, $f''(x) < 0$
>
> (나) 세 점 $(0, 0)$, $(t, f(t))$, $(t+1, f(t+1))$이 꼭짓점인 삼각형 넓이는 $\dfrac{t(t+1)(2t+1)}{2}$ (단, $t > 0$)
>
> (다) $\displaystyle\int_1^2 \dfrac{f(x)}{x}\,dx = 100$

┃ 풀이 점검 ┃

1 (나) 조건을 정리하면

$$\dfrac{f(t+1)}{t+1} - \dfrac{f(t)}{t} = \text{❶ _____}$$

2 $\displaystyle\int_t^{t+1} \dfrac{f(x)}{x}\,dx = -t(t+1) +$ ❷ _____

04 ★

모든 실수에서 미분 가능한 함수 $f(x)$에 대하여

$$\int_0^x (x-t)f(t)\,dt = e^x \sin x + ax + b$$

가 성립할 때, $f(a\pi + b)$의 값은? (단, a, b는 상수)

① $-2e^{\pi}$ ② $-2e^{-\pi}$ ③ $2e^{-\pi}$

④ $2e^{\pi}$ ⑤ $4e^{-\pi}$

| 해법 가이드 |

$f(x)$가 미분 가능한 함수이므로 문제 해결의 도구로 미분을 사용할 수 있다. 이때 미분을 한 번만 사용할 이유는 없다. 대개는 두 번 정도로 원하는 것을 구할 수 있다.

05 ★

양수 a에 대하여 함수 $f(x) = \int_0^x (a-t)e^t\,dt$의 최댓값이 n이다. 곡선 $y = 2e^x$과 두 직선 $x = a$, $y = 2$로 둘러싸인 부분의 넓이를 $S(n)$이라 할 때, $\sum\limits_{n=25}^{32} S(n)$의 값을 구하시오.

| 해법 가이드 |

곡선 $y = 2e^x$과 두 직선 $x = a$, $y = 2$로 둘러싸인 부분의 넓이는 $\int_0^a (2e^x - 2)\,dx$임을 생각한다.

| 풀이 점검 |

① $f(x)$는 $x = $ ❶_____에서 극댓값이면서 최댓값 n을 갖는다.

② $f(a) = \int_0^a (a-t)e^t\,dt = $ ❷_____$= n$

③ $S(n)$을 n에 대한 식으로 나타내면 $S(n) = $ ❸_____

| 풀이 점검 |

주어진 조건을 이용하면 $a = $ ❶_____, $b = $ ❷_____이고,

$f(x) = $ ❸_____

06 ★

함수 $f(x)$를 $f(x)=\displaystyle\int_a^x (\sqrt{2}+\sin t^2)dt$라 하자.

$f''(a)=\sqrt{2}\,a$일 때, $(f^{-1})'(0)$의 값은?

$\left(\text{단, } a\text{는 } 0<a<\sqrt{\dfrac{\pi}{2}}\text{인 상수이다.}\right)$

① $\dfrac{\sqrt{2}}{3}$ 　　② $\dfrac{2\sqrt{2}}{3}$ 　　③ $\dfrac{\sqrt{2}}{2}$

④ $\dfrac{3\sqrt{2}}{3}$ 　　⑤ $\dfrac{5\sqrt{2}}{3}$

| 해법 가이드 |

함수 $f(x)$의 역함수를 $g(x)$라 하면
$f(g(x))=x$에서 $f'(g(x))g'(x)=1$

$\therefore g'(x)=\dfrac{1}{f'(g(x))}$

07 ★★

2019학년도 3월 학력평가 21번

함수 $f(x)$의 도함수가 $f'(x)=xe^{-x^2}$이다. 모든 실수 x에 대하여 두 함수 $f(x)$, $g(x)$가 다음 조건을 만족시킬 때, 보기에서 옳은 것만을 있는 대로 고른 것은?

┤ 보기 ├

(가) $g(x)=\displaystyle\int_1^x f'(t)(x+1-t)dt$

(나) $f(x)=g'(x)-f'(x)$

ㄱ. $g'(1)=\dfrac{1}{e}$ 　　　　ㄴ. $f(1)=g(1)$

ㄷ. 어떤 양수 x에 대하여 $g(x)<f(x)$이다.

① ㄱ 　　　　② ㄱ, ㄴ 　　　　③ ㄱ, ㄷ

④ ㄴ, ㄷ 　　　　⑤ ㄱ, ㄴ, ㄷ

| 해법 가이드 |

• (가)에서 $g(x)=(x+1)\displaystyle\int_1^x f'(t)dt-\int_1^x tf'(t)dt$

• $h(x)=g(x)-f(x)$라 놓고, $x>0$에서 $h(x)<0$인 경우가 있는지 확인한다.

| 풀이 점검 |

1 $f''(a)=\sqrt{2}\,a$이므로 $a^2=$ ❶ _____

2 $f^{-1}(0)=k$라 할 때 $f'(k)=$ ❷ _____

| 풀이 점검 |

1 조건 (가)에서 $g'(x)=$ ❶ _____

2 $f(1)=$ ❷ _____

08 ★★

구간 $[0, 1]$에서 정의된 연속함수 $f(x)$에 대하여

함수 $F(x) = \int_0^x f(t)dt$가 다음 조건을 만족시킬 때

$F(1) + \int_0^1 6xF(x)dx + \int_0^1 3\{F(x)\}^2 dx$의 값을 구하시오.

> (가) $F(x) = f(x) - x$　　　(나) $\int_0^1 F(x)dx = \dfrac{5}{2}$

| 해법 가이드 |

· $\int_0^1 F(x)dx = \int_0^1 \{f(x) - x\}dx = \dfrac{5}{2}$에서 $F(1)$을 구한다.

· $\int_0^1 xF(x)dx = \int_0^1 x\{f(x) - x\}dx$를 이용한다.

| 풀이 점검 |

1 $F(1) = $ ❶_____

2 $\int_0^1 xF(x)dx = $ ❷_____

3 $\int_0^1 \{F(x)\}^2 dx = $ ❸_____

09 ★★

함수 $f(x)=xe^{-x}\times\lim\limits_{n\to\infty}\sum\limits_{k=1}^{n}\cos\left(\dfrac{k^2x^2}{n^2}\right)\dfrac{1}{n}$에 대하여

보기에서 옳은 것만을 있는 대로 고른 것은?

───┤ 보기 ├───

ㄱ. $f'\left(\sqrt{\dfrac{\pi}{2}}\right)=f\left(\sqrt{\dfrac{\pi}{2}}\right)$

ㄴ. $f'(a)>0$을 만족시키는 a가 구간 $\left(0,\sqrt{\dfrac{\pi}{2}}\right)$에 적어
  도 하나 존재한다.

ㄷ. $f'(b)=0$을 만족시키는 b가 구간 $\left(0,\sqrt{\dfrac{\pi}{2}}\right)$에 적어
  도 하나 존재한다.

① ㄱ　　　　② ㄷ　　　　③ ㄱ, ㄴ
④ ㄴ, ㄷ　　　⑤ ㄱ, ㄴ, ㄷ

│ 해법 가이드 │

• $f(x)=xe^{-x}\times\lim\limits_{n\to\infty}\sum\limits_{k=1}^{n}\cos\left(\dfrac{k^2x^2}{n^2}\right)\dfrac{1}{n}$

  $=e^{-x}\times\lim\limits_{n\to\infty}\sum\limits_{k=1}^{n}\cos\left(\dfrac{kx}{n}\right)^2\dfrac{x}{n}$

  $=e^{-x}\displaystyle\int_0^x\cos t^2\,dt$

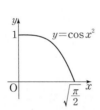

• 그림처럼 생각하면

  $\displaystyle\int_0^k\cos x^2\,dx>0\ \left(\text{단, }0<k\le\sqrt{\dfrac{\pi}{2}}\right)$

│ 풀이 점검 │

ㄱ. $f'(x)=-e^{-x}\displaystyle\int_0^x\cos t^2\,dt+$ **❶** _____

ㄴ. $f(0)=$ **❷** _____

10 ★★

미분 가능한 연속함수 $y=f(x)$의 그래프가 원점에 대하여

대칭이고, 모든 실수 x에 대하여 $f(x)=2\displaystyle\int_{1}^{x+1}f(t)dt$이다.

$f(1)=a$일 때, 다음 중 옳은 것만 고른 것은?

(단, a는 양의 상수이다.)

ㄱ. $\displaystyle\int_{0}^{1}f(t)dt=2a$　　　ㄴ. $\displaystyle\int_{0}^{1}xf(x+1)dx=\dfrac{a}{4}$

ㄷ. 구간 $(-1,\ 1)$에서 $f'(c)=a$를 만족시키는 실수 c는
적어도 두 개 존재한다.

---

① ㄱ　　　　② ㄷ　　　　③ ㄱ, ㄴ
④ ㄴ, ㄷ　　　⑤ ㄱ, ㄴ, ㄷ

| 해법 가이드 |

$y=f(x)$가 원점에 대하여 대칭이므로 $f(-x)=-f(x)$이다.
따라서 구간 $(0,\ 1)$에서 원하는 결과가 대칭인 구간 $(-1,\ 0)$에
서도 생길 수 있음을 이용한다.

| 풀이 점검 |

ㄱ. $\displaystyle\int_{0}^{1}f(t)dt=$❶_____

ㄴ. $\displaystyle\int_{0}^{1}xf(x+1)dx=$❷_____

11 ★★☆

2020학년도 사관학교 30번

최고차항의 계수가 1인 삼차함수 $f(x)$에 대하여 함수

$g(x)=\displaystyle\int_0^x \dfrac{f(t)}{|t|+1}dt$가 다음 조건을 만족시킨다.

> (가) $g'(2)=0$
> (나) 모든 실수 x에 대하여 $g(x)\geq 0$이다.

$g'(-1)$의 값이 최대가 되도록 하는 함수 $f(x)$에 대하여

$f(-1)=\dfrac{n}{m-3\ln 3}$일 때, $|m\times n|$의 값을 구하시오.

(단, m, n은 정수이고, $\ln 3$은 $1<\ln 3<1.1$인 무리수다.)

해법 가이드

$g(0)=0$이고, $g'(x)=\dfrac{f(x)}{|x|+1}$ 에서 $|x|+1>0$이므로

$g'(x)$와 $f(x)$의 부호는 같다. 즉 $y=f(x)$의 그래프 개형을 이용
해 $y=g(x)$의 그래프 개형을 그릴 수 있다.

풀이 점검

① 삼차함수 $f(x)$에 대하여 $f(k)=0$이 되는 k값은 $k=$ ❶_____

② $f(-1)\leq$ ❷_____

12 ★★★

실수 a와 함수 $f(x)=\ln(x^2+1)-c$ ($c>0$인 상수)에 대하여 함수 $g(x)$를 $g(x)=\displaystyle\int_a^x f(t)dt$라 하자.

$y=g(x)$의 그래프가 x축과 만나는 서로 다른 점의 개수가 2가 되도록 하는 모든 a의 값을 작은 수부터 크기순으로 나열하면 α_1, α_2, $\cdots$, α_m(m은 자연수)이다. $a=\alpha_1$일 때, 함수 $g(x)$와 상수 k는 다음 조건을 만족시킨다.

> (가) 함수 $g(x)$는 $x=2$에서 극솟값을 갖는다.
>
> (나) $\displaystyle\int_{\alpha_1}^{\alpha_m} g(x)dx=k\alpha_m\int_0^2 |f(x)|dx$

$mk\times e^c$의 값을 구하시오.

| 해법 가이드 |

- $g'(x)=f(x)$이므로 $y=f(x)$의 그래프에서 $y=g(x)$의 그래프 개형을 생각한다.
- $y=g(x)$의 그래프가 대칭임을 이용한다.

| 풀이 점검 |

1 $g'(x)=f(x)$이므로 $c=$ **❶**_____

2 $y=g(x)$의 그래프 개형을 생각하면 $m=$ **❷**_____

3 $y=g(x)$의 그래프 성질을 이용하면 $k=$ **❸**_____

유형 17

새로운 함수를 찾거나 미완성인 함수 완성하기

◀ Mentor Comment

최근 단순히 어려운 적분 계산보다는 주어진 조건을 써서 적분 대상인 함수를 찾기가 어려운 문제들이 출제되고 있다. 일부 범위에서만 적용되는 함수식을 주든지 아예 새로운 함수를 정의해서 그 함수를 찾아서 적분을 해야 하는 등의 여러 유형으로 출제되고 있다. 여러분 스스로가 탐정 홈즈라 생각하고 숨은 조건을 찾아 그 조건으로 미완성 함수를 완성하거나 새로 정의되는 함수를 이용하는 재미를 느껴 보자.

대표 문제

01

실수 전체의 집합에서 연속인 함수 $f(x)$가 다음 조건을 만족시킨다.

> (가) $x \leq b$일 때, $f(x) = a(x-b)^2 + c$이다. (단, a, b, c는 상수이다.)
>
> (나) 모든 실수 x에 대하여 $f(x) = \int_0^x \sqrt{4 - 2f(t)}\, dt$이다.

$\int_0^6 f(x)\, dx = \dfrac{q}{p}$일 때, $p+q$의 값을 구하시오. (단, p와 q는 서로소인 자연수이다.)

풀이 preview

(나) 등식의 양변을 x에 대하여 미분하면 $f'(x) = \sqrt{4 - 2f(x)}$이고
여기서 숨은 조건 $f'(x) \geq 0$과 $f(x) \leq 2$를 찾을 수 있다.
$x \leq b$일 때의 $f(x) = a(x-b)^2 + c$는
$f'(x) = \sqrt{4 - 2f(x)}$에서도 성립하므로
$f'(x) = 2a(x-b)$를 대입하면
$2a(x-b) = \sqrt{4 - 2a(x-b)^2 - 2c}$가 성립한다.
양변을 제곱하고 정리하면 $4a^2(x-b)^2 = -2a(x-b)^2 + (4-2c)$에서
미정계수 a, b, c의 조건을 찾는다.
$f'(x) \geq 0$, $f(x) \leq 2$가 나타내는 뜻을 그래프를 통해서 생각해도 된다.
$f'(x) \geq 0$이므로 함수는 상수이거나 계속 증가해야 하는데
$f(x) \leq 2$이므로 $f(x)$는 $x < b$에서 증가하고,
$x \geq b$에서 상수함수가 된다는 것을 알 수 있다.

✓ 해법 Tip

1. (가)에서는 $x \leq b$일 때만 성립하는 함수를 준 것이고, (나)에서는 모든 실수 x에서 성립하는 함수를 준 것이다.
2. (나)는 정적분으로 정의된 함수이므로 미분가능함을 알 수 있다.
   따라서 $f(0) = 0$과 등식의 양변을 미분한 $f'(x) = \sqrt{(4 - 2f(x))}$에서 $f'(x) \geq 0$, $f(x) \leq 2$임을 생각한다.
3. $x > b$일 때의 $f(x)$를 찾는다.

02-1 ★

2019학년도 10월 학력평가 17번

실수 전체의 집합에서 미분 가능한 함수 $f(x)$가 다음 조건을 만족시킨다.

> (가) $x>0$일 때, $f(x)=axe^{2x}+bx^2$
>
> (나) $x_1<x_2<0$인 임의의 두 실수 x_1, x_2에 대하여
> $f(x_2)-f(x_1)=3x_2-3x_1$

$f\left(\dfrac{1}{2}\right)=2e$일 때, $f'\left(\dfrac{1}{2}\right)$의 값은? (단, a, b는 상수이다.)

① $2e$ ② $4e$ ③ $6e$ ④ $8e$ ⑤ $10e$

| 해법 가이드 |

함수 $f(x)$가 미분 가능하므로 $x=0$에서 연속이고

(i) $f(0)=\lim\limits_{x\to 0+}f(x)$

(ii) $\lim\limits_{x\to 0+}\dfrac{f(x)-f(0)}{x-0}=\lim\limits_{x\to 0-}\dfrac{f(x)-f(0)}{x-0}$

02-2

실수 전체의 집합에서 미분 가능한 함수 $f(x)$가 다음 조건을 만족시킨다.

> (가) $x>0$일 때, $f(x)=axe^{2x}+bx^3+2$
>
> (나) $x_1<x_2<0$인 임의의 두 실수 x_1, x_2에 대하여
> $f(x_2)-f(x_1)=x_2-x_1$

$f\left(\dfrac{1}{2}\right)=e+2$일 때, $\displaystyle\int_{-2}^{2}f\left(\dfrac{x}{2}\right)dx=pe^2+qe+r$이다.

$p+q+r$의 값을 구하시오. (단, a, b, p, q, r는 상수이다.)

| 풀이 점검 |

☐ $a=$ ❶_____ , $b=$ ❷_____

☐ $\displaystyle\int_{-2}^{2}f\left(\dfrac{x}{2}\right)dx=$ ❸_____

| 풀이 점검 |

$a=$ ❶_____ , $b=$ ❷_____

03-1 ★★☆　2016학년도 수능 6월 모의평가 30번

정의역이 $\{x\,|\,0\leq x\leq 8\}$이고 다음을 만족시키는 모든 연속함수 $f(x)$에 대하여 $\int_0^8 f(x)\,dx$의 최댓값은 $p+\dfrac{q}{\ln 2}$이다. $p+q$의 값을 구하시오.

　　　　　　　　(단, p, q은 자연수이고, $\ln 2$는 무리수이다.)

(가) $f(0)=1$이고 $f(8)\leq 100$이다.

(나) $0\leq k\leq 7$인 각각의 정수 k에 대하여
　　$f(k+t)=f(k)\ (0<t\leq 1)$
　　또는 $f(k+t)=2^t\times f(k)\ (0<t\leq 1)$이다.

(다) 열린구간 $(0,\,8)$에서 함수 $f(x)$가 미분 가능하지 않은 점의 개수는 2이다.

| 해법 가이드 |

• $f(k+t)=f(k)$인 경우 $f(x)=f(k)$ ⇨ 상수함수
　$f(k+t)=2^t\times f(k)$인 경우 $f(x)=f(k)\times 2^{(x-k)}$ ⇨ 지수함수
　즉 구간 $(0,\,8)$에서 $f(x)$의 그래프를 생각하면 직선 부분 또는 곡선 부분이 모두 8개로 이루어져 있다.

• 다음과 같은 경우일 때 미분 가능하지 않은 점이 각각 2개다.

03-2

정의역이 $\{x\,|\,0\leq x\leq 7\}$이고 다음을 만족시키는 모든 연속함수 $f(x)$에 대하여 $\int_0^7 f(x)\,dx$의 최댓값은 $m+\dfrac{n}{\ln 2}$이다. $2m+n$의 값을 구하시오.

　　　　　　　　(단, m, n은 자연수이고, $\ln 2$는 무리수이다.)

(가) $f(0)=1$이고 $f(7)\leq 60$이다.

(나) $0\leq k\leq 6$인 각각의 정수 k에 대하여
　　$f(k+t)=f(k)\ (0<t\leq 1)$
　　또는 $f(k+t)=2^t\times f(k)\ (0<t\leq 1)$이다.

(다) 열린구간 $(0,\,7)$에서 함수 $f(x)$가 미분 가능하지 않은 점의 개수는 2이다.

| 풀이 점검 |

$\int_0^7 f(x)\,dx$의 최댓값은

$$\int_0^1 {}^{\text{❶}}\underline{\qquad}\,dx+\int_1^6 {}^{\text{❷}}\underline{\qquad}\,dx+\int_6^7 {}^{\text{❸}}\underline{\qquad}\,dx$$

| 풀이 점검 |

$\int_0^8 f(x)\,dx$의 최댓값은 _____

04 ★★

실수 전체에서 미분 가능하고 다음 조건을 만족시키는 모든

함수 $f(x)$에 대하여 $\int_0^3 f(x)dx$의 최솟값은 $pe+q$이다.

두 정수 p, q에 대하여 $p+q$의 값을 구하시오.

> (가) $f(0)=1$, $f'(0)=1$
> (나) $0<a<b<3$이면 $f'(a) \leq f'(b)$이다.
> (다) 구간 $(0, 1)$에서 $f''(x)=e^x$이다.

| 해법 가이드 |

- (가), (다)를 이용하면 구간 $(0, 1)$에서 $f(x)$가 정해진다.

- $\int_0^3 f(x)dx$의 최솟값을 구할때 $\int_0^1 f(x)dx$는 정해져 있으므로

  (나)를 이용해 $\int_1^3 f(x)dx$가 최소가 되는 경우를 생각한다.

05 ★★

모든 실수 x에 대하여 연속인 함수 $f(x)$가 다음 조건을 만족시킨다.

> (가) $f(x+2)=f(x)$이다.
> (나) $0 \leq x \leq 1$일 때, $f(x)=3\sin \pi x+1$이다.
> (다) $1<x<2$일 때, $f'(x) \geq 0$이다.

$\int_0^{17} f(x)dx=m+\dfrac{n}{\pi}$일 때, $m+n$의 값을 구하시오.

(단, m, n은 정수이다.)

| 해법 가이드 |

(가), (다)에서 $f(x)$는 $1<x<2$일 때, $f(x)=1$인 상수함수이다.

| 풀이 점검 |

① 구간 $(0, 1)$에서 $f(x)=$❶_____

② $\int_1^3 f(x)dx$의 최솟값은 ❸_____

| 풀이 점검 |

$\int_0^2 f(x)dx=$❶_____ 이고,

$\int_0^{17} f(x)dx=$❷_____

06 ★★☆
2017학년도 수능 6월 모의평가 30번

실수 전체의 집합에서 미분 가능한 함수 $f(x)$가 상수 a $(0<a<2\pi)$와 모든 실수 x에 대하여 다음 조건을 만족시킨다.

(가) $f(x)=f(-x)$

(나) $\displaystyle\int_{x}^{x+a} f(t)\,dt=\sin\left(x+\dfrac{\pi}{3}\right)$

닫힌구간 $\left[0, \dfrac{a}{2}\right]$에서 두 실수 b, c에 대하여

$f(x)=b\cos 3x + c\cos 5x$일 때 $abc=-\dfrac{q}{p}\pi$이다. $p+q$

의 값을 구하시오. (단, p와 q는 서로소인 자연수이다.)

│ 해법 가이드 │

(나)에 $x=-\dfrac{a}{2}$를 대입하면 (가) 조건을 이용할 수 있다. 한편 (가)에서

$f'(x)=-f'(-x)$도 생각한다.

│ 풀이 점검 │

① (나)의 양변을 미분한 결과를 이용하면 $a=$ **❶** _____

② b, c에 대한 연립방정식을 작성해서 풀면

　　$b=$ **❷** _____ , $c=$ **❸** _____

07 ★★☆

실수 전체의 집합에서 미분 가능한 두 함수 $f(x)$, $g(x)$가 다음 두 조건을 만족시킨다.

> (가) 임의의 두 실수 x, y에 대하여
> $$f(x+y)=f(x)+f(y)-2xy-1$$
> (나) $g(x)=\begin{cases} ax+b \ (x<0) \\ f(x) \quad (0\le x\le 1) \\ 2x+c \ (x>1) \end{cases}$

$g(x)$의 역함수를 $h(x)$라 할 때,

$$\int_0^2 \frac{42}{(h'(g(x)))\{g(x)\}^2}dx$$의 값을 구하시오.

| 해법 가이드 |

- $f'(x)=\lim\limits_{h\to 0}\dfrac{f(x+h)-f(x)}{h}$ 를 이용해 $f'(x)$를 구한다.

- 함수 $g(x)$가 미분 가능하므로 $x=1$과 $x=0$에서 연속이고 좌우 미분계수가 같음을 이용한다.

| 풀이 점검 |

1 $f(x)=$ ❶_____

2 $a=$ ❷_____ , $b=$ ❸_____ , $c=$ ❹_____

08 ★★☆　2017학년도 7월 학력평가 30번

$0 \leq \theta \leq \dfrac{\pi}{2}$인 θ에 대하여 좌표평면 위의 두 직선 l, m은 다음 조건을 만족시킨다.

> ㈎ 두 직선 l, m은 서로 평행하고 x축의 양의 방향과 이루는 각의 크기는 각각 θ이다.
> ㈏ 두 직선 l, m은 곡선 $y=\sqrt{2-x^2}$ $(-1 \leq x \leq 1)$과 각각 만난다.

두 직선 l과 m 사이의 거리의 최댓값을 $f(\theta)$라 할 때, $\displaystyle\int_0^{\frac{\pi}{2}} f(\theta)\,d\theta = a + b\sqrt{2}\pi$이다. $20(a+b)$의 값을 구하시오.

(단, a와 b는 유리수이다.)

▌해법 가이드 ▌

- 두 직선 l, m 중 하나는 양 끝점 중 한 점을 지날 때 최대이다.
- 직선 m이 곡선의 양 끝점 중 하나인 $(1, 1)$을 지난다고 하자. 아래 왼쪽 그림처럼 직선 l과 곡선 $y=\sqrt{2-x^2}$ $(-1 \leq x \leq 1)$의 접점이 곡선 위에 있으면 $f(\theta)=\overline{\mathrm{QH}}$이고, 오른쪽 그림처럼 접점이 곡선 밖에 있으면 $f(\theta)=\overline{\mathrm{PH}}$와 같다.

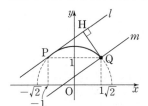 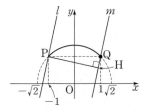

- 원 $x^2+y^2=r^2$에 접하고 기울기가 m인 직선의 방정식은 $y = mx \pm r\sqrt{m^2+1}$
- 점 $\mathrm{P}(x_1, y_1)$에서 직선 $ax+by+c=0$까지의 거리 d는
$$d = \frac{|ax_1 + by_1 + c|}{\sqrt{a^2+b^2}}$$

▌풀이 점검 ▌

① $0 \leq \theta < \dfrac{\pi}{4}$ 일 때 $f(\theta)=$❶ _____

② $\dfrac{\pi}{4} \leq \theta \leq \dfrac{\pi}{2}$ 일 때 $f(\theta)=$❷ _____

09 ★★☆

구간 $[0, 2\pi]$에서 정의된 연속인 함수 $f(x)$와 $y=\sin x$,
$y=k\cos x$ $(k>1)$가 다음 조건을 만족시킨다.

> (가) $0<x<2\pi$에서 두 곡선 $y=\sin x$, $y=k\cos x$로 둘러
> 싸인 부분의 넓이가 $2\sqrt{17}$이다.
>
> (나) $\{f(x)\}^2+\dfrac{k}{2}\sin 2x=(\sin x+k\cos x)f(x)$이다.
>
> (다) $f(0)=k$, $f(\pi)=0$, $f\left(\dfrac{3}{2}\pi\right)=0$이다.

$\displaystyle\int_0^{2\pi} f(x)dx=p$일 때, p^2의 값을 구하시오.

| 해법 가이드 |

- 두 곡선 $y=\sin x$, $y=k\cos x$의 그래프를 그려보고 교점의 x
  좌표를 각각 a, b $(a<b)$라 하자.
- 방정식 $\sin x=k\cos x$와 조건 (가)를 이용해 k값을 구하고,
  $\sin a$, $\sin b$, $\cos a$, $\cos b$를 정한다.
- 조건 (다)를 이용해 $f(x)$를 정한다.

| 풀이 점검 |

1 $k=$ **❶** _____

2 구간 $[0, a)$에서 $f(x)=$ **❷** _____

  구간 $[a, b)$에서 $f(x)=$ **❸** _____

  구간 $[b, 2\pi]$에서 $f(x)=$ **❹** _____

10 ★★☆

실수 전체의 집합에서 미분 가능한 함수 $f(x)$가 다음 조건을 만족시킨다.

> (가) 모든 실수 x에 대하여 $3 \leq f'(x) \leq 2e^2 + 1$이다.
> (나) 함수 $y = f(x)$의 그래프는 $(2, 3)$, $(3, 6)$을 지난다.
> (다) $f(5) - 1 \geq f(4) + 2e^2$이다.
> (라) $f(x) = e^{ax-3a} + bx + c$ $(3 \leq x \leq 4)$

$\int_2^4 f(x)dx = pe^2 + q$일 때, 두 유리수 p, q의 합을 구하시오. (단, e는 자연상수이고 a, b, c는 모두 유리수이다)

| 해법 가이드 |

· 평균값 정리를 이용해 구간 $[2, 3]$과 구간 $[4, 5]$에서 $f(x)$를 각각 구한다.
· $f(x)$가 실수 전체에서 미분 가능함을 이용한다.

| 풀이 점검 |

① 구간 $[2, 3]$에서 $f(x) =$ **❶**_____

② 구간 $[3, 4]$에서 $f(x) =$ **❷**_____

③ $\int_2^4 f(x)dx =$ **❸**_____

11 ★★☆

함수 $f(x)=\begin{cases} -x-\pi & (x<-\pi) \\ \sin x & (-\pi\leq x\leq\pi) \\ -x+\pi & (x>\pi) \end{cases}$ 가 있다.

실수 t에 대하여 부등식 $f(x)\leq f(t)$를 만족시키는 실수 x의 최솟값을 $g(t)$라 하자. 예를 들어 $g(\pi)=-\pi$이다.

$\int_{-\pi}^{\pi} g(t)dt=p\pi^2+q$일 때, $\dfrac{7q}{p}$의 값을 구하시오.

(단, p, q는 유리수이다.)

| 해법 가이드 |

그림처럼 $y=f(x)$의 그래프와 $t=-\dfrac{3}{4}\pi$ 또는 $t=-\dfrac{\pi}{4}$일 때, 직선 $y=f(t)=-\dfrac{\sqrt{2}}{2}$를 그려 보고 $g(t)$를 찾아보자.

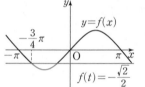 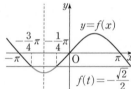

| 풀이 점검 |

① $-\pi\leq t\leq -\dfrac{\pi}{2}$일 때 $g(t)=$ ❶ ＿＿＿＿＿

② $-\dfrac{\pi}{2}<t\leq0$일 때 $g(t)=$ ❷ ＿＿＿＿＿

③ $0<t\leq\pi$일 때 $g(t)=$ ❸ ＿＿＿＿＿

12 ★★☆

함수 $f(x)=\pi\sin 2\pi x$에 대하여 정의역이 실수 전체의 집합이고 치역이 $\{0, 1\}$인 함수 $g(x)$와 자연수 n이 다음 조건을 만족시킬 때, n의 값은?

> 함수 $h(x)=f(nx)g(x)$는 실수 전체의 집합에서 연속이고 $\displaystyle\int_{-1}^{1}h(x)dx=2$, $\displaystyle\int_{-1}^{1}xh(x)dx=-\frac{1}{32}$이다.

① 8　　② 10　　③ 12　　④ 14　　⑤ 16

| 해법 가이드 |

치환적분법을 생각하면 $\displaystyle\int_{a}^{b}f(x)dx=k\int_{\frac{a}{k}}^{\frac{b}{k}}f(kx)dx$이 성립하므로 공식처럼 사용하는 $\displaystyle\int_{0}^{\pi}\sin xdx=2$를

$2n\pi\displaystyle\int_{0}^{\frac{1}{2n}}\sin 2n\pi xdx=2$로 생각할 수 있다.

| 풀이 점검 |

1 $\displaystyle\int_{0}^{\frac{1}{2n}}\pi\sin 2n\pi xdx=$❶ _____

2 $\displaystyle\int_{-1}^{1}xh(x)dx$를 계산할 수 있는 꼴로 나타내면
❷ _____

13 ★★★ 2020학년도 수능 6월 모의평가 30번

상수 a, b에 대하여 함수 $f(x)=a\sin^3 x+b\sin x$가

$f\left(\dfrac{\pi}{4}\right)=3\sqrt{2}$, $f\left(\dfrac{\pi}{3}\right)=5\sqrt{3}$을 만족시킨다.

실수 t $(1<t<14)$에 대하여 함수 $y=f(x)$의 그래프와 직선 $y=t$가 만나는 점의 x좌표 중 양수인 것을 작은 수부터 크기순으로 모두 나열할 때, n번째 수를 x_n이라 하고

$c_n=\displaystyle\int_{3\sqrt{2}}^{5\sqrt{3}}\dfrac{t}{f'(x_n)}dt$라 하자. $\displaystyle\sum_{n=1}^{101}c_n=p+q\sqrt{2}$일 때, $q-p$

의 값을 구하시오. (단, p와 q는 유리수이다.)

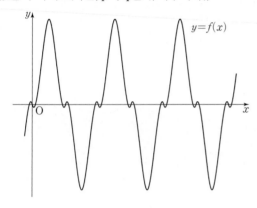

┃ 해법 가이드 ┃

주어진 $f(x)$ 그래프의 주기성과 대칭성을 이용해 $\displaystyle\sum_{n=1}^{101}c_n$을 간단하게 나타낸다.

┃ 풀이 점검 ┃

① 구간 $[0, 2\pi]$에서 생각할 때 $c_1+c_2=$ ❶ _____ 이므로

$$\sum_{n=1}^{101}c_n=\text{❷ _____}$$

② $\displaystyle\int_{3\sqrt{2}}^{5\sqrt{3}}\dfrac{t}{f'(x_1)}dt$를 $f(x)$를 써서 x에 대한 적분으로 나타내면

❸ _____

나를 이끄는 힘

"빛이 있다면 어둠이 있다. 차가운 것이 있으면 뜨거운 것이,
높은 것이 있으면 낮은 것이, 거칠면 부드러운 것이,
조용하면 소란이, 영광이 있으면 역경이, 삶이 있다면 죽음이 있다."

피타고라스

피타고라스는 서로 대립하는 요소가 함께 세상을 이룬다고 믿었습니다. 그러면서 조화로운 삶을 주장하였습니다. 그래서 '덕이 바로 조화(Virtue is harmony)'라는 말도 남겼습니다. 대립되는 요소들 사이에서 조화를 발견하고, 실천하기란 쉽지 않은 일입니다.

피타고라스는 제자들에게 세상에 대해 항상 관심을 가지라고 가르쳤습니다.

'관심은 행동하게 하지, 절망에 빠지게 하는 일은 없다.'

– 수학 공부가 즐겁지만은 않죠? 그럼에도 수학에 끊임없는 관심을 기울이는 여러분이 바로 승리자입니다.

천재교육 고등 수학 마스터

난이도: 하 → 상

기초 연산서

빅터 연산

개념서

개념 해결의 법칙

셀파 해법수학

유형서

교과서 다품 수학

유형 해결의 법칙

최상위

최강TOT

내신 특화

기초 단기완성

7일 끝

고득점 목표

내신전략

수능 특화

기초 단기완성
10일 격파

수능 기초

시작은 하루 수능

고득점 목표

수능전략

킬러 문제 대비

최강TOT 수능 킬러

최강 **TOT** TOP OF THE TOP

준킬러 문제와 킬러 문제를
대비하는 확실한 방법

수능킬러

| 공통+미적분 |

—∘ 정답과 풀이

천재교육

정답과 해설
포인트 3가지

▶ 혼자서도 이해할 수 있는 친절한 문제 풀이

▶ 문제 해결에 필요한 핵심 내용을 설명한 참고 BOX

▶ 문제 해결을 더 쉽게 해주는 킬러 격파 Tip

Top of the Top

정답과 풀이

공통+미적분

01 15	**02-1** 54	**02-2** ⑤	**03-1** 60
03-2 12	**04** ④	**05** 97	**06** 54
07 176	**08** 23	**09** ①	**10** 896
11 450	**12** 58	**13** ②	**14** ①

01 답 15

두 곡선 $y=4^x$, $y=a^{-x+4}$과 직선 $y=1$로 둘러싸인 영역의 내부 또는 그 경계에 포함되고 x좌표와 y좌표가 모두 정수인 점의 개수를 $f(a)$라 하자.

두 지수함수 $y=4^x$, $y=a^{-x+4}$의 교점을 $P(\alpha, 4^\alpha)$라 하면 $4^\alpha = a^{-\alpha+4}$에서 다음 3가지 경우로 나누어 생각하자.

(i) $2 \leq a < 4$일 때

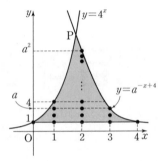

$x=0$인 격자점은 $(0, 1)$

$x=1$인 격자점은 $(1, 1), (1, 2), (1, 3), (1, 4)$

$x=2$인 격자점은 $(2, 1), (2, 2), \cdots, (2, a^2)$

$x=3$인 격자점은 $(3, 1), \cdots, (3, a)$

$x=4$인 격자점은 $(4, 1)$

즉 $f(a)=1+4+a^2+a+1=a^2+a+6$이고

$f(2)=4+2+6=12$, $f(3)=9+3+6=18$

이므로 $2 \leq a < 4$이면 문제의 조건을 만족시키지 않는다.

(ii) $a=4$일 때

위와 같이 생각하면 $f(4)=1+4+16+4+1=26$이므로 조건을 만족시킨다.

(iii) $a \geq 5$일 때

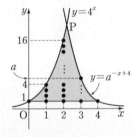

위와 같이 생각하면 $f(a)=1+4+16+a+1=a+22$이고

주어진 조건에서 $20 \leq a+22 \leq 40$이므로 $-2 \leq a \leq 18$

$a \geq 5$에서 $5 \leq a \leq 18$이므로 자연수 a는 14개

(i)~(iii)에서 자연수 a의 개수는 $1+14=15$

02-1 답 54

직선 $y=x+n-2^n$이 x축과 만나는 점을 C라 하자.

(i) $n=1$일 때, 주어진 함수를 그림으로 나타내면 다음과 같다.

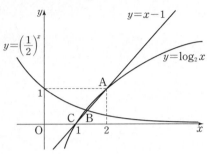

점 A$(2, 1)$, 점 C$(1, 0)$이므로 $\overline{AC}=\sqrt{2}$

$\overline{AB} < \overline{AC}$이므로 ❶ $\overline{AB} < \sqrt{2}$

즉 $n=1$일 때 $1 < \dfrac{\overline{AB}}{\sqrt{2}}$을 만족시키지 않는다.

(ii) $n \geq 2$일 때 주어진 함수를 그림으로 나타내면 다음과 같다.

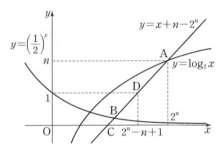

점 C의 좌표는 $(2^n-n, 0)$

직선 $y=x+n-2^n$이 직선 $y=1$과 만나는 점을 D라 하면, 점 D의 좌표는 $(2^n-n+1, 1)$

$\overline{AD} < \overline{AB} < \overline{AC}$이고, $\overline{AD}=(n-1)\sqrt{2}$, $\overline{AC}=n\sqrt{2}$

즉 $n-1 < \dfrac{\overline{AB}}{\sqrt{2}} < n$

(i), (ii)에서 $1 < \dfrac{\overline{AB}}{\sqrt{2}} < 10$을 만족시키는 자연수 n은

$2, 3, 4, \cdots,$ ❷ 10이다.

따라서 $2+3+4+\cdots+10=54$

02-2 답 ⑤

직선 $y=x+n-2^n$이 x축과 만나는 점을 C라 하자.

ㄱ. $n=1$일 때, **02-1** 풀이의 (i)과 같으므로 $\overline{AB} < \sqrt{2}$ (○)

ㄴ. $n=4$일 때, 주어진 함수를 그림으로 나타내면 다음과 같다.

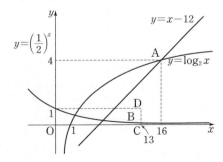

점 C의 좌표는 $(12, 0)$

직선 $y=x-12$이 직선 $y=1$과 만나는 점을 D라 하면,

점 D의 좌표는 $(13, 1)$이므로 $\overline{AD}=3\sqrt{2}$, $\overline{AC}=4\sqrt{2}$

$\overline{AD}<\overline{AB}<\overline{AC}$이고, 즉 ^❶$3\sqrt{2}<\overline{AB}<4\sqrt{2}$ (○)

ㄷ. $n\geq2$일 때 **02-1** 풀이의 (ii)와 같으므로

^❷$(n-1)\sqrt{2}<\overline{AB}<n\sqrt{2}$

이때 $4\sqrt{2}<\overline{AB}<20\sqrt{2}$를 만족시키는 자연수 n은

$5, 6, 7, \cdots, 19, 20$이고

그 합은 $\dfrac{20\times21}{2}-\dfrac{4\times5}{2}=210-10=200$ (○)

한편 그림에서 ★로 나타낸 부분의 넓이가 서로 같으므로

$0\leq x\leq2$에서 색칠한 부분의 넓이는 ^❶$1$ 이다.

같은 방법으로 $2\leq x\leq4$에서 색칠한 부분의 넓이는 ^❷$\dfrac{1}{2}$,

$4\leq x\leq6$에서 색칠한 부분의 넓이는 $\dfrac{1}{4}$,

$6\leq x\leq8$에서 색칠한 부분의 넓이는 $\dfrac{1}{8}$이다.

따라서 $S=1+\dfrac{1}{2}+\dfrac{1}{4}+\dfrac{1}{8}=\dfrac{15}{8}$이므로 $32S=60$

03-1 답 60

(가)에서 $f(x)=\begin{cases}2^x-1 & (0\leq x\leq1)\\ 2-2^{x-1} & (1<x\leq2)\end{cases}$

이고, 그래프 개형은 그림과 같다.

이때 n값에 따라 (나) 조건을 이용해 보자.

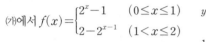

(i) $n=1$인 경우

$2f(x)=f(x-2)$ $(2<x\leq4)$

$\therefore f(x)=\dfrac{1}{2}f(x-2)=\begin{cases}2^{x-3}-\dfrac{1}{2} & (2<x\leq3)\\ 1-2^{x-4} & (3<x<4)\end{cases}$

(ii) $n=2$인 경우

$2^2f(x)=f(x-4)$ $(4<x\leq6)$

$\therefore f(x)=\dfrac{1}{4}f(x-4)=\begin{cases}2^{x-6}-\dfrac{1}{4} & (4<x<5)\\ \dfrac{1}{2}-2^{x-7} & (5<x<6)\end{cases}$

(iii) $n=3$인 경우

$2^3f(x)=f(x-6)$ $(6<x\leq8)$

$\therefore f(x)=\dfrac{1}{8}f(x-6)=\begin{cases}2^{x-9}-\dfrac{1}{8} & (6<x\leq7)\\ \dfrac{1}{4}-2^{x-10} & (7<x\leq8)\end{cases}$

즉 $0\leq x\leq8$에서 $y=f(x)$의 그래프 개형은 다음과 같고, 색칠한 부분의 넓이가 S이다.

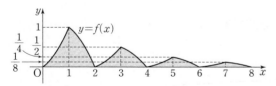

$0\leq x\leq1$에서 함수 $y=2^x-1$의 그래프(㉠)를 x축에 대하여 대칭이동(㉡)한 후 x축 방향으로 1만큼, y축 방향으로 1만큼 평행이동한 그래프(㉢)는 $1\leq x\leq2$에서 함수 $y=2-2^{x-1}$의 그래프와 같게 된다.

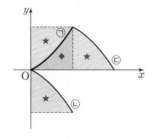

03-2 답 12

(가)에서 $f(x)=\begin{cases}3^x-1 & (0\leq x\leq1)\\ 3-3^{x-1} & (1<x\leq2)\end{cases}$

이고, 그래프 개형은 그림과 같다.

이때 n값에 따라 (나) 조건을 이용해 보자.

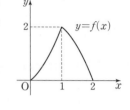

(i) $n=1$인 경우

$2f(x)=f(x-2)$ $(2<x\leq4)$

$\therefore f(x)=\dfrac{1}{2}f(x-2)=\begin{cases}\dfrac{1}{2}(3^{x-2}-1) & (2<x\leq3)\\ \dfrac{1}{2}(3-3^{x-3}) & (3<x\leq4)\end{cases}$

(ii) $n=2$인 경우

$2^2f(x)=f(x-4)$ $(4<x\leq6)$

$\therefore f(x)=\dfrac{1}{4}f(x-4)=\begin{cases}\dfrac{1}{4}(3^{x-4}-1) & (4<x\leq5)\\ \dfrac{1}{4}(3-3^{x-5}) & (5<x\leq6)\end{cases}$

(iii) $n=3$인 경우

$2^3f(x)=f(x-6)$ $(6<x\leq8)$

$\therefore f(x)=\dfrac{1}{8}f(x-6)=\begin{cases}\dfrac{1}{8}(3^{x-6}-1) & (6<x\leq7)\\ \dfrac{1}{8}(3-3^{x-7}) & (7<x\leq8)\end{cases}$

즉 $0\leq x\leq8$에서 $y=f(x)$의 그래프 개형은 다음과 같다.

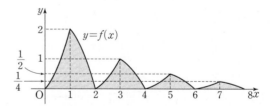

$0\leq x\leq1$에서 함수 $y=3^x-1$의 그래프(㉠)를 x축에 대하여 대칭이동(㉡)한 후 x축 방향으로 1만큼, y축 방향으로 1만큼 평행이동한 그래프(㉢)는 $1\leq x\leq2$에서 함수 $y=3-3^{x-1}$의 그래프와 같게 된다. 한편 그림에서 ★로 표시한 색칠한 두 부분의 넓이가 서로

같으므로 $0 \le x \le 2$에서 함수 $y=f(x)$의 그래프와 x축으로 둘러싸인 부분의 넓이는 ❶ 2 이다.

같은 방법으로 $2 \le x \le 4$에서 색칠한 부분의 넓이는 ❷ 1,

$4 < x < 6$에서 색칠한 부분의 넓이는 $\frac{1}{2}$,

$6 \le x \le 8$에서 색칠한 부분의 넓이는 $\frac{1}{4}$이다.

즉 함수 $y=f(x)$의 그래프와 x축으로 둘러싸인 부분의 넓이 S는 첫째항이 2이고 공비가 $\frac{1}{2}$인 등비수열의 항 p개의 합이다.

$$\therefore S = 2 + 1 + \frac{1}{2} + \frac{1}{4} + \cdots + \left(\frac{1}{2}\right)^{p-2}$$

$$S = \frac{2\left\{1 - \left(\frac{1}{2}\right)^p\right\}}{1 - \frac{1}{2}} = 4\left\{1 - \left(\frac{1}{2}\right)^p\right\}$$

따라서 $S = 4 - \left(\frac{1}{2}\right)^{10}$에서 $p=12$

04 답 ④

주어진 부등식을 풀기 위해 밑을 같게 하면

$$\left(\frac{1}{2}\right)^{f(x)g(x)} \ge \left(\frac{1}{2}\right)^{3g(x)}$$

이때 밑이 1보다 작으므로 $f(x)g(x) \le 3g(x)$

$$\therefore g(x)\{f(x)-3\} \le 0$$

즉 $g(x)$의 부호에 따라 다음과 같이 정리된다.

(i) $g(x) \le 0$, $f(x) \ge 3$인 경우 그래프에서 $x \le 1$

(ii) $g(x) \ge 0$, $f(x) \le 3$인 경우 그래프에서 $3 \le x \le 5$

따라서 조건을 만족시키는 자연수 $x=\underline{1, 3, 4, 5}$ 이므로 구하려는 값은 $1+3+4+5=13$

──── 다른 풀이 ────

주어진 그래프에서 이차함수 $f(x)=a(x-2)(x-4)$이고 $f(1)=3a=3$에서 $a=1$ $\therefore f(x)=(x-2)(x-4)$

또 $g(x)$는 점 $(3, 0)$을 지나고 기울기가 $\frac{3}{2}$이므로

$$g(x) = \frac{3}{2}(x-3)$$

이때 부등식 $\left(\frac{1}{2}\right)^{f(x)g(x)} \ge \left(\frac{1}{8}\right)^{g(x)} = \left(\frac{1}{2}\right)^{3g(x)}$에서

$$\frac{3}{2}(x-2)(x-3)(x-4) \le \frac{9}{2}(x-3)$$

정리하면 $(x-3)\{(x-2)(x-4)-3\} \le 0$

즉 $(x-1)(x-3)(x-5) \le 0$에서

자연수 x는 $x=1, 3, 4, 5$

따라서 구하려는 값은 $1+3+4+5=13$

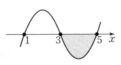

05 답 97

함수 $f(x)=\left(\frac{1}{2}\right)^{x-3}-16$의 그래프는

$y = \left(\frac{1}{2}\right)^x$의 그래프를 x축 방향으로 3만큼, y축 방향으로 -16만큼 평행이동한 것이므로 이 그래프가 y축과 만나는 점의 y좌표는

$$f(0) = \left(\frac{1}{2}\right)^{-3} - 16 = 2^3 - 16 = -8$$

또 x축과 만나는 점은

$f(x) = \left(\frac{1}{2}\right)^{x-3} - 16 = 2^{-x+3} - 2^4 = 0$에서

$x=-1$이므로 $(-1, 0)$

점근선의 방정식은 $y=-16$

이므로 $f(x)=\left(\frac{1}{2}\right)^{x-3}-16$

의 그래프에서 그림과 같은 $y=|f(x)|$의 그래프를 그릴 수 있다.

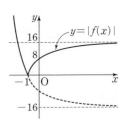

이때 $g(x)=\left(\frac{1}{2}\right)^{x-a}+b$는 감소함수이므로

$g(0) > $ ❶ 8 이고, $y=g(x)$의 점근선 $b < $ ❷ 16이면 그림과 같이 함수 $y=|f(x)|$의 그래프와 곡선 $y=g(x)$가 제1사분면에서 만난다.

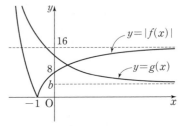

즉 $g(0)=2^a+b > 8$에서 $b > 8-2^a$이고, $b<16$이므로

$$8 - 2^a < b < 16$$

$a=1$일 때 ⇨ $6 < b < 16$이므로 순서쌍 (a, b)는 9개

$a=2$일 때 ⇨ $4 < b < 16$이므로 순서쌍 (a, b)는 11개

$a=3$일 때 ⇨ $0 < b < 16$이므로 순서쌍 (a, b)는 15개

$a=4$일 때 ⇨ $-8 < b < 16$이므로 순서쌍 (a, b)는 23개

$a=5$일 때 ⇨ $-24 < b < 16$이므로 순서쌍 (a, b)는 39개

따라서 구하려는 순서쌍 (a, b)의 개수는

$$9+11+15+23+39=97$$

■ 킬러 격파 Tip ■

$8-2^a < b < 16$을 만족시키는 정수 b의 개수는

$16 - (8-2^a) - 1 = 7+2^a$이므로

구하려는 순서쌍 개수는

$$\sum_{a=1}^{5}(7+2^a) = 35 + \frac{2(2^5-1)}{2-1} = 35 + 62 = 97$$

06 답 54

점 A의 x좌표를 a라 하면 점 $A(a, 2)$는 곡선 $y=\log_2 4x$ 위의 점이므로 $2=\log_2 4a$에서 $a=1$ $\therefore A(1, 2)$

점 B의 x좌표를 b라 하면 점 B$(b, 2)$는 곡선 $y=\log_2 x$ 위의 점
이므로 $2=\log_2 b$이고 $b=4$ $\quad\therefore$ B$(4, 2)$

점 C의 x좌표를 c라 하면 점 C(c, k)는 곡선 $y=\log_2 4x$ 위의 점
이므로 $k=\log_2 4c$에서 $c=2^{k-2}$ $\quad\therefore$ C$(2^{k-2}, k)$

점 D의 x좌표를 d라 하면 점 D(d, k)는 곡선 $y=\log_2 x$ 위의 점
이므로 $k=\log_2 d$이고 $d=2^k$ $\quad\therefore$ D$(2^k, k)$

또 점 E의 x좌표는 점 B의 x좌표와 같으므로 4이고, E가 선분
CD를 $1 : 2$로 내분하는 점이므로

$\dfrac{1\times 2^k+2\times 2^{k-2}}{1+2}=4$에서 $k=$ ❶ $\underline{3}$

이때 C$(2, 3)$, D$(8, 3)$, E$(4, 3)$이므로

$\overline{AB}=$ ❷ $\underline{3}$, $\overline{CD}=$ ❸ $\underline{6}$, $\overline{BE}=1$

$\therefore S=\dfrac{1}{2}(\overline{AB}+\overline{CD})\times\overline{BE}=\dfrac{1}{2}(3+6)\times 1=$ ❹ $\dfrac{9}{2}$

따라서 $12S=54$

07 답 176

두 함수 $y=3^x-n$, $y=\log_3(x+n)$은 역함수 관계이므로
두 곡선은 $y=x$에 대칭이다.

문제에서 주어진 $a_4=21$이 맞는지 확인해 보자.

$y=3^x-4$의 그래프는 점근선이 $y=-4$이고,
지나는 점이 $(0, -3)$, $(1, -1)$, $(2, 5)$임을 이용해 그래프를 그
릴 수 있다.

이때 $y=\log_3(x+4)$의 그래프는 $y=3^x-4$와 $y=x$에 대하여
대칭임을 이용한다.

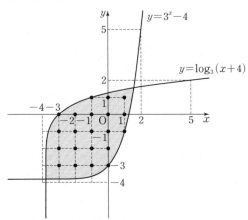

그림에서 두 곡선 사이에 있는 격자점 개수는
$2+2+16+1=21$, 즉 $a_4=21$이다.

지수함수 $y=3^x-12$의 그래프는 점근선이 $y=-12$이고
$(0, -11)$, $(1, -9)$, $(2, -3)$, $(3, 15)$를 지나고 직선 $y=x$와
만나는 점의 x좌표는 2와 3 사이에 있다. 이때
$y=\log_3(x+12)$의 그래프는 $y=3^x-12$와 $y=x$에 대칭이고
$(-11, 0)$, $(-9, 1)$, $(-3, 2)$, $(15, 3)$을 지나는 것을 이용하면
다음 그림처럼 격자점을 생각할 수 있다.

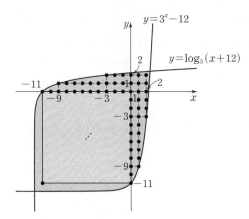

제1사분면 $\Rightarrow$ ❶ $\underline{4}$ 개

y축과 제2사분면 $\Rightarrow 10+4=$ ❷ $\underline{14}$ (개)

제3사분면과 x, y축 $\Rightarrow 12\times 12=$ ❸ $\underline{144}$ (개)

x축과 제4사분면 $\Rightarrow 10+4=$ ❹ $\underline{14}$ (개)

따라서 격자점의 개수는 $144+14+14+4=176$

참고
두 곡선의 교점은 모두 격자점이 아니다. 또 점근선인 $x=-12$와 $y=-12$
의 교점인 $(-12, -12)$는 영역 밖의 점이다.

08 답 23

P(k, a^k), Q(k, a^{2k}), R(k, k)이고, $k=2$일 때 두 점 Q, R가 일
치하므로 $a^4=2$, 즉 $a=\sqrt[4]{2}=2^{\frac{1}{4}}$ ($\because a>1$)에서

$f(x)=a^x=2^{\frac{x}{4}}$, $g(x)=a^{2x}=2^{\frac{x}{2}}$이므로

$\overline{PQ}=|f(k)-g(k)|=|2^{\frac{k}{2}}-2^{\frac{k}{4}}|=\dfrac{1}{n}$

이때 $2^{\frac{k}{4}}=t$ $(t>0)$라 하면 $\overline{PQ}=|t^2-t|$ $(t>0)$이므로

$y=|t^2-t|=\left|\left(t-\dfrac{1}{2}\right)^2-\dfrac{1}{4}\right|$

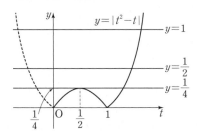

$\therefore p_1=p_2=p_3=$ ❶ $\underline{1}$, $p_4=2$, $p_5=p_6=\cdots=p_{10}=$ ❷ $\underline{3}$

따라서 $\displaystyle\sum_{n=1}^{10} p_n=1\times 3+2+3\times 6=3+2+18=23$

참고
$2^{\frac{k}{4}}=t$라 했으므로 $t>0$일 때 $|t^2-t|=\dfrac{1}{n}$을 만족시키는 t가 1개면 실수
k도 1개, t가 2개면 실수 k도 2개, t가 3개면 실수 k도 3개 존재한다.

09 답 ①

한 변의 길이가 3이거나 4이면서 꼭짓점의 좌표가 모두 자연수인 정사각형의 각 변은 좌표축에 평행하다.

이때 a, b가 자연수인 꼭짓점 $D(a, b)$에 대하여 나머지 세 꼭짓점의 좌표를 $A(a, b+n)$, $B(a+n, b+n)$, $C(a+n, b)$라 할 수 있으므로 (가)와 (나)를 만족시키는 정사각형과 두 곡선의 일부를 그려보면 다음과 같다.

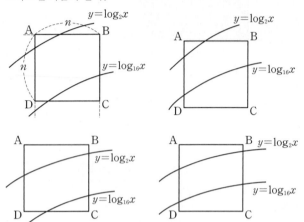

즉 꼭짓점 A가 곡선 $y=\log_2 x$보다 위에 있으면서

꼭짓점 C가 곡선 $y=\log_{16} x$보다 아래에 있으면 (나)를 만족시킨다.

이것을 부등식으로 나타내면

꼭짓점 A에 대하여 $\log_2 a < b+n$, 즉 $a < 2^{b+n}$

꼭짓점 C에 대하여 $\log_{16}(a+n) > b$, 즉 $a > 2^{4b}-n$

$\therefore 2^{4b}-n < a < 2^{b+n}$

(i) $n=3$이면 $2^{4b}-3 < a < 2^{b+3}$

　$b=1$이면 $16-3 < a < 16$이므로 $a=14$, 15

　$b \geq 2$이면 항상 $2^{4b}-3 > 2^{b+3}$이므로 a는 없다.

　$\therefore a_3 = $ **❶** $\underline{2}$

(ii) $n=4$이면 $2^{4b}-4 < a < 2^{b+4}$

　$b=1$이면 $16-4 < a < 32$이므로 $a=13$, 14, $\cdots$, 31

　$b \geq 2$이면 항상 $2^{4b}-4 > 2^{b+4}$이므로 a는 없다.

　$\therefore a_4 = $ **❷** $\underline{19}$

따라서 $a_3+a_4 = 2+19 = 21$

10 답 896

문제에서 주어진 그림은 다음과 같다.

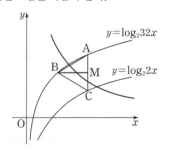

선분 AC가 y축에 평행하므로 두 점 A, C의 좌표를 각각 $A(t, \log_2 32t)$, $C(t, \log_2 2t)$ $(t>1)$라 하면

$\overline{AC} = \log_2 32t - \log_2 2t = \log_2 \dfrac{32t}{2t} = 4$이므로

정삼각형 ABC의 한 변의 길이는 4

위 그래프에서 선분 AC의 중점을 M이라 하면

$\overline{BM} = 2\sqrt{3}$이므로 점 B의 x좌표는 $t-2\sqrt{3}$이다.

또 점 B의 y좌표는 점 M의 y좌표와 같으므로

$\dfrac{\log_2 2t + \log_2 32t}{2} = \dfrac{2\log_2 t + 6}{2} = \log_2 8t$

$\therefore B(t-2\sqrt{3}, \log_2 8t)$

한편 점 B는 $y=\log_2 32x$ 위의 한 점이므로

$\log_2 8t = \log_2 32(t-2\sqrt{3})$에서

$8t = 32(t-2\sqrt{3})$ $\quad \therefore t = $ **❶** $\dfrac{8\sqrt{3}}{3}$

또 $A(t, \log_2 32t)$, $B(t-2\sqrt{3}, \log_2 8t)$, $C(t, \log_2 2t)$의 무게중심 점 G의 좌표는

$G\left(\dfrac{t+(t-2\sqrt{3})+t}{3}, \dfrac{\log_2 32t + \log_2 8t + \log_2 2t}{3}\right)$

즉 $G\left(\dfrac{3t-2\sqrt{3}}{3}, \log_2 t + 3\right)$에서

$t = \dfrac{8\sqrt{3}}{3}$이므로 무게중심은 $G\left(2\sqrt{3}, \log_2 \dfrac{64\sqrt{3}}{3}\right)$

$\therefore p = $ **❷** $2\sqrt{3}$, $q = $ **❸** $\log_2 \dfrac{64\sqrt{3}}{3}$

$y=\log_{\frac{1}{2}} x + k$의 그래프가 무게중심 G를 지나므로

$\log_2 \dfrac{64\sqrt{3}}{3} = -\log_2 2\sqrt{3} + k$에서

$k = \log_2 \dfrac{64\sqrt{3}}{3} + \log_2 2\sqrt{3} = \log_2 \left(\dfrac{64\sqrt{3}}{3} \times 2\sqrt{3}\right) = 7$

$\therefore k \times p \times 2^q = 7 \times 2\sqrt{3} \times \dfrac{64\sqrt{3}}{3} = 896$

11 답 450

$y=\log_2 |5x|$, $y=\log_2(x+2)$, $y=\log_2(x+m)$의 그래프와 교점을 함께 나타내면 그림과 같다.

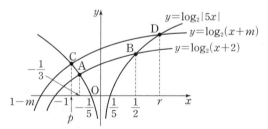

두 그래프 $y=\log_2 |5x|$, $y=\log_2(x+2)$의 교점의 x좌표는

$|5x| = x+2$에서

$x>0$일 때 $5x = x+2$, $x = \dfrac{1}{2}$

$x<0$일 때 $-5x=x+2$, $x=-\dfrac{1}{3}$

$\therefore$ ❶$\underline{\text{A}\left(-\dfrac{1}{3},\ \log_2\dfrac{5}{3}\right),\ \text{B}\left(\dfrac{1}{2},\ \log_2\dfrac{5}{2}\right)}$

또 두 그래프 $\log_2|5x|$, $y=\log_2(x+m)$의 교점의 좌표는

$|5x|=x+m$에서 $x=\dfrac{m}{4},\ -\dfrac{m}{6}$

$\therefore \text{C}\left(-\dfrac{m}{6},\ \log_2\dfrac{5m}{6}\right),\ \text{D}\left(\dfrac{m}{4},\ \log_2\dfrac{5m}{4}\right)$

직선 AB의 기울기는
$\dfrac{\log_2\dfrac{5}{2}-\log_2\dfrac{5}{3}}{\dfrac{1}{2}-\left(-\dfrac{1}{3}\right)}=\dfrac{6}{5}\log_2\dfrac{3}{2}$

직선 CD의 기울기는
$\dfrac{\log_2\dfrac{5m}{4}-\log_2\dfrac{5m}{6}}{\dfrac{m}{4}-\left(-\dfrac{m}{6}\right)}=\dfrac{12}{5m}\log_2\dfrac{3}{2}$

직선 AB 기울기의 2배가 직선 CD 기울기의 3배이므로

$2\times\dfrac{6}{5}\log_2\dfrac{3}{2}=3\times\dfrac{12}{5m}\log_2\dfrac{3}{2}$ $\quad\therefore m=3$

즉 ❷$\underline{\text{C}\left(-\dfrac{1}{2},\ \log_2\dfrac{5}{2}\right),\ \text{D}\left(\dfrac{3}{4},\ \log_2\dfrac{15}{4}\right)}$

이때 점 B의 y좌표와 점 C의 y좌표가 같다.

한편 사각형 ABDC의 넓이는 삼각형 CAB와 삼각형 CBD 각각의 넓이를 더한 것과 같고 $\overline{\text{BC}}=\dfrac{1}{2}-\left(-\dfrac{1}{2}\right)=1$이다.

$\triangle$ABC의 높이는 $\log_2\dfrac{5}{2}-\log_2\dfrac{5}{3}=\log_2\dfrac{3}{2}$

$\triangle$DBC의 높이는 $\log_2\dfrac{15}{4}-\log_2\dfrac{5}{2}=\log_2\dfrac{3}{2}$

$\begin{aligned}\square\text{ABDC}&=\triangle\text{ABC}+\triangle\text{DBC}\\&=\dfrac{1}{2}\log_2\dfrac{3}{2}+\dfrac{1}{2}\log_2\dfrac{3}{2}\\&=\log_2\dfrac{3}{2}\end{aligned}$

따라서 $k=\dfrac{3}{2}$이므로 $200k^2=450$

12 풀58

$f(x)=a^{x+1}$, $g(x)=b^x$이라 하면

$\overline{\text{PQ}}=|f(t)-g(t)|=|a^{t+1}-b^t|$

㈏에서 $t\geq1$인 어떤 실수 t에 대하여 $\overline{\text{PQ}}\leq12$는 $\overline{\text{PQ}}\leq12$를 만족시키는 실수가 적어도 하나 존재한다는 것이므로

$(\overline{\text{PQ}}$의 최솟값$)\leq12$임을 뜻한다.

(i) $a\geq b$ $\cdots\cdots$ ㉠일 때

그림처럼 생각하면 $a>b$이거나 $a=b$이면 $\overline{\text{PQ}}$가 최소가 되는 것은 $t=1$일 때이다. 즉 $f(1)-g(1)=a^2-b\leq12$에서

$a^2-12\leq b$ $\cdots\cdots$ ㉡

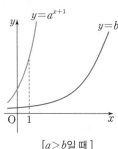
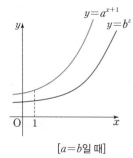

[$a>b$일 때]   [$a=b$일 때]

㉠, ㉡에서 $a^2-12\leq b\leq a$ $\quad\therefore a=2,\ 3,\ 4$

$a=2$일 때 $-8\leq b\leq2$와 ㈎에서 $b=2$

$a=3$일 때 $-3\leq b\leq3$과 ㈎에서 $b=2,\ 3$

$a=4$일 때 $4\leq b\leq4$에서 $b=4$

이므로 $(a,\ b)$의 순서쌍 개수는 $1+2+1=$❶$\underline{4}$

(ii) $a<b$일 때

두 곡선 $f(x)=a^{x+1}$과 $g(x)=b^x$이 만날 때의 x값을 α라 하면 $\overline{\text{PQ}}=f(\alpha)-g(\alpha)=0$이고, α의 위치에 따라 다음 두 가지 경우로 나누어 생각할 수 있다.

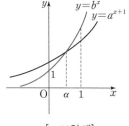
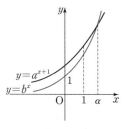

[$\alpha<1$일 때]   [$\alpha\geq1$일 때]

$\alpha<1$이면 $\overline{\text{PQ}}$가 최소가 되는 것은 $t=1$일 때, 즉

$g(1)-f(1)=b-a^2\leq12$이고,

$b\leq a^2+12$는 ㈎의 모든 $(a,\ b)$에 대하여 항상 성립한다.

$\alpha\geq1$이면 $\overline{\text{PQ}}$의 최솟값은 0이므로

$a<b$인 두 자연수 a, b에 대하여

$\overline{\text{PQ}}\leq12$인 t가 적어도 하나 존재한다.

즉 $2\leq a<b\leq12$에서

$b=3$일 때 $a=2$

$b=4$일 때 $a=2,\ 3$

$b=5$일 때 $a=2,\ 3,\ 4$

$\qquad\qquad\vdots$

$b=11$일 때 $a=2,\ 3,\ 4,\ \cdots,\ 10$

$b=12$일 때 $a=2,\ 3,\ 4,\ \cdots,\ 10$

이므로 $(a,\ b)$의 순서쌍 개수는 $1+2+\cdots+9+9=$❷$\underline{54}$

(i), (ii)에서 구하려는 순서쌍 개수는 $4+54=58$

13 답②

$y=3^x-n$과 $y=\log_3(x+n)$은 서로 역함수이므로 직선 $y=x$에 대하여 대칭이다. 다음 그림처럼 생각하면 a_n은 직선 $y=x$ 중 색칠한 영역에 속하는 x, y 좌표가 모두 정수인 점의 개수와 같다.

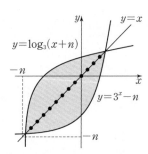

이때 원점을 포함해 제3사분면에 있는 격자점의 개수를 b_n, 제1사분면에 있는 격자점의 개수를 c_n이라 하면 $a_n = b_n + c_n$이라 할 수 있다.

$$\therefore \sum_{n=1}^{100} a_n = \sum_{n=1}^{100} b_n + \sum_{n=1}^{100} c_n$$

$n = k$일 때 조건을 만족시키는 격자점의 x좌표를 생각하면 원점을 포함한 제3사분면에서 $-k+1, -k+2, \cdots, -1, 0$까지 k개이고, 제1사분면에서 $y = x$이므로 $x \geq 3^x - k$, 즉 $3^x - x \leq k$를 만족시키는 자연수 x의 개수를 구하면 된다.

(i) $n = k$일 때 $b_n = k$이므로

$$\sum_{k=1}^{100} b_k = \sum_{k=1}^{100} k = \frac{100 \times 101}{2} = \text{❶}\ \underline{5050}$$

(ii) $n = k$일 때 제1사분면에서 격자점의 개수는

$3^x - x \leq k$에서 k값에 따라 자연수 x를 구하면 된다. 즉

$k = 1$일 때 $3^x - x \leq 1$인 자연수 x는 없다.

$k = 2$일 때 $3^x - x \leq 2$인 자연수 $x = 1$, 즉 1개

$k = 3$일 때 $3^x - x \leq 3$인 자연수 $x = 1$, 즉 1개

$\qquad \vdots$

$k = 7$일 때 $3^x - x \leq 7$인 자연수 $x = 1, 2$, 즉 2개

$\qquad \vdots$

$k = 24$일 때 $3^x - x \leq 24$인 자연수 $x = 1, 2, 3$, 즉 3개

$\qquad \vdots$

$k = 77$일 때 $3^x - x \leq 77$인 자연수 $x = 1, 2, 3, 4$, 즉 4개

$\qquad \vdots$

$k = 100$일 때 $3^x - x \leq 100$인 자연수 $x = 1, 2, 3, 4$, 즉 4개

$$\sum_{k=1}^{100} c_k = \underbrace{1 + \cdots + 1}_{5개} + \underbrace{2 + \cdots + 2}_{17개} + \underbrace{3 + \cdots + 3}_{53개} + \underbrace{4 + \cdots + 4}_{24개}$$
$$= 1 \times 5 + 2 \times 17 + 3 \times 53 + 4 \times 24$$
$$= \text{❷}\ \underline{294}$$

(i), (ii)에서 $\sum_{n=1}^{100} a_n = \sum_{n=1}^{100} b_n + \sum_{n=1}^{100} c_n = 5050 + 294 = 5344$

다른 풀이

(ii)에서 $3^x - x \leq k$ $\cdots\cdots$㉠를 만족시켜야 하므로 각 격자점을 포함하는 k의 개수를 구해서 더한다.

격자점 $(1, 1)$을 포함하려면 ㉠에 $x = 1$을 대입한 $k \geq 2$에서 $2 \leq k \leq 100$, 즉 k는 $100 - 2 + 1 = 99$(개)

격자점 $(2, 2)$를 포함하려면 ㉠에 $x = 2$를 대입한 $k \geq 7$에서 $7 \leq k \leq 100$, 즉 k는 94개

격자점 $(3, 3)$를 포함하려면 ㉠에 $x = 3$을 대입한 $k \geq 24$에서 $24 \leq k \leq 100$, 즉 77개

격자점 $(4, 4)$를 포함하려면 ㉠에 $x = 4$를 대입한 $k \geq 77$에서 $77 \leq k \leq 100$, 즉 24개

격자점 $(5, 5)$를 포함하려면 ㉠에 $x = 5$를 대입한 $k \geq 238$ 즉 격자점 $(5, 5)$를 포함하는 경우는 없다.

$$\therefore \sum_{k=1}^{100} c_k = 99 + 94 + 77 + 24 = 294$$

참고

다음 사실을 주목해야 한다.

첫째, 점 $(-n, -n)$은 조건에 맞는 격자점이 아니다. 곡선 $y = 3^x - n$의 점근선이 $y = -n$이므로 이 점을 지날 수 없기 때문이다.

점 $(-n+1, -n+1)$은 언제나 조건에 맞는 격자점이다.

둘째, 제1사분면에서 두 곡선이 만나는 점은 조건에 맞는 격자점이 될 수도 있고 안 될 수도 있다. 예를 들어 $n = 2$일 때 $y = 3^x - 2$에 대하여 $(2, 2)$는 영역 밖의 점이지만 $n = 7$일 때는 $(2, 2)$는 조건에 맞는 점이 된다.

14 답 ①

두 곡선 $f(x) = x^3 + 2$, $g(x) = a^{-x+5}$의 교점의 x좌표를 k라 하자. 즉 $k^3 + 2 = a^{-k+5}$에서

$k = 0$이면 $a^5 = 2$ $\qquad \therefore a = \sqrt[5]{2}$

$k = 1$이면 $a^4 = 3$ $\qquad \therefore a = \sqrt[4]{3}$

$k = 2$이면 $a^3 = 10$ $\qquad \therefore a = \sqrt[3]{10}$

$k = 3$이면 $a^2 = 29$ $\qquad \therefore a = \sqrt{29}$

$k = 4$이면 $a = 66$이다.

(i) $0 < k \leq 1$일 때

$\sqrt[5]{2} < a \leq \sqrt[4]{3}$을 만족시키는 자연수 a는 없다.

(ii) $1 < k \leq 2$일 때

$\sqrt[4]{3} < a \leq \sqrt[3]{10}$이므로 $a = 2$

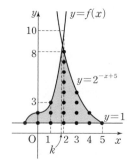

즉 $f(x) = x^3 + 2$, $g(x) = 2^{-x+5}$에서

$$N(2) = 1 + 2 + 3 + 2^3 + 2^2 + 2 + 1 = \text{❶}\ \underline{21}$$

이므로 $a = 2$는 $35 \leq N(a) \leq 100$을 만족시키지 않는다.

(iii) $2 < k \leq 3$일 때

$\sqrt[3]{10} < a \leq \sqrt{29}$이므로 $a = 3, 4, 5$

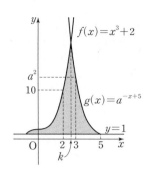

$N(a)=1+2+3+10+a^2+a+1=$ **②** $\underline{a^2+a+17}$ 이므로

$N(3)=9+3+17=29$

$N(4)=16+4+17=37$

$N(5)=25+5+17=47$

즉 $35 \le N(a) \le 100$에 맞는 a는 $a=4, 5$이므로 2개

(iv) $3<k\le4$일 때 $\sqrt{29}<a\le66$이므로 $a=6, 7, \cdots, 66$

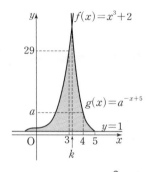

$N(a)=1+2+3+10+29+a+1=$ **③** $\underline{a+46}$

이므로 $35 \le N(a) \le 100$을 만족시키는 a는

$a=6, 7, \cdots, 54$, 즉 49개

(v) $4<k\le5$일 때 $66<a$이므로 $a=67, 68, \cdots$

이때 $N(a)=1+2+3+10+29+66+1=112$

이므로 $35 \le N(a) \le 100$에 맞는 자연수 a는 없다.

(i)~(v)에서 조건을 만족시키는 자연수 a의 개수는

$2+49=51$

집중공략 **유형 02** 지수·로그함수에서 옳은 것 찾기 (합답형)

01 ③	02-1 ⑤	02-2 ②	03-1 ④
03-2 ④	04 ③	05 ①	06 ⑤
07 ③	08 ③		

01 답 ③

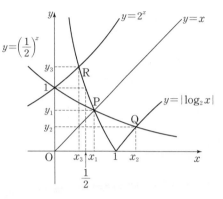

ㄱ. $y=|\log_2 x|$의 그래프 위의 점 $\left(\dfrac{1}{2}, 1\right)$과 $P(x_1, y_1)$의 y좌표를 비교하면 $y_1<1$이고, $\dfrac{1}{2}<x_1<1$ (○)

ㄴ. $y=2^x$의 역함수는 $y=\log_2 x$이고, $y=-\log_2 x$의 역함수는 $y=\left(\dfrac{1}{2}\right)^x$이므로 $y=2^x$와 $y=-\log_2 x$의 교점 $R(x_3, y_3)$와 $y=\log_2 x$와 $y=\left(\dfrac{1}{2}\right)^x$의 교점 $Q(x_2, y_2)$는 직선 $y=x$에 대해 대칭이다. 즉 $x_3=y_2$, $x_2=y_3$이므로 $x_2 y_2=x_3 y_3$ (○)

ㄷ. $A(0, 1)$이라 하면

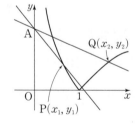

$\dfrac{y_1-1}{x_1}=\dfrac{x_1-1}{y_1}$
$=(\overline{AP}$의 기울기)

$\dfrac{y_2-1}{x_2}=(\overline{AQ}$의 기울기)

그런데

$(\overline{AP}$의 기울기$)<(\overline{AQ}$의 기울기$)$

이므로 $\dfrac{x_1-1}{y_1}<\dfrac{y_2-1}{x_2}$에서 $x_2 y_1$을 곱해 정리하면

$x_2(x_1-1)<y_1(y_2-1)$ (×)

따라서 옳은 것은 ㄱ, ㄴ

참고

❶ 점 P는 역함수 관계인 $y=\left(\dfrac{1}{2}\right)^x$과 $y=-\log_2 x$가 만나는 점이므로 $y=x$ 위에 있다. 즉 $x_1=y_1$임을 이용한다.

❷ $x_2 y_2$, $x_3 y_3$은 각각 그림에서 색칠한 직사각형의 넓이를 나타내므로 $y=x$에 대한 대칭을 생각하면 두 직사각형의 넓이가 서로 같음을 알 수 있다.

즉 $x_2 y_2=x_3 y_3$이므로 $x_2 y_2-x_3 y_3=0$

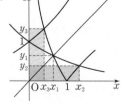

02-1 답 ⑤

ㄱ. $p=\dfrac{1}{2}$이면 $\log_a \dfrac{1}{2}=\dfrac{1}{2}$이므로

$a^{\frac{1}{2}}=\dfrac{1}{2}$에서 $a=\left(\dfrac{1}{2}\right)^2=\dfrac{1}{4}$ (○)

ㄴ. $0<a<\dfrac{1}{2}$에서 $0<a<2a<1$이므로 두 함수
$y=\log_a x$, $y=\log_{2a} x$를 함께 나타내면 그림과 같다.

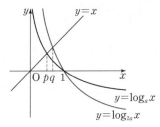

그림에서 $p<q$ (○)

ㄷ. $\log_a p=p$에서 $a^p=p$ ······ ㉠

$\log_{2a} q=q$이므로 $(2a)^q=q$에서 $a^q=\dfrac{q}{2^q}$ ······ ㉡

㉠, ㉡에서 변끼리 곱하면

$a^p \times a^q=\dfrac{pq}{2^q}$ (○)

따라서 옳은 것은 ㄱ, ㄴ, ㄷ

02-2 답 ②

$0<a<\dfrac{1}{2}$에서 $0<a<2a<1$이므로 두 함수
$y=a^x$, $y=(2a)^x$를 함께 나타내면 그림과 같다.

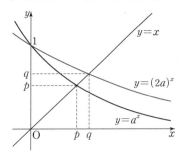

ㄱ. 그림에서 $p<q$ (×)

ㄴ. $a^p=\overset{\textbf{❶}}{\underline{p}}$ 에서 $p=\log_a p$이고, $(2a)^q=\overset{\textbf{❷}}{\underline{q}}$ 에서 $q=\log_{2a} q$
이다. (○)

ㄷ. ㄴ에서 $a^p=p$, $(2a)^q=q$, 즉 $a^p=p$, $a^q=\dfrac{q}{2^q}$이므로

$a^{p+q}=a^p \times a^q=p \times \dfrac{q}{2^q}=\dfrac{pq}{2^q}$ (×)

따라서 옳은 것은 ㄴ

03-1 답 ④

ㄱ. $y=|\log_2 x|=\begin{cases} \log_2 x & (x\ge 1) \\ -\log_2 x & (0<x<1) \end{cases}$이므로 a_2, b_2는 그림
처럼 나타낼 수 있다.

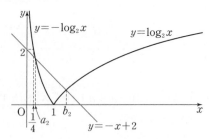

이때 $2=-\log_2 x$에서 $x=\dfrac{1}{4}$이므로 $a_2>\dfrac{1}{4}$이다. (×)

ㄴ. 위 그림에서 n값이 커질수록 a_n의 값이 $\overset{\textbf{❶}}{\underline{\text{작아진다}}}$는 것을 생
각하면 $0<a_{n+1}<a_n$이고, 부등식의 각 항을 a_n으로 나누면

$0<\dfrac{a_{n+1}}{a_n}<1$ (○)

ㄷ.

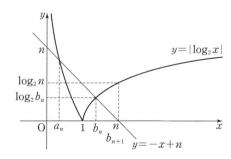

$\log_2 b_n<\log_2 n$이므로 $n-\log_2 b_n>n-\log_2 n$
또 $x=b_n$일 때 $-b_n+n=\log_2 b_n$에서
$n-\log_2 b_n=b_n$이므로 $b_n>n-\log_2 n$
이때 $\overset{\textbf{❷}}{\underline{b_n<n}}$이므로 $n-\log_2 n<b_n<n$
위 부등식을 자연수 n으로 나누면 $1-\dfrac{\log_2 n}{n}<\dfrac{b_n}{n}<1$ (○)

따라서 옳은 것은 ㄱ, ㄴ, ㄷ

03-2 답 ④

$y=|\log_2 x|=\begin{cases} \log_2 x & (x\ge 1) \\ -\log_2 x & (0<x<1) \end{cases}$

ㄱ.

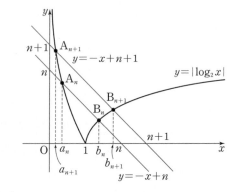

위 그림에서 $y=-x+n$과 $y=|\log_2 x|$ 그래프의 교점의 x 좌표인 a_n은 $y=-x+n+1$과 $y=|\log_2 x|$ 그래프의 교점의 x좌표인 a_{n+1}보다 크다.

즉 $a_{n+1}<a_n$에서 $0<\dfrac{a_{n+1}}{a_n}<1$

마찬가지로 $b_{n+1}>b_n$이므로 $\dfrac{b_{n+1}}{b_n}>1$

$\therefore \dfrac{a_{n+1}}{a_n}<1<\dfrac{b_{n+1}}{b_n}$ (◯)

ㄴ. $y=-x+n$과 $y=-\log_2 x$가 만나는 점을 $A_n(a_n, -\log_2 a_n)$, $y=-x+n$과 $y=\log_2 x$가 만나는 점을 $B_n(b_n, \log_2 b_n)$이라 하면,
직선 $A_n B_n$의 기울기가 -1이므로

$$\dfrac{\log_2 b_n-(-\log_2 a_n)}{b_n-a_n}=-1$$

정리하면 $\dfrac{\log_2 b_n+\log_2 a_n}{b_n-a_n}=\dfrac{\log_2 a_n b_n}{b_n-a_n}=-1$

$\therefore \dfrac{\log_2 a_n b_n}{a_n-b_n}=1$

같은 방법으로 $\dfrac{\log_2 a_{n+1} b_{n+1}}{a_{n+1}-b_{n+1}}=1$

$\therefore \dfrac{\log_2 a_n b_n}{a_n-b_n}+\dfrac{\log_2 a_{n+1} b_{n+1}}{a_{n+1}-b_{n+1}}=1+1=2$ (◯)

ㄷ. $P(1, 0)$이라 하면 $y=\log_2 x$의 그래프가 위로 볼록이므로
(직선 PB_n의 기울기) $>$ (직선 PB_{n+1}의 기울기)

즉 $\dfrac{\log_2 b_n}{b_n-1}>\dfrac{\log_2 b_{n+1}}{b_{n+1}-1}$ (×)

따라서 옳은 것은 ㄱ, ㄴ

04 답 ③

$k>1$이므로 $f(x)=\log_k x$의 그래프는 위로 볼록이다.
그래프 위의 두 점을 $P(a, f(a))$, $Q(b, f(b))$라 하자.

ㄱ. 선분 PQ를 $1:2$로 내분하는
점 S $^{❶}\left(\dfrac{2a+b}{3}, \dfrac{2f(a)+f(b)}{3}\right)$와
$x=\dfrac{2a+b}{3}$일 때 $y=f(x)$ 그래프 위의 점
$R\left(\dfrac{2a+b}{3}, f\left(\dfrac{2a+b}{3}\right)\right)$의 y좌표를 비교해 보자.

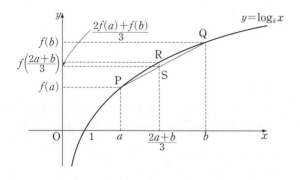

그림에서 $f\left(\dfrac{2a+b}{3}\right)>\dfrac{2f(a)+f(b)}{3}$이므로

$$\log_k \dfrac{2a+b}{3}>\dfrac{2\log_k a+\log_k b}{3}$$

양변에 3을 곱하면 $3\log_k \dfrac{2a+b}{3}>2\log_k a+\log_k b$ (◯)

ㄴ. 두 점 $P(a, f(a))$, $Q(b, f(b))$와 원점 O에 대하여
직선 OP의 기울기는 $\dfrac{\log_k a}{a}$, 직선 OQ의 기울기는 $\dfrac{\log_k b}{b}$
이다.

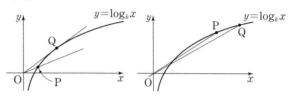

그림처럼 생각하면
(직선 OP의 기울기) $<$ (직선 OQ의 기울기) 또는
(직선 OP의 기울기) $>$ (직선 OQ의 기울기)
가 될 수 있음을 알 수 있다. 즉 두 점 P, Q의 위치에 따라

$\dfrac{\log_k a}{a}<\dfrac{\log_k b}{b} \Rightarrow b\log_k a<a\log_k b$

$\dfrac{\log_k a}{a}>\dfrac{\log_k b}{b} \Rightarrow b\log_k a>a\log_k b$

두 가지 모두 가능하다. (×)

ㄷ. $C(1, 0)$이라 하면

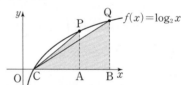

$(\triangle PCA$의 넓이$) = {}^{❷}\dfrac{1}{2}(a-1)\log_k a$

$(\triangle QCB$의 넓이$) = \dfrac{1}{2}(b-1)\log_k b$

이고, $(\triangle PCA$의 넓이$) < (\triangle QCB$의 넓이$)$이므로

$\dfrac{1}{2}(a-1)\log_k a<\dfrac{1}{2}(b-1)\log_k b$

$1<a<b$이므로 양변을 $(a-1)(b-1)$로 나누면

$\dfrac{\log_k a}{2(b-1)}<\dfrac{\log_k b}{2(a-1)}$ (◯)

따라서 옳은 것은 ㄱ, ㄷ

05 답 ①

$f(x)=2^x-1$은 두 점 $(0, 0)$, $(1, 1)$을 지나는 증가함수이고,
$h(x)=\log_2(x+1)$과 역함수 관계이므로
다음 그림처럼 생각할 수 있다.

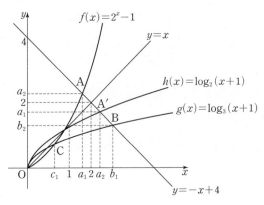

ㄱ. $f(1)=1$, $g(1)=\log_3 2<1$,

즉 $g(c_1)<g(1)<g(2)$이므로 $c_1<1$이다. (○)

ㄴ. 곡선 $f(x)=2^x-1$ 위에 있는 서로 다른 두 점 $P(a, f(a))$, $Q(b, f(b))$를 지나는 직선의 기울기는

$$\frac{(2^b-1)-(2^a-1)}{b-a}=\frac{2^b-2^a}{b-a}=k$$

이고, 두 점의 위치에 따라 k는 $k\geq1$일 수도 있고, $k<1$일 수도 있다. (×)

ㄷ. 함수 $f(x)=2^x-1$과 $h(x)=\log_2(x+1)$은 서로 역함수 관계이므로 점 $A(a_1, a_2)$에서 x축, y축에 수선의 발을 내렸을 때 생기는 직사각형의 넓이 $a_1\times a_2$는 점 $A'(a_2, a_1)$에서 x축, y축에 수선의 발을 내렸을 때 생기는 직사각형의 넓이 $a_2\times a_1$과 같다. 그림과 같이 가로 길이가 a_2, 세로 길이가 a_1인 직사각형과 점 $B(b_1, b_2)$에서 x축, y축에 수선의 발을 내렸을 때 생기는 직사각형에 대하여 공통부분을 제외한 두 직사각형의 넓이를 각각 S_1, S_2라 하자.

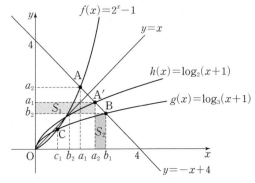

이때 직선 A′B의 기울기의 절댓값이 1이므로 S_1의 세로 길이와 S_2의 가로 길이가 같다.

그런데 $a_2>b_2$이므로 $S_1>S_2$

∴ ❷$a_1 a_2>b_1 b_2$ (×)

참고

그림과 같이 생각하면 직선 P_1Q_1의 기울기는 1보다 작지만, 직선 P_2Q_2의 기울기는 1보다 크다는 것을 알 수 있다.

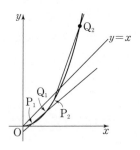

06 답 ⑤

$f(x)=|4^{-x}-1|$, $g(x)=-2x^2+2$라 하자.

이때 두 곡선의 교점의 위치를 나타낼 수 있다. 또 두 곡선과 직선 $y=1$의 교점을 생각하면

$$f\left(-\frac{1}{2}\right)=1,\ g\left(\pm\frac{1}{\sqrt{2}}\right)=1\text{이고 또 }f\left(\frac{1}{2}\right)=\frac{1}{2},\ g\left(-\frac{1}{2}\right)=\frac{3}{2}$$

이므로 그림처럼 생각할 수 있다.

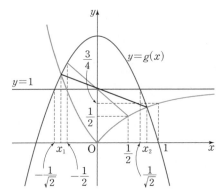

ㄱ. 그림처럼 생각하면 $-\dfrac{1}{\sqrt{2}}<x_1<-\dfrac{1}{2}$, $\dfrac{1}{2}<x_2<1$ (○)

ㄴ. $g\left(-\dfrac{1}{2}\right)=\dfrac{3}{2}$이므로 $1<y_1<\dfrac{3}{2}$ ······ ㉠

$g\left(\dfrac{1}{\sqrt{2}}\right)=1$과 $f(1)=\dfrac{3}{4}$에서 $\dfrac{3}{4}<y_2<1$ ······ ㉡

㉠, ㉡에서 $1<\dfrac{y_1}{y_2}<2$ (○)

ㄷ. $f\left(\dfrac{1}{2}\right)=\dfrac{1}{2}$, $g\left(-\dfrac{1}{2}\right)=\dfrac{3}{2}$이므로 두 점 $\left(-\dfrac{1}{2}, \dfrac{3}{2}\right)$, $\left(\dfrac{1}{2}, \dfrac{1}{2}\right)$을 지나는 직선의 기울기 -1과 두 점 (x_1, y_1), (x_2, y_2)를 지나는 직선의 기울기를 비교하면

$\dfrac{y_2-y_1}{x_2-x_1}>-1$에서 $\dfrac{y_1-y_2}{x_2-x_1}<1$ (○)

따라서 옳은 것은 ㄱ, ㄴ, ㄷ

07 답 ③

ㄱ. 함수 $f(x)=5\times2^x+a$의 그래프를 x축 방향으로 $\log_2 40$만큼 평행이동한 그래프는 $y=5\times2^{x-\log_2 40}+a$이므로

$y-a=5\times2^{x-\log_2 40}$, $\dfrac{y-a}{5}=2^{x-\log_2 40}$에서

$x - \log_2 40 = \log_2 \dfrac{y-a}{5}$ 이므로

$x = \log_2 40 + \log_2 \dfrac{y-a}{5} = \log_2 8(y-a)$

즉 $y = 5 \times 2^{x-\log_2 40} + a$의 역함수는 **❶** $y = \log_2 8(x-a)$ 이고

함수 $g(x) = \log_2 bx$의 그래프를 x축 방향으로 2만큼 평행이

동한 그래프는 $y = \log_2 b(x-2)$

이때 문제의 조건에서 $y = \log_2 8(x-a)$과 $y = \log_2 b(x-2)$

가 서로 같으므로 $a = 2$, $b = 8$

∴ $a + b = 10$ (○)

ㄴ. $g(x) = \log_2 8x = \log_2 x + 3$과 $y = x$를 그려 α, β의 위치를

알아보면 다음과 같다.

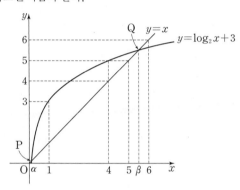

$g\left(\dfrac{1}{8}\right) = 0$, $g\left(\dfrac{1}{4}\right) = 1 > \dfrac{1}{4}$이므로 $\dfrac{1}{8} < \alpha < \dfrac{1}{4}$

$g(4) = 5$이고, $g(5) = \log_2 5 + 3 > 5$, $g(6) = \log_2 6 + 3 < 6$

이므로 **❷** $5 < \beta < 6$ 이다.

∴ $6 < 8\alpha + \beta < 8$ (○)

ㄷ. 함수 $g(x) = \log_2 x + 3$과 $y = x$가 만나는 두 교점을 위 그림

처럼 $P(\alpha, \log_2 \alpha + 3)$, $Q(\beta, \log_2 \beta + 3)$라 하면

직선 PQ의 기울기가 1이므로

$\dfrac{(\log_2 \beta + 3) - (\log_2 \alpha + 3)}{\beta - \alpha} = \dfrac{\log_2 \beta - \log_2 \alpha}{\beta - \alpha} = 1$

또 점 $Q(\beta, \log_2 \beta + 3)$는 $y = x$ 위의 점이므로

$\beta = \log_2 \beta + 3$에서 $\beta - 3 = \log_2 \beta$

∴ $\dfrac{\log_2 \beta}{\beta - 3} = $ **❷** $\underline{1}$

즉 $\dfrac{\log_2 \beta - \log_2 \alpha}{\beta - \alpha} = \dfrac{\log_2 \beta}{\beta - 3} = 1$ (×)

참고

$A(3, 0)$, $Q'(\beta, \log_2 \beta)$

$R(6, \log_2 \alpha)$라 하면

(직선 PQ의 기울기)

= (직선 AQ' 기울기)

즉 $1 = \dfrac{\log_2 \beta}{\beta - 3}$

임을 알 수 있다.

또 (직선 AQ' 기울기) > (직선 AR의 기울기)

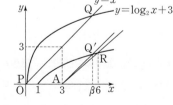

---

08 🅰 ③

ㄱ. 두 점 $(2, 0)$, $(a, \log_n a)$를 지나는 직선의 기울기는

$\dfrac{\log_n a}{a - 2}$이고 (나)에서 **❶** $\dfrac{\log_n a}{a - 2} \leq \dfrac{1}{2}$

$a \geq 3$이므로 위 부등식을 정리하면

$\log_n a \leq \dfrac{1}{2}(a - 2)$ (○)

ㄴ. $n = 4$, 즉 $y = \log_4 x$의 그래프에서 두 점 $(2, 0)$, $(a, \log_n a)$

를 지나는 직선의 기울기가 $\dfrac{1}{2}$ 이하가 되도록 하는 자연수 a는

$4, 5, 6, \cdots$

따라서 이 값들 중에서 주어진 조건을 만족시키는 가장 작은

자연수는 4이므로 $f(4) = 4$ (○)

ㄷ. $y = \log_5 x$에서 다음과 같이 $f(5)$를 생각할 수 있다.

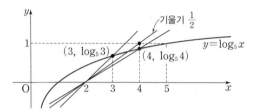

그림처럼 생각하면 두 점 $(2, 0)$, $(3, \log_5 3)$을 지나는 직선의

기울기는 $\log_5 3 > \log_5 \sqrt{5} = \dfrac{1}{2}$이고, $(2, 0)$, $(4, \log_5 4)$를

지나는 직선의 기울기는 $\dfrac{\log_5 4}{2} < \dfrac{\log_5 5}{2} = \dfrac{1}{2}$이다.

즉 두 점 $(2, 0)$, $(a, \log_5 a)$를 지나는 직선의 기울기가 $\dfrac{1}{2}$ 이

하가 되도록 하는 자연수 a값은 $4, 5, 6, \cdots$이므로

가장 작은 자연수는 4, 즉 $f(5) = 4$

마찬가지로 생각하면 $n = 6$일 때 두 점 $(2, 0)$, $(3, \log_6 3)$을

지나는 직선의 기울기가 $\dfrac{1}{2}$ 보다 크고, 이것은 $n = 7, 8$일 때도

마찬가지이다.

$n = 9$일 때 두 점 $(2, 0)$, $(3, \log_9 3)$을 지나는 직선의 기울기는

$\log_9 3 = \dfrac{1}{2}$이므로 두 점 $(2, 0)$, $(a, \log_9 a)$를 지나는 직선의

기울기가 $\dfrac{1}{2}$ 이하가 되도록 하는 자연수 a는 $3, 4, 5, 6, \cdots$이

다. 즉 $f(9) = $ **❷** $\underline{3}$ 이다.

$n = 10, 11, \cdots, 32$일 때

$\log_{10} 3 < \dfrac{1}{2}$, $\log_{11} 3 < \dfrac{1}{2}$, $\cdots$, $\log_{32} 3 < \dfrac{1}{2}$이므로

$f(9) = f(10) = \cdots = f(32) = 3$

∴ $\displaystyle\sum_{n=4}^{32} f(n) = 4 \times 5 + 3 \times 24 = 92$ (×)

따라서 옳은 것은 ㄱ, ㄴ

집중공략 유형03 삼각함수와 그 활용

01 ② **02-1** ③ **02-2** ③ **03-1** ③

03-2 13 **04** ④ **05** ⑤ **06** 67

07 8 **08** 53 **09** ① **10** 19

11 ④ **12** 18

---

01 답 ②

원의 중심을 O라 하자.

△OAB와 △OBC는 정삼각형이므로 $\overline{AB}=\overline{BC}=3$

△ABC에서 $\angle ABC=\dfrac{2\pi}{3}$이므로

코사인법칙에 따라

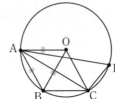

$\overline{AC}^2=3^2+3^2-2\times3\times3\times\cos\dfrac{2\pi}{3}=27$ ∴ $\overline{AC}=3\sqrt{3}$

□ABCP가 원에 내접하므로

$\angle ABC+\angle APC=\pi$, 즉 $\angle APC=\dfrac{\pi}{3}$

$\overline{AP}=x$, $\overline{CP}=y$라 하면 △ACP에서 코사인법칙에 따라

$(3\sqrt{3})^2=x^2+y^2-2xy\cos\dfrac{\pi}{3}$

즉 $27=(x+y)^2-3xy$에서 $x+y=8$이므로 $xy=\dfrac{37}{3}$

(△ABC의 넓이)$=\dfrac{1}{2}\times3\times3\times\sin\dfrac{2\pi}{3}=\dfrac{9\sqrt{3}}{4}$

(△ACP의 넓이)$=\dfrac{1}{2}\times x\times y\times\sin\dfrac{\pi}{3}=\dfrac{37\sqrt{3}}{12}$

∴ (□ABCP의 넓이)$=\dfrac{9\sqrt{3}}{4}+\dfrac{37\sqrt{3}}{12}=\dfrac{16\sqrt{3}}{3}$

02-1 답 ③

$\angle ABE=\angle AEB=30°$이므로 △ABE는 $\overline{AB}=\overline{AE}$인 이등변삼각형이다. $\overline{AE}=3$이므로 $\overline{ED}=$ ❶ $\underline{2}$

△BCD에서 코사인법칙을 이용하면

$\overline{BD}^2=\overline{BC}^2+\overline{CD}^2-2\times\overline{BC}\times\overline{CD}\times\cos\dfrac{2\pi}{3}=49$

∴ $\overline{BD}=$ ❷ $\underline{7}$

△BDE에서 사인법칙을 이용하면

$\dfrac{\overline{ED}}{\sin\theta}=\dfrac{\overline{BD}}{\sin\angle BED}$

즉 $\dfrac{2}{\sin\theta}=\dfrac{7}{\sin150°}$이므로

$\sin\theta=\dfrac{1}{7}$

△BDE는 밑변 $\overline{ED}=2$, 높이 $\overline{AB}\sin\dfrac{\pi}{3}=\dfrac{3\sqrt{3}}{2}$이므로 넓이가 $\dfrac{3\sqrt{3}}{2}$이다.

이등변삼각형 ABE에서 $\overline{BE}=3\sqrt{3}$이므로

△BDE$=\dfrac{1}{2}\times\overline{BE}\times\overline{BD}\times\sin\theta=\dfrac{21\sqrt{3}}{2}\sin\theta$

즉 $\dfrac{3\sqrt{3}}{2}=\dfrac{21\sqrt{3}}{2}\sin\theta$에서 $\sin\theta=\dfrac{1}{7}$

02-2 답 ③

△ABC에서 코사인법칙을 이용하면

$\overline{AC}^2=\overline{AB}^2+\overline{BC}^2-2\times\overline{AB}\times\overline{BC}\times\cos\dfrac{2\pi}{3}=49$

∴ $\overline{AC}=$ ❶ $\underline{7}$

$\angle ABD=\angle CBD$, 즉 삼각형 내각의 이등분선의 성질에서

$\overline{BC}:\overline{AB}=\overline{CD}:\overline{DA}=5:3$

$\overline{CD}=\overline{AC}\times\dfrac{5}{8}=7\times\dfrac{5}{8}=$ ❷ $\dfrac{35}{8}$

△BCD에서 사인법칙을 이용하면 $\dfrac{\overline{BC}}{\sin\theta}=\dfrac{\overline{CD}}{\sin\angle CBD}$

즉 $\dfrac{5}{\sin\theta}=\dfrac{\dfrac{35}{8}}{\sin60°}$이므로 $\sin\theta=\dfrac{4\sqrt{3}}{7}$

03-1 답 ③

$x-\dfrac{3}{4}\pi=\theta$라 하면 $x=\dfrac{3}{4}\pi+\theta$이므로 $x-\dfrac{\pi}{4}=\theta+\dfrac{\pi}{2}$

이때 $f(x)=\cos^2\left(x-\dfrac{3}{4}\pi\right)-\cos\left(x-\dfrac{\pi}{4}\right)+k$에서

$f\left(\theta+\dfrac{3}{4}\pi\right)=\cos^2\theta-\cos\left(\theta+\dfrac{\pi}{2}\right)+k$

$=1-\sin^2\theta+\sin\theta+k$

$=-\left(\sin\theta-\dfrac{1}{2}\right)^2+k+\dfrac{5}{4}$

$-1\le\sin\theta\le1$이므로 주어진 함수에서

최댓값은 $\sin\theta=\dfrac{1}{2}$일 때, $k+\dfrac{5}{4}=3$ ∴ $k=$ ❶ $\dfrac{7}{4}$

최솟값은 $\sin\theta=-1$일 때, $-\dfrac{9}{4}+\dfrac{7}{4}+\dfrac{5}{4}=$ ❷ $\dfrac{3}{4}=m$

∴ $k+m=\dfrac{7}{4}+\dfrac{3}{4}=\dfrac{5}{2}$

θ에 대한 함수 $f(\theta)$와 $f\left(\theta+\dfrac{3}{4}\pi\right)$를 비교하면 $f\left(\theta+\dfrac{3}{4}\pi\right)$의 그래프는 $f(\theta)$의 그래프를 θ축 방향으로 $-\dfrac{3}{4}\pi$만큼 평행이동한 것과 같으므로 최대, 최소에는 변함이 없다.

즉 $f(\theta)$와 $f\left(\theta+\dfrac{3}{4}\pi\right)$의 최대, 최소는 각각 서로 같다.

03-2 답 13

$x-\dfrac{\pi}{6}=\theta$라 하면 $x=\dfrac{\pi}{6}+\theta$이므로 $x+\dfrac{\pi}{3}=\theta+\dfrac{\pi}{2}$

이때 $f(x)=\sin^2\left(x-\dfrac{\pi}{6}\right)+2k\sin\left(x+\dfrac{\pi}{3}\right)+1$에서

$$f\left(\theta+\dfrac{\pi}{6}\right)=\sin^2\theta+2k\sin\left(\theta+\dfrac{\pi}{2}\right)+1$$
$$=-\cos^2\theta+2k\cos\theta+2$$
$$=-(\cos\theta-k)^2+k^2+2$$

$-1\le\cos\theta\le1$이므로 k값의 범위에 따라 나누어 생각하자.

(i) $k<-1$인 경우

최댓값은 $\cos\theta=-1$일 때 $-2k+1=5$, $k=-2$

최솟값은 $\cos\theta=1$일 때 $-9+6=-3=m$

(ii) $-1\le k<1$인 경우

최댓값은 $\cos\theta=k$일 때 $k^2+2=5$

이때 $k=\pm\sqrt{3}$이므로 범위 밖이다.

(iii) $k\ge1$인 경우

최댓값은 $\cos\theta=1$일 때 $2k+1=5$, $k=2$

최솟값은 $\cos\theta=-1$일 때 $-9+6=-3=m$

(i)~(iii)에서 $k=$❶ $\underline{\pm2}$이고, $m=$❷ $\underline{-3}$이므로 $k^2+m^2=13$

04 답 ④

ㄱ. 삼차방정식 $x^3-15x^2+kx-105=0$의 세 실근이 등차수열을 이루므로 세 실근을 $a-d$, a, $a+d$라 하면 삼차방정식의 근과 계수의 관계에서 $(a-d)+a+(a+d)=15$

$\therefore a=5$

즉 주어진 방정식의 한 근이 5이므로 $x=5$를 대입하면

$5^3-15\times5^2+5k-105=0$ $\quad\therefore k=$❶ $\underline{71}$ ($\times$)

ㄴ. $k=71$을 방정식에 대입하면

$x^3-15x^2+71x-105$

$=(x-3)(x-5)(x-7)=0$

즉 $\triangle$ABC의 세 변의 길이가 3, 5,

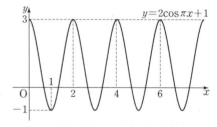

7이므로 가장 큰 각의 크기를 A라 하면 코사인법칙에서

$7^2=3^2+5^2-2\times3\times5\cos A$

$\cos A=\dfrac{3^2+5^2-7^2}{2\times3\times5}=-\dfrac{1}{2}$ $\quad\therefore A=$❷ $\underline{120°}$ ($\bigcirc$)

ㄷ. $\triangle$ABC에서 $A=120°$이므로

$(\triangle$ABC의 넓이$)=\dfrac{1}{2}\times5\times3\times\sin120°=\dfrac{15\sqrt{3}}{4}$ ($\bigcirc$)

참고

세 변의 길이를 알고 있으므로 헤론의 공식을 이용할 수 있다.

이때 $s=\dfrac{3+5+7}{2}=\dfrac{15}{2}$

$S=\sqrt{s(s-a)(s-b)(s-c)}=\sqrt{\dfrac{15}{2}\times\dfrac{9}{2}\times\dfrac{5}{2}\times\dfrac{1}{2}}=\dfrac{15\sqrt{3}}{4}$

05 답 ⑤

$-2^n\le x<2^n$일 때 $-\pi\le\dfrac{\pi}{2^n}x<\pi$이므로

부등식 $\sin\left(\dfrac{\pi}{2^n}x\right)\ge-\dfrac{\sqrt{2}}{2}$에서 $t=\dfrac{\pi}{2^n}x$라 할 때,

$-\pi\le t\le-\dfrac{3\pi}{4}$, $-\dfrac{\pi}{4}\le t<\pi$이므로

$-2^n\le x\le-\dfrac{3\times2^n}{4}$, $-\dfrac{2^n}{4}\le x<2^n$이다.

$n=1$이면 $-2\le x\le-\dfrac{3}{2}$, $-\dfrac{1}{2}\le x<2$ $\quad\therefore a_1=3$

$n=2$이면 $-4\le x\le-3$, $-1\le x<4$ $\quad\therefore a_2=7$

$n=3$이면 $-8\le x\le-6$, $-2\le x<8$ $\quad\therefore a_3=$❶ $\underline{13}$

$n=4$이면 $-16\le x\le-12$, $-4\le x<16$ $\quad\therefore a_4=25$

$n=5$이면 $-32\le x\le-24$, $-8\le x<32$ $\quad\therefore a_5=$❷ $\underline{49}$

$\displaystyle\sum_{n=1}^{5}a_n=3+7+13+25+49=97$

06 답 67

함수 $y=2\cos\pi x+1$의 그래프 개형은 다음과 같다.

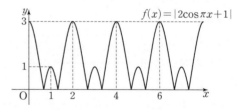

이를 이용하여 함수 $y=f(x)$를 그려보면 다음과 같다.

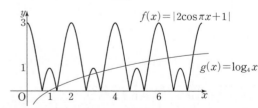

함수 $g(x)=\log_4 x$는 $1\le x<4$일 때, $0\le g(x)<1$이고,

$4\le x\le64$일 때, $1\le g(x)\le3$이므로

$1\le x<4$일 때, 교점은 ❶ $\underline{6}$ 개다.

$4\le x<64$일 때, $1\le y<3$에서 교점이 생기고, $f(x)$는 주기가 2인 함수이므로 x값이 2만큼 커질 때마다 교점이 2개씩 생긴다.

즉 $4\le x<64$에서 교점은 ❷ $\underline{60}$ 개다.

또 $x=64$일 때, $f(64)=g(64)=3$이므로 교점이 ❸ $\underline{1}$ 개 생긴다.

$x>64$일 때, $g(x)>3$이므로 교점은 더 이상 없다.

따라서 구하려는 교점의 개수는 $6+60+1=67$

07 답 8

방정식 $4\cos^2\left(\frac{\pi}{2}+x\right)+4\cos x+a-4=0$에서

$\cos^2\left(\frac{\pi}{2}+x\right)=\sin^2 x=1-\cos^2 x$를 이용해 정리하면

$4\cos^2 x-4\cos x=a$이고

$\cos x=t$로 치환하면

$4t^2-4t=a\ (-1\le t\le 1)$

이때 $f(t)=4t^2-4t$라 하고,

함수 $y=f(t)$의 그래프를 그리면 그림과 같다.

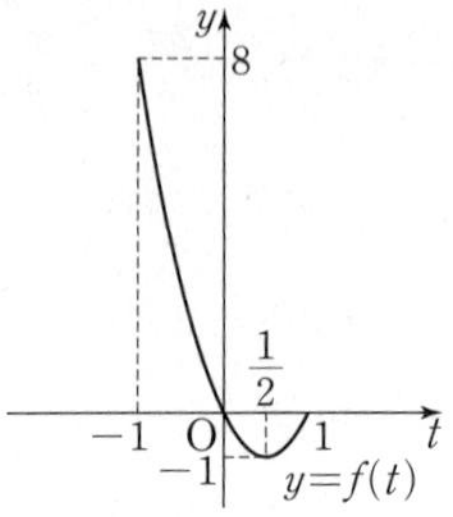

$a=-1$일 때, $t=\frac{1}{2}$이므로 그림처럼 $y=\cos x$의 그래프와 직선 $y=\frac{1}{2}$의 교점은 2개다.

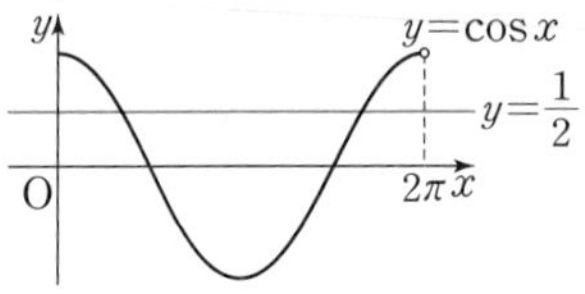

즉 실근 x는 ❶ 2 개다.

$-1<a<0$일 때, $t=\alpha, \beta\ (\alpha<\beta)$라 하면

$0<\alpha<\frac{1}{2}, \frac{1}{2}<\beta<1$이다.

이때 $y=\cos x$의 그래프와 두 직선 $y=\alpha$, $y=\beta$의 교점은 그림처럼 모두 4개이므로 실근 x는 ❷ 4 개다.

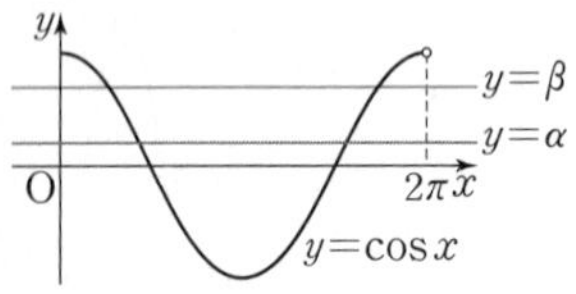

$a=0$일 때, $t=0$, 1이므로 그림처럼 $y=\cos x$의 그래프와 $y=0$, $y=1$의 교점은 3개다. 즉 실근 x는 ❸ 3 개다.

$0<a<8$일 때, $t=\gamma$라 하면 $-1<\gamma<0$이다.

이때 $y=\cos x$의 그래프와 직선 $y=\gamma$의 교점은 그림처럼 2개이므로 실근 x도 2개다.

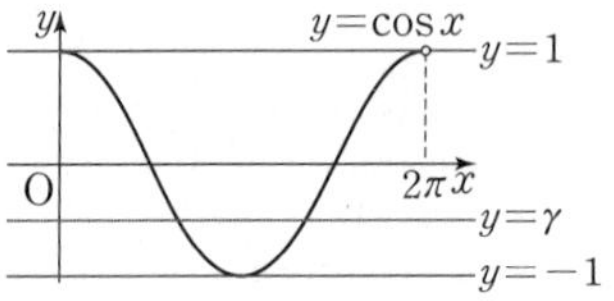

$a=8$일 때, $t=-1$이므로 $y=\cos x$의 그래프와 직선 $y=-1$의 교점은 그림처럼 1개이므로 실근 x도 1개다.

따라서 실근이 2개가 되도록 하는 a값의 범위는

$a=-1$, $0<a<8$이므로 가능한 정수 a는 8개다.

08 답 53

원 O의 반지름 길이를 R, 원 O'의 반지름 길이를 r라 하면

사인법칙에서 $\frac{\overline{AC}}{\sin\alpha}=2R$, $\frac{\overline{AC}}{\sin\beta}=2r$

두 식끼리 나누면 $\frac{\sin\beta}{\sin\alpha}=\frac{R}{r}=\frac{5}{3}$

즉 두 외접원의 반지름 길이의 비는 5 : 3이므로 $r=$ ❶ $\frac{3}{5}R$

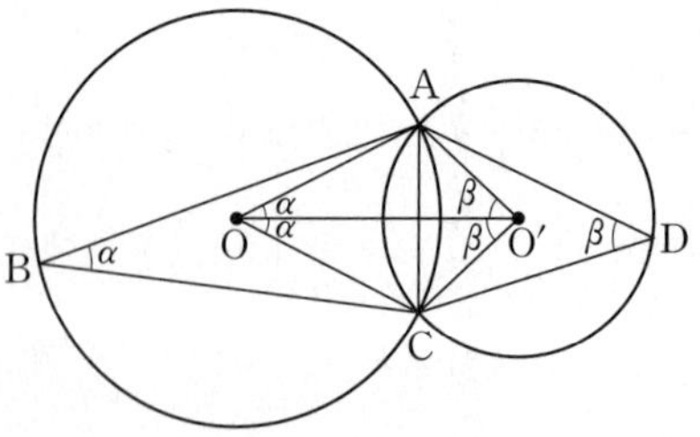

한편 $\angle AOC=2\alpha$, $\angle AO'C=2\beta$이고,

$\triangle AOO'\equiv\triangle COO'$(SSS 합동)이므로

$\angle AOO'=\alpha$, $\angle AO'O=\beta$ 이때 $\angle OAO'=\pi-(\alpha+\beta)$

$\triangle AOO'$에서 $1=R^2+r^2-2Rr\cos(\pi-(\alpha+\beta))$

즉 $1=R^2+\frac{9}{25}R^2+\frac{6}{5}R^2\times\left(-\frac{1}{5}\right)$에서 $R^2=$ ❷ $\frac{25}{28}$

$\therefore$ ($\triangle ABC$의 외접원의 넓이)$=\pi R^2=\frac{25}{28}\pi$

따라서 $p+q=28+25=53$

09 답 ①

원의 둘레를 10등분했으므로 $\theta=36°$다.

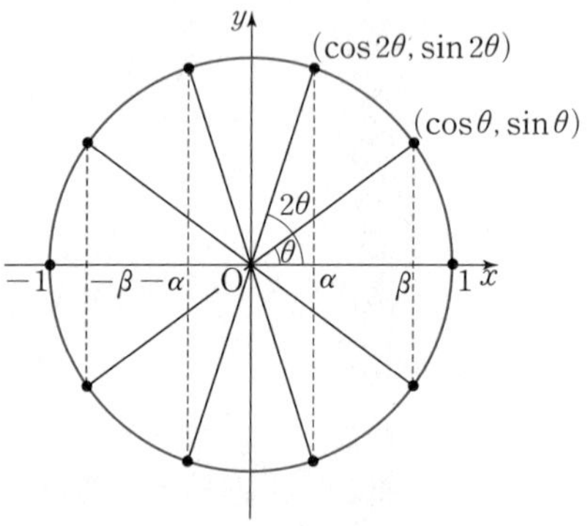

$\cos\theta=\beta$, $\cos 2\theta=\alpha$라 하면

$\cos 3\theta=-\alpha$, $\cos 4\theta=-\beta$, $\cos 5\theta=-1$, $\cos 6\theta=-\beta$,

$\cos 7\theta=-\alpha$, $\cos 8\theta=\alpha$, $\cos 9\theta=\beta$이므로

$\sum_{k=1}^{9} k\cos k\theta=\cos\theta+2\cos 2\theta+3\cos 3\theta+\cdots+9\cos 9\theta$

$=(2-3-7+8)\alpha+(1-4-6+9)\beta-5=$ ❶ -5

마찬가지로 $\tan\theta=a$, $\tan 2\theta=b$라 하면

$\tan 4\theta=-a$, $\tan 6\theta=a$, $\tan 5\theta=0$이고

$\sum_{k=1}^{9}\tan k^2\theta=\tan\theta+\tan 4\theta+\tan 9\theta+\cdots+\tan 81\theta$

$=a-a-a+a+0+a-a-a+a=$ ❷ 0

$\therefore \sum_{k=1}^{9}(k\cos k\theta+\tan k^2\theta)=-5$

10 답 19

$\angle BAD=\angle BCD=\beta$라 하면

두 삼각형 ABD, CBD의 넓이를 각각 S_1, S_2라 했으므로

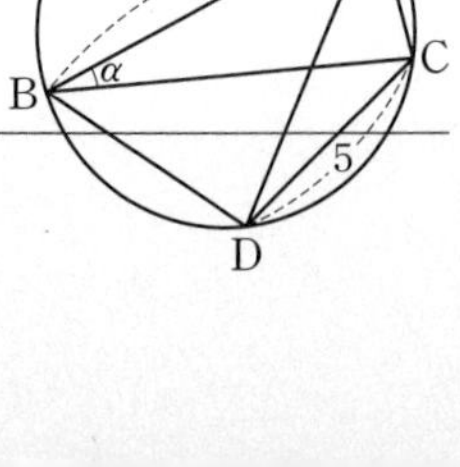

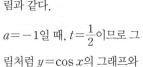

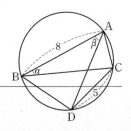

$$S_1 = \frac{1}{2} \times 8 \times \overline{AD} \times \sin\beta$$
$$= 4\overline{AD}\sin\beta$$
$$S_2 = \frac{1}{2} \times 5 \times \overline{BC} \times \sin\beta = \frac{5}{2}\overline{BC}\sin\beta$$

주어진 조건에서 $S_1 : S_2 = 8 : 5$ 이므로
$S_1 : S_2 = 8\overline{AD} : 5\overline{BC} = 8 : 5$ 이려면 $\overline{AD} = \overline{BC}$라야 한다.
이때 $\overline{AD} = \overline{BC} = a$, $\overline{AC} = b$라 하자.

또 조건에서 $\cos\alpha = \dfrac{13}{14}$이므로

$\triangle ABC$에서 $b^2 = 8^2 + a^2 - 2 \times 8 \times a \times \cos\alpha$

$\triangle ADC$에서 $b^2 = 5^2 + a^2 - 2 \times 5 \times a \times \cos\alpha$

즉 $64 + a^2 - \dfrac{104}{7}a = 25 + a^2 - \dfrac{65}{7}a$

정리하면 $\dfrac{39}{7}a = 39$이므로 $a = \overline{AD} = \overline{BC} = $ ❶ $\underline{7}$

한편 $\sin\alpha = \sqrt{1 - \left(\dfrac{13}{14}\right)^2} = \dfrac{3\sqrt{3}}{14}$

$\therefore S = \dfrac{1}{2} \times 5 \times 7 \times \sin\alpha = $ ❷ $\underline{\dfrac{15\sqrt{3}}{4}}$

따라서 $p + q = 15 + 4 = 19$

11 답 ④

$h(x) = g(f(x))$이므로
$$g(f(x)) = \sqrt{1 + 2\sin x\cos x} - \sqrt{1 - 2\sin x\cos x}$$
$$= \sqrt{(\sin x + \cos x)^2} - \sqrt{(\sin x - \cos x)^2}$$
$$= |\sin x + \cos x| - |\sin x - \cos x|$$

ㄱ. $h\left(\dfrac{\pi}{5}\right) = \left|\sin\dfrac{\pi}{5} + \cos\dfrac{\pi}{5}\right| - \left|\sin\dfrac{\pi}{5} - \cos\dfrac{\pi}{5}\right|$

$\qquad = \left(\sin\dfrac{\pi}{5} + \cos\dfrac{\pi}{5}\right) - \left(\cos\dfrac{\pi}{5} - \sin\dfrac{\pi}{5}\right)$

$\qquad = 2\sin\dfrac{\pi}{5}$ $\left(\because 0 < \sin\dfrac{\pi}{5} < \cos\dfrac{\pi}{5}\right)$ (×)

한편 $h(x) = |\sin x + \cos x| - |\sin x - \cos x|$에서
$x = \dfrac{\pi}{4}, \dfrac{3}{4}\pi, \dfrac{5}{4}\pi, \dfrac{7}{4}\pi$일 때 절댓값 기호 안의 값이 0이므로 범위를 나누어 $y = h(x)$의 그래프를 생각해 보자.

(i) $0 \leq x < \dfrac{\pi}{4}$일 때
$\quad h(x) = |\sin x + \cos x| - |\sin x - \cos x|$
$\qquad = (\sin x + \cos x) - (\cos x - \sin x)$
$\qquad = $ ❶ $\underline{2\sin x}$

(ii) $\dfrac{\pi}{4} \leq x < \dfrac{3}{4}\pi$일 때
$\quad h(x) = |\sin x + \cos x| - |\sin x - \cos x|$
$\qquad = (\sin x + \cos x) - (\sin x - \cos x)$
$\qquad = $ ❷ $\underline{2\cos x}$

(iii) $\dfrac{3}{4}\pi \leq x < \dfrac{5}{4}\pi$일 때
$\quad h(x) = |\sin x + \cos x| - |\sin x - \cos x|$
$\qquad = -(\sin x + \cos x) - (\sin x - \cos x)$
$\qquad = $ ❸ $\underline{-2\sin x}$

(iv) $\dfrac{5}{4}\pi \leq x < \dfrac{7}{4}\pi$일 때
$\quad h(x) = |\sin x + \cos x| - |\sin x - \cos x|$
$\qquad = -(\sin x + \cos x) + (\sin x - \cos x)$
$\qquad = -2\cos x$

(v) $\dfrac{7}{4}\pi \leq x < \dfrac{9}{4}\pi$일 때
$\quad h(x) = |\sin x + \cos x| - |\sin x - \cos x|$
$\qquad = (\sin x + \cos x) - (\cos x - \sin x)$
$\qquad = 2\sin x$

즉 $x \geq 0$에서 $y = h(x)$의 그래프는 다음과 같다.

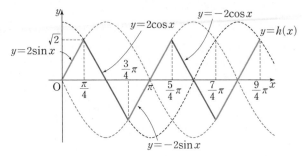

ㄴ. 위 그래프에서 $y = h(x)$의 주기는 π (○)

ㄷ. $y = h(x)$의 최댓값은 $\sqrt{2}$ (○)

12 답 18

$y = \sin\dfrac{\pi x}{5}$의 주기는 10이므로 그래프 개형은 다음과 같다.

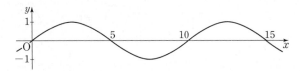

k가 정수일 때,

$10k < x < 10k + 5$이면 $\sin\dfrac{\pi x}{5} > 0$,

$10k + 5 < x < 10k + 10$이면 $\sin\dfrac{\pi x}{5} < 0$

$x = 5k$이면 $\sin\dfrac{\pi x}{5} = 0$이므로

$\sin\dfrac{\pi x}{5} > 0$이면 $\dfrac{\sin\dfrac{\pi x}{5}}{\sin\dfrac{\pi x}{5}} + n = n + 1$

$\sin\dfrac{\pi x}{5} < 0$이면 $\dfrac{-\sin\dfrac{\pi x}{5}}{\sin\dfrac{\pi x}{5}} + n = n - 1$

$$\therefore f(x)=\begin{cases} n+1 & (10k<x<10k+5) \\ n-1 & (10k+5<x<10k+10) \\ n & (x=5k) \end{cases}$$

이때 함수 $f(x)$의 치역은 $\{n-1,\ n,\ n+1\}$이므로 실수 전체 집합에서 함수 $(f\circ f)(x)$가 상수함수가 되는 n값을 구해 보자.

실수 전체의 집합에서 $X_1=\{x\,|\,10k<x<10k+5\}$, $X_2=\{x\,|\,10k+5<x<10k+10\}$, $X_3=\{x\,|\,x=5k\}$라 하면 함수 $(f\circ f)(x)$가 상수함수인 경우는 다음과 같다.

(i) $(f\circ f)(x)=n+1$인 경우

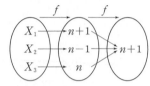

즉 $n+1\in X_1$, $n-1\in X_1$, $n\in X_1$이면 가능하다. 이때
$10k<n+1<10k+5$,
$10k<n-1<10k+5$,
$10k<n<10k+5$
를 만족시키는 공통 범위는 $10k+1<n<10k+4$이므로
$n=$^❶ $10k+2$, $10k+3$ (k는 정수)

(ii) $(f\circ f)(x)=n-1$인 경우

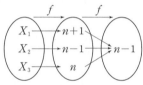

즉 $n+1\in X_2$, $n-1\in X_2$, $n\in X_2$이면 가능하다. 이때
$10k+5<n+1<10k+10$,
$10k+5<n-1<10k+10$,
$10k+5<n<10k+10$
을 만족시키는 공통 범위는 $10k+6<n<10k+9$이므로
$n=$^❷ $10k+7$, $10k+8$ (k는 정수)

(iii) $(f\circ f)(x)=n$인 경우

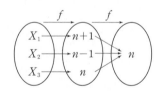

즉 $n+1\in X_3$, $n-1\in X_3$, $n\in X_3$이어야 하는데, 이런 자연수 n은 존재하지 않는다.

(i)~(iii)에서 가능한 자연수 n은
$10k+2$, $10k+3$, $10k+7$, $10k+8$ (k는 정수)이므로 30 이하의 자연수 중에서는
2, 3, 7, 8, 12, 13, 17, 18, 22, 23, 27, 28이다.
즉 $(f\circ f)(x)$가 상수함수가 되는 n값은 12개다.
따라서 구하려는 자연수 n의 개수는 $30-12=18$

참고

(i)에서 n값의 범위를 수직선 위에서 생각하면 공통 범위는 $10k+1<n<10k+4$이므로 이때 $n=10k+2$, $10k+3$이 가능하다.

집중공략 **유형04** 수열의 합과 수열의 규칙성

01 ④	**02-1** ②	**02-2** 96	**03-1** 212
03-2 204	**04** 51	**05** ④	**06** 162
07 ②	**08** ④	**09** ④	**10** ⑤
11 117	**12** 624	**13** ⑤	**14** ③

01 답 ④

(가)에서 $a_{10}=a_{20}+1=1+1=2$, $a_5=a_{10}+1=2+1=3$

(나)에서 $a_2=\dfrac{a_5-1}{2}=\dfrac{3-1}{2}=1$

(가)에서 $a_1=a_2+1=1+1=2$

또 (가), (나)를 더하면 $a_{2n}+a_{2n+1}=3a_n$ ······㉠

㉠에 $n=1$을 대입하면 $a_2+a_3=3a_1$

㉠에 $n=2$, 3을 각각 대입하여 더하면
$(a_4+a_5)+(a_6+a_7)=3a_2+3a_3$
$\qquad\qquad\qquad\quad =3(a_2+a_3)$
$\qquad\qquad\qquad\quad =3^2 a_1$
즉 $a_4+a_5+a_6+a_7=3^2 a_1$ ······㉡

같은 방법으로 ㉠에 $n=4$, 5, 6, 7을 각각 대입하여 더하면
$(a_8+a_9)+(a_{10}+a_{11})+(a_{12}+a_{13})+(a_{14}+a_{15})$
$=3(a_4+a_5+a_6+a_7)=3^3 a_1$
따라서 $a_8+a_9+a_{10}+\cdots+a_{15}=3^3 a_1$ ······㉢

또 ㉠에 $n=8$, 9, 10, $\cdots$, 15를 각각 대입하여 더하면
$(a_{16}+a_{17})+(a_{18}+a_{19})+\cdots+(a_{30}+a_{31})$
$=3(a_8+a_9+\cdots+a_{15})=3^4 a_1$ ······㉣

또 ㉠에 $n=16$, 17, 18, $\cdots$, 31을 각각 대입하여 더하면
$(a_{32}+a_{33})+(a_{34}+a_{35})+\cdots+(a_{62}+a_{63})$
$=3(a_{16}+a_{17}+\cdots+a_{31})=3^5 a_1$

$\therefore \displaystyle\sum_{n=1}^{63} a_n=a_1+(a_2+a_3)+(a_4+\cdots+a_7)+(a_8+\cdots+a_{15})$
$\qquad\qquad +(a_{16}+\cdots+a_{31})+(a_{32}+\cdots+a_{63})$
$\qquad =a_1+3a_1+3^2 a_1+3^3 a_1+3^4 a_1+3^5 a_1$
$\qquad =\dfrac{2(3^6-1)}{3-1}=728$

02-1 답 ②

수열 $\{a_n\}$은 첫째항이 30이고 공차가 $-d$인 등차수열이므로
$a_n=30-(n-1)d$ $(n\geq 1)$이고
$a_m+a_{m+1}+\cdots+a_{m+k}$
$=\dfrac{(k+1)\{30-(m-1)d+30-(m+k-1)d\}}{2}$
$=\dfrac{(k+1)\{60-(2m+k-2)d\}}{2}=0$

$k+1>0$이므로 [●]$\underline{(2m+k-2)d=60}$

$\therefore 2m+k=2+\dfrac{60}{d}$

이 등식을 만족시키는 자연수 m, k가 존재하려면 d가 [●]$\underline{60의\ 약수}$
이어야 한다.

$60=2^2\times3\times5$에서 60의 약수 $3\times2\times2=12$(개)는 조건을 만족
시키는 d가 된다.

◀ 다른 풀이 ▶

등차수열의 부분합이 0이므로

$a_m+a_{m+1}+a_{m+2}+\cdots+a_{m+k}=0$에서 이 $(k+1)$개의 등차수열이 대칭
성을 이루는 경우를 생각한다.

(i) $k+1$이 홀수, 즉 한 가운데 있는 항이 0일 때

$$
\begin{array}{c}
\overset{d}{\frown}\ \overset{d}{\frown} \\
\bullet\ \cdots\ \bullet\ \bullet\ \bullet\ \cdots\ \bullet \\
a_m\quad\ \ a_{p-1}\ a_p\ a_{p+1}\quad\ a_{m+k}
\end{array}
$$

그림처럼 생각하면 $a_p=30+(p-1)(-d)=0$에서

$p=1+\dfrac{30}{d}$이 자연수이므로 d는 $30=2\times3\times5$의 약수가 된다.

즉 d가 될 수 있는 자연수는 $2\times2\times2=8$(개)

(ii) $k+1$이 짝수, 즉 한 가운데 있는 항이 존재하지 않을 때

$$
\begin{array}{c}
\overset{d}{\frown}\ \overset{\frac{d}{2}}{\frown}\ \overset{\frac{d}{2}}{\frown} \\
\bullet\ \cdots\ \bullet\ \bullet\ \bullet\ \bullet\ \cdots\ \bullet \\
a_m\quad a_{p-2}\ a_{p-1}\ 0\ a_p\ a_{p+1}\quad a_{m+k}
\end{array}
$$

그림처럼 생각하며 $a_{p-1}=30+(p-2)(-d)=\dfrac{d}{2}$에서

$p=\dfrac{30}{d}+\dfrac{3}{2}$이 자연수가 되도록하는 자연수 d는 $4, 12, 20, 60$

(i), (ii)에서 d가 될 수 있는 자연수는 $8+4=12$(개)

02-2 답 96

수열 $\{a_n\}$은 첫째항이 30이고 공차가 $-d$인 등차수열이므로

$a_n=30-(n-1)d\ (n\geq1)$이고

(가)에 따라 $a_n=30-(n-1)d\neq0$, 즉 $(n-1)d\neq30$에서

d는 [●]$\underline{30의\ 약수}$가 아니다.

또 (나)에서

$a_m+a_{m+1}+\cdots+a_{m+k}$

$=\dfrac{(k+1)\{30-(m-1)d+30-(m+k-1)d\}}{2}$

$=\dfrac{(k+1)\{60-(2m+k-2)d\}}{2}=0$

$k+1>0$이므로 $(2m+k-2)d=60$

$\therefore 2m+k=2+\dfrac{60}{d}$

이 등식을 만족시키는 자연수 m, k가 존재하려면 d가 60의 약수
이어야 한다. 즉 d는 30의 약수가 아니면서 60의 약수가 되는 자
연수이므로 가능한 d는 [●]$\underline{4, 12, 20, 60}$이다.

따라서 구하려는 합은 $4+12+20+60=96$

03-1 답 212

문제의 조건에서 $a_1=4k$ (k는 자연수)이므로 이것을 이용하면
$a_5=7$이 되는 정수 k값은 다음과 같다.

a_1	$4k$		
a_2	$2k$		
a_3	k		
a_4	k가 홀수	k가 짝수	
	$k+3$	$\dfrac{k}{2}$	
a_5	$\dfrac{k+3}{2}$	$\dfrac{k}{2}$가 홀수	$\dfrac{k}{2}$가 짝수
		$\dfrac{k}{2}+3$	$\dfrac{k}{4}$
k	11	8	28

(i) $k=11$인 경우 $a_3=k$가 홀수 조건을 만족시키므로 $a_1=44$

(ii) $k=8$인 경우 $a_4=4$이므로 홀수라는 조건에 어긋난다.

(iii) $k=28$인 경우 k가 짝수라는 조건과 $a_4=14$가 짝수라는 조건
   을 모두 만족시키므로 $a_1=112$

즉 a_1로 가능한 값은 [●]$\underline{44, 112}$이므로 그 합은 $44+112=156$

또 $a_5=7$이므로 주어진 수열의 정의에 대입해 보면

$a_6=10, a_7=5, a_8=8, a_9=4, a_{10}=2, a_{11}=1$

$a_{12}=$ [●]$\underline{4}$, $a_{13}=2, a_{14}=1, a_{15}=4, \cdots$

즉 9번째 항부터 $4, 2, 1$이 반복된다.

$\displaystyle\sum_{n=9}^{32}a_n=(4+2+1)+(4+2+1)+\cdots+(4+2+1)$

$\qquad\quad=(4+2+1)\times8=56$

따라서 $p=156$, $q=56$이므로 $p+q=212$

◀ 참고 ▶

❶ $a_1=44$일 때 수열 $\{a_n\}$을 직접 구해보면 다음과 같다.

  $44, 22, 11, 14, 7, 10, 5, 8, 4, 2, 1, 4, 2, 1, 4, \cdots$

❷ $a_1=112$일 때 수열 $\{a_n\}$을 직접 구해보면 다음과 같다.

  $112, 56, 28, 14, 7, 10, 5, 8, 4, 2, 1, 4, 2, 1, \cdots$

03-2 답 204

$a_1=4k$, $4k+2$ 각각에 대하여 $a_5=6$이 되는 정수 k값을 다음과
같이 구할 수 있다.

(i) $a_1=4k$인 경우

a_1	$4k$		
a_2	$2k$		
a_3	k		
a_4	k가 홀수	k가 짝수	
	$k+3$	$\dfrac{k}{2}$	
a_5	$\dfrac{k+3}{2}$	$\dfrac{k}{2}$가 홀수	$\dfrac{k}{2}$가 짝수
		$\dfrac{k}{2}+3$	$\dfrac{k}{4}$
k	9	6	24

$k=9, 6, 24$는 모두 가능하므로

첫째항 a_1이 될 수 있는 수는 36, 24, 96으로 3개다.

(ii) $a_1=4k+2$인 경우

a_1	$4k+2$	
a_2	$2k+1$	
a_3	$2k+4$	
a_4	$k+2$	
a_5	a_4가 홀수 (k가 홀수)	a_4가 짝수 (k가 짝수)
	$k+5$	$\dfrac{k+2}{2}$
k	1	10

$k=1, 10$은 모두 가능하므로

첫째항 a_1이 될 수 있는 수는 6, 42로 2개다.

(i), (ii)에서 첫째항 a_1이 될 수 있는 수는 <u>❶ 5</u> 개이고

그 합은 $36+24+96+6+42=204$

04 🖩 51

 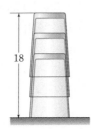

주어진 조건에 따라 마지막으로 쌓은 유리컵의 밑면까지의 높이

가 a_n이므로 그림처럼 유리컵을 쌓을 때,

$a_2=a+\left(a-\dfrac{3}{5}a\right)=a+\dfrac{2}{5}a$, $a_3=\left(a+\dfrac{2}{5}a\right)+\dfrac{2}{5}a$

즉 수열 $\{a_n\}$은 첫째항이 a이고 공차가 <u>❶ $\dfrac{2}{5}$</u> 인 등차수열이다.

$\therefore a_n=a+(n-1)\times\dfrac{2}{5}a=\left(\dfrac{2n+3}{5}\right)a$

또 $a_3=\dfrac{9}{5}a=18$이므로 $a=$ <u>❷ 10</u>

이때 $a_n=2(2n+3)=4n+6$

$\displaystyle\sum_{n=1}^{10}\dfrac{1}{a_na_{n+1}}=\sum_{n=1}^{10}\dfrac{1}{a_{n+1}-a_n}\left(\dfrac{1}{a_n}-\dfrac{1}{a_{n+1}}\right)$

$=\dfrac{1}{4}\left\{\left(\dfrac{1}{a_1}-\dfrac{1}{a_2}\right)+\cdots+\left(\dfrac{1}{a_{10}}-\dfrac{1}{a_{11}}\right)\right\}$

$=\dfrac{1}{4}\left(\dfrac{1}{10}-\dfrac{1}{50}\right)=\dfrac{1}{50}$

따라서 $p=50$, $q=1$이므로 $p+q=51$

05 🖩 ④

첫째항이 -21이고 공차가 4인 등차수열의 첫째항부터 제n항까

지의 합 S_n은 $S_n=\dfrac{n\{2(-21)+(n-1)\times4\}}{2}=$ <u>❶ $n(2n-23)$</u>

즉 S_n이 n에 대한 이차함수이고, 그래프 개형은 다음과 같다.

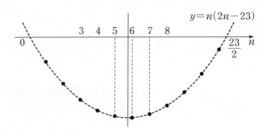

$y=S_n$의 그래프에서 축은 $\dfrac{23}{4}=5.75$이므로 S_6이 최소이고,

$5.75-3=2.75$, $8-5.75=2.25$이므로 $S_3>S_8$이다.

즉 $S_6<S_5<S_7<S_4<S_8(=-56)<S_3(=-51)\cdots$에서

$S_4+S_5+S_6+S_7+S_8<S_3+S_4+S_5+S_6+S_7$

그러므로 $\displaystyle\sum_{k=m}^{m+4}S_k=S_m+S_{m+1}+S_{m+2}+S_{m+3}+S_{m+4}$는

$m=$ <u>❷ 4</u> 일 때 최소임을 알 수 있다.

$\therefore \displaystyle\sum_{k=4}^{8}S_k=\sum_{k=4}^{8}(2k^2-23k)$

$=2\left(\dfrac{8\times9\times17}{6}-\dfrac{3\times4\times7}{6}\right)-23\left(\dfrac{8\times9}{2}-\dfrac{3\times4}{2}\right)$

$=2\times190-23\times30=-310$

06 🖩 162

등비수열 $\{a_n\}$의 공비를 r (r는 정수)라 하면

첫째항이 2이므로 $a_n=2r^{n-1}$, 이때 $a_2=2r$, $a_3=2r^2$

㈎에서 $4<2r+2r^2\leq12$, 즉 $2<r+r^2\leq6$

$r^2+r>2$에서 $r^2+r-2=(r+2)(r-1)>0$이므로

$r<-2$ 또는 $r>1$ ……㉠

$r^2+r\leq6$에서 $r^2+r-6=(r+3)(r-2)\leq0$이므로

$-3\leq r\leq2$ ……㉡

㉠, ㉡에서 $-3\leq r<-2$ 또는 $1<r\leq2$

r가 정수이므로 $r=-3$ 또는 $r=2$

(i) $r=2$인 경우

㈏에서 $\displaystyle\sum_{k=1}^{m}a_k=\sum_{k=1}^{m}(2\times2^{k-1})=2(2^m-1)$

즉 $2(2^m-1)=122$에서

$2^m=62$를 만족시키는 자연수 m은 존재하지 않는다.

(ii) $r=-3$인 경우

㈏에서 $\displaystyle\sum_{k=1}^{m}a_k=\sum_{k=1}^{m}\{2\times(-3)^{k-1}\}=\dfrac{1-(-3)^m}{2}$

즉 $\dfrac{1-(-3)^m}{2}=122$에서

$1-(-3)^m=244$ $\therefore m=5$

(i), (ii)에서 $r=$ <u>❶ -3</u>, $m=$ <u>❷ 5</u> 이므로

$a_m=a_5=2\times(-3)^4=162$

07 답 ②

모든 자연수 k에 대하여

$$\frac{{}^{(가)}\sqrt{2k+1}+\sqrt{2k-1}}{2}<\sqrt{2k+1}<\frac{\sqrt{2k+1}+\sqrt{2k+3}}{2}$$ 이므로

$$\frac{2}{\sqrt{2k+1}+\sqrt{2k+3}}<\frac{1}{\sqrt{2k+1}}<\frac{2}{{}^{(가)}\sqrt{2k+1}+\sqrt{2k-1}}$$

즉 $\displaystyle\sum_{k=1}^{264}\frac{2}{\sqrt{2k+1}+\sqrt{2k+3}}<\sum_{k=1}^{264}\frac{1}{\sqrt{2k+1}}$

$$<\sum_{k=1}^{264}\frac{2}{\sqrt{2k+1}+\sqrt{2k-1}}$$

이때

$$\sum_{k=1}^{264}\frac{2}{\sqrt{2k+1}+\sqrt{2k+3}}$$

$$=\sum_{k=1}^{264}(\sqrt{2k+3}-\sqrt{2k+1})$$

$$=(\sqrt{5}-\sqrt{3})+(\sqrt{7}-\sqrt{5})+\cdots+(\sqrt{531}-\sqrt{529})$$

$$=-\sqrt{3}+\sqrt{531}>-2+23=21$$

$$(\because \sqrt{531}>\sqrt{529}=23,\ -\sqrt{3}>-2)$$

같은 방법으로

$$\sum_{k=1}^{264}\frac{2}{\sqrt{2k+1}+\sqrt{2k-1}}$$

$$=\sum_{k=1}^{264}(\sqrt{2k+1}-\sqrt{2k-1})$$

$$=(\sqrt{3}-\sqrt{1})+(\sqrt{5}-\sqrt{3})+\cdots+(\sqrt{529}-\sqrt{527})$$

$$=-\sqrt{1}+\sqrt{529}$$

$$=-1+23={}^{(나)}22$$

즉 $21<\displaystyle\sum_{k=1}^{264}\frac{1}{\sqrt{2k+1}}<22$이므로

S_{264}의 정수부분은 ${}^{(다)}21$이다.

$\therefore$ (가) $\sqrt{2k+1}+\sqrt{2k-1}$　(나) 22　(다) 21

즉 $f(k)=\sqrt{2k+1}+\sqrt{2k-1}$이므로 $f(24)=7+\sqrt{47}$이고

$a=22,\ b=21$이므로 $f(24)+2a+b=72+\sqrt{47}$

$\therefore m+n=72+47=119$

08 답 ④

그림 R_1에서 부채꼴 OA_1B_2의 호 A_1B_2와
선분 A_1B_1이 만나는 점을 C_1이라 하자.

$\overline{OA_1}=6,\ \overline{OB_1}=6\sqrt{3}$이므로

$\angle B_1A_1O=60°$이고

$\overline{OA_1}=\overline{OC_1}=6$이므로

$\triangle OA_1C_1$은 정삼각형이다.

$\angle C_1OA_1=60°$이므로

부채꼴 C_1OA_1의 넓이와 삼각형 C_1OA_1의 넓이 차는

$$\frac{1}{2}\times36\times\frac{\pi}{3}-\frac{1}{2}\times36\times\sin60°=6\pi-9\sqrt{3}\quad\cdots\cdots\ㄱ$$

또 $\angle C_1OB_1=30°$이므로

삼각형 C_1OB_1의 넓이와 부채꼴 C_1OB_2의 넓이 차는

$$\frac{1}{2}\times6\times6\sqrt{3}\times\sin30°-\frac{1}{2}\times6^2\times\frac{\pi}{6}=9\sqrt{3}-3\pi\quad\cdots\cdots\ㄴ$$

ㄱ, ㄴ에서

$$S_1=(6\pi-9\sqrt{3})+(9\sqrt{3}-3\pi)={}^{❶}3\pi$$

한편 삼각형 B_1OA_1과 삼각형 B_2OA_2의 닮음비는

$$\overline{OB_1}:\overline{OB_2}=6\sqrt{3}:6=\sqrt{3}:1$$

이므로 R_2에서 새로 만들어진 작은 ◣ 모양 도형의 넓이는

$$S_1\times\left(\frac{1}{\sqrt{3}}\right)^2=\frac{1}{3}S_1,\ 즉\ S_2=S_1+{}^{❷}\frac{1}{3}S_1$$

마찬가지로 R_3에서 새로 만들어진 작은 ◣ 모양 도형의 넓이는

$$\frac{1}{3}S_1\times\left(\frac{1}{\sqrt{3}}\right)^2=\frac{1}{9}S_1,\ 즉\ S_3=S_1+\frac{1}{3}S_1+\left(\frac{1}{3}\right)^2S_1$$

$$\therefore S_{12}=S_1+\frac{1}{3}S_1+\left(\frac{1}{3}\right)^2S_1+\cdots+\left(\frac{1}{3}\right)^{11}S_1$$

$$=\frac{3\pi\left\{1-\left(\frac{1}{3}\right)^{12}\right\}}{1-\frac{1}{3}}=\frac{9}{2}\pi\left\{1-\left(\frac{1}{3}\right)^{12}\right\}$$

09 답 ④

n단계에서 새로 만들어지는 정삼각형의 한 변의 길이는

$(n-1)$단계에서 만들어진 정삼각형의 한 변 길이의 $\frac{1}{3}$이므로

n단계에서 새로 만들어지는 정삼각형 1개의 넓이는

$(n-1)$단계에서 새로 만들어진 정삼각형 1개 넓이의 ${}^{❶}\frac{1}{9}$이다.

또 그 개수는 $(n-1)$단계의 도형의 변의 개수와 같다.

또 각 단계에서 변의 개수는 첫째항이 3이고 공비가 ${}^{❷}4$인 등비
수열을 따르므로 n번째 단계에서 만들어진 도형의 넓이를 S_n이
라 하면 다음과 같이 정리할 수 있다.

$S_1=10$

$S_2=S_1+10\times\dfrac{1}{9}\times3=10+10\times\dfrac{1}{3}$

$S_3=S_2+10\times\left(\dfrac{1}{9}\right)^2\times(3\times4)=10+10\times\dfrac{1}{3}+10\times\dfrac{1}{3}\times\dfrac{4}{9}$

$S_4=S_3+10\times\left(\dfrac{1}{9}\right)^3\times(3\times4^2)$

$\quad=10+10\times\dfrac{1}{3}+10\times\dfrac{1}{3}\times\dfrac{4}{9}+10\times\dfrac{1}{3}\times\left(\dfrac{4}{9}\right)^2$

이때 n번째 단계에서 만들어진 코흐 눈송이의 넓이는

$$S_n=10+\left\{10\times\left(\dfrac{1}{3}\right)\right\}+\left\{10\times\left(\dfrac{1}{3}\right)\times\left(\dfrac{4}{9}\right)\right\}$$

$$+\left\{10\times\left(\dfrac{1}{3}\right)\times\left(\dfrac{4}{9}\right)^2\right\}+\cdots+\left\{10\times\left(\dfrac{1}{3}\right)\times\left(\dfrac{4}{9}\right)^{n-2}\right\}$$

즉 코흐 눈송이의 넓이는 두 번째 항부터 공비가 $\dfrac{4}{9}$인 등비수열의

합이므로 구하려는 S_{10}은

$$S_{10}=10+\left\{10\times\left(\frac{1}{3}\right)\right\}+\left\{10\times\left(\frac{1}{3}\right)\times\left(\frac{4}{9}\right)\right\}$$
$$+\left\{10\times\left(\frac{1}{3}\right)\times\left(\frac{4}{9}\right)^{2}\right\}+\cdots+\left\{10\times\left(\frac{1}{3}\right)\times\left(\frac{4}{9}\right)^{8}\right\}$$
$$=10+\frac{10\times\left(\frac{1}{3}\right)\times\left\{1-\left(\frac{4}{9}\right)^{9}\right\}}{1-\frac{4}{9}}$$
$$=10+6\times\left\{1-\left(\frac{4}{9}\right)^{9}\right\}$$
$$=16-6\left(\frac{2}{3}\right)^{18}$$

따라서 $p=16$, $q=18$이므로 $p+q=34$

10 답 ⑤

함수 $g(x)=2x^2-3x+1=(x-1)(2x-1)$이므로
직선 $f(x)=k(x-1)$과 만나는 점의 좌표는 $(1,0)$이다.
㈎에서 세 수 $h(2)$, $h(3)$, $h(4)$가
이 순서대로 등차수열을 이루려면 직선 위의 점이어야 하므로
좌표평면 위의 세 점 $(2,h(2))$, $(3,h(3))$, $(4,h(4))$는
직선 $y=f(x)$ 위의 점이 된다. 즉
$h(2)=f(2)=k$, $h(3)=f(3)=2k$, $h(4)=f(4)=3k$
또 ㈏에서 세 수 $h(3)$, $h(4)$, $h(5)$가
이 순서대로 등비수열을 이룰 때 $h(3)=2k$, $h(4)=3k$이므
로 이 등비수열의 공비는 ^❶$\dfrac{3}{2}$ 이다. 즉 $h(5)=3k\times\dfrac{3}{2}=\dfrac{9}{2}k$
한편 $f(5)=4k$이고, $k\neq0$이므로 $f(5)\neq h(5)$
즉 $h(5)=g(5)$에서 $\dfrac{9}{2}k=36$이므로 $k=^{❷}\underline{8}$

$$\therefore h(n)=\begin{cases}8(n-1) & (1\le n\le4)\\2n^2-3n+1 & (n\ge5)\end{cases}$$

$$\sum_{n=1}^{10}h(n)=\sum_{n=1}^{4}8(n-1)+\sum_{n=5}^{10}(2n^2-3n+1)$$
$$=8(1+2+3)+2\left(\frac{10\times11\times21}{6}-\frac{4\times5\times9}{6}\right)$$
$$-3\left(\frac{10\times11}{2}-\frac{4\times5}{2}\right)+6$$
$$=48+2(385-30)-3(55-10)+6$$
$$=48+710-135+6=629$$

> **참고**
>
> $y=h(x)$의 그래프는 그림에서 붉은
> 색선으로 나타낸 부분이다. 그림은
> 실제 기울기인 8보다 훨씬 더 완만하
> 게 그려 문제 내용을 좀 더 이해하기
> 쉽도록 나타낸 것으로 생각한다.

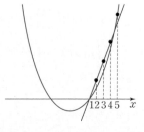

11 답 117

등차수열 $\{a_n\}$의 첫째항을 자연수 a_1, 공차를 음의 정수 d라 하면
모든 항은 정수이다. 마찬가지로 등비수열 $\{b_n\}$의 첫째항을 자연
수 b_1, 공비를 음의 정수 r라 하면 모든 항은 정수이다. 이때

$$\sum_{n=1}^{5}(a_n+b_n)=27 \quad\cdots\cdots\ \text{㉠}$$

$$\sum_{n=1}^{5}(a_n+|b_n|)=67 \quad\cdots\cdots\ \text{㉡}$$

$$\sum_{n=1}^{5}(|a_n|+|b_n|)=81 \quad\cdots\cdots\ \text{㉢}$$

이라 하면 ㉡$-$㉠에서 $\sum_{n=1}^{5}(|b_n|-b_n)=40 \quad\cdots\cdots\ \text{㉣}$

등비수열 $\{b_n\}$에서 공비 $r<0$이므로
b_1, b_3, b_5는 양수이고 b_2, b_4는 음수이다.
즉 $|b_1|=b_1$, $|b_3|=b_3$, $|b_5|=b_5$이므로
㉣에서 $\sum_{n=1}^{5}(|b_n|-b_n)=-2(b_2+b_4)=40$
이때 $b_2+b_4=b_1r(1+r^2)=-20 \quad\cdots\cdots\ \text{㉤}$
에서 $1+r^2$은 20의 약수이고, r가 음의 정수임을 생각하면
r는 -1, -2, -3만 가능하다.
$r=-1$이면 ㉤에서 $-2b_1=-20$, 즉 $b_1=10$이므로 가능
$r=-2$이면 ㉤에서 $-10b_1=-20$, 즉 $b_1=2$이므로 가능
$r=-3$이면 ㉤에서 $-30b_1=-20$, 즉 b_1이 자연수가 아니다.
즉 등비수열 $\{b_n\}$에서 공비로 가능한 값은 -1과 -2이므로
다음과 같이 $\sum_{n=1}^{5}b_n$을 구할 수 있다.

(i) $b_1=10$, $r=-1$인 경우

$$b_n=10(-1)^{n-1}\text{이므로}\ \sum_{n=1}^{5}b_n=\frac{10\{1-(-1)^5\}}{2}=10$$

㉠에서 $\sum_{n=1}^{5}a_n=27-\sum_{n=1}^{5}b_n=27-10=17$

즉 $\sum_{n=1}^{5}a_n=\dfrac{5(2a_1+4d)}{2}=17$이므로 $a_1+2d=\dfrac{17}{5}$

그런데 a_1과 d가 모두 정수이므로 가능하지 않다.

(ii) $b_1=2$, $r=-2$인 경우

$$b_n=\text{^❶}\underline{2(-2)^{n-1}}\ \text{이므로}\ \sum_{n=1}^{5}b_n=\frac{2\{1-(-2)^5\}}{3}=22$$

㉠에서 $\sum_{n=1}^{5}a_n=27-\sum_{n=1}^{5}b_n=27-22=5$

즉 $\sum_{n=1}^{5}a_n=\dfrac{5\{2a_1+4d\}}{2}=5$에서 $a_1+2d=^{❷}\underline{1}$

을 만족시키는 자연수 a_1과 음의 정수 d가 존재한다.
그런데 $a_3=a_1+2d=1$이고, 공차 d가 음의 정수이므로
$a_1>0$, $a_2>0$, $a_3=1$, $a_4=0$, $a_5<0$
또는 $a_1>0$, $a_2>0$, $a_3=1$, $a_4<0$, $a_5<0$
인 두 가지 경우로 나눌 수 있고,

㉢$-$㉡에서 $\sum_{n=1}^{5}(|a_n|-a_n)=14$를 이용할 수 있다.

첫째, $a_1 > 0$, $a_2 > 0$, $a_3 = 1$, $a_4 = 0$, $a_5 < 0$인 경우

공차 $d = -1$이므로 $a_5 = -1$인데, $\sum_{n=1}^{5}(|a_n| - a_n) = -2a_5 = 14$

에서 $a_5 = -7$이므로 모순

둘째, $a_1 > 0$, $a_2 > 0$, $a_3 = 1$, $a_4 < 0$, $a_5 < 0$인 경우

$\sum_{n=1}^{5}(|a_n| - a_n) = -2(a_4 + a_5) = 14$

에서 $a_4 + a_5 = (a_1 + 3d) + (a_1 + 4d) = 2a_1 + 7d = -7$

이것과 $a_1 + 2d = 1$을 연립해서 풀면 $a_1 = 7$, $d = -3$

$\therefore a_n = 7 - 3(n-1) = 10 - 3n$

따라서 $a_7 + b_7 = (10 - 21) + 2(-2)^6 = -11 + 128 = 117$

12 $\quad$ 달 624

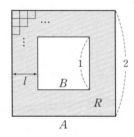

위 그림처럼 정사각형 A와 정사각형 B 사이의 폭을 l이라 하면

$l = \frac{1}{2}$이고, l을 $\frac{1}{n}$로 나누면 몫이 $\frac{n}{2}$이므로 n이 짝수,

즉 $n = 2k$ (k는 자연수)일 때는 한 변의 길이가 $\frac{1}{n}$인 작은 정사각형

k개를 딱 맞게 그릴 수 있다.

또 n이 홀수 즉 $n = 2k+1$ (k는 자연수)일 때는 l을 $\frac{1}{n}$로 나눈

몫이 $\frac{n}{2} = k + \frac{1}{2}$이므로 A와 B의 경계에 걸쳐지는 정사각형이 존

재한다. 그러므로 a_n은 다음과 같이 구할 수 있다.

(i) $n = 2k$ (k는 자연수)일 때

규칙에 따라 R에 그릴 수 있는 한 변의 길이가 $\frac{1}{n}$인 작은 정사

각형의 최대 개수는 정사각형 A의 내부에 그릴 수 있는 정사

각형 개수에서 정사각형 B의 내부에 그릴 수 있는 정사각형

개수를 빼면 된다.

A의 한 변을 따라 작은 정사각형을 $4k$개 그릴 수 있으므로

A에 그릴 수 있는 정사각형 개수는 $4k \times 4k = 16k^2$,

마찬가지로 B에 그릴 수 있는 정사각형 개수는 $2k \times 2k = 4k^2$

$\therefore a_{2k} = 16k^2 - 4k^2 = ❶ \underline{12k^2}$

(ii) $n = 2k+1$ (k는 자연수)일 때

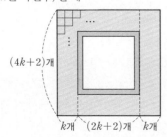

위 그림처럼 규칙에 따라 R에 그릴 수 있는 한 변의 길이가 $\frac{1}{n}$

인 작은 정사각형의 최대 개수는 정사각형 A의 내부에 그릴

수 있는 정사각형 개수에서 정사각형 B의 내부와 경계에 걸쳐

지는 정사각형 개수를 빼면 된다.

A의 한 변을 따라 그릴 수 있는 작은 정사각형 개수는

$\dfrac{2}{\frac{1}{2k+1}} = 4k+2$이므로 A에 그릴 수 있는 정사각형 개수는

$(4k+2)^2$이고, 마찬가지로 생각하면 B의 내부와 경계에 그릴

수 있는 정사각형 개수는 $(2k+2)^2$이다.

$a_{2k+1} = (4k+2)^2 - (2k+2)^2 = ❷ \underline{12k^2 + 8k}$

$\therefore \sum_{n=2}^{25}(-1)^{n+1}a_n$

$= -a_2 + a_3 - a_4 + a_5 + \cdots + a_{23} - a_{24} + a_{25}$

$= (a_3 + a_5 + a_7 + \cdots + a_{25}) - (a_2 + a_4 + a_6 + \cdots + a_{24})$

$= \sum_{k=1}^{12} a_{2k+1} - \sum_{k=1}^{12} a_{2k}$

$= \sum_{k=1}^{12}(12k^2 + 8k) - \sum_{k=1}^{12} 12k^2$

$= \sum_{k=1}^{12} 8k$

$= 8 \times \frac{12 \times 13}{2} = 624$

참고

(i) n이 짝수일 때

$a_2 = 4^2 - 2^2 = 12$ $\qquad$ $a_4 = 8^2 - 4^2 = 48$

같은 방법으로 생각하면 $a_{2n} = (4n)^2 - (2n)^2 = 12n^2$

(ii) n이 홀수일 때

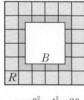

$a_3 = 6^2 - 4^2 = 20$ $\qquad$ $a_5 = 10^2 - 6^2 = 64$

같은 방법으로 생각하면

$a_{2n+1} = \{2(2n+1)\}^2 - (2n+2)^2 = 12n^2 + 8n$

13 $\quad$ 달 ⑤

A_n은 점 A_{n-1}에서 점 P가 $\frac{2n-1}{36}$만큼 이동한 위치에 있는 점

이고, 이때 A_n이 이동한 거리를 $f(A_n)$이라 하자.

$$f(\mathrm{A}_1)=f(\mathrm{A}_0)+\frac{2\times1-1}{36}=0+\frac{1}{36}=\frac{1}{36}$$

$$f(\mathrm{A}_2)=f(\mathrm{A}_1)+\frac{3}{36}=\frac{1+3}{36}=\frac{2^2}{36}$$

$$f(\mathrm{A}_3)=f(\mathrm{A}_2)+\frac{5}{36}=\frac{1+3+5}{36}=\frac{3^2}{36}$$

$$f(\mathrm{A}_4)=f(\mathrm{A}_3)+\frac{7}{36}=\frac{1+3+5+7}{36}=\frac{4^2}{36}$$

$\cdots$

이므로

$$f(\mathrm{A}_n)=f(\mathrm{A}_{n-1})+\frac{2n-1}{36}$$

$$=\frac{1+3+5+\cdots+(2n-1)}{36}$$

$$=\frac{n^2}{36}$$

ㄱ. $f(\mathrm{A}_{16})=\frac{16^2}{36}=\frac{64}{9}=6+\frac{10}{9}=4+\frac{28}{9}$ 이므로

A_{16}의 위치는 $\left(4,\ \frac{28}{9}\right)$이다. (○)

ㄴ. 경로와 직선 $y=x$가 만나는 점의 좌표를 $(2k,\ 2k)$ (k는 자연수)라 하면 이때 $f(\mathrm{A}_n)=4k$,

즉 $\frac{n^2}{36}=4k$에서 $n^2=144k=12^2k$

n과 k는 모두 자연수이므로 n은 12의 배수이다.

∴ $n=12,\ 24,\ 36,\ 48,\ \cdots$

이때 $y=x$ 위에 있는 A_n 중 원점에서 세 번째로 가까운 점은 ❶$\underline{\mathrm{A}_{36}}$이므로 $n=36$이면 $k=9$

즉 A_{36}의 좌표는 $(18,\ 18)$ (○)

ㄷ. A_n이 $y=0$ 부분, $y=2$ 부분, $y=4$ 부분, $\cdots$에 있는 경우로 나누어 생각해 보자.

(i) A_n이 $y=0$ $(0\le x\le2)$에 존재하는 경우

$0\le f(\mathrm{A}_n)\le2$이므로 $0\le\frac{n^2}{36}\le2$에서 $0\le n^2\le72$를 만족시키는 음이 아닌 정수 n의 값은 0부터 8까지 ❷$\underline{9}$ 개다.

(ii) A_n이 $y=2$ $(2\le x\le4)$에 존재하는 경우

$4\le f(\mathrm{A}_n)\le6$이므로 $4\le\frac{n^2}{36}\le6$에서 $144\le n^2\le216$을 만족시키는 자연수 n의 값은 12부터 14까지 3개다.

(iii) A_n이 $y=4$ $(4\le x\le6)$에 존재하는 경우

$8\le f(\mathrm{A}_n)\le10$이므로 $8\le\frac{n^2}{36}\le10$에서 $288\le n^2\le360$을 만족시키는 자연수 n의 값은 17과 18, 즉 2개다.

(iv) A_n이 $y=6$ $(6\le x\le8)$에 존재하는 경우

$12\le f(\mathrm{A}_n)\le14$이므로 $12\le\frac{n^2}{36}\le14$에서 $432\le n^2\le504$를 만족시키는 자연수 n의 값은 21과 22, 즉 2개다.

(v) A_n이 $y=8$ $(8\le x\le10)$에 존재하는 경우

$16\le f(\mathrm{A}_n)\le18$이므로 $16\le\frac{n^2}{36}\le18$에서 $576\le n^2\le648$을 만족시키는 자연수 n의 값은 24와 25, 즉 2개다.

(i)~(iv)에서 $9+3+2+2=16$이므로

경로 중 17번째로 x축에 평행한 선분에 있는 점은 $y=8$ $(8\le x\le10)$의 첫 번째 점이고,

이때 자연수 n값은 24다. (○)

따라서 옳은 것은 ㄱ, ㄴ, ㄷ

14 답 ③

$a_4=10$이고 ㈎에서 $a_n=a_{n+1}-(n+1)$이므로

$n=3$을 대입하면 $a_3=a_4-4=10-4=6$

마찬가지로 $a_2=a_3-3=6-3=3$, $a_1=a_2-2=3-2=$ ❶$\underline{1}$

즉 수열 $\{a_n\}$은 1, 3, 6, 10, 15, 21, $\cdots$

㈏에서 $n=1$을 대입하면 $b_3=2b_1=2^2$

$n=2$를 대입하면 $b_6=2b_3=2^3$

$n=3$을 대입하면 $b_{10}=2b_6=2^4$

$n=4$를 대입하면 $b_{15}=2b_{10}=2^5$

㈐에서

(i) $n=1$, 즉 $1\le m<2$일 때, $b_2=\frac{3}{2}b_1=\frac{3}{2}\times2=3$

(ii) $n=2$, 즉 $3\le m<5$일 때

$$b_4=\frac{3}{2}b_3=\frac{3}{2}\times2^2=2\times3$$

$$b_5=\frac{3}{2}b_4=\frac{3}{2}\times(2\times3)=3^2$$

(iii) $n=3$, 즉 $6\le m<9$일 때

$$b_7=\frac{3}{2}b_6=\frac{3}{2}\times2^3=\text{❷}\underline{2^2\times3}$$

$$b_8=\frac{3}{2}b_7=\frac{3}{2}\times(2^2\times3)=2\times3^2$$

$$b_9=\frac{3}{2}b_8=\frac{3}{2}\times(2\times3^2)=3^3$$

(iv) $n=4$, 즉 $10\le m<14$일 때

$$b_{11}=\frac{3}{2}b_{10}=\frac{3}{2}\times2^4=2^3\times3$$

$$b_{12}=\frac{3}{2}b_{11}=\frac{3}{2}\times(2^3\times3)=2^2\times3^2$$

$$b_{13}=\frac{3}{2}b_{12}=\frac{3}{2}\times(2^2\times3^2)=2\times3^3$$

$$b_{14}=\frac{3}{2}b_{13}=\frac{3}{2}\times(2\times3^3)=3^4$$

즉 수열 $\{b_n\}$을 차례대로 나열하면

2, 3, 2^2, 2×3, 3^2, 2^3, $2^2\times3$, 2×3^2, 3^3, 2^4, $2^3\times3$, $\cdots$

이고, $2^a\times3^b$ (a, b는 음이 아닌 정수)에서 각 항들을 $(a+b)$의 값을 기준으로 다음과 같은 묶음으로 구분할 수 있다.

$(2, 3)$, $(2^2, 2\times 3, 3^2)$, $(2^3, 2^2\times 3, 2\times 3^2, 3^3)$,

$(2^4, 2^3\times 3, 2^2\times 3^2, 2\times 3^3, 3^4)$, $\cdots$

이때 각 묶음 안에서 수열 $\{b_n\}$은 공비가 $\dfrac{3}{2}$인 등비수열이고, 각

묶음에 속한 항의 개수는 차례로 $2, 3, 4, 5\cdots$이다.

$2+3+4+\cdots+10=54$이므로 $\displaystyle\sum_{n=1}^{54} b_n$은 묶음 9개의 합이다.

n번째 묶음의 합을 S_n이라 하면 S_n은 첫째항이 2^n, 공비가 $\dfrac{3}{2}$

인 등비수열을 이루는 항 $(n+1)$개의 합과 같다.

$$\therefore S_n=\frac{2^n\left\{\left(\dfrac{3}{2}\right)^{n+1}-1\right\}}{\dfrac{3}{2}-1}=3^{n+1}-2^{n+1}$$

$$\therefore \sum_{n=1}^{54} b_n=(b_1+b_2)+(b_3+b_4+b_5)+(b_6+b_7+b_8+b_9)$$
$$+(b_{10}+\cdots+b_{14})+\cdots+(b_{45}+\cdots+b_{54})$$
$$=\sum_{n=1}^{9} S_n$$
$$=\sum_{n=1}^{9}(3^{n+1}-2^{n+1})$$
$$=\frac{3^2(3^9-1)}{3-1}-\frac{2^2(2^9-1)}{2-1}$$
$$=\frac{3^{11}-9}{2}-(2^{11}-4)$$
$$=\frac{3^{11}-1}{2}-2^{11}$$

> **참고**
>
> 수열 $\{a_n\}$의 각 항이 $1, 3, 6, 10, 15, 21, 28, 36, \cdots$이므로 조건 (나)에 따라
> $b_3=2b_1$, $b_6=2b_3$, $b_{10}=2b_6$, $b_{15}=2b_{10}$, $\cdots$
> 즉 수열 $\{a_n\}$을 따르는 항인 $b_3, b_6, b_{10}, b_{15}, b_{21}, \cdots$을 구할 수 있다. 수열 $\{b_n\}$을 완성할 수 있다고 생각하면서 접근한다. 수열 $\{b_n\}$의 각 항을 구하면서 규칙성을 찾아야 함은 물론이다.

01 ①	02-1 13	02-2 22	03-1 ②
03-2 ②	04 4	05 ②	06 16
07 30	08 4	09 40	10 27
11 ④	12 7	13 24	

01 답 ①

모든 실수 x에서 $f(x)g(x)=x(x+3)$이고, $g(0)=1$이므로

(가)에서 $f(0)=0$, 즉 $f(x)=x(x^2+ax+b)$로 놓을 수 있다.

이때 $g(x)=\dfrac{x(x+3)}{f(x)}=\dfrac{x(x+3)}{x(x^2+ax+b)}=\dfrac{x+3}{x^2+ax+b}$

에서 $g(0)=\dfrac{3}{b}=1$이므로 $b=3$

즉 $g(x)=\dfrac{x+3}{x^2+ax+3}$에서 함수 $g(x)$가 모든 실수에서 연속이

려면 분모가 0이 아니어야 하므로 $x^2+ax+3\neq 0$

$D=a^2-12<0$에서 $-2\sqrt{3}<a<2\sqrt{3}$

또 $f(1)=1+a+b=a+4$가 자연수이므로 a는 -3 이상인 정

수고, 이때 $-2\sqrt{3}<a<2\sqrt{3}$인 a는 $-3, -2, -1, \cdots, 2, 3$

즉 $g(2)=\dfrac{5}{2a+7}$가 최소가 되려면 $2a+7$이 최대이면 된다.

따라서 $g(2)$의 최솟값은 $a=3$일 때 $\dfrac{5}{2\times 3+7}=\dfrac{5}{13}$

02-1 답 13

$f(g(x))$가 $x=2$에서 불연속이려면 $\displaystyle\lim_{x\to 2} f(g(x))\neq f(g(2))$

$g(x)=(x-2)^2+k-4$에서 $x\longrightarrow 2$일 때, $g(x)\longrightarrow (k-4)+$

즉 $\displaystyle\lim_{t\to (k-4)+} f(t)\neq f(k-4)$이려면

$f(x)$에서 $x=k-4$일 때의 함숫값과 $x=k-4$일 때의 우극한이

서로 달라야 한다. 주어진 함수 $y=f(x)$의 그래프에서 함숫값과

우극한이 서로 다른 경우는

$k-4=2$ 또는 $k-4=3$일 때이므로 $k=\underline{6, 7}$

따라서 구하려는 모든 k값의 합은 $6+7=13$

> **다른 풀이**
>
> $f(g(2))=f(k-4)$이므로 $k-4\neq 1$, $k-4\neq 2$, $k-4\neq 3$일 때,
> 함수 $(f\circ g)(x)$는 $x=k-4$에서 연속이다.
>
> (i) $k-4=1$, 즉 $k=5$일 때, $\displaystyle\lim_{t\to 1+} f(t)=3$, $f(1)=3$이므로
>
>   함수 $(f\circ g)(x)$는 $x=2$에서 연속이다.
>
> (ii) $k-4=2$, 즉 $k=6$일 때, $\displaystyle\lim_{t\to 2+} f(t)=2$, $f(2)=10$이므로
>
>   함수 $(f\circ g)(x)$는 $x=2$에서 불연속이다.
>
> (iii) $k-4=3$, 즉 $k=7$일 때, $\displaystyle\lim_{t\to 3+} f(t)=2$, $f(3)=10$이므로
>
>   함수 $(f\circ g)(x)$는 $x=2$에서 불연속이다.
>
> (i), (ii), (iii)에서 구하려는 실수 k값은 6과 7

02-2 답 22

함수 $(f \circ g)(x)$가 $x=3$에서 불연속이 되려면
$$\lim_{x \to 3} f(g(x)) \neq f(g(3))$$
$g(x)=-(x-3)^2+9-k$에서 $x \longrightarrow 3$일 때,
$g(x) \longrightarrow (9-k)-$
즉 $\displaystyle\lim_{t \to (9-k)-} f(t) \neq f(g(3))$이어야 한다.

$f(g(3))=f(9-k)$이므로 $\displaystyle\lim_{t \to (9-k)-} f(t) \neq f(9-k)$이려면
함수 $f(x)$에서 $x=9-k$일 때의 함숫값과 $x=9-k$일 때의 좌극한이 서로 달라야 한다. 주어진 함수 $y=f(x)$의 그래프에서 함숫값과 좌극한이 서로 다른 경우는
$-k+9=0$ 또는 $-k+9=2$ 또는 $-k+9=3$이므로 $k=\underline{6, 7, 9}$
따라서 구하려는 모든 k값의 합은 $6+7+9=22$

03-1 답 ②

ㄱ. $-x=t$라 하면 $\displaystyle\lim_{x \to 1+} f(-x) = \lim_{t \to -1-} f(t)=1$

  $\therefore \displaystyle\lim_{x \to 1+} \{f(x)+f(-x)\}=-1+1=0$ (○)

ㄴ. $g(x)=f(x)-|f(x)|$라 하면
$$g(x)=\begin{cases} 0 & (f(x) \geq 0) \\ 2f(x) & (f(x)<0) \end{cases}$$
$$g(x)=\begin{cases} 2x+4 & (x \leq -2) \\ 0 & (-2<x<1) \\ 2x-4 & (1 \leq x<2) \\ 0 & (x \geq 2) \end{cases}$$

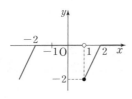

즉 그림처럼 나타낼 수 있으므로
함수 $g(x)=f(x)-|f(x)|$에서
$x=\overset{\mathbf{0}}{\underline{1}}$일 때만 불연속이다. (○)

ㄷ. (반례) $a=1$인 경우를 생각해 보자.
함수 $f(x)$와 $f(x-1)$의 그래프를 함께 나타내면 그림과 같다.

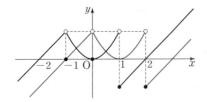

함수 $f(x)$가 $x=-1, 1$에서 불연속이지만
이때 $f(x-1)$은 연속이고 $f(-2)=f(0)=0$이므로
$f(x)f(x-1)$은 연속이다.
또 함수 $f(x-1)$은 $x=0, 2$에서 불연속이지만
이때 $f(x)$는 연속이고 $f(0)=f(2)=0$이므로
$f(x)f(x-1)$은 연속이다.
즉 $a=\overset{\mathbf{0}}{\underline{1}}$일 때 함수 $f(x)f(x-a)$는 실수 전체의 집합에서 연속이다. (×)

참고

$a=-1$일 때 그림처럼 생각하면 함수 $f(x)f(x-a)$는 실수 전체의 집합에서 연속이다. 즉 함수 $f(x)f(x-a)$가 실수 전체의 집합에서 연속이 되도록 하는 상수 a는 1과 -1, 두 개가 있다.

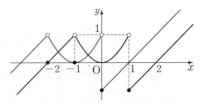

[$a=-1$일 때 $f(x)$와 $f(x+1)$]

※ 다음과 같이 함수 $f(x)f(x-a)$가 실수 전체에서 연속이 되도록 하는 상수 a값을 찾을 수 있다.

(i) $f(x)$의 불연속점에서 $f(x-a)=0$인 경우
  $x=-1$일 때 $-1-a=-2, 0, 2$ $\quad \therefore a=-3, -1, 1$
  $x=1$일 때 $1-a=-2, 0, 2$ $\quad \therefore a=3, 1, -1$
  즉 $a=1, -1$

(ii) $f(x-a)$의 불연속점에서 $f(x)=0$인 경우
  $x=-1+a$일 때 $-1+a=-2, 0, 2$ $\quad \therefore a=-1, 1, 3$
  $x=1+a$일 때 $1+a=-2, 0, 2$ $\quad \therefore a=-3, -1, 1$
  즉 $a=-1, 1$

03-2 답 ②

ㄱ. $\displaystyle\lim_{x \to 0+} \{f(x)+f(-x)\}=-2+2=0$ (○)

ㄴ. $g(x)=f(x)+|f(x)|$라 하면
$$g(x)=\begin{cases} 2f(x) & (f(x) \geq 0) \\ 0 & (f(x)<0) \end{cases}$$
$$g(x)=\begin{cases} 0 & (x \leq -1) \\ 4x+4 & (-1<x<0) \\ 0 & (0 \leq x<2) \\ 2x-4 & (x \geq 2) \end{cases}$$

즉 $g(x)$의 그래프가 그림과 같으므로
$x=\overset{\mathbf{0}}{\underline{0}}$일 때 불연속이다. (○)

ㄷ. 함수 $f(x)$는 $x=0$에서 불연속이고, $f(-1)=f(2)=0$이다.
함수 $f(x-a)$는 $f(x)$를 x축 방향으로 a만큼 평행이동한 것이므로 $x=a$에서 불연속이고
$f(-1+a)=f(2+a)=0$이다.
함수 $f(x)$에서 불연속인 x와 $f(x-a)$에서 연속이면서 0인 값을 가질 x가 같아지도록 하는 a값은 $-1+a=0, 2+a=0$에서 $a=\overset{\mathbf{0}}{\underline{-2, 1}}$이다.
또 함수 $f(x-a)$는 $x=a$에서 불연속이고,
이때 $f(x)$에서 연속이면서 0인 값을 가질
x가 같아지도록 하는 a값은 $\overset{\mathbf{0}}{\underline{-1, 2}}$이다.
즉 두 경우를 모두 만족시키는 값은 존재하지 않는다. (×)

04 답 4

(ⅰ) $x \longrightarrow \infty$일 때, $\dfrac{x+1}{x-1}=1+\dfrac{2}{x-1} \longrightarrow$ ❶ $\underline{1+}$

$\therefore \displaystyle\lim_{x \to \infty} f\Big(\dfrac{x+1}{x-1}\Big)=\lim_{t \to 1+} f(t)=1$

(ⅱ) $x \longrightarrow -\infty$일 때, $\dfrac{4x+1}{x+1}=4-\dfrac{3}{x+1} \longrightarrow$ ❷ $\underline{4+}$

$\therefore \displaystyle\lim_{x \to -\infty} f\Big(\dfrac{4x+1}{x+1}\Big)=\lim_{t \to 4+} f(t)=2$

(ⅲ) $x \longrightarrow 0-$일 때, $\dfrac{x}{x-1}=1+\dfrac{1}{x-1} \longrightarrow$ ❸ $\underline{0+}$

$\therefore \displaystyle\lim_{x \to 0-} f\Big(\dfrac{x}{x-1}\Big)=\lim_{t \to 0+} f(t)=1$

(ⅰ), (ⅱ), (ⅲ)에서

$\displaystyle\lim_{x \to \infty} f\Big(\dfrac{x+1}{x-1}\Big)+\lim_{x \to -\infty} f\Big(\dfrac{4x+1}{x+1}\Big)+\lim_{x \to 0-} f\Big(\dfrac{x}{x-1}\Big)$

$=1+2+1=4$

05 답 ②

함수 $f(x)$는 모든 실수에서 연속이므로 $x=a$에서도 연속이다.

$\therefore \displaystyle\lim_{x \to a} f(x)=f(a)$

함수 $g(x)$는 $x=a$에서 불연속이므로 $x=a$에서 극한값이 없거나 함숫값이 없거나 극한값과 함숫값이 다르다.

ㄱ. 함수 $f(x)+g(x)$는 $x=a$에서 연속이면

$\displaystyle\lim_{x \to a}\{f(x)+g(x)\}=$ ❶ $\underline{f(a)+g(a)}$ 이다.

하지만 $\displaystyle\lim_{x \to a}\{f(x)+g(x)\}=f(a)+\lim_{x \to a}g(x)$에서

$\displaystyle\lim_{x \to a}g(x) \neq g(a)$, 즉 $\displaystyle\lim_{x \to a}\{f(x)+g(x)\} \neq f(a)+g(a)$

이므로 함수 $f(x)+g(x)$는 $x=a$에서 불연속이다. (◯)

ㄴ. 함수 $f(x)g(x)$가 $x=a$에서 연속이면

$\displaystyle\lim_{x \to a}\{f(x)g(x)\}=f(a)g(a)$이다.

함수 $f(x)$가 $x=a$에서 연속이므로 $\displaystyle\lim_{x \to a} f(x)=f(a)$

즉 $f(a)\displaystyle\lim_{x \to a}g(x)=f(a)g(a)$에서

$f(a)\{\displaystyle\lim_{x \to a}g(x)-g(a)\}=0$

그런데 $\displaystyle\lim_{x \to a}g(x)-g(a) \neq 0$이므로 $f(a)=$ ❷ $\underline{0}$ (◯)

ㄷ. (반례)

$f(x)=x$, $g(x)=\begin{cases} 1 & (x \leq 0) \\ \dfrac{1}{x} & (x>0) \end{cases}$ 이면

$f(x)g(x)=\begin{cases} x & (x \leq 0) \\ 1 & (x>0) \end{cases}$ 이므로 $f(0)=0$이지만

함수 $f(x)g(x)$는 $x=0$에서 불연속이다. (×)

따라서 옳은 것은 ㄱ, ㄴ

06 답 16

$y=f(x)$의 그래프는 다음과 같다.

함수 $f(x)f(k-x)$가
$x=k$에서 연속이려면
$\displaystyle\lim_{x \to k} f(x)f(k-x)=f(k)f(0)$이
어야 한다.

(ⅰ) $k>0$일 때 $f(k)f(0)=(-3k+9) \times 6$

$\displaystyle\lim_{x \to k+} f(x)f(k-x)=(-3k+9) \times 4$

$\displaystyle\lim_{x \to k-} f(x)f(k-x)=(-3k+9) \times 9$

이므로 $\displaystyle\lim_{x \to k} f(x)f(k-x)=f(k)f(0)$이려면

$-3k+9=0$ $\therefore k=$ ❶ $\underline{3}$

(ⅱ) $k<0$일 때 $f(k)f(0)=\Big(\dfrac{1}{4}k+4\Big) \times 6$

$\displaystyle\lim_{x \to k+} f(x)f(k-x)=\Big(\dfrac{1}{4}k+4\Big) \times 4$

$\displaystyle\lim_{x \to k-} f(x)f(k-x)=\Big(\dfrac{1}{4}k+4\Big) \times 9$

이므로 $\displaystyle\lim_{x \to k} f(x)f(k-x)=f(k)f(0)$이려면

$\dfrac{1}{4}k+4=0$ $\therefore k=$ ❷ $\underline{-16}$

(ⅲ) $k=0$일 때 $\{f(0)\}^2=36$

$\displaystyle\lim_{x \to 0+} f(x)f(-x)=9 \times 4=36$

$\displaystyle\lim_{x \to 0-} f(x)f(-x)=4 \times 9=36$

$\displaystyle\lim_{x \to 0} f(x)f(-x)=\{f(0)\}^2=36$

이므로 $x=$ ❸ $\underline{0}$ 에서 연속이다.

$f(x)f(k-x)$가 $x=k$에서 연속이 되도록 하는 k값은
$-16, 0, 3$으로 3개이고, 이때 k값의 합은
$-16+0+3=-13$

$\therefore a-b=3-(-13)=16$

07 답 30

$t=0$일 때, 주어진 방정식은 $4x-3=0$이고,

방정식의 근이 $x=\dfrac{3}{4}$이므로 실근의 개수는 1이다.

즉 $t=0$일 때 $f(t)=$ ❶ $\underline{1}$

$t \neq 0$일 때, 이차방정식 $tx^2+4x+t-3=0$에 대하여

$\dfrac{D}{4}=4-t(t-3)=-t^2+3t+4$에서

$-t^2+3t+4>0$, 즉 $-1<t<0$, $0<t<4$일 때,

실근이 2개이므로 $f(t)=$ ❷ $\underline{2}$

$-t^2+3t+4=0$, 즉 $t=-1$, 4일 때,

중근을 가지므로 $f(t)=$ ❸ $\underline{1}$

$-t^2+3t+4<0$, 즉 $t<-1$, $t>4$일 때,

실근은 없으므로 $f(t)=$ **④** $\underline{0}$

즉 함수 $f(t)$의 그래프는

그림과 같으므로 $t=-1$, 0,

4에서 불연속이다.

삼차함수 $g(t)$는 모든 실수

t에 대하여 연속이므로 함

수 $f(t)g(t)$가 모든 실수에서 연속이 되려면 함수 $g(t)$가

$t=-1$, 0, 4에서 0이어야 한다.

$\therefore g(-1)=g(0)=g(4)=0$

따라서 $g(t)=t(t+1)(t-4)$이므로 $g(5)=30$

08 답 4

$\displaystyle\lim_{x\to\infty}\frac{f(x)}{x^3}=1$이므로 $f(x)$는 최고차항이 x^3이고

$\displaystyle\lim_{x\to1}\frac{f(x)}{x-1}=k$에서 $\displaystyle\lim_{x\to1}f(x)=0$, $f(1)=0$이므로

$f(x)$는 **①** $\underline{(x-1)}$ 을 인수로 가진다.

또 $h(x)=f(x)g(x)$가 $x=3$에서 연속이므로

$\displaystyle\lim_{x\to3+}h(x)=\lim_{x\to3-}h(x)=h(3)$이다.

이때 $\displaystyle\lim_{x\to3+}h(x)=\lim_{x\to3+}\frac{f(x)}{x-3}$의 극한값이 존재해야 하므로

$\displaystyle\lim_{x\to3+}f(x)=0$, $f(3)=0$, 즉 $f(x)$는 **②** $\underline{(x-3)}$ 을 인수로 가진다.

$f(x)=(x-1)(x-3)(x-\alpha)$라 하면

$\displaystyle\lim_{x\to3-}h(x)=\lim_{x\to3-}f(x)(x^2-3x+1)=f(3)=0$이므로

$\displaystyle\lim_{x\to3+}h(x)=\lim_{x\to3-}h(x)=h(3)=0$

$\therefore \displaystyle\lim_{x\to3+}h(x)=\lim_{x\to3+}\frac{(x-1)(x-3)(x-\alpha)}{x-3}$

$=\displaystyle\lim_{x\to3+}(x-1)(x-\alpha)$

$=2(3-\alpha)=0$

즉 $\alpha=3$이므로 $f(x)=$ **③** $\underline{(x-1)(x-3)^2}$

$\therefore k=\displaystyle\lim_{x\to1}\frac{f(x)}{x-1}=\lim_{x\to1}(x-3)^2=4$

09 답 40

$f(x)$, $g(x)$는 삼차함수이므로 연속함수이다.

즉 $\displaystyle\lim_{x\to a}f(x)=f(a)$, $\displaystyle\lim_{x\to a}g(x)=g(a)$이고, ㈏에서

$n=0$일 때, $\displaystyle\lim_{x\to0}\frac{f(x)}{g(x)}=0$ ······ ㉠

$n=1$일 때, $\displaystyle\lim_{x\to1}\frac{f(x)}{g(x)}=0$ ······ ㉡

$n=2$일 때, $\displaystyle\lim_{x\to2}\frac{f(x)}{g(x)}=1$ ······ ㉢

$n=3$일 때, $\displaystyle\lim_{x\to3}\frac{f(x)}{g(x)}=3$ ······ ㉣

조건 ㈎에서 $g(0)=0$이므로 최고차항의 계수가 1인 삼차함수

$g(x)$는 $g(x)=xp(x)$로 놓을 수 있다.

㉠에서 극한값이 존재하고, (분모) $\longrightarrow 0$이므로 (분자) $\longrightarrow 0$이

어야 한다. 이때 $f(0)=0$, 즉 $f(x)$는 x를 인수로 가지므로

$f(x)=xq(x)$로 놓을 수 있다.

또 $\displaystyle\lim_{x\to0}\frac{f(x)}{g(x)}=\lim_{x\to0}\frac{xq(x)}{xp(x)}=\lim_{x\to0}\frac{q(x)}{p(x)}=0$이므로

$q(0)=0$, 즉 $q(x)$는 x를 인수로 가지므로

$f(x)$는 x^2을 인수로 가진다.

㉡에서 극한값이 0이므로 $f(1)=0$

즉 $f(x)$는 $(x-1)$도 인수로 가지므로 $f(x)=$ **①** $\underline{x^2(x-1)}$

㉢에서 $\dfrac{f(2)}{g(2)}=\dfrac{2^2\times1}{2p(2)}=\dfrac{2}{p(2)}=1$이므로 $p(2)=2$

㉣에서 $\dfrac{f(3)}{g(3)}=\dfrac{3^2\times2}{3p(3)}=\dfrac{6}{p(3)}=3$이므로 $p(3)=2$

따라서 $p(x)=(x-2)(x-3)+$ **②** $\underline{2}$ 이고,

$g(x)=x\{(x-2)(x-3)+2\}$

$\therefore g(5)=40$

10 답 27

㈎에서 $\dfrac{1}{x}=t$로 치환하면 $x\longrightarrow 0+$일 때 $t\longrightarrow\infty$이므로

$\displaystyle\lim_{x\to0+}\frac{x^3f\left(\dfrac{1}{x}\right)-1}{x^2+2x}=\lim_{t\to\infty}\frac{\dfrac{1}{t^3}f(t)-1}{\dfrac{1}{t^2}+\dfrac{2}{t}}$

$=\displaystyle\lim_{t\to\infty}\frac{f(t)-t^3}{2t^2+t}=3$

이다. 즉 $f(t)-t^3$은 최고차항이 6인 이차함수이다.

$\therefore f(x)=$ **①** $\underline{x^3+6x^2}+ax+b$

$f(x)$가 연속이므로 ㈏에서 $\dfrac{x}{f(x)}$가 $x=-2$에서 불연속이려면

$f(-2)=0$이어야 한다.

이때 $-8+24-2a+b=0$, $b=2a-16$

$f(x)=x^3+6x^2+ax+2a-16=(x+2)(x^2+4x+a-8)$

$x=-2$에서만 불연속이므로 $x=-2$ 이외의 실근이 존재하면

안 된다. 즉 $x^2+4x+a-8=0$이 중근 -2를 가지거나 서로 다

른 두 허근을 가져야 한다.

중근 -2를 가질 때 $a=12$

서로 다른 두 허근을 가질 때 $\dfrac{D}{4}=4-(a-8)<0$ 에서 $a>12$

따라서 ^❷ $\underline{a \geq 12}$ 에서 $f(1)=3a-9 \geq 27$ 이므로

$f(1)$ 의 최솟값은 27

11 🈂④

$a<0$ 와 $a>0$ 일 때로 나누어 $f(x)=|x^2-2ax|$ 의 그래프를 그려보면 다음과 같다.

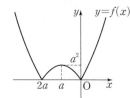 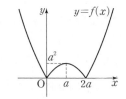

[$a<0$인 경우]   [$a>0$인 경우]

$a \neq 0$ 일 때 직선 $y=t$ 와 곡선 $y=f(x)$ 가 만나는 점의 개수가 $g(t)$ 라 하면 함수 $g(t)$ 와 그 그래프는 다음과 같다.

$$g(t)=\begin{cases} 0 & (t<0) \\ 2 & (t=0) \\ 4 & (0<t<a^2) \\ 3 & (t=a^2) \\ 2 & (t>a^2) \end{cases}$$

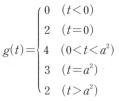

$a=0$ 일 때, $y=f(x)$ 의 그래프는 원점을 지나는 포물선이므로 함수 $g(t)$ 와 그 그래프는 다음과 같다.

$$g(t)=\begin{cases} 0 & (t<0) \\ 1 & (t=0) \\ 2 & (t>0) \end{cases}$$

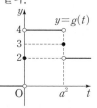

ㄱ. $a \neq 0$ 일 때와 $a=0$ 일 때 모두

$\displaystyle\lim_{t \to 0-} g(t)=$ ^❶$\underline{0}$, $\displaystyle\lim_{t \to a^2+} g(t)=$ ^❷$\underline{2}$ 이므로

$\displaystyle\lim_{t \to 0-} g(t) + \lim_{t \to a^2+} g(t)=2$ (◯)

ㄴ. $a \neq 0$ 일 때, 함수 $y=g(x)$ 의 불연속점은 2개고,

$a=0$ 일 때, 불연속점은 1개다. (×)

ㄷ. $a>0$ 일 때, 함수 $g(x)$ 는 $x=0$, a^2 일 때, 불연속이다.

함수 $f(x)$ 가 $f(0)=f(2a)=0$ 이므로 $f(x)g(x)$ 가 모든 실수 x 에 대하여 연속이려면 $a^2=2a$, 즉 $a=$ ^❸$\underline{2}$ 이어야 한다.

즉 $f(x)=|x^2-4x|$ 이고, $g(x)$ 는 $x=0$, 4일 때 불연속이다.

$\displaystyle\lim_{x \to 0} f(x)g(x)=f(0)\lim_{x \to 0} g(x)=0$

$\displaystyle\lim_{x \to 4} f(x)g(x)=f(4)\lim_{x \to 4} g(x)=0$

이므로 $x=0$, 4에서 각각 연속이다.

따라서 $a=2$ 일 때 함수 $y=f(x)g(x)$ 는 모두 실수에서 연속이다. (◯)

12 🈂7

$g(x)=\begin{cases} f(x) & (x<b) \\ kf(x-b) & (x \geq b) \end{cases}$ 에서

$x \geq b$ 일 때는 $y=ka(x-b)(x-2b)$ (단, $k>1$)이므로

그림과 같은 경우일 때 $|g(x)|=\dfrac{b}{4}$ 의 서로 다른 실근이 5개다.

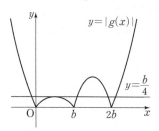

즉 직선이 포물선 $y=ax(x-b)$ 의 꼭짓점을 지나야 한다.

포물선의 대칭성을 생각하면 $-f\left(\dfrac{b}{2}\right)=\dfrac{b}{4}$ 에서 $ab=1$

a, b 가 자연수이므로 가능한 순서쌍 (a, b) 는 ^❶$\underline{(1, 1)}$ 뿐이다.

$\therefore g(x)=\begin{cases} x(x-1) & (x<1) \\ k(x-1)(x-2) & (x \geq 1) \end{cases}$

㈎에서 $g(3)=2k=8$ 이므로 $k=4$

$\therefore g(x)=\begin{cases} x(x-1) & (x<1) \\ 4(x-1)(x-2) & (x \geq 1) \end{cases}$

m 이 양수일 때, 직선 $y=mx-\dfrac{7}{4}$ 과 $y=|g(x)|$ 의 교점의 개수가 $h(m)$ 이다.

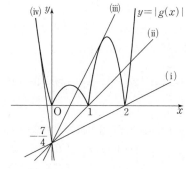

(i) 직선이 $(2, 0)$ 을 지날 때, $m=\dfrac{7}{8}$ ⇨ $h(m)=1$

(ii) 직선이 $(1, 0)$ 을 지날 때, $m=\dfrac{7}{4}$ ⇨ $h(m)=3$

(iii) $y=-4(x-1)(x-2)(1<x<2)$ 와 $y=mx-\dfrac{7}{4}$ 이 접할 때,

$-4x^2+12x-8=mx-\dfrac{7}{4}$ 에서

$D=(m-12)^2-4 \times 4 \times \dfrac{25}{4}=0$

이므로 $m=$ ^❷$\underline{2}$ ⇨ $h(m)=3$

(iv) $y=x(x-1)(x<0)$ 과 $y=mx-\dfrac{7}{4}$ 이 접할 때,

$x^2-x=mx-\dfrac{7}{4}$ 에서 $D=(m+1)^2-4 \times 1 \times \dfrac{7}{4}=0$ 이므로

$m=$ ^❸$\underline{-1-\sqrt{7}}$ ⇨ $h(m)=1$

(ⅰ)~(ⅳ)에서 m값의 범위에 따라 생기는 교점의 개수를 이용해 함수 $h(m)$의 그래프를 그리면 그림과 같다.

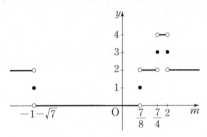

그래프에서 $\lim\limits_{m \to \frac{7}{4}-} = 2$, $\lim\limits_{m \to \frac{7}{4}+} h(m) = 4$,

$\lim\limits_{x \to 2-} h(m) = 4$, $\lim\limits_{x \to 2+} h(m) = 2$이므로

$\lim\limits_{x \to t-} h(m) \times \lim\limits_{x \to t+} h(m) = 8$을 만족시키는 t값은 $t = \dfrac{7}{4}$, 2

따라서 모든 양수 t의 곱 $S = \dfrac{7}{2}$이므로 $2S = 7$

13   📖 24

$y = \dfrac{a-3x}{x} = \dfrac{a}{x} - 3 \ (x > 0)$의

그래프 개형은 그림과 같다. 이때

$g(x) = \begin{cases} 2k - f(x) & (f(x) < k) \\ f(x) & (f(x) \geq k) \end{cases}$

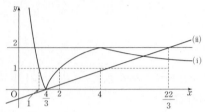

에서 함수 $y = g(x)$의 그래프는

$f(x) \geq k$일 때는 $y = f(x)$와 같고,

$f(x) < k$일 때는 $y = f(x)$의 그래프를 직선 $y = k$에 대하여 대칭

이동한 것과 같다. 이때 ㈎에서 $\lim\limits_{x \to \infty} |g(x)| = 1$이므로

$\lim\limits_{x \to \infty} |g(x)| = \lim\limits_{x \to \infty} \left| 2k - \dfrac{a}{x} + 3 \right| = |2k + 3| = 1$에서

$k = \overset{\mathbf{❶}}{\underline{-2, -1}}$

그런데 $k = -1$일 때 ㈏ 조건을 만족시키지 않는다.

$k = -2$일 때 $g(x) = \begin{cases} -4 - f(x) & (f(x) < -2) \\ f(x) & (f(x) \geq -2) \end{cases}$

이고, $y = |g(x)|$의 그래프와 직선 $y = 1$을 함께 나타내면 그림

처럼 교점이 2개이므로 ㈏ 조건을 만족시킨다.

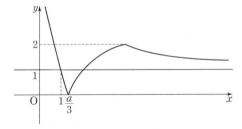

$y = |g(x)|$의 그래프가 $\left(1, -\dfrac{k}{2} \right)$, 즉 $(1, 1)$을 지나므로

$g(1) = \dfrac{a}{1} - 3 = 1$에서 $a = \overset{\mathbf{❷}}{\underline{4}}$

또 $-g(\alpha) = -\dfrac{4}{\alpha} + 3 = 1$에서 $\alpha = \overset{\mathbf{❸}}{\underline{2}}$

한편 직선 $y = m\left(x - \dfrac{22}{3} \right) + 2$는 점 $\left(\dfrac{22}{3}, 2 \right)$을 지나고 기울기가

m이다.

이때 $m = 0$이면 $h(m) = 2 \Rightarrow$ (ⅰ)

또 직선이 점 $\left(\dfrac{4}{3}, 0 \right)$을 지날 때 $m = \dfrac{1}{3}$이고 $h(m) = 2 \Rightarrow$ (ⅱ)

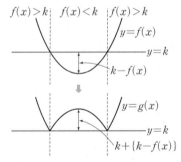

즉 m값의 범위에 따라 함수 $h(m)$의

그래프는 그림과 같다.

따라서 함수 $h(m)$에서 불연속인 m은

0, $\dfrac{1}{3}$이므로 $M = 0 + \dfrac{1}{3} = \dfrac{1}{3}$

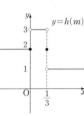

$\therefore \dfrac{ka}{M} = |(-2) \times 4 \times 3| = 24$

참고

❶ $g(x) = \begin{cases} 2k - f(x) & (f(x) < k) \\ f(x) & (f(x) \geq k) \end{cases}$에서 함수 $y = g(x)$의 그래프는

$f(x) \geq k$일 때는 함수 $y = f(x)$와 같고, $f(x) < k$, 즉 $f(x)$가 $y = k$ 아

래에 있을 때는 $2k - f(x) = k + k - f(x)$라 생각해서 $y = k$ 아래 부분

을 $y = k$에 대하여 대칭이동한 것과 같다.

다음은 $y = f(x)$가 이차함수일 때 $y = g(x)$의 그래프를 그리는 요령을

보여준다.

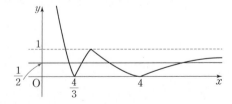

❷ $k = -1$일 때 $g(x) = \begin{cases} -2 - f(x) & (f(x) < -1) \\ f(x) & (f(x) \geq -1) \end{cases}$이므로

$y = |g(x)|$의 그래프와 직선 $y = \dfrac{1}{2}$을 함께 나타내면 그림처럼 교점이

4개이므로 ㈏ 조건을 만족시키지 않는다.

p. 49~58

집중공략 유형 06 미분과 접선

01 42	02-1 ④	02-2 100	03-1 32
03-2 78	04 ①	05 ①	06 800
07 ②	08 12	09 ②	10 404
11 38	12 64	13 ③	14 ④

01 🔲 42

-1, 0, 1, 2가 1씩 증가하고, $f(-1)$, $f(0)$, $f(1)$, $f(2)$가 이 순서대로 등차수열을 이루므로 $y=f(x)$ 그래프 위의 네 점 $(-1, f(-1))$, $(0, f(0))$, $(1, f(1))$, $(2, f(2))$는 모두 한 직선 위에 있다.

이 네 점을 지나는 직선을 $y=mx+n$이라 하자.

이때 사차함수의 그래프 $y=f(x)$와 직선 $y=mx+n$이 만나는 점의 x좌표는 -1, 0, 1, 2이므로 방정식 $f(x)=mx+n$의 해는 -1, 0, 1, 2이다. 또 $f(x)$는 최고차항의 계수가 1인 사차함수이므로 $f(x)-(mx+n)=x(x+1)(x-1)(x-2)$,

즉 $f(x)=x(x-1)(x+1)(x-2)+mx+n$
$\qquad =x^4-2x^3-x^2+(m+2)x+n$

이라 하면 $f'(x)=4x^3-6x^2-2x+(m+2)$

이때 $f'(-1)=m-6$, $f'(2)=m+6$

$f(-1)=-m+n$, $f(2)=2m+n$

즉 곡선 $y=f(x)$ 위의 점 $(-1, f(-1))$에서의 접선의 방정식은

$y=(m-6)(x+1)-m+n$ ······ ㉠

곡선 $y=f(x)$ 위의 점 $(2, f(2))$에서의 접선의 방정식은

$y=(m+6)(x-2)+2m+n$ ······ ㉡

두 접선이 점 $(k, 0)$에서 만나므로 ㉠, ㉡에 대입하면

$0=(m-6)(k+1)-m+n$, $0=(m+6)(k-2)+2m+n$

이고, 각 등식을 정리하면

$(m-6)k=-n+6$ ······ ㉢

$(m+6)k=-n+12$ ······ ㉣

㉢에서 $k=\dfrac{-n+6}{m-6}$ ······ ㉤

이고, ㉣에서 $k=\dfrac{-n+12}{m+6}$

즉 $\dfrac{-n+6}{m-6}=\dfrac{-n+12}{m+6}$

이므로 이 등식의 양변에 $(m+6)(m-6)$을 곱해 정리하면

$m+2n=18$ ······ ㉥

이때 $m=-2n+18$을 ㉤에 대입하여 정리하면

$k=\dfrac{-n+6}{m-6}=\dfrac{-n+6}{(-2n+18)-6}=\dfrac{-n+6}{-2n+12}=\dfrac{1}{2}$

$\therefore f(2k)=f(1)=m+n=20$ ······ ㉧

㉥, ㉧을 연립해서 풀면 $m=22$, $n=-2$

$\therefore f(x)=x(x-1)(x+1)(x-2)+22x-2$

따라서 $f(4k)=f(2)=22\times2-2=42$

02-1 🔲 ④

접점 (t, t^3+at^2+bt)에서의 접선의 방정식은

$y=(3t^2+2at+b)(x-t)+t^3+at^2+bt$

즉 $y=(3t^2+2at+b)x-2t^3-at^2$이다.

이 접선이 y축과 만나는 점 P의 좌표는 $(0, -2t^3-at^2)$이고, 원점에서 점 P까지의 거리 $g(t)$는

$g(t)=|-2t^3-at^2|=t^2|2t+a|$

이때 $y=g(t)$의 그래프 개형은 다음 세 가지 경우로 나눌 수 있다.

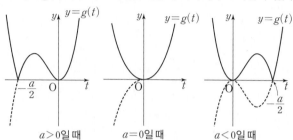

$a>0$일 때 　 $a=0$일 때 　 $a<0$일 때

위 세 가지 중에서 $a=$ ❶ $\underline{0}$ 일 때만 함수 $g(t)$가 실수 전체의 집합에서 미분 가능하므로 $f(x)=x^3+bx$이고

㈎ 조건에서 $f(1)=1+b=2$ $\qquad \therefore b=1$

따라서 $f(x)=$ ❷ $\underline{x^3+x}$ 이므로 $f(3)=3^3+3=30$

킬러 격파 Tip

$g(x)$가 삼차함수일 때 $|g(x)|$가 모든 실수 x에 대하여 미분 가능하려면 $g(x)=a(x-\alpha)^3$ 꼴이어야 한다.

02-2 🔲 100

최고차항의 계수가 2이고, 원점을 지나는 삼차함수 $f(x)$를 $f(x)=2x^3+ax^2+bx$라 하자.

이때 접점 $(t, 2t^3+at^2+bt)$에서의 접선의 방정식은

$y=(6t^2+2at+b)(x-t)+2t^3+at^2+bt$

즉 $y=(6t^2+2at+b)x-4t^3-at^2$이다.

이 접선이 y축과 만나는 점 P의 좌표는 $(0, -4t^3-at^2)$이고, 원점에서 점 P까지의 거리 $g(t)$는

$g(t)=|-4t^3-at^2|=t^2|4t+a|$

이때 $y=g(t)$의 그래프 개형은 02-1과 마찬가지로 세 가지 경우로 나눌 수 있는데, 이때 $g(t)$가 $t=1$일 때만 미분 불가능하려면 $a<0$이고, $-\dfrac{a}{4}=1$이면 된다.

$\therefore a=$ ❶ $\underline{-4}$

이때 $g(t)=$ ❷ $\underline{4t^2|t-1|}$ 이고, $f(x)=2x^3-4x^2+bx$

㈎ 조건에서 $f(1)=2-4+b=3$에서 $b=5$이므로

$f(x)=$ ❸ $\underline{2x^3-4x^2+5x}$

따라서 $g(2)+f(4)=16+84=100$

03-1 답 32

㈎ 조건에서 함수 $f(x)$가 실수 전체의 집합에서 미분 가능하므로 $x=a$에서도 미분 가능해야 한다.

먼저 $x=a$에서 $f(x)$가 연속이려면 $a=-\dfrac{1}{2}$ 또는 $a=1$

한편 $x<a$에서 $f'(x)=0$이다.

$a=-\dfrac{1}{2}$인 경우,

$$\lim_{x\to-\frac{1}{2}+}\frac{(x-1)^2(2x+1)-0}{x+\frac{1}{2}}=\lim_{x\to-\frac{1}{2}+}2(x-1)^2=\frac{9}{2}$$

$a=1$인 경우,

$$\lim_{x\to1+}\frac{(x-1)^2(2x+1)-0}{x-1}=\lim_{x\to1+}2(x-1)(2x+1)=0$$

$a=1$일 때 좌우 미분계수가 같으므로 $a=\overset{\text{❶}}{\underline{\,1\,}}$

㈏ 조건에서 모든 실수 x에 대하여 $f(x)\ge g(x)$이므로 $y=f(x)$의 그래프는 $y=g(x)$의 그래프보다 위쪽에 있거나 접해야 한다.

함수 $f(x)=(x-1)^2(2x+1)$에 접하고 기울기가 12인 접선의 접점을 $(m,f(m))\ (m>1)$이라 하자.

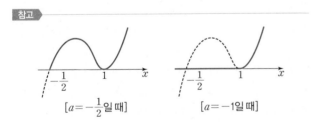

$f'(x)=6x(x-1)$이므로 $6m(m-1)=12$

$m=-1$ 또는 $m=2$에서 $m>1$이므로 $m=2$

이때 접선의 방정식은 $y-5=12(x-2)$에서 $y=\overset{\text{❷}}{\underline{12\left(x-\dfrac{19}{12}\right)}}$

즉 $k\ge\dfrac{19}{12}$이면 ㈏를 만족시키므로 k의 최솟값은 $\dfrac{19}{12}$

따라서 $a+p+q=1+12+19=32$

참고

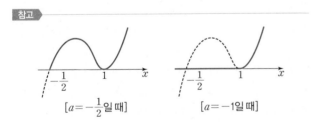

$[a=-\dfrac{1}{2}$일 때] $[a=-1$일 때]

03-2 답 78

㈎에서 함수 $f(x)$가 실수 전체의 집합에서 미분 가능하므로 함수 $f(x)$는 $x=a$에서도 미분 가능해야 한다.

먼저 $x=a$에서 연속이려면

$\lim_{x\to a-}f(x)=\lim_{x\to a+}f(x)$이어야 하므로 $a=-1$ 또는 $a=3$

(i) $a=-1$일 때

$$\lim_{x\to a+}\frac{f(x)-f(a)}{x-a}=\lim_{x\to-1+}\frac{(x+1)(x-3)^3}{x-(-1)}=-64$$

$$\lim_{x\to a-}\frac{f(x)-f(a)}{x-a}=0$$

즉 $\lim_{x\to a+}\dfrac{f(x)-f(a)}{x-a}\ne\lim_{x\to a-}\dfrac{f(x)-f(a)}{x-a}$이므로

$a=-1$일 때, 함수 $f(x)$는 미분 가능하지 않다.

(ii) $a=3$일 때

$$\lim_{x\to a+}\frac{f(x)-f(a)}{x-a}=\lim_{x\to3+}\frac{(x+1)(x-3)^3}{x-3}=0$$

$$\lim_{x\to3-}\frac{f(x)-f(3)}{x-3}=0$$

즉 $\lim_{x\to3+}\dfrac{f(x)-f(3)}{x-3}=\lim_{x\to3-}\dfrac{f(x)-f(3)}{x-3}$이므로

$a=3$일 때 함수 $f(x)$는 미분 가능하다.

(i), (ii)에서 $a=\overset{\text{❶}}{\underline{\,3\,}}$

한편, ㈏에서 모든 실수 x에 대하여 $f(x)\ge g(x)$이어야 하므로 함수 $y=f(x)$의 그래프는 그림처럼 생각하면 함수 $y=g(x)$의 그래프보다 위쪽에 있거나 접해야 한다.

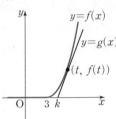

$x>3$에서 함수 $f(x)=(x+1)(x-3)^3$과 접하고 기울기가 16인 접선의 접점을 $(t,f(t))\ (t>3)$라 하자.

$f'(x)=(x-3)^3+3(x+1)(x-3)^2=4x(x-3)^2$

이때 접선의 기울기가 16이므로

$4t(t-3)^2=16$을 정리하면 $(t-4)(t-1)^2=0$

즉 $t=4\ (t>3)$이고, $f(4)=5$이므로 접점은 $\overset{\text{❷}}{\underline{(4,5)}}$이다.

즉 접선의 방정식은 $y=16(x-4)+5=16x-59$이므로

$k\ge\dfrac{59}{16}$이고, k의 최솟값은 $\dfrac{59}{16}$

따라서 $a+p+q=3+16+59=78$

04 답 ①

최고차항의 계수가 1인 삼차함수 $f(x)$에 대하여

함수 $f(x)-x^2+9x$도 최고차항의 계수가 1인 삼차함수이므로

$|f(x)-x^2+9x|$가 실수 전체의 집합에서 미분 가능하려면

$f(x)-x^2+9x=(x-\alpha)^3$이어야 한다.

즉 $f(x)=(x-\alpha)^3+x^2-9x$ ……㉠

또 $|x-1|f(x)$가 모든 실수 x에 대하여 미분 가능하려면 $x=1$에서 미분 가능해야 한다. 즉

$$\lim_{x\to1+}\frac{|x-1|f(x)}{x-1}=\lim_{x\to1+}\frac{(x-1)f(x)}{x-1}=f(1)$$

$$\lim_{x\to1-}\frac{|x-1|f(x)}{x-1}=\lim_{x\to1-}\frac{-(x-1)f(x)}{x-1}=-f(1)$$

에서 $f(1)=-f(1)$이어야 하므로 $f(1)=\overset{\text{❶}}{\underline{\,0\,}}$

㉠에서 $f(1)=(1-\alpha)^3+1-9=(1-\alpha)^3-8=0$ ∴ $\alpha=-1$

∴ $f(x)=(x+1)^3+x^2-9x=\overset{\text{❷}}{\underline{x^3+4x^2-6x+1}}$

이때 $f'(x)=3x^2+8x-6$이므로

$f'(2)=12+16-6=22$, $f(2)=8+16-12+1=13$

따라서 $(2, f(2))$에서의 접선의 방정식은
$y=f'(2)(x-2)+f(2)=22x-31$이고,
$m=22$, $n=-31$이므로 $3m+n=66-31=35$

킬러 격파 Tip

$|x-\alpha|f(x)$가 $x=\alpha$에서 미분 가능하려면 곧바로 $f(\alpha)=0$임을 이용할 수 있다. 즉 $f(1)=0$에서 $\alpha=-1$

05 답 ①

함수 $f(x)=x^3-5x$는 x축과 점 $(-\sqrt{5}, 0)$, $(\sqrt{5}, 0)$에서 만난다.
또 직선 l_1, l_2가 함수 $f(x)$는 각각 서로 다른 두 점에서 만나므로
두 직선은 기울기가 같은 $y=f(x)$의 접선이 된다.
또 곡선 $f(x)=x^3-5x$는 원점에 대하여 대칭이므로 평행한 두 접선도 원점에 대하여 대칭이다.

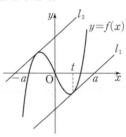

즉 두 접선의 x절편과 y절편도 원점에 대하여 대칭이므로 그림처럼 접선 l_2가 지나는 절편은 $(-a, 0)$, $(0, 7a)$이고, l_2의 기울기는
$\dfrac{7a-0}{0-(-a)}=$❶ $\underline{7}$ 이므로 l_1의 기울기도 7이다.
또 접점의 x좌표를 t라 하면
$y'=3t^2-5=7$에서 $t=\pm2$이므로
두 접점의 좌표는 $(2, -2)$, $(-2, 2)$이다.
즉 두 접선의 방정식은 각각
$y=7(x-2)-2$에서 ❷ $\underline{y=7x-16}$ ⇨ l_1
$y=7(x+2)+2$에서 $y=7x+16$ ⇨ l_2
이때 구하려는 a는 l_1의 x절편 $\dfrac{16}{7}$이므로
$a=\dfrac{16}{7}$에서 $p+q=7+16=23$

06 답 800

$f(x)g(x)=\begin{cases}(1-x)g(x) & (x<0)\\(x^2-1)g(x) & (0\le x<1)\\(x^3-1)g(x) & (x\ge1)\end{cases}$

에서 다음과 같이 생각할 수 있다.

(ⅰ) 함수 $f(x)g(x)$가 $x=0$에서 연속이어야 하므로
$\lim\limits_{x\to0-}f(x)g(x)=\lim\limits_{x\to0+}f(x)g(x)=f(0)g(0)$
$\lim\limits_{x\to0-}f(x)g(x)=\lim\limits_{x\to0-}(1-x)g(x)=g(0)$
$\lim\limits_{x\to0+}f(x)g(x)=\lim\limits_{x\to0+}(x^2-1)g(x)=-g(0)$
즉 $g(0)=-g(0)$ ∴ $g(0)=0$
즉 함수 $g(x)$는 x를 인수로 가지므로 다항함수 $h(x)$를 써서
$g(x)=xh(x)$로 나타낼 수 있다.

(ⅱ) 함수 $f(x)g(x)$가 $x=0$에서 미분 가능해야 하므로
$\lim\limits_{x\to0-}\dfrac{f(x)g(x)-f(0)g(0)}{x}=\lim\limits_{x\to0-}\dfrac{(1-x)xh(x)}{x}$
$=\lim\limits_{x\to0-}(1-x)h(x)$
$=h(0)$
$\lim\limits_{x\to0+}\dfrac{f(x)g(x)-f(0)g(0)}{x}=\lim\limits_{x\to0+}\dfrac{(x^2-1)xh(x)}{x}$
$=\lim\limits_{x\to0+}(x^2-1)h(x)$
$=-h(0)$
에서 $h(0)=-h(0)$ ∴ $h(0)=0$
즉 함수 $h(x)$는 x를 인수로 가지므로 다항함수 $p(x)$를 써서
$h(x)=xp(x)$로 나타낼 수 있으므로
$g(x)=xh(x)=x^2p(x)$

(ⅲ) 함수 $f(x)g(x)$가 $x=1$에서 미분 가능해야 하므로
$\lim\limits_{x\to1-}\dfrac{f(x)g(x)-f(1)g(1)}{x-1}=\lim\limits_{x\to1-}\dfrac{(x^2-1)x^2p(x)}{x-1}$
$=\lim\limits_{x\to1-}(x+1)x^2p(x)$
$=2p(1)$
$\lim\limits_{x\to1+}\dfrac{f(x)g(x)-f(1)g(1)}{x-1}=\lim\limits_{x\to1+}\dfrac{(x^3-1)x^2p(x)}{x-1}$
$=\lim\limits_{x\to1+}(x^2+x+1)x^2p(x)$
$=3p(1)$
에서 $2p(1)=3p(1)$ ∴ $p(1)=0$
즉 $p(x)$는 $(x-1)$을 인수로 가지므로 $q(x)$를 써서
$p(x)=(x-1)q(x)$로 나타낼 수 있으므로
$g(x)=x^2p(x)=x^2(x-1)q(x)$
이때 ㈎에서 $q(x)=x+k$라 하면 $g(x)=x^2(x-1)(x+k)$
이므로 $g'(x)=2x(x-1)(x+k)+x^2(x+k)+x^2(x-1)$
또 ㈐에서 $g'(2)=4(2+k)+4(2+k)+4=8k+20=44$
이므로 $k=3$ ∴ $g(x)=\underline{x^2(x-1)(x+3)}$
따라서 구하려는 $g(5)=25\times4\times8=800$

07 답 ②

다항함수 $p(x)$는 실수 전체 집합에서 연속이므로
$\lim\limits_{x\to0+}p(x)=\lim\limits_{x\to0-}p(x)=p(0)$이다.
ㄱ. $f(0)=0$이고,
$\lim\limits_{x\to0-}f(x)=\lim\limits_{x\to0-}(-x)=0$
$\lim\limits_{x\to0+}f(x)=\lim\limits_{x\to0+}(x-1)=-1$
이므로
$\lim\limits_{x\to0-}p(x)f(x)=\lim\limits_{x\to0-}p(x)\times\lim\limits_{x\to0-}f(x)=0$
$\lim\limits_{x\to0+}p(x)f(x)=\lim\limits_{x\to0+}p(x)\times\lim\limits_{x\to0+}f(x)=-p(0)$
$p(0)f(0)=0$

이때 함수 $p(x)f(x)$가 실수 전체의 집합에서 연속이면 $x=0$
에서도 연속이므로

$$\lim_{x \to 0-} p(x)f(x) = \lim_{x \to 0+} p(x)f(x) = p(0)f(0)$$

이 성립해야 한다. 즉 $-p(0)=0$이어야 하므로

$p(0)=0$ (○)

ㄴ. $g(x)=p(x)f(x)$라 하자. 함수 $g(x)$가 실수 전체의 집합에
서 미분 가능하면 $x=2$에서도 미분 가능하므로

$$\lim_{x \to 2} \frac{g(x)-g(2)}{x-2}$$의 값이 존재해야 한다.

$$\begin{aligned}
\lim_{x \to 2-} \frac{g(x)-g(2)}{x-2} &= \lim_{x \to 2-} \frac{p(x)f(x)-p(2)f(2)}{x-2} \\
&= \lim_{x \to 2-} \frac{(x-1)p(x)-p(2)}{x-2} \\
&= \lim_{x \to 2-} \frac{(x-2)p(x)+p(x)-p(2)}{x-2} \\
&= ^{❶}p(2)+p'(2)
\end{aligned}$$

$$\begin{aligned}
\lim_{x \to 2+} \frac{g(x)-g(2)}{x-2} &= \lim_{x \to 2+} \frac{p(x)f(x)-p(2)f(2)}{x-2} \\
&= \lim_{x \to 2+} \frac{(2x-3)p(x)-p(2)}{x-2} \\
&= \lim_{x \to 2+} \frac{2(x-2)p(x)+p(x)-p(2)}{x-2} \\
&= ^{❷}2p(2)+p'(2)
\end{aligned}$$

에서 $\displaystyle\lim_{x \to 2-} \frac{g(x)-g(2)}{x-2} = \lim_{x \to 2+} \frac{g(x)-g(2)}{x-2}$

가 성립하려면 $p(2)+p'(2)=2p(2)+p'(2)$

즉 $p(2)=0$이어야 한다. (○)

ㄷ. (반례)

$p(x)=x^2(x-2)$, $h(x)=p(x)\{f(x)\}^2$이라 하자.

$$h(x)=\begin{cases} x^4(x-2) & (x \le 0) \\ x^2(x-1)^2(x-2) & (0 < x \le 2) \\ x^2(2x-3)^2(x-2) & (x > 2) \end{cases}$$

이때 $\displaystyle\lim_{x \to 0-} \frac{h(x)-h(0)}{x} = \lim_{x \to 0+} \frac{h(x)-h(0)}{x} = 0$

이므로 함수 $h(x)$는 $x=0$에서 미분 가능하다.

또 $\displaystyle\lim_{x \to 2-} \frac{h(x)-h(2)}{x-2} = \lim_{x \to 2+} \frac{h(x)-h(2)}{x-2} = 4$

이므로 함수 $h(x)$는 $x=2$에서 미분 가능하다.

즉 함수 $h(x)$는 실수 전체의 집합에서 미분 가능하지만

$p(x)$는 $x^2(x-2)^2$으로 나누어 떨어지지 않는다. (×)

따라서 옳은 것은 ㄱ, ㄴ

08 답 12

점 $(0, t)$를 지나는 직선이 곡선 $y=x^3-ax^2+3x-5$와 접할 때
의 접점을 $(\alpha, \alpha^3-a\alpha^2+3\alpha-5)$라 하자.

$y'=3x^2-2ax+3$이므로 접선의 방정식은

$$\begin{aligned}
y &= (3\alpha^2-2a\alpha+3)(x-\alpha)+\alpha^3-a\alpha^2+3\alpha-5 \\
&= (3\alpha^2-2a\alpha+3)x-2\alpha^3+a\alpha^2-5
\end{aligned}$$

이고, 이 접선이 점 $(0, t)$를 지나므로

$t=-2\alpha^3+a\alpha^2-5$

즉 $f(t)$는 곡선 $y=-2\alpha^3+a\alpha^2-5$와 직선 $y=t$의 교점의 개수
이다. 이때 $h(\alpha)=^{❶}\underline{-2\alpha^3+a\alpha^2-5}$ 라 하면

$h'(\alpha)=-6\alpha^2+2a\alpha=-2\alpha(3\alpha-a)$

$h'(0)=h'\left(\dfrac{a}{3}\right)=0$이고, $h(0)=-5$, $h\left(\dfrac{a}{3}\right)=\dfrac{a^3}{27}-5$이므로

곡선 $h(\alpha)=-2\alpha^3+a\alpha^2-5$의 그래프와 직선 $y=t$를 함께 나타
내면 다음과 같다.

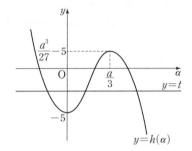

즉 함수 $f(t)$는 다음과 같다.

$$f(t)=\begin{cases} 1 & (t<-5) \\ 2 & (t=-5) \\ 3 & \left(-5<t<\dfrac{a^3}{27}-5\right) \\ 2 & \left(t=\dfrac{a^3}{27}-5\right) \\ 1 & \left(t>\dfrac{a^3}{27}-5\right) \end{cases}$$

이때 $f(t)$가 불연속이 되는 모든 실수 t값은

$^{❷}\underline{-5, \dfrac{a^3}{27}-5}$ 이므로 그 합은 $\dfrac{a^3}{27}-10$

따라서 $\dfrac{a^3}{27}-10=54$가 되는 자연수 $a=4 \times 3=12$

09 답 ②

㈏에서 $f(x)-2=a(x-b)^3$ (a, b는 상수)이라 할 수 있으므로

$f(x)=a(x-b)^3+2$

㈎에서 $f(x)$가 지나는 두 점이 $(-2, -6)$, $(3, 29)$이므로

$-6=a(-2-b)^3+2$에서 $a(b+2)^3=8$ ……㉠

$29=a(3-b)^3+2$에서 $a(3-b)^3=27$ ……㉡

㉠÷㉡에서 $\left(\dfrac{b+2}{3-b}\right)^3=\left(\dfrac{2}{3}\right)^3$ ∴ $b=0$

㉠에 $b=0$을 대입하면 $a=1$ ∴ $f(x)=^{❶}\underline{x^3+2}$

이때 접점을 (t, t^3+2)라 하고, 접선의 방정식을 구하면

$y=3t^2(x-t)+t^3+2$이고,

이 접선이 점 (m, n)을 지나므로

❷ $2t^3-3mt^2+(n-2)=0$ ......©

t에 대한 삼차방정식 ©이 서로 다른 세 실근을 가지면 된다.

$g(t)=2t^3-3mt^2+(n-2)$라 하면

$g'(t)=6t(t-m)$ $(0\le m\le 6)$에서

$m\ne 0$이면 $g(t)$는 $t=0$에서 극댓값이 $(n-2)$이고

$t=m$에서 극솟값이 $(-m^3+n-2)$이다.

삼차방정식 $g(t)=0$이 서로 다른 세 실근을 가지려면

(극댓값)>0, (극솟값)<0이어야 하므로

$n-2>0$, $-m^3+(n-2)<0$에서

$2<n<m^3+2$ $(0\le m\le 6)$ ......©

각 m에 대하여 순서쌍 (m, n)의 개수는 (m^3-1)개이므로

©에 $m=1, 2, \cdots, 6$을 각각 대입하여 구한

순서쌍 (m, n)의 개수의 합은

$$\sum_{m=1}^{6}(m^3-1)=\left(\frac{6\times 7}{2}\right)^2-6=441-6=435$$

▶참고

$m=0$이면 $g(t)=2t^3+$(상수) 꼴이므로 방정식 $g(t)=0$은 서로 다른 세 실근을 갖지 않는다.

10 답 404

$|f(x)|$는 기울기가 0이 아닌 x절편에서 미분이 불가능하다. x절편이 아니거나 기울기가 0인 x절편에서는 미분이 가능한데 곡선 $y=f(x)$가 $x=k$에서 x축과 만나면서 기울기가 0이면 $f(x)$는 $(x-k)^2$을 인수로 가진다.

한편 최고차항의 계수가 1인 사차함수 $f(x)$에 대하여

$f(1)=f(3)=0$이므로 $h(x)=|f(x)|$가 미분 불가능한 점이 1개이려면 $y=f(x)$의 그래프는 다음 두 가지 경우가 가능하다.

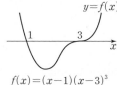

(i) $f(x)=(x-1)(x-3)^3$인 경우

$f(a-x)=(x-a+1)(x-a+3)^3$이므로

$f(x)f(a-x)=(x-1)(x-a+1)(x-3)^3(x-a+3)^3$

$g(x)=|f(x)f(a-x)|$가 실수 전체에서 미분 가능하려면

$(x-1)$, $(x-a+1)$의 지수가 2 이상이어야 한다.

즉 가능한 a는 2, 4이다.

$a=2$일 때, $g(x)=|(x+1)^3(x-1)^2(x-3)^3|$

$a=4$일 때, $g(x)=|(x-1)^4(x-3)^4|$

가능한 $f(a)$의 값은 **❶** $f(2)=-1$, $f(4)=3$

(ii) $f(x)=(x-1)^3(x-3)$인 경우

$f(a-x)=(x-a+1)^3(x-a+3)$이므로

$f(x)f(a-x)=(x-1)^3(x-a+1)^3(x-3)(x-a+3)$

$g(x)=|f(x)f(a-x)|$가 실수 전체에서 미분 가능하려면

$(x-3)$, $(x-a+3)$의 지수가 2 이상이어야 하므로

가능한 a는 4, 6이다.

$a=4$일 때, $g(x)=|(x-1)^4(x-3)^4|$

$a=6$일 때, $g(x)=|(x-1)^3(x-3)^2(x-5)^3|$

가능한 $f(a)$의 값은 **❷** $f(4)=27$, $f(6)=375$

따라서 가능한 모든 $f(a)$의 값의 합은

$-1+3+27+375=404$

◀ 다른 풀이

$f(x)=(x-1)(x-3)^3$인 경우 $f(x)=0$의 근은 1, 3 (3은 중근)이므로 $f(a-x)=0$의 근은 $a-3$, $a-1$ ($a-3$은 중근)이다.

3, $a-3$에서는 이미 중근을 가지고 있어서 $f(x)f(a-x)$가 1, $a-1$에서만 중근을 갖도록 하면 되고 $1=a-1$, $1=a-3$ ($3=a-1$)의 두 가지 경우가 있다. 이때 $a=2, 4$

한편 $f(x)=(x-1)^3(x-3)$인 경우 $f(x)=0$의 근은 1, 3 (1은 중근)이므로 $f(a-x)=0$의 근은 $a-3$, $a-1$($a-1$은 중근)이다.

1, $a-1$에서는 이미 중근을 가지고 있어서 $f(x)f(a-x)$가 3, $a-3$에서만 중근을 갖도록 하면 되고 $3=a-3$, $3=a-1$ ($1=a-3$)의 두 가지 경우가 있다. 이때 $a=6, 4$

나머지는 위 풀이를 이용한다.

▶참고

$f(a)=0$이면 $f(x)$가 인수 $(x-a)$를 가지므로 $f(x)=(x-a)g(x)$로 생각할 수 있다. 이때 $f'(x)=g(x)+(x-a)g'(x)$인데 $f'(a)=g(a)=0$도 성립하면 $g(x)$가 다시 $(x-a)$를 인수로 가지므로 $g(x)=(x-a)h(x)$, $f(x)=(x-a)^2h(x)$로 생각할 수 있다.

11 답 38

$h(x)=\begin{cases} f(x) & (x\le 0) \\ g(x) & (x>0) \end{cases}$이고, 함수 $f(x)$는 $x=-1$에서 극댓값을 가지는 이차함수이므로 $f(x)=ax^2+2ax+c$ (단, $a<0$)이라 놓을 수 있다.

이때 함수 $h(x)$가 실수 전체에서 미분 가능하므로

$f(0)=g(0)=c$이고, $f'(0)=g'(0)=2a$이다.

즉 $g(x)=bx^3+2ax+c$ ......㉠ (단, $b>0$)

라 놓을 수 있고, 함수 $h(x)$의 그래프 개형은 다음과 같다.

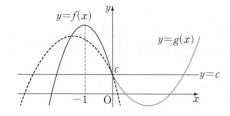

그런데 함수 $f(x)$는 $x=-1$에 대하여 대칭이므로
$f(x)=h(0)=c$의 두 근은 $x=0$ 또는 $x=-2$이다.
그런데 ㈎에서 방정식 $h(x)=h(0)$의 모든 실근의 합이 1이라 했으므로 $g(x)=h(0)=c$의 실근이 3이어야 한다.
즉 조건을 만족시키는 그래프는 다음과 같다.

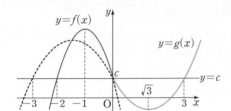

$x<0$에서 함수 $g(x)=bx^3+2ax+c$의 그래프를 생각하면 그림처럼 점 $(0, c)$에 대하여 대칭이다.
즉 $g(x)=c$의 해가 $-3, 0, 3$이므로
$g(x)-c=bx(x+3)(x-3)$에서
$g(x)=bx^3-9bx+c$ ······ ㉡
㉠, ㉡을 비교하면 $2a=-9b$ ······ ㉢
한편 구간 $[-2, 3]$에서 $h(x)$의 최댓값은 ❶$f(-1)=c-a$이고
$h(x)$의 최솟값은 $g'(x)=3bx^2-9b=0$을 생각하면
❷$g(\sqrt3)=c-6\sqrt3 b$이므로 ㈏에 따라
$f(-1)-g(\sqrt3)=-a+6\sqrt3 b=3+4\sqrt3$ ······ ㉣
㉣에서 구한 $a=-3$, $b=\dfrac{2}{3}$가 ㉢을 만족시키므로
$$h(x)=\begin{cases}-3x^2-6x+c & (x\le 0)\\ \dfrac{2}{3}x^3-6x+c & (x>0)\end{cases},$$
$$h'(x)=\begin{cases}-6x-6 & (x<0)\\ 2x^2-6 & (x>0)\end{cases}$$
따라서 $h'(-3)+h'(4)=12+26=38$

참고

$y=bx^3+2ax$의 그래프는 원점에 대하여 대칭이다. 이 곡선을 y축 방향으로 c만큼 평행이동한 곡선은 점 $(0, c)$에 대하여 대칭이다.
즉 $g(x)=bx^3+2ax+c$의 그래프는 점 $(0, c)$에 대하여 대칭이고 곡선 $y=g(x)$와 직선 $y=c$는 $x>0$에서 $x=3$과 만나므로 $x<0$에서는 $x=-3$과 만난다.
즉 $g(x)-c=bx(x+3)(x-3)$에서 $g(x)=bx(x+3)(x-3)+c$

12 답 64

$f(x)=|3x-9|$를 대입해 함수 $g(x)$를 구하면
$$g(x)=\begin{cases}\dfrac{9}{2}|x+k-3| & (x<0)\\ 3|x-3| & (x\ge 0)\end{cases}$$

(i) 함수 $g(x)$가 $x=0$에서 연속이면
$\lim\limits_{x\to 0+}g(x)=9$, $\lim\limits_{x\to 0-}g(x)=\dfrac{9}{2}|k-3|$이므로
$9=\dfrac{9}{2}|k-3|$에서 $k=1, 5$

① $k=1$일 때
$$g(x)=\begin{cases}\dfrac{9}{2}|x-2| & (x<0)\\ 3|x-3| & (x\ge 0)\end{cases}$$

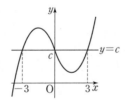

이므로 함수 $g(x)$의 그래프는 그림과 같이 $x=0, 3$에서 미분 가능하지 않다.
함수 $g(x)h(x)$가 실수 전체 집합에서 미분 가능하려면 $x=3$에서 미분 가능해야 하므로
$$\lim_{x\to 3-}\frac{g(x)h(x)-g(3)h(3)}{x-3}=\lim_{x\to 3-}\frac{(9-3x)h(x)}{x-3}$$
$$=\lim_{x\to 3-}\{-3h(x)\}$$
$$=-3h(3)$$
$$\lim_{x\to 3+}\frac{g(x)h(x)-g(3)h(3)}{x-3}=\lim_{x\to 3+}\frac{(3x-9)h(x)}{x-3}$$
$$=\lim_{x\to 3+}3h(x)=3h(3)$$
즉 $3h(3)=-3h(3)$에서 $h(3)=0$
즉 삼차함수 $h(x)$는 $(x-3)$을 인수로 가진다.
또 함수 $g(x)h(x)$가 $x=0$에서 미분 가능해야 하므로
$$\lim_{x\to 0}\frac{g(x)h(x)-g(0)h(0)}{x-0}$$
$$=\lim_{x\to 0-}\frac{\dfrac{9}{2}(2-x)h(x)-9h(0)}{x}$$
$$=\lim_{x\to 0-}\frac{9\{h(x)-h(0)\}-\dfrac{9}{2}xh(x)}{x}$$
$$=9h'(0)-\frac{9}{2}h(0)$$
$$\lim_{x\to 0+}\frac{g(x)h(x)-g(0)h(0)}{x-0}$$
$$=\lim_{x\to 0+}\frac{(9-3x)h(x)-9h(0)}{x}$$
$$=\lim_{x\to 0+}\frac{(9-3x)\{h(x)-h(0)\}-3xh(0)}{x}$$
$$=9h'(0)-3h(0)$$
즉 $9h'(0)-3h(0)=9h'(0)-\dfrac{9}{2}h(0)$에서 $h(0)=0$
이므로 $h(x)=x(x-3)(x+\alpha)$ (단, α는 상수)
라 하면 ㈏에서
$h'(3)=27+6(\alpha-3)-3\alpha=15$이므로 $\alpha=2$
$\therefore h(x)=x(x-3)(x+2)=$❶$\underline{x^3-x^2-6x}$
$\therefore h(k)=h(1)=-6$

② $k=5$일 때

$$g(x)=\begin{cases}\dfrac{9}{2}|x+2| & (x<0)\\[2mm] 3|x-3| & (x\ge0)\end{cases}$$

므로 함수 $g(x)$의 그래프는 그림과 같다.

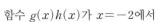

함수 $g(x)h(x)$가 $x=-2$에서 미분 가능해야 하므로 위와 같은 방법으로 생각하면 $h(-2)=0$이어야 한다.

삼차함수 즉 $h(3)=h(0)=h(-2)=0$이고 최고차항의 계수가 1인 삼차함수이므로

$h(x)=x(x+2)(x-3)=$ **❶** $\underline{x^3-x^2-6x}$

이때 $h'(x)=3x^2-2x-6$, $h'(3)=27-6-6=15$이므로 ㈏를 만족시킨다. $\therefore\ h(k)=h(5)=70$

(ii) $g(x)$가 $x=0$에서 불연속인 경우 $(k\ne1,\ k\ne5)$

함수 $g(x)h(x)$가 $x=0$에서 연속이므로

$$\lim_{x\to0-}g(x)h(x)=\lim_{x\to0+}g(x)h(x)=g(0)h(0)$$

즉 $\dfrac{9}{2}|k-3|\times h(0)=9h(0)$에서

$k\ne1,\ k\ne5$이므로 $h(0)=0$

또 함수 $g(x)h(x)$가 $x=0$에서 미분 가능하므로

$$\lim_{x\to0-}\frac{g(x)h(x)-g(0)h(0)}{x-0}=\frac{9}{2}|k-3|\times h'(0)$$

$$\lim_{x\to0+}\frac{g(x)h(x)-g(0)h(0)}{x-0}=9h'(0)$$

즉 $\dfrac{9}{2}|k-3|\times h'(0)=9h'(0)$에서 $h'(0)=0$

(i)과 마찬가지로 생각하면 $x=3$에서 $g(x)h(x)$가 미분 가능해야 하므로 $h(3)=0$이어야 한다. 즉 $h(x)$는 x^2과 $(x-3)$을 인수로 가지고 최고차항의 계수가 1인 삼차함수이므로

$h(x)=x^2(x-3)=$ **❷** $\underline{x^3-3x^2}$

이때 $h'(x)=3x^2-6x$에서 $h'(3)=27-18=9$

즉 ㈏에 어긋나므로 $g(x)$가 $x=0$에서 불연속인 경우에는 $h(x)$가 존재하지 않는다.

(i), (ii)에서 모든 $h(k)$ 값의 합은

$h(1)+h(5)=(-6)+70=64$

참고

(i)의 ①일 때 $g(x)$가 미분 가능하지 않은 $x=0,\ 3$에서 $h(0)=0$, $h(3)=0$을 구한 방법을 (i)의 ②와 (ii)의 풀이에서 이용한다.

13 달 ③

곡선 $y=x^3-3x+1$ 위의 점 $(t,\ t^3-3t+1)$에서의 접선은

$y=(3t^2-3)(x-t)+(t^3-3t+1)$

$\quad=(3t^2-3)x-2t^3+1$

이 접선이 점 $\mathrm{A}(2,\ a)$를 지나므로 $a=2(3t^2-3)-2t^3+1$

$\therefore\ a=-2t^3+6t^2-5$ ……㉠

$f(t)=-2t^3+6t^2-5$라 하면 $f'(t)=-6t(t-2)$

$t=0,\ 2$일 때 극값을 가지므로 $f(0)=-5$, $f(2)=3$이고 그림과 같이 $y=f(t)$의 그래프에서 생각하면 ㉠이 서로 다른 세 실근을 가지는 a값의 범위는 **❶** $\underline{-5<a<3}$

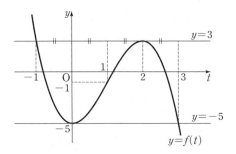

한편 $x=t$에서 접선의 기울기는 $3(t^2-1)$ ……㉡이므로

$|t|>1$일 때, 접선의 기울기가 양수이고

$|t|=1$일 때, 접선의 기울기는 0,

$|t|<1$일 때, 접선의 기울기가 음수이다.

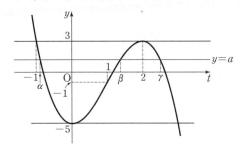

방정식 ㉠의 해를 그림처럼 $\alpha<\beta<\gamma$라 하면

$-1<\alpha<0,\ 0<\beta<2,\ \gamma>2$이다.

이때 직선 $y=a$의 위치를 아래 위로 움직여 보면 β값의 범위를 다음과 같이 나눌 수 있다.

(i) $0<\beta<1$인 경우 ($\Rightarrow\ -5<a<-1$)

㉡에 따라 각 접선의 기울기의 부호는 $-,\ -,\ +$이다. 이때 세 접선의 기울기의 곱은 양수이다.

(ii) 그림처럼 $1<\beta<2$인 경우 ($\Rightarrow\ -1<a<3$)

㉡에 따라 각 접선의 기울기의 부호는 $-,\ +,\ +$이다. 이때 세 접선의 기울기의 곱은 음수이다.

(iii) $\beta=1$인 경우 ($\Rightarrow\ a=-1$)

방정식 ㉠의 해 중 하나가 $t=1$이어서 ㉡에 따라 접선의 기울기는 0이므로 세 접선의 기울기의 곱도 0이다.

(i)~(iii)에서 조건에 맞는 실수 a의 범위는

❷ $\underline{-5<a<-1}$이고,

이 범위에 속한 정수는 $-4,\ -3,\ -2$로 모두 3개다.

킬러 격파 Tip

❶ 각 극점에서 x축에 평행한 직선을 각각 그어 그래프와 만나는 점의 x좌표를 생각하면 삼차함수 그래프의 성질에 따라 $-1,\ 3$을 구할 수 있고, $x=1$일 때 곡선의 대칭점(변곡점)은 극댓점과 극솟점의 중심이 된다.

❷ $a=-1$일 때 $\beta=1$이므로 기울기가 0이다.

❸ $a=3$일 때 $\alpha=-1$이므로 기울기가 0이다.

14 답 ④

ㄱ. $g(x) = \begin{cases} (x-2)\left(x^2+\dfrac{3}{n}\right) & (x \geq 2) \\ (x-2)^2\left(x^2+\dfrac{3}{n}\right) & (x < 2) \end{cases}$

이므로 모든 x에 대하여 $g(x) \geq 0$이다.

$x > 2$일 때 $g'(x) = \left(x^2+\dfrac{3}{n}\right) + (x-2)(2x)$

$\qquad\qquad\qquad = 3x^2 - 4x + \dfrac{3}{n}$

이므로 $\displaystyle\lim_{x \to 2+} g'(x) = \underline{4 + \dfrac{3}{n}}^{\text{❶}} > 0$

$x < 2$일 때 $g'(x) = 2(x-2)\left(x^2+\dfrac{3}{n}\right) + (x-2)^2(2x)$

이므로 $\displaystyle\lim_{x \to 2-} g'(x) = \underline{0}^{\text{❷}}$

즉 $\displaystyle\lim_{x \to 2+} g'(x) \neq \lim_{x \to 2-} g'(x)$이므로

$g(x)$는 $x=2$에서 미분 불가능하다. (○)

ㄴ. $g(2) = 0$이고 모든 x에 대하여
$g(x) \geq 0$이므로 함수 $g(x)$는
$x=2$에서 극솟값을 갖는다. 또 함
수 $g(x)$가 한 점에서만 극대 또는
극소가 되려면 $x \neq 2$인 모든 점에
서 극점이 존재하면 안 되므로 그
래프 개형은 그림과 같다.

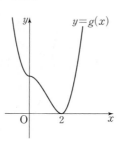

또 $x > 2$에서 $g'(x) > 0$이므로 $g(x)$는 증가하는 함수이고
$x > 2$에서 극값을 가지지 않는다.

$x < 2$에서 $g'(x) = 2(x-2)\left(2x^2-2x+\dfrac{3}{n}\right)$이므로

$x < 2$인 모든 x에 대하여 $2x^2 - 2x + \dfrac{3}{n} \geq 0$이면

$g'(x) < 0$이므로 $x=2$ 이외에 더 이상의 극점은 없다.

$2x^2 - 2x + \dfrac{3}{n} = 2\left(x-\dfrac{1}{2}\right)^2 + \dfrac{3}{n} - \dfrac{1}{2} \geq 0$

이 되도록 하는 자연수 n은 1부터 6까지이므로

그 합은 $\dfrac{6 \times 7}{2} = \underline{21}^{\text{❸}}$ (×)

ㄷ. 함수 $g(x)$가 $x=2$에서 미분 불가능하므로
함수 $|g(x) - k|$도 $x=2$에서 미분 불가능하다.
또 함수 $|g(x) - k|$에서 미분 불가능한 점이 두 개뿐이려면
$x=2$를 제외한 나머지 범위에서 미분 불가능한 점이 한 개뿐
이어야 하므로
$y = g(x) - k$는 $x < 2$에서 $(x-\alpha)^3$ 꼴을 포함해야 한다.
즉 $g'(x) = 2(x-2)\left(2x^2-2x+\dfrac{3}{n}\right)$이 중근을 가져야 한다.
이때 $x=2$는 중근이 될 수 없으므로
$2x^2 - 2x + \dfrac{3}{n} = 0$이 중근을 가지려면
$\dfrac{D}{4} = 1 - \dfrac{6}{n} = 0$에서 $n = 6$

$\therefore g'(x) = 4(x-2)\left(x-\dfrac{1}{2}\right)^2$

$y = g(x)$는 다음과 같다.

$g(x) = \begin{cases} (x-2)\left(x^2+\dfrac{1}{2}\right) & (x \geq 2) \\ (x-2)^2\left(x^2+\dfrac{1}{2}\right) & (x < 2) \end{cases}$

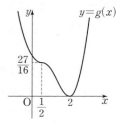

이때 함수 $|g(x) - k|$가
미분 불가능한 점이 두 개뿐이려면

$k = g\left(\dfrac{1}{2}\right) = \left(\dfrac{1}{2}-2\right)^2\left(\dfrac{1}{4}+\dfrac{1}{2}\right) = \dfrac{27}{16}$

이고, 함수 $y = \left|g(x) - \dfrac{27}{16}\right|$은 그림과 같다. (○)

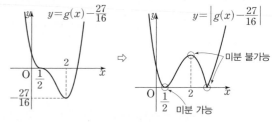

따라서 옳은 것은 ㄱ, ㄷ

<참고>

❶ ㄴ의 $x < 2$에서 $g'(x) = 2(x-2)\left(2x^2-2x+\dfrac{3}{n}\right)$이고,

$n = 6$일 때 $g'(x) = 4(x-2)\left(x-\dfrac{1}{2}\right)^2$이 되어 $g'\left(\dfrac{1}{2}\right) = 0$이지만

$x = \dfrac{1}{2}$에서 $g'(x)$의 부호 변화가 없으므로 극값을 가지지 않는다.

❷ $y = g(x)$의 그래프에 x축에 평행한 직선 $y = k$ $(k > 0)$를 그려 아래 위
로 움직여 보면 직선이 $y = g(x)$가 삼중근이 되는 점을 지날 때 문제의
조건을 만족시킨다.

❸ 함수 $|g(x) - k|$에서
$k \neq \dfrac{27}{16}$이면 그림과 같이
$x = 2$ 말고도 미분 불가능한
점이 2개 더 있으므로 조건을
만족시키지 않는다.

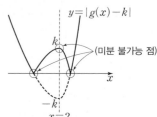

❹ $y = (x-2)^2\left(x^2+\dfrac{1}{2}\right) - \dfrac{27}{16}$

$\quad = x^4 - 4x^3 + \dfrac{9}{2}x^2 - 2x + \dfrac{5}{16}$

$\quad = \left(x-\dfrac{1}{2}\right)^3\left(x-\dfrac{5}{2}\right)$

이므로 $x = \dfrac{1}{2}$일 때 삼중근을 가진다.

집중공략 **유형07** 그래프의 분석과 활용

01 답 5

㈎에서 이차함수 $g(x)$ 위의 점 $(2, 0)$에서의 접선이 x축이고, $g(x)$는 최고차항의 계수가 -1이므로 $g(x)=-(x-2)^2$

최고차항의 계수가 1인 삼차함수 $f(x)$가 원점에서 x축과 접하므로 $f(x)=x^2(x+p)$ (단, p는 상수)로 놓을 수 있다.

$y=f(x)$ 위의 점 (t, t^3+pt^2)에서의 접선의 방정식은
$y=(3t^2+2pt)(x-t)+t^3+pt^2$
$\therefore y=(3t^2+2pt)x-2t^3-pt^2$ ...... ㉠

㉠이 점 $(2, 0)$을 지나므로 $0=2(3t^2+2pt)-2t^3-pt^2$

정리하면 $t\{2t^2-(6-p)t-4p\}=0$ ...... ㉡

㈏에서 점 $(2, 0)$에서 $y=f(x)$에 그은 접선이 2개이므로 t에 대한 방정식 ㉡의 근도 2개다. 즉 다음 두 경우로 생각할 수 있다.

(i) 이차방정식 $2t^2-(6-p)t-4p=0$이 중근을 갖는 경우

$D=(6-p)^2+32p=0$에서 $p=-2$ 또는 $p=-18$

① $p=-2$일 때

$f(x)=x^2(x-2)$, $g(x)=-(x-2)^2$이고, [그림 1]처럼 두 함수는 서로 다른 세 점에서 만나므로 ㈐에 어긋난다.

② $p=-18$일 때

$f(x)=x^2(x-18)$, $g(x)=-(x-2)^2$이고, [그림 2]처럼 두 함수는 서로 다른 세 점에서 만나므로 ㈐에 어긋난다.

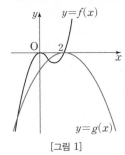

[그림 1]

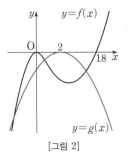

[그림 2]

(ii) 이차방정식 $2t^2-(6-p)t-4p=0$의 한 근이 0인 경우 $t=0$을 대입하면 $p=0$이므로 $f(x)=x^3$, $g(x)=-(x-2)^2$이고 [그림 3]처럼 두 함수는 한 점에서만 만나므로 ㈐를 만족시킨다.

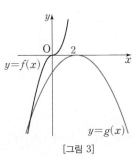

[그림 3]

(i), (ii)에서 $f(x)=x^3$이다.

한편 $g(x)\leq kx-2\leq f(x)$에서 직선 $y=kx-2$는 점 $(0, -2)$를 지나고 기울기가 k인 직선이다.

[그림 4]처럼 생각하면 $x>0$인 모든 실수 x에 대하여 $g(x)\leq kx-2\leq f(x)$를 만족시키는 k의 최댓값은 $(0, -2)$를 지나는 직선이 $y=f(x)$의 그래프와

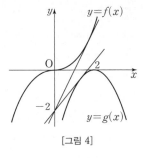

[그림 4]

접할 때이고 k의 최솟값은 $(0, -2)$를 지나는 직선이 $y=g(x)$의 그래프와 접할 때이다.

직선이 $y=f(x)$와 접하는 접점의 좌표를 (t, t^3)이라 하면 접선의 방정식은 $y=3t^2x-2t^3$이고, 접선이 점 $(0, -2)$를 지나므로 $-2=-2t^3$에서 $t=1$이고, 접선의 기울기 $k=3$ ...... ㉢

또 직선이 $y=g(x)$와 접하는 접점의 좌표를 $(t, -(t-2)^2)$이라 하면 접선의 방정식은 $y=-2(t-2)x+t^2-4$

접선이 점 $(0, -2)$를 지나므로 $t^2=2$에서 $t=\sqrt{2}$ $(\because t>0)$이고, 이때 접선의 기울기 $k=4-2\sqrt{2}$ ...... ㉣

㉢, ㉣에서 $4-2\sqrt{2}\leq k\leq 3$이므로 $\alpha=3$, $\beta=4-2\sqrt{2}$

이때 $\alpha-\beta=-1+2\sqrt{2}=a+b\sqrt{2}$에서

$a=-1$, $b=2$이므로 $a^2+b^2=5$

02-1 답 ⑤

$f(x)=x^3+ax^2+bx+c$로 놓으면 $f'(x)=3x^2+2ax+b$

$f(0)=f'(0)$이므로 $c=b$

즉 $f(x)=x^3+ax^2+bx+b$, $g(x)=f(x)-f'(x)$라 하면
$g(x)=(x^3+ax^2+bx+b)-(3x^2+2ax+b)$
$\quad =x^3+(a-3)x^2+(b-2a)x$

이때 $g(0)=0$이고,

㈐에서 $x\geq -1$인 모든 실수 x에 대하여 $g(x)\geq 0$이므로 그림과 같이 $g(x)$는 $x=0$에서 극솟값을 가진다. 즉 $g'(0)=0$

$g'(x)=3x^2+2(a-3)x+b-2a$에서

$g'(0)=b-2a=0$ $\therefore b=2a$

$\therefore g(x)=x^3+(a-3)x^2=x^2(x+a-3)$

즉 방정식 $g(x)=0$의 해는 $x=0$, $3-a$이고

$x\geq -1$에서 $g(x)\geq 0$이므로 $3-a\leq -1$이어야 한다.

$\therefore$ ❷$\underline{a\geq 4}$

※ $g(-1)\geq 0$을 이용해 $a\geq 4$를 구해도 된다.

$f(x)=$ ❶$\underline{x^3+ax^2+2ax+2a}$ 에서

$f(2)=8+4a+4a+2a=10a+8\geq 10\times 4+8=48$ $(\because a\geq 4)$

따라서 $f(2)$의 최솟값은 48

02-2 답 92

$f(x)=x^3+ax^2+bx+c$로 놓으면

$f'(x)=3x^2+2ax+b$

$f(0)=2f'(0)$이므로 $c=2b$

즉 $f(x)=x^3+ax^2+bx+2b$

$g(x)=f(x)-2f'(x)$라 하면

$g(x)=(x^3+ax^2+bx+2b)-2(3x^2+2ax+b)$
$\qquad =x^3+(a-6)x^2+(b-4a)x$

이때 $g(0)=0$이고, (대)에서 $x\geq-1$
인 모든 실수 x에 대하여 $g(x)\geq0$
이므로 그림과 같이 $g(x)$는 $x=0$
에서 극솟값을 가진다.

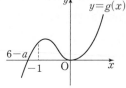

즉 $g'(0)=0$

$g'(x)=3x^2+2(a-6)x+b-4a$에서

$g'(0)=b-4a=0$ $\qquad \therefore b=4a$

$\therefore g(x)=x^3+(a-6)x^2=x^2(x+a-6)$

즉 방정식 $g(x)=0$의 해는 $x=0,\ 6-a$이고

$x\geq-1$에서 $g(x)\geq0$이므로 $6-a\leq-1$이어야 한다.

$\therefore$ **❶** <u>$a\geq7$</u>

$f(x)=$ **❷** <u>$x^3+ax^2+4ax+8a$</u> 에서

$f(1)=13a+1\geq13\times7+1=92$ $(\because a\geq7)$

따라서 $f(1)$의 최솟값은 92

03-1 답 ③

(개), (내)를 만족시키는 함수 $y=f(x)$의 그래프와 $y=f'(x)$의 그
래프는 그림과 같다.

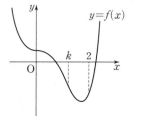 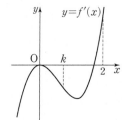

ㄱ. 함수 $y=f'(x)$의 그래프와 x축은 열린구간 $(k,\ 2)$에서 만난
   다. 즉 방정식 $f'(x)=0$은 열린구간 $(k,\ 2)$에서 실근이 한 개
   다. (○)

ㄴ. 함수 $y=f(x)$의 그래프에서 함수 $f(x)$는 극댓값이 없고, 극
   솟값을 갖는다. (×)

ㄷ. $f(0)=0$이면 양수 a에 대하여 $f(x)=x^3(x-a)$로 놓을 수
   있다.

   $f(x)=x^4-ax^3$에서 $f'(x)=4x^3-3ax^2$이고,

   $f'(2)=32-12a=16$ $\qquad \therefore a=\dfrac{4}{3}$

   이때 $f(x)=$ **❶** <u>$x^4-\dfrac{4}{3}x^3$</u>이고, $x=1$에서 극솟값 **❷** <u>$-\dfrac{1}{3}$</u>을 가

가지므로 $y=f(x)$의 그래프는
그림과 같다.
즉 모든 실수 x에 대하여
$f(x)\geq-\dfrac{1}{3}$이다. (○)

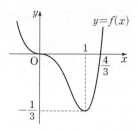

따라서 옳은 것은 ㄱ, ㄷ

03-2 답 196

(개)에서 $f(0)=0$, $f'(0)=0$이고 (내)를
만족시키면 사차함수 $f(x)$는 $x=0$
일 때 x축에 접하고 $x=0$은 감소
구간에 속한다. 또 (대)에서 함수
$|f(x)|$는 $x=4$에서 미분 불가능하
므로 $f(x)$의 그래프는 $x=4$에서 x
축과 만난다.

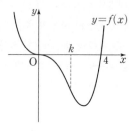

즉 조건 (개), (내), (대)를 만족시키는 함수 $y=f(x)$의 그래프는 그림
과 같고, 양수 a에 대하여 $f(x)=ax^3(x-4)$로 놓을 수 있다.

즉 $f(x)=ax^4-4ax^3$에서 $f'(x)=4ax^3-12ax^2$이고,

(개)에서 $f'(1)=4a-12a=-8a=-16$ $\qquad \therefore a=2$

즉 $f(x)=$ **❶** <u>$2x^3(x-4)$</u> 이고, $f'(x)=8x^2(x-3)$이므로

함수 $f(x)$는 $x=3$에서 극솟값 $f(3)=$ **❷** <u>-54</u> 를 갖는다.

또 $f(-1)=10$, $f(5)=250$이므로 $-1\leq x\leq5$에서

함수 $f(x)$의 최댓값은 $M=f(5)=250$

함수 $f(x)$의 최솟값은 $m=f(3)=-54$

따라서 $M+m=250+(-54)=196$

04 답 ④

문제의 조건에서 사차함수 $f(x)$는 $x=\alpha$, $x=\beta$에서
극솟값 -6을 가지고, $\beta=-\alpha$이므로
$f'(\alpha)=0$, $f'(-\alpha)=0$ 이고 $f(\alpha)=f(-\alpha)=-6$
즉 함수 $f(x)$의 그래프 개형은 다음과 같다.

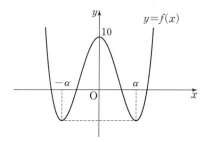

$\therefore f(x)=(x-\alpha)^2(x+\alpha)^2-6$

이때 $f(0)=10$이므로 $f(0)=\alpha^4-6=10$에서 $\alpha=2$

즉 $f(x)=(x-2)^2(x+2)^2-6=$ <u>x^4-8x^2+10</u>

$f(4)=(4-2)^2(4+2)^2-6=138$

문제의 조건에서 함수 $f(x)$는 y축에 대칭인 함수임을 알 수 있다.

$\therefore a=0, c=0$

또 $f'(\alpha)=4\alpha^3+2b\alpha=2\alpha(2\alpha^2+b)=0$에서

$\alpha=\pm\sqrt{-\dfrac{b}{2}}$ $(b<0)$일 때, 극솟값 -6을 갖는다.

즉 $f(\alpha)=f\left(\sqrt{-\dfrac{b}{2}}\right)=\dfrac{b^2}{4}+b\left(-\dfrac{b}{2}\right)+10=-6$에서

$-\dfrac{b^2}{4}=-16$ $\qquad\therefore b=-8$ $(b<0)$

따라서 $f(x)=x^4-8x^2+10$이므로 $f(4)=256-128+10=138$

05 답 ③

(내)에서 $|f(x)|\geq 0$이므로 방정식 $|f(x)|=f(0)$이 실근을 갖지 않으려면 **❶** $f(0)<0$이어야 한다.

ㄱ. $a=0$이면 (개)에서

$f'(x)=x^2(x-2)$이고

$f(0)<0$이므로 함수 $y=f(x)$

의 그래프 개형은 그림과 같다.

즉 방정식 $f(x)=0$은 서로 다

른 두 실근을 갖는다. (◯)

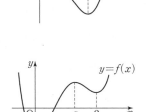

ㄴ. (반례) $0<a<2$이고

$f(a)>0$일 때,

$f(2)>0$이면 그림과 같이 방정

식 $f(x)=0$은 서로 다른 두 실

근을 갖는다. (✕)

ㄷ. $f'(x)$에서 최고차항의 계수가 1이므로 사차함수 $f(x)$의 최

고차항의 계수는 $\dfrac{1}{4}$이다.

또 함수 $|f(x)-f(2)|$가 $x=k$에서만 미분 가능하지 않으려

면 $f(x)-f(2)=$ **❷** $\dfrac{1}{4}(x-k)(x-2)^3$ 이어야 한다.

이때 $f'(0)=0$이고,

$f(0)<0$임을 생각하면

함수 $y=|f(x)-f(2)|$의 그래

프 개형은 그림과 같다.

이때 $|f(x)-f(2)|$는 실수 k

$(k<0)$에 대하여 $x=k$에서만 미분 가능하지 않다. (◯)

따라서 옳은 것은 ㄱ, ㄷ

06 답 ③

ㄱ. 함수 $g(x)$가 $x=-1, 5$에서 미분 가능하므로

$g'(-1)=g'(5)=0$, 즉 $f'(-1)=f'(5)=0$이고

$f'(x)$는 최고차항의 계수가 3인 이차함수이므로

$f'(x)=3(x+1)(x-5)$

함수 $f(x)$의 증감표는 다음과 같으므로 $f(x)$는 $x=-1$일

때 극댓값을 갖는다. (◯)

x	$\cdots$	-1	$\cdots$	5	$\cdots$
$f'(x)$	$+$	0	$-$	0	$+$
$f(x)$	↗	극대	↘	극소	↗

ㄴ. $f'(x)=3(x+1)(x-5)=3x^2-12x-15$이고

$f(9)=0$이므로 $f(x)=$ **❶** $\underline{x^3-6x^2-15x-108}$

이때 $f(-1)=-100, f(5)=-208$

함수 $f(x)$는 $x=-1$과 $x=5$에서 연속이므로

$a=|f(-1)|=100, b=|f(5)|=208$ $\qquad\therefore a<b$ (✕)

ㄷ. $f'(x)=3x^2-12x-15$에서

$f(x)=x^3-6x^2-15x+C$ (단, C는 상수)

$a=f(-1)=8+C, b=-f(5)=100-C$

조건에서 $a=b$이므로 $C=46$

즉 $f(x)=$ **❷** $x^3-6x^2-15x+46$ 에서 $f(0)=46$ (◯)

따라서 옳은 것은 ㄱ, ㄷ

참고

최고차항의 계수가 1이고 극값이 두 개 존재하는

삼차함수 $f(x)$의 그래프를 생각하면

(극댓값) $>$ (극솟값)이다.

문제의 경우 극댓값은 $f(-1)$이고, 극솟값은

$f(5)$이다. 그림처럼 극댓값과 극솟값의 부호가 다른 경우도 있지만 부호가

같은 경우까지 생각해 함수 $g(x)$를 그려보면 다음과 같다.

(i) 극솟값 $f(5)$가 양수, 즉 $0<f(5)<f(-1)$인 경우

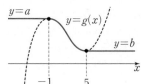

(ii) 극솟값 $f(5)$가 음수, 즉 $f(5)<0<f(-1)$인 경우

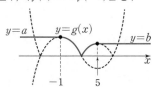

(iii) 극댓값 $f(-1)$이 음수, 즉 $f(5)<f(-1)<0$인 경우

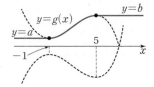

(i) ~ (iii)에서 $a=b$가 될 수 있는 경우는 (ii)뿐이다.

07 답 ④

(개의 $f(a)=g(a)=f(a)-|f'(a)|=0$에서 $f(a)=f'(a)=0$

이므로 함수 $f(x)$는 $x=a$에서 x축에 접하고 극솟값은 0이다.
또 (나)에서 삼차함수 $f(x)$의 극댓값이 4이므로 $f(k)=4$가 되는
실수 k가 존재하고, $f'(k)=0$이다. 또 함수 $f(x)$의 최고차항의
계수가 1이므로 $y=f(x)$의 그래프를 그림처럼 생각하면

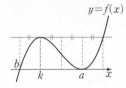

$f(x)=(x-a)^2(x-b)$
(b는 상수이고, $b<k<a$)
로 놓을 수 있다.
이때 $f'(x)=(x-a)(3x-a-2b)$

에서 $k=\dfrac{a+2b}{3}$

또 $f\left(\dfrac{a+2b}{3}\right)=4$에서 $a-b=3$

$\therefore f(x)=$❶$\underline{(x-a)^2(x-a+3)}$

한편 $g(1)=f(1)-|f'(1)|=0$을 정리하면
❷$\underline{-(a-1)^2(a-4)=|3(a-1)(a-3)|}$

이때 $y_1=-(a-1)^2(a-4)$,
$y_2=|3(a-1)(a-3)|$이라 하면
y_1, y_2의 그래프를 그려 생기는
교점의 개수와 $g(1)=0$이 되는 a
의 개수가 서로 같다.

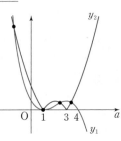

그림에서 $y_1=y_2$, 즉 $g(1)=0$이
되는 a는 모두 4개다.

❶ 삼차함수 그래프의 특성을 생각하면 $k=\dfrac{2b+a}{3}$임을 바로 구할 수 있다.

❷ y_1이 삼차함수이고 y_2가 이차함수이므로 $x<0$에서 두 그래프가 만난다
는 점을 주의한다. $g(1)=0$이 되는 a를 직접 구해보면
$1-\sqrt6$, 1, $4-\sqrt3$, $1+\sqrt6$

08 답 ④

$f(x)=-\dfrac{1}{6}x^2(x-k)$와 $y=-x$의 교점을 생각해 보자.

$-\dfrac{1}{6}x^2(x-k)=-x$,

$x(x^2-kx-6)=0$에서

$D=k^2+24>0$이므로 곡선

$f(x)=-\dfrac{1}{6}x^2(x-k)$와 직선

$y=-x$는 그림처럼 서로 다른 세
점에서 만난다. 곡선 $y=f(x)$ 위
의 점 $(t, f(t))$에서 x축까지의 거리와 y축까지의 거리 중 크지
않은 값 $g(t)$는 $y=f(x)$가 $y=x$와 원점에서만 만나거나 접하는
[그림 1]과 같은 경우일 때는 미분 불가능한 점이 ❶$\underline{3}$개이고,
$y=f(x)$가 $y=x$와 원점 외에 다른 두 점에서 더 만나는 [그림 2]
와 같은 경우일 때는 미분 불가능한 점이 ❷$\underline{5}$개다.

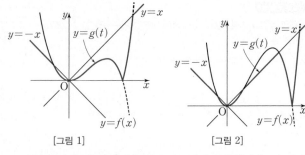

[그림 1]　　　　　[그림 2]

즉 함수 $g(t)$가 세 점에서만 미분 가능하지 않으려면 [그림 1]과
같이 $y=f(x)$가 $y=x$와 원점에서만 만나거나 접해야 하므로
$-\dfrac{1}{6}x^2(x-k)=x$, $x(x^2-kx+6)=0$에서 $D=k^2-24\le0$
이므로 $k^2\le24$
따라서 자연수 k의 최댓값은 4

$y=f(x)$가 $y=x$와 접할 때는 접선의 방정식을 사용해도 된다.

곡선 $y=f(x)$ 위의 접점 P의 좌표를 $P\left(t, -\dfrac{1}{6}(t^3-kt^2)\right)$이라 하면

접선의 방정식은 $y=-\dfrac{1}{6}(3t^2-2kt)(x-t)-\dfrac{1}{6}(t^3-kt^2)$이고,

이 접선이 원점을 지나므로 $0=-\dfrac{1}{6}(3t^2-2kt)(-t)-\dfrac{1}{6}(t^3-kt^2)$

정리하면 $0=(3t^2-2kt)(-t)+(t^3-kt^2)$에서 $t=0$ 또는 $t=\dfrac{k}{2}$

즉 원점을 제외한 접점 P의 좌표는 $P\left(\dfrac{k}{2}, f\left(\dfrac{k}{2}\right)\right)$이고,

이 점에서의 접선의 기울기 $f'\left(\dfrac{k}{2}\right)\le1$이므로 $k^2\le24$

09 답 80

이차함수 $f(x)$는 $x=-1$에서 극대이므로 이차항의 계수는 음수
이고 $x=-1$은 축이 된다.
즉 $f(x)=a(x+1)^2+k=ax^2+2ax+a+k$ $(a<0)$로 놓을 수
있고, 이때 $f(x)=ax^2+2ax+b$ $(a<0)$, $f'(x)=2ax+2a$라
할 수 있다.
또 $h(x)$가 $x=0$에서 미분 가능하려면 $x=0$에서 연속이고 좌우
미분계수가 같아야 한다.
$g(x)$의 삼차항의 계수가 0이므로
$g(x)=px^4+qx^2+rx+s$라 하면
$g'(x)=4px^3+2qx+r$이므로
$f(0)=g(0)$에서 $b=s$, $f'(0)=g'(0)$에서 $2a=r$이다.
$\therefore g(x)=px^4+qx^2+2ax+b$
(가)에서 방정식 $h(x)=h\left(-\dfrac{1}{2}\right)=f\left(-\dfrac{1}{2}\right)$의 서로 다른 실근이 3개
이며 이차함수 그래프의 대칭성과 세 실근의 합이 1이고,
$g(x)$가 $x=2$일 때 극솟값을 가진다는 것을 생각하면 $y=h(x)$
의 그래프를 그림처럼 나타낼 수 있다.

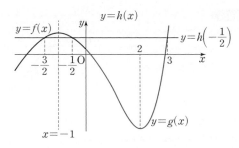

닫힌구간 $[-2, 3]$에서 $h(x)$의 최댓값과 최솟값은 각각 $x=-1$과 $x=2$에서 가지므로 ㈏에서 $f(-1)-g(2)=28$과 $g'(2)=0$이 성립해야 한다.

즉 $f(-1)-g(2)=-5a-16p-4q=28$에서

$16p+4q+5a=-28$ ······ ㉠

그리고 $g'(2)=32p+4q+2a=0$에서

$16p+2q+a=0$ ······ ㉡

또 그림처럼 생각하면 $f\left(-\dfrac{1}{2}\right)=g(3)$이므로

$f\left(-\dfrac{1}{2}\right)-g(3)=-\dfrac{27}{4}a-81p-9q=0$에서

$36p+4q+3a=0$ ······ ㉢

㉠, ㉡, ㉢을 연립해서 풀면 $p=1$, $q=-6$, $a=-4$

이때 $f(x)=-4x^2-8x+b$, $g(x)=x^4-6x^2-8x+b$이므로

$f'(x)=$ ❶ $\underline{-8x-8}$, $g'(x)=$ ❷ $\underline{4x^3-12x^2-8}$

$\therefore h'(-3)+h'(3)=f'(-3)+g'(3)=16+64=80$

> **참고**
>
> $y=g(x)$에서 최고차항의 계수 p의 부호를 알 수 없으므로 $p>0$인 경우, $p<0$인 경우로 나누어 풀어도 상관없지만 조건 ㈏에서 주어진 $f(-1)-g(2)=28$은 p의 부호와
>
>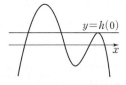
>
> 관계없이 성립한다는 것을 생각하면 굳이 경우를 나누어서 풀지 않고 위 풀이처럼 $p>0$라 생각하고 풀어도 답을 구할 수 있다. 실제로 조건을 이용하면 $p<0$인 경우일 때 $y=h(x)$에 대하여 오른쪽 그림과 같이 나타낼 수 있다.
> 이때 $f(-1)-g(2)=28$, $g'(2)=0$, $f\left(-\dfrac{1}{2}\right)-g(3)=0$을 이용하면 $p=1$, $q=-6$, $a=-4$을 얻게 되는데, 이것은 당장 $p<0$에 어긋나므로 주어진 문제는 $p>0$인 경우만 생각해도 된다.

10 답 ②

㈎에서 $f(-1)+1=-1+a-2b+1\geq0$이므로

$a\geq2b$ ······ ㉠

㈏에서 $f(1)-f(-1)=1+a+2b-(-1+a-2b)>9$이므로

$b>\dfrac{7}{4}$ ······ ㉡

㉠, ㉡에서 $a\geq2b>$ ❶ $\dfrac{7}{2}$ ······ ㉢

ㄱ. $f'(x)=0$, 즉 $3x^2+2ax+2b=0$에서 $\dfrac{D}{4}=a^2-3(2b)>0$

이면 서로 다른 두 실근을 가지고, 이때 삼차함수 $y=f(x)$에서 극대와 극소 모두 존재한다.

㉢에서 $a>3$이고 $a\geq2b$이므로 $D>0$이다.

즉 삼차함수 $y=f(x)$에서 극대와 극소가 모두 있으므로 방정식 $f(x)=p$가 서로 다른 세 실근을 가지도록 하는 실수 p가 존재한다. (◯)

ㄴ. $f'(x)=3x^2+2ax+2b$에서

$f'(-1)=3-2a+2b=(3-a)+(2b-a)$이고,

㉢에서 $a>3$이고 $a\geq2b$이므로 $3-a<0$, $2b-a\leq0$이다.

즉 $f'(-1)<0$이고, $f'(0)=2b>0$

한편 이차함수 $f'(x)$는 닫힌구간 $[-1, 0]$에서 연속이므로 사잇값 정리에 따라 열린구간 $(-1, 0)$에서 방정식 $f'(x)=0$의 근이 적어도 하나 존재한다. 이때 실근을 α라 하면 $(-1, \alpha)$에서 $f'(x)<0$이고 $(\alpha, 0)$에서 $f'(x)>0$이므로 함수 $f(x)$는 $x=\alpha$에서 극솟값을 가진다. (◯)

ㄷ. ㉢과 $ab=8$을 만족시키는 정수 a, b는 $a=4$, $b=2$이므로

$f(x)=x^3+4x^2+4x$이고,

$f'(x)=3x^2+8x+4=0$에서 $x=-\dfrac{2}{3}$, -2

즉 함수 $f(x)$는 $x=-2$에서 극댓값 $f(-2)=0$이고,

$x=-\dfrac{2}{3}$에서 극솟값은 $f\left(-\dfrac{2}{3}\right)=-\dfrac{32}{27}$이다.

이때 방정식 $f(x)-f'(k)x=0$의 서로 다른 두 실근이 2개이려면 $f(x)=f'(k)x$에서 원점을 지나는 직선 $y=f'(k)x$가 곡선 $y=f(x)$의 접선이어야 한다.

$y=f(x)$의 그래프 개형을 그려 생각하면 그림에서 직선 $y=f'(k)x$가 될 수 있는 것은 원점을 지나는 l_1과 l_3이므로 기울기는 각각 ❷ $\underline{4, 0}$이다.

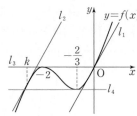

(ⅰ) l_1이 $y=f'(k)x$인 경우 원점에서 그은 접선은 l_1이고 같은 기울기의 접선은 l_2이다. $f'(0)=4$이므로

$f'(k)=3k^2+8k+4=4$에서 $k=0$ 또는 $k=-\dfrac{8}{3}$

(ⅱ) l_3이 $y=f'(k)x$인 경우

원점에서 그은 접선 l_3는 x축이므로 기울기는 0이다.

이때 가능한 $k=-2$ 또는 $k=-\dfrac{2}{3}$

(ⅰ), (ⅱ)에서 가능한 정수 k는 $k=0$ 또는 $k=-2$ (✕)

따라서 옳은 것은 ㄱ, ㄴ

> **참고**
>
> ㄷ의 (ⅱ), 즉 l_3이 $y=f'(k)x$인 경우일 때 $y=f(x)$의 그래프를 정확히 그리지 않았다면 다음과 같이 구해도 된다.

$(0, 0)$에서 곡선 $y=f(x)$에 그은 접선의 접점을 (t, t^3+4t^2+4t)라 할 때,
접선의 방정식은 $y=(3t^2+8t+4)(x-t)+t^3+4t^2+4t$
즉 $y=(3t^2+8t+4)x-2t^3-4t^2$이고 접선이 $(0, 0)$을 지나므로
$0=-2t^3-4t^2$에서 $t=0, -2$
즉 $t=-2$일 때도 원점을 지나는 접선인 x축이 된다.

11 답 14

그림과 같이 $f(x)=0$은 서로 다른 세 실근을 가질 경우, 즉 (극댓값)>0, (극솟값)<0일 때 함수 $|f(x)|$의 극값이 5개이므로 ㉮ 조건을 만족시킬 수 있다.

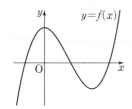 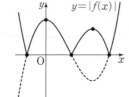

$f'(x)=3x^2-6px=3x(x-2p)$에서 함수 $f(x)$는 $x=0$일 때 극댓값을 가지고, $x=2p$일 때 극솟값을 가진다.
$f(0)=q>0, f(2p)=-4p^3+q<0$ $\therefore$ ❶ $q<4p^3$ $\cdots\cdots$ ㉠
한편 삼차함수의 그래프 중에서 다음 두 경우를 생각해 보면
[그림 1]은 ㉮ 조건을 만족시키지 못하지만 [그림 2]는 ㉮ 조건을 만족시킨다는 것을 알 수 있다.

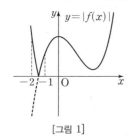 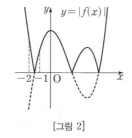

| [그림 1] | [그림 2] |

즉 구간 $[-1, 1]$과 구간 $[-2, 2]$에서 함수 $|f(x)|$의 최댓값은 각각 $f(0)=q$이어야 한다.

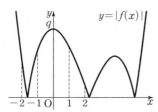

$f(-1)=-1-3p+q, f(1)=1-3p+q$
$f(-2)=-8-12p+q, f(2)=8-12p+q$이므로
$-q\leq f(-1)\leq q, -q\leq f(1)\leq q$
$-q\leq f(-2)\leq q, -q\leq f(2)\leq q$
에서 $|f(-2)|\leq q$이면 충분하므로
$-8-12p+q\geq -q$, 즉 $q\geq$ ❷ $4+6p$ $\cdots\cdots$ ㉡
㉠, ㉡에서 $4+6p\leq q<4p^3$인 25 이하의 자연수 개수는
$p=2$일 때 $16\leq q\leq25$ $\Rightarrow$ 10개, $p=3$일 때 $22\leq q\leq25$ $\Rightarrow$ 4개
$p=4$일 때 없다.
따라서 구하려는 순서쌍 (p, q)는 모두 14개

킬러 격파 Tip

$f(x)$가 삼차함수일 때, $y=f(x)$ 그래프의 극대점과 극소점에서 x축과 평행한 직선을 그어 보자. 문제의 경우는 $x=0$일 때 극댓값을 가지고 $x=2p$일 때 극솟값을 가지므로 그림처럼 생각할 수 있다. 이때 x축 방향으로 점 5개 사이의 간격은 각각 같으므로 각 점의 x좌표는 왼쪽부터 차례로 $-2p, -p, 0, p, 2p, 3p$가 된다.

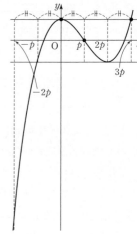

삼차함수 그래프가 구간 $[-p, p]$에서 극댓값을 기준으로 왼쪽 구간에서 함숫값의 변화 정도가 오른쪽 구간에서 함숫값의 변화 정도보다 더 심하다.
예를 들어 위 그림에서 생각할 때
$p=1$이면 $f(-2)<-q$가 되므로 구간 $[-2, 2]$에서 $|f(x)|$의 최댓값은 $|f(-2)|$이고, 이 값이 $|f(0)|$보다 크므로 조건 ㉯에서 주어진 두 구간에서의 최댓값은 서로 같지 않다. 즉 p값이 1이면 안 되고, 2 이상임을 알 수 있다.
따라서 가장 큰 값인 $|f(-2)|$를 생각하면 된다.
※ $|f(-1)|\leq q, |f(1)|\leq q, |f(-2)|\leq q, |f(2)|\leq q$에서 공통 범위를 구해 보면 $f(-2)\geq -q$임을 알 수 있다.
즉 $-8-12p+q\geq -q$에서 $q\geq4+6p$

12 답 ③

$-1\leq x\leq3$에서 $g(x)=x^2(x-3), g'(x)=3x(x-2)$이므로 함수 $g(x)$는 $x=0$에서 극댓값 0, $x=2$에서 극솟값 -4이며,
$g(-1)=-4, g(3)=0$이다.
또 $y=|g'(x)|=|3x(x-2)|$이므로
$|g'(-1)|=|g'(3)|=9$
$|g'(1)|=3, g'(2)=0$이다.
즉 $y=g(x)$와 $y=|g'(x)|$의 그래프 개형은 그림과 같다.

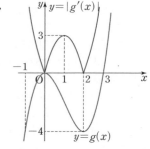

이때 최고차항의 계수가 1인 사차함수 $f(x)$가 $-1\leq x\leq3$에서 $g(x)\leq f(x)\leq|g'(x)|$를 만족시키려면 $f(0)=f'(0)=0$이어야 하므로 함수 $f(x)$는 ❶ x^2을 인수로 가진다.
또 조건에서 $x=1, 2, 3$이 $f(x)=0$의 해가 될 수 있다. 즉 가능한 $f(x)$는 다음과 같다.
(ⅰ) $f(x)=x^2(x-1)(x-2)$
(ⅱ) $f(x)=x^2(x-1)(x-3)$
(ⅲ) $f(x)=x^2(x-2)^2$
(ⅳ) $f(x)=x^2(x-2)(x-3)$
이때 ㉯에서
$-4\leq f(-1)\leq9, -2\leq f(1)\leq3, -4\leq f(2)\leq0, 0\leq f(3)\leq9$
이면서 $g(x)\leq f(x)\leq|g'(x)|$이어야 하므로

(i) ~ (iv) 중에서 (iii)만 가능하다.

$\therefore f(x) = $ <u>❷ $x^2(x-2)^2$</u>

따라서 구하려는 $f(4) = 16 \times 4 = 64$

참고

❶ $f(x) = x^2(x-1)^2$, $f(x) = x^2(x-3)^2$이면 둘 다 $f(2) = 4$가 되어 $|g'(2)| = 0$보다 크므로 (나)에 어긋난다.

❷ (i) ~ (iv)에서 다음 경우를 생각한다.

(i) $f(x) = x^2(x-1)(x-2)$이면

$f(3) = 18 > 9$이므로

$0 \le f(3) \le 9$에 어긋난다.

(ii) $f(x) = x^2(x-1)(x-3)$이면

$2 < x < 3$에서 $f\left(\dfrac{5}{2}\right) = -\dfrac{75}{16}$

$g\left(\dfrac{5}{2}\right) = -\dfrac{25}{8}$처럼 $f(x) < g(x)$

인 경우가 생기므로 (나)에 어긋

난다.

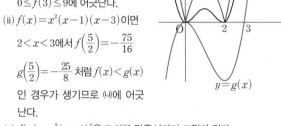

(iii) $f(x) = x^2(x-2)^2$은 조건을 만족시키며 그림과 같다.

(iv) $f(x) = x^2(x-2)(x-3)$이면 $f(-1) = 12 > 9$이므로

$-4 \le f(-1) \le 9$에 어긋난다.

13 🔖 69

함수 $g(x)$에서 함수 $y = f(2-x)$의 그래프는 함수 $y = f(x)$의 그래프와 직선 $x = 1$에 대하여 대칭이다. 이때 함수 $y = g(x)$가 실수 전체의 집합에서 미분 가능하려면 $f'(1) = 0$이어야 한다.

또 방정식 $g(x) = 5$가 서로 다른 세 실근을 가지므로 $f(1) = 5$이고 극댓값이어야 하므로 $y = f(x)$와 $y = g(x)$의 그래프 개형은 그림과 같다.

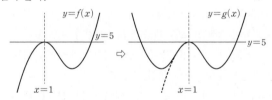

한편 $y = 10 - f(x)$의 그래프와 $y = f(x)$의 그래프는 $y = 5$에 대하여 대칭이므로 함수 $h(x)$의 그래프는 함수 $y = |f(x) - 5| + 5$와 같이 $y = 5$에 대하여 $y < 5$ 부분을 위로 대칭이 되게 꺾어 올린 그래프이고 그림과 같다.

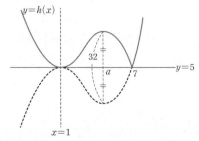

이때 (나)에서 함수 $h(x)$는 $x = 7$에서만 미분 가능하지 않으므로 그림에서 $f(7) = 5$이다.　　$\therefore f(1) = f(7) = $ <u>❶ 5</u>

또 (다)에서 $x \ge 1$일 때 함수 $h(x) - f(x)$는 $x = a$에서 최댓값 32를 가지므로 $f(x)$에서 극댓값과 극솟값의 차는 16이다.

즉 $f(1) - f(a) = 16$에서 $f(a) = -11$

이상에서 최고차항의 계수가 양수인 삼차함수 $f(x)$의 그래프는 그림과 같으므로 삼차함수 $f(x)$의 최고차항의 계수를 k라 하면

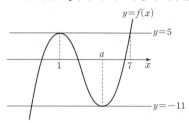

$f(x) = k(x-1)^2(x-7) + 5$, $f'(x) = 3k(x-1)(x-5)$

이므로 $f'(a) = 0$에서 $a = $ <u>❷ 5</u>　　$\therefore f(a) = f(5) = -11$

이때 $f(5) = -32k + 5 = -11$에서 $k = \dfrac{1}{2}$

$\therefore f(x) = $ <u>❸ $\dfrac{1}{2}(x-1)^2(x-7) + 5$</u>

따라서 $f(a+4) = f(9) = \dfrac{1}{2} \times 64 \times 2 + 5 = 69$

14 🔖 215

$y = |f(x) - t|$의 그래프에서 미분 가능하지 않은 점의 개수를 $g(t)$라 하면, $g(t)$는 $f'(\alpha) = 0$일 때 $t = f(\alpha)$에서 불연속이다.

사차함수 $y = f(\alpha)$의 개형을 그림

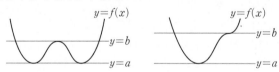

처럼 생각하면 $f'(\alpha) = 0$인 $f(\alpha)$가 3개 존재하므로 문제의 조건을 만족시키지 않는다. 즉 $f'(\alpha) = 0$인 $f(\alpha)$가 2개가 되는 경우를 다음과 같이 생각할 수 있다.

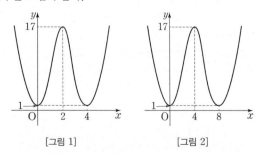

(i) $f(0) = 1$, $f'(4) = 0$일 때 두 극솟값이 서로 같은 경우, 즉 $f'(x) = 0$이 서로 다른 세 실근을 가지면서 좌우 대칭이 되는 경우는 그림과 같다.

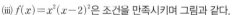
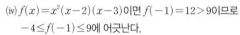

[그림 1]　　　　　　　[그림 2]

① [그림 1]과 같은 사차함수 $f(x)$는 최고차항의 계수가 p이고, $x = $ <u>❶ 0, 4</u> 에서 극솟값 1을 가지므로

$f(x) = px^2(x-4)^2 + 1$로 나타낼 수 있다.

또 극댓값 $f(2)=16p+1=17$ 이므로 $p=1$

즉 $f(x)=x^2(x-4)^2+1$이므로

$f(-2)=4\times36+1=145$

② [그림 2]와 같은 사차함수 $f(x)$의 최고차항의 계수를 q라 하자. 이때 $x=$ ^❷$\underline{0,\ 8}$ 에서 극솟값 1을 가지므로

$f(x)=qx^2(x-8)^2+1$로 나타낼 수 있다.

또 극댓값 $f(4)=256q+1=17$이므로 $q=\dfrac{1}{16}$

즉 $f(x)=\dfrac{1}{16}x^2(x-8)^2+1$이므로

$f(-2)=\dfrac{1}{16}\times4\times100+1=26$

(ii) 그림과 같이 $f'(x)=0$의 세 실근 중 중근이 있는 사차함수 $f(x)$의 최고차항의 계수를 r라 하자. 이때 $f(0)=1,\ f'(4)=0$에서 극소가 되는 점은 $(0,\ 1)$이고, $x=4$일 때 $f'(x)=0$은 중근을 가진다.

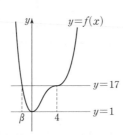

$f(x)=(rx+s)(x-4)^3+17$이라 하면

$f(0)=s(-64)+17=1$에서 $s=\dfrac{1}{4}$

$f'(x)=r(x-4)^3+3(x-4)^2\left(rx+\dfrac{1}{4}\right)$

$f'(0)=-64r+12=0$에서 $r=\dfrac{3}{16}$

즉 $f(x)=\left(\dfrac{3}{16}x+\dfrac{1}{4}\right)(x-4)^3+17$

$=$ ^❸$\underline{\dfrac{1}{16}(3x+4)(x-4)^3+17}$

이므로

$f(-2)=\dfrac{1}{16}(-2)(-6)^3+17=44$

(i), (ii)에서 가능한 $f(-2)$의 값은 145, 26, 44이고, 구하려는 값은 $145+26+44=215$

참고

$y=|f(x)-t|$의 그래프는 그림처럼 $y=f(x)$의 그래프에서 직선 $y=t$의 아랫부분을 $y=t$에 대하여 대칭이동한 것과 같다. 그림과 같은 경우 $y=|f(x)-t|$는 $x=\alpha,\ \beta$에서 미분 불가능하다. 한편 함수 $y=|f(x)-t|$

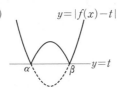

에서 미분 가능하지 않은 점의 개수를 $g(t)$라 하고, $y=f(x)$의 그래프가 다음과 같은 경우일 때 함수 $|f(x)-t|$에서 $g(t)$를 생각해 보자.

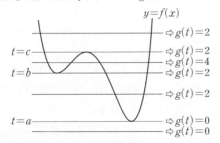

이때 함수 $y=g(t)$는 다음 그래프에서 확인할 수 있는 것처럼 $t=a,\ b,\ c$일 때 불연속이다.

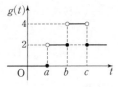

15 🔗128

최고차항의 계수가 1인 사차함수 $f(x)$에 대하여 $g(x),\ h(x)$가 다음과 같다.

$$g(x)=\begin{cases}-1 & (f(x)<0)\\0 & (f(x)=0),\\1 & (f(x)>0)\end{cases} \quad h(x)=\begin{cases}-1 & (f'(x)<0)\\0 & (f'(x)=0)\\1 & (f'(x)>0)\end{cases}$$

이때 함수 $g(x)h(x)$의 그래프 개형은 그림과 같다.

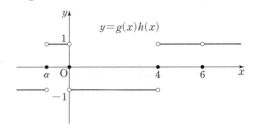

함수 $g(x)h(x)$의 부호는 사차함수 $y=f(x)$의 그래프 개형에 따라 결정된다.

(i) $g(x)h(x)=0 \Rightarrow f(x)=0$ 또는 $f'(x)=0$

(ii) $g(x)h(x)>0$

$\Rightarrow f(x)>0$이고 증가하거나 $f(x)<0$이고 감소한다.

(iii) $g(x)h(x)<0$

$\Rightarrow f(x)>0$이고 감소하거나 $f(x)<0$이고 증가한다.

최고차항의 계수가 1인 사차함수 $y=f(x)$의 그래프는 왼쪽 끝에서 감소하는 그래프이므로 다음과 같이 생각할 수 있다.

㉠ $x=\alpha$에서 $f(x)>0$이고 감소 상태에서 증가 상태로 바뀌는 극소일 수도 있고, $f(\alpha)=0$일 수 있다.

㉡ $x=0$에서 $f(x)>0$이고 증가 상태에서 감소 상태로 바뀌는 극대일 수도 있고, $x=0$에서 $f(x)<0$이고 감소 상태에서 증가 상태로 바뀌는 극소일 수도 있다.

㉢ $x=6$에서 그래프 모양이 그대로 유지 되면서 $g(x)h(x)=0$이므로 $f'(6)=0$이고 극점은 아니어야 한다.

㉠~㉢에서 $y=f(x)$의 그래프를 다음과 같이 생각할 수 있고, 이 중에서 사차함수가 되는 것은 그래프 개형이 [그림 3]과 같을 때이다. 즉 $f(\alpha)=0$이고, $f'(6)=$ ^❶$\underline{0}$이면서 극점은 아니어야 한다.

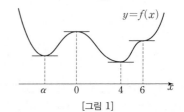

[그림 1]

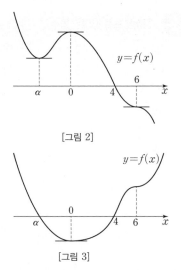

[그림 2]

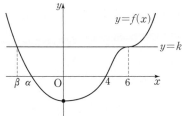

[그림 3]

이때 $f(6)=k$라 하고 직선 $y=k$를 그어 그림처럼 생각하면 함수 $f(x)=(x+\beta)(x-6)^3+k$이다.

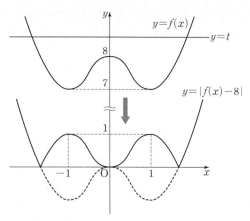

$\therefore f(x)=^❷\underline{x^4-2x^2+8}$

함수 $g(x)$는 주기가 2인 주기함수이므로

$g(999)=g(997)=\cdots=g(1)=f(1)=7$

참고

주기함수가 미분 가능하려면 다음 조건을 만족시켜야 한다.

- 한 주기 내에서 함수가 연속이어야 하고, 한 주기의 양 끝점이 연속이어야 한다.
- 한 주기 내에서 함수가 미분 가능해야 하고, 한 주기의 양 끝점의 미분값이 같아야 한다.

실제로 $y=g(x)$를 그려보면 그림과 같다.

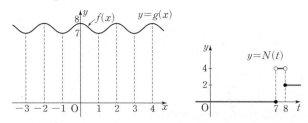

또 $y=|f(x)-t|$의 미분 불가능한 점의 개수를 $N(t)$라 하면 위 오른쪽 그림과 같다.

$f'(0)=0$이므로 $f'(0)=-216+108\beta=0$에서 $\beta=2$

$\therefore f(x)=(x+2)(x-6)^3+k$

$f(4)=0$ 이므로 $0=6\times(-8)+k$에서 $k=48$

$\therefore f(x)=^❷\underline{(x+2)(x-6)^3+48}$

따라서 구하려는 $f(8)=10\times8+48=128$

16 답 7

㈏의 $g(1+x)=g(-1+x)$에서 $x-1=p$라 하면

$g(p+2)=g(p)$이므로 함수 $g(x)$는 주기가 2인 주기함수이다. 이때 $f(x)=x^4+ax^3+bx^2+cx+d$라 하면

$f'(0)=0$이므로 $c=0$이고, 사차함수 $f(x)$에 대하여

$-1\leq x<1$ 일 때, $g(x)=f(x)$이고, 주기가 2인 함수 $g(x)$가 실수 전체에서 미분 가능하려면

$f(1)=^❶\underline{f(-1)}$, $f'(1)=f'(-1)$이어야 한다.

이때 $f(1)=f(-1)$에서 $1+a+b+d=1-a+b+d$

즉 $a=0$이고 $f(x)=x^4+bx^2+d$, $f'(x)=4x^3+2bx$

또 $f'(1)=f'(-1)$에서 $4+2b=-4-2b$

즉 $b=-2$이므로 $f(x)=x^4-2x^2+d$

한편 함수 $y=|f(x)-t|$의 그래프는 $f(x)$의 그래프를 y축 방향으로 t 만큼 내린 후 꺾어 올린 것인데 미분 불가능한 점이 2개일 t의 최솟값이 8이라면, $f(0)=8=d$이다.

17 답 36

삼차함수 $f(x)$의 최고차항의 계수가 1이므로 그래프의 개형은 $f'(x)=0$의 실근의 개수에 따라 다음과 같이 나눌 수 있다.

먼저 방정식 $f'(x)=0$의 해가 중근을 가지거나 서로 다른 두 허근인 그림과 같은 두 경우는 부등식 $f(x)\leq f(t)$를 만족시키는 실수 x의 최댓값 $g(t)=t$이고, 이것은 실수 전체의 집합에서 연속이므로 ㈎를 만족시키지 않는다.

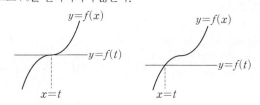

방정식 $f'(x)=0$이 서로 다른 두 실근 α, $\beta(\alpha<\beta)$를 갖는 그림

과 같은 경우는 부등식 $f(x) \le f(t)$를 만족시키는 실수 x의 최댓값 $g(t)$는 $t = \gamma$에서만 불연속이 된다.

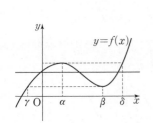 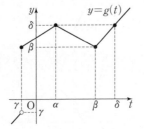

이때 $y = g(t)$의 개형은 위 오른쪽 그림과 같은 꼴이므로
㈎에서 $\gamma = 0$
또 ㈏에서 $\delta = 4$이고, 최고차항의 계수가 1이면서 원점을 지나는 삼차함수 $f(x)$의 그래프는 다음과 같다.

즉 $f(x) = x(x-\beta)^2$이고,
$f(4) = 4$이므로
$4(4-\beta)^2 = 4$에서 $\beta = 3$
$\therefore f(x) = $ ❶ $\underline{x(x-3)^2}$

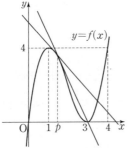

그러므로 $0 \le x \le 3$인 모든 실수 x에 대하여
$f(x) - f(k) \le f'(k)(x-k)$
즉 $f(x) \le f'(k)(x-k) + f(k)$에서
부등식의 우변 $y = f'(k)(x-k) + f(k)$는 곡선 $y = f(x)$ 위의 점 $(k, f(k))$에서의 접선이다.

따라서 $0 \le x \le 3$인 모든 실수 x에 대하여 곡선이 접선 아래쪽(접하는 경우 포함)에 있어야 하므로 그림처럼 $(p, f(p))$에서의 접선이 $(3, 0)$을 지나는 경우를 생각하면 $k \le p$인 모든 실수 k에서 접선이 곡선보다 같거나 위에 있다.

$(p, f(p))$에서의 접선의 방정식은
$y = f'(p)(x-p) + f(p)$
즉 $y = 3(p-1)(p-3)(x-p) + p(p-3)^2$
에 $(3, 0)$을 대입하여 정리하면
$0 = 3(p-1)(p-3)(3-p) + p(p-3)^2$
$(p-3)^2(-2p+3) = 0$
따라서 $p = $ ❷ $\dfrac{3}{2}$ 이므로 구하려는 $24p = 36$

킬러 격파 Tip

조건을 만족시키는 삼차함수 그래프에서 사등분하는 특성을 생각하면 $f(4) = 4$를 이용하지 않아도 $\alpha = 1$, $\beta = 3$임을 바로 구할 수 있다.

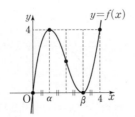

집중공략 유형 08 정적분으로 정의된 함수

01 ⑤	02-1 7	02-2 ④	03-1 ⑤
03-2 ⑤	04 4	05 5	06 4
07 36	08 ⑤	09 24	10 200
11 ④	12 ①		

01 답 ⑤

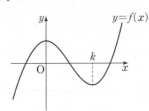 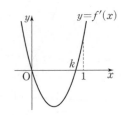

ㄱ. 삼차항의 계수를 a ($a > 0$)라 하고 ㈎를 이용하면
$f'(x) = 3ax(x-k)$
이고, 이때 구간 $[0, k]$에서 $f'(x) \le 0$이므로
$\displaystyle\int_0^k f'(x)dx < 0$ (○)

ㄴ. ㈏의 등식 $\displaystyle\int_0^t |f'(x)| dx = f(t) + f(0)$
의 양변을 t에 대하여 미분하면 $|f'(t)| = f'(t)$ ······ ㉠
이때 ㉠은 $t > 1$인 모든 실수 t에 대하여 성립하므로
$t > 1$일 때 $f'(t) \ge 0$이고
구간 $[0, k]$에서 $f'(x) \le 0$이므로 $0 < k \le 1$ (○)

ㄷ. $f'(x) = 3ax(x-k) = 3ax^2 - 3akx$에서
$\displaystyle\int_0^t |f'(x)| dx$
$= -\displaystyle\int_0^k (3ax^2 - 3akx)dx + \int_k^t (3ax^2 - 3akx)dx$
$= -\left[ax^3 - \dfrac{3ak}{2}x^2\right]_0^k + \left[ax^3 - \dfrac{3ak}{2}x^2\right]_k^t$
$= at^3 - \dfrac{3akt^2}{2} + ak^3$ ······ ㉡

또한
$f(x) = \displaystyle\int(3ax^2 - 3akx)dx$
$= ax^3 - \dfrac{3ak}{2}x^2 + C$ (C는 적분상수)
라 하면
$f(t) + f(0) = at^3 - \dfrac{3ak}{2}t^2 + 2C$ ······ ㉢

㉡, ㉢이 같으므로 $C = \dfrac{ak^3}{2}$

즉 $f(x) = ax^3 - \dfrac{3ak}{2}x^2 + \dfrac{ak^3}{2}$이므로
극솟값 $f(k) = ak^3 - \dfrac{3ak^3}{2} + \dfrac{ak^3}{2} = 0$ (○)
따라서 옳은 것은 ㄱ, ㄴ, ㄷ

02-1 답 7

(개)에서 주어진 등식의 양변을 x에 대하여 미분하면

$f(x)=\dfrac{1}{2}f(x)+\dfrac{x-1}{2}f'(x)+\dfrac{1}{2}f(1)$

$\therefore f(x)=f(1)+(x-1)f'(x)$ ...... ㉠

㉠의 좌변에서 $f(x)$의 최고차항을 ax^n (a는 0이 아닌 상수, n은 자연수)이라 하면

㉠의 우변에서 최고차항은 $x\times anx^{n-1}=anx^n$

즉 $ax^n=anx^n$에서 $n=$ **❶** $\underline{1}$

또 $f(0)=1$이므로 $f(x)=ax+1$로 놓을 수 있다.

이때 $\displaystyle\int_0^2 f(x)dx=\int_0^2 (ax+1)dx=\left[\dfrac{a}{2}x^2+x\right]_0^2=2a+2$

$\displaystyle\int_{-1}^1 xf(x)dx=\int_{-1}^1 (ax^2+x)dx=2\int_0^1 ax^2 dx=\dfrac{2a}{3}$

이므로 (내)에서 $2a+2=5\times\dfrac{2a}{3}$ $\therefore a=\dfrac{3}{2}$

따라서 $f(x)=$ **❷** $\underline{\dfrac{3}{2}x+1}$ 이므로 $f(4)=\dfrac{3}{2}\times4+1=7$

> **참고**

$\displaystyle\int_1^x f(t)dt=\dfrac{x-1}{2}\{f(x)+f(1)\}$에서

우변의 $\dfrac{x-1}{2}\{f(x)+f(1)\}$은 네 꼭짓점의 좌표가

$(1, 0)$, $(1, f(1))$, $(x, 0)$, $(x, f(x))$인 사다리꼴의 넓이라 할 수 있고, 모든 x에 대하여 위 등식이 성립하려면 함수 $f(x)$는 직선이 되어야 함을 알 수 있다.

02-2 답 ④

(개) 등식에 $x=2$를 대입하면

$0=\dfrac{2-k}{2}\{f(2)+f(2)\}=(2-k)f(2)$

에서 $f(2)>0$이므로 $k=2$

또 (개) 등식의 양변을 x에 대하여 미분하면

$f(x)=\dfrac{1}{2}f(x)+\dfrac{1}{2}f(2)+\dfrac{x-2}{2}f'(x)$

$\therefore f(x)=f(2)+(x-2)f'(x)$ ...... ㉠

㉠의 좌변에서 $f(x)$의 최고차항을 ax^n (a는 0이 아닌 상수, n은 자연수)이라 하면 ㉠의 우변의 최고차항은 $x\times anx^{n-1}=anx^n$

즉 $ax^n=anx^n$에서 $n=1$

또 $f(0)=2$이므로 $f(x)=ax+2$

이것을 (내)에 대입하고 정리하면

$\displaystyle\int_0^4 f(x)dx=\int_0^4 (ax+2)dx=\left[\dfrac{a}{2}x^2+2x\right]_0^4=8a+8$

$\displaystyle\int_{-2}^2 x(x-1)f(x)dx$

$\displaystyle=\int_{-2}^2 (x^2-x)(ax+2)dx$

$\displaystyle=\int_{-2}^2 \{ax^3-(a-2)x^2-2x\}dx$

$\displaystyle=-2(a-2)\left[\dfrac{1}{3}x^3\right]_0^2=-\dfrac{16(a-2)}{3}$

이므로 (내)에서 $8a+8-3\times\dfrac{16(a-2)}{3}=0$

을 정리하면 $-8a+40=0$ $\therefore a=5$

따라서 $f(x)=\underline{5x+2}$ 이고, 이때

$f\left(\dfrac{3}{2}k\right)=f(3)=5\times3+2=17$

03-1 답 ⑤

ㄱ. $h(x)=(x-1)f(x)$에서 $h'(x)=f(x)+(x-1)f'(x)$

$g(x)=f(x)+(x-1)f'(x)$이므로 $h'(x)=g(x)$ (◯)

ㄴ. $f(x)=x^3+x^2+ax+b$가 $x=-1$에서 극값 0을 가지면

$f(-1)=0$에서 $-a+b=0$, $f'(-1)=0$에서 $a+1=0$

즉 $a=-1$, $b=-1$이므로 $f(x)=x^3+x^2-x-1$이고

$g(x)=f(x)+(x-1)f'(x)$

$\quad=x^3+x^2-x-1+(x-1)(3x^2+2x-1)$

$\quad=$ **❶** $\underline{4x^3-4x}$

$\displaystyle\int_0^1 g(x)dx=\int_0^1 (4x^3-4x)dx=\left[x^4-2x^2\right]_0^1=-1$ (◯)

ㄷ. $[(x-1)f(x)]'=f(x)+(x-1)f'(x)=g(x)$이므로

$\displaystyle\int_0^1 g(x)dx=\left[(x-1)f(x)\right]_0^1=f(0)$

이때 $f(0)=0$, 즉 $\displaystyle\int_0^1 g(x)dx=$ **❷** $\underline{0}$ 이면 다항함수 $g(x)$가

실수 전체에서 연속함수이고 $g(x)$를 0부터 1까지 적분한 값이 0이므로 $g(x)=0$이 되는 점이 열린구간 $(0, 1)$에서 적어도 하나 존재한다. (◯)

따라서 옳은 것은 ㄱ, ㄴ, ㄷ

03-2 답 ⑤

$\displaystyle\int_0^x \{g(t)-f(t)\}dt=(x-2)f(x)-\int_0^x f(s)ds$에서

$\displaystyle\int_0^x f(t)dt=\int_0^x f(s)ds$이므로

$\displaystyle\int_0^x g(t)dt=$ **❶** $\underline{(x-2)f(x)}$ ...... ㉠

ㄱ. ㉠의 양변에 $x=0$을 대입하면

$0=-2f(0)$에서 $f(0)=0$이다. (◯)

ㄴ. ㉠의 양변을 x에 대하여 미분하면

$g(x)=f(x)+(x-2)f'(x)$ ...... ㉡

또 $h'(x)=f(x)+(x-2)f'(x)$이므로

㉡에서 $g(x)=h'(x)$ ...... ㉢

즉 $g(3)=h'(3)$

ⓒ의 양변을 구간 $[0, 2]$에서 정적분하면

$$\int_0^2 g(x)dx=\int_0^2 h'(x)dx=h(2)-h(0)$$

또 ㉠의 양변에 $x=2$를 대입하면

$$\int_0^2 g(t)dt=\int_0^2 g(x)dx=\underset{❷}{\underline{0}} \quad \cdots\cdots ㉣$$

이므로 $h(2)-h(0)=0$, 즉 $h(0)=h(2)$ (○)

ㄷ. ㉣에서 $\int_0^2 g(t)dt=0$이고 함수 $g(x)$가 연속이므로 $g(x)=0$

이 되는 c가 열린구간 $(0, 2)$에서 적어도 하나 존재한다. 즉

$g(x)=f(x)+(x-2)f'(x)=0$에서 $f'(x)=\dfrac{f(x)}{2-x}$를 만족

시키는 실수 x가 적어도 하나 존재한다. (○)

따라서 옳은 것은 ㄱ, ㄴ, ㄷ

◀ 다른 풀이 ▶

ㄴ. $[(x-2)f(x)]'=f(x)+(x-2)f'(x)$이므로

$h'(x)=f(x)+(x-2)f'(x)$에서

$h(x)=(x-2)f(x)+C$ (단, C는 적분상수)

이때 $h(0)=-2f(0)+C, h(2)=C$이고

ㄱ에서 $f(0)=0$이므로 $h(0)=C=h(2)$

04 답 4

네 점 $A(1, f(1))$, $B(1, 0)$, $C(x, 0)$,
$D(x, f(x))$를 생각하면 ㈎에서 부등식
의 우변인 $\dfrac{x-1}{2}\{f(x)+f(1)\}$은
사다리꼴 $ABCD$의 넓이를 나타낸다.
또 $x>1$인 실수 x에 대하여

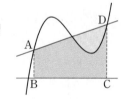

$$\int_1^x f(t)dt>\dfrac{x-1}{2}\{f(x)+f(1)\}$$

이고 $x=5$일 때, 등호가 성립하려면
삼차함수 $f(x)$ 위의 두 점 A, D가
점 $P(c, f(c))$에 대하여 대칭이어야
한다.

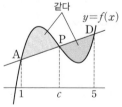

즉 $c=\dfrac{1+5}{2}=3$이고, $\int_1^5 f(t)dt=12$이므로

$\dfrac{5-1}{2}\{f(5)+f(1)\}=2\times 2f(3)=12$에서 $f(3)=\underline{3}$

또 ㈏에서 $f(5)=5$이고, 세 점 $A(1, f(1))$, $P(3, 3)$, $D(5, 5)$가
한 직선 위의 점이어야 한다.

이때 직선 PD의 기울기가 1이므로 $f(1)=1$

따라서 $f(1)+f(3)=1+3=4$

50 최강 TOT 수능 킬러 공통+미적분 정답과 풀이

❶ 곡선 $y=f(x)$ 위의 점 $P(a, f(a))$를 경
계로 곡선의 모양이 위로 볼록에서 아래
로 볼록으로 바뀌거나, 아래로 볼록에서
위로 볼록으로 바뀔 때, 점 P를 곡선
$y=f(x)$의 변곡점이라 한다.

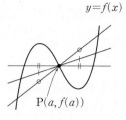

모든 삼차함수 곡선은 항상 한 점에 대
칭인데 그 점은 바로 삼차함수의 변곡
점이다. 삼차함수의 변곡점은 $f(x)$를 두 번 미분해서 0이 되는 x값을 이
용해 구한다. 즉 점 P가 삼차함수 $y=f(x)$ 그래프의 변곡점이면
$f''(a)=0$이고, 삼차함수 $f(x)$의 그래프는 점$(a, f(a))$에 대하여 대칭
이다.

❷ $x=5$를 대입한 $\int_1^5 f(t)dt=\dfrac{5-1}{2}\{f(5)+f(1)\}=12$에서 $f(1)=1$을 구
할 수도 있다.

05 답 5

일차함수 $f(x)$를 $f(x)=ax+b$라 할 때,

$$\int_0^1 6xf(x)dx=\int_0^1 6x(ax+b)dx=2a+3b$$이고

$$\int_0^1 6xf(x)dx=1$$이므로 $2a+3b=1$에서

b를 a로 나타내면 $b=\underset{❶}{\underline{\dfrac{1-2a}{3}}}$

$g(x)=\int_0^x (a^2t^2+2abt+b^2)dt=\dfrac{a^2}{3}x^3+abx^2+b^2x$

이므로 $x=1$을 대입하면

$g(1)=\dfrac{a^2}{3}+ab+b^2$

$=\dfrac{a^2}{3}+\dfrac{a(1-2a)}{3}+\dfrac{(1-2a)^2}{9}=\underset{❷}{\underline{\dfrac{a^2-a+1}{9}}}$

에서 $g(1)=\dfrac{a^2-a+1}{9}=\dfrac{1}{9}\left\{\left(a-\dfrac{1}{2}\right)^2+\dfrac{3}{4}\right\}$이므로

$g(1)$은 $a=\dfrac{1}{2}$일 때 최솟값이 $\dfrac{1}{12}$이다.

즉 $m=\dfrac{1}{12}$이므로 $60m=5$

06 답 4

$f(x)=ax^3+bx^2+x+\int_{-1}^x (x-t)g(t)dt$이고

양변을 미분하면 $f'(x)=3ax^2+2bx+1+\int_{-1}^x g(t)dt$

㈎에 따라 $f(x)$가 $(x+1)^2$으로 나누어 떨어지므로

$f(-1)=-a+b-1=0$, $f'(-1)=3a-2b+1=0$

$a=\underset{❶}{\underline{1}}$, $b=\underset{❷}{\underline{2}}$

또 ㈏에서 $\int_0^c g(t)dt=k$라 할 때

$\int_0^x g(t)dt=x^2\int_0^c g(t)dt=kx^2$의 양변을 미분하면

$g(x)=2kx$, 즉 $\int_0^c 2kt\,dt=k$에서 $kc^2=k$

$g(x)$가 다항함수이므로 $k\neq0$

이때 $c^2=1$에서 $c=$ **❸** $\underline{1}$ $(\because c$는 양수$)$

$\therefore a+b+c=1+2+1=4$

07 답 36

$\int_1^x (x+t)f'(t)dt=2xf(x)+2x^3+ax^2+bx$ ……㉠

에서 $\int_1^x (x+t)f'(t)dt=x\int_1^x f'(t)dt+\int_1^x tf'(t)dt$이므로

$x\int_1^x f'(t)dt+\int_1^x tf'(t)dt=2xf(x)+2x^3+ax^2+bx$

의 양변을 미분하면

$\int_1^x f'(t)dt+2xf'(x)=2f(x)+2xf'(x)+6x^2+2ax+b$

를 정리한

$\int_1^x f'(t)dt=2f(x)+6x^2+2ax+b$ ……㉡

㉡을 다시 미분하면

$f'(x)=2f'(x)+12x+2a$에서 $f'(x)=$ **❶** $\underline{-12x-2a}$

$\therefore f(x)=-6x^2-2ax+C$

한편 ㉠의 양변에 $x=1$을 대입하면

$0=2f(1)+2+a+b=10+a+b$ ……㉢ $(\because f(1)=4)$

또 ㉡에 $x=1$을 대입하면

$0=2f(1)+6+2a+b=14+2a+b$ ……㉣

㉢, ㉣에서 $a+b+10=14+2a+b$이므로 $a=-4$

즉 $f(x)=-6x^2+8x+C$에서 $f(1)=4$이므로

$f(1)=-6+8+C=4$에서 $C=2$

$\therefore f(x)=$ **❷** $\underline{-6x^2+8x+2}$

따라서 $f(2)=-6=k$이므로 $k^2=36$

08 답 ⑤

$\int_1^x f(t)dt=xf(x)+x^n-x^{n+1}$에

$x=1$을 대입하면 $0=f(1)$이고, 양변을 미분하면

$f(x)=f(x)+xf'(x)+nx^{n-1}-(n+1)x^n$이고

$f'(x)=(n+1)x^{n-1}-nx^{n-2}$에서

$f(x)=\int f'(x)dx=\dfrac{n+1}{n}x^n-\dfrac{n}{n-1}x^{n-1}+C$

$f(1)=0$이므로 $C=\dfrac{n}{n-1}-\dfrac{n+1}{n}=\dfrac{1}{n(n-1)}$

$\therefore f(x)=$ **❶** $\underline{\dfrac{n+1}{n}x^n-\dfrac{n}{n-1}x^{n-1}+\dfrac{1}{n(n-1)}}$

이때 $g(n)=f(0)=$ **❷** $\underline{\dfrac{1}{n(n-1)}}$

한편 $f'(x)=(n+1)x^{n-1}-nx^{n-2}$

$\qquad\quad =(n+1)x^{n-2}\left(x-\dfrac{n}{n+1}\right)$

이므로 n값에 따라 함수 $f(x)$의 그래프를 다음과 같이 생각할 수 있다.

(i) $n=2$일 때

$f(x)=\dfrac{3}{2}x^2-2x+\dfrac{1}{2}$

$\qquad =\dfrac{3}{2}\left(x-\dfrac{2}{3}\right)^2-\dfrac{1}{6}$

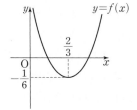

이때 $y=f(x)$의 그래프는 그림과 같으므로 극점이 1개 있고,

$h(2)=2$

(ii) $n=3$일 때

$f(x)=\dfrac{4}{3}x^3-\dfrac{3}{2}x^2+\dfrac{1}{6}$, $f'(x)=4x\left(x-\dfrac{3}{4}\right)$

이고, $f(0)>0$, $f\left(\dfrac{3}{4}\right)<0$이므로 $y=f(x)$의 그래프 개형은 그림과 같다. 즉 극점이 2개 있고 $h(3)=3$

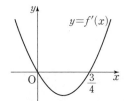 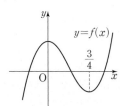

(iii) $n=4$일 때

$f(x)=\dfrac{5}{4}x^4-\dfrac{4}{3}x^3+\dfrac{1}{12}$, $f'(x)=5x^2\left(x-\dfrac{4}{5}\right)$

이므로 $x=0$일 때 극값을 갖지 않는다.

$y=f(x)$의 그래프는 그림과 같은 모양이므로 극점이 1개 있고 $h(4)=2$

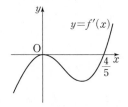 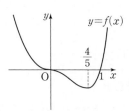

ㄱ. (i)~(iii)에서 $f(x)$의 극점의 개수를 모두 더하면

$\qquad 1+2+1=4$ (○)

ㄴ. (i)~(iii)에서 $h(2)+h(3)+h(4)=2+3+2=7$ (○)

ㄷ. $\displaystyle\sum_{n=2}^{999} g(n)=\sum_{n=2}^{999}\dfrac{1}{n(n-1)}=\sum_{n=2}^{999}\left(\dfrac{1}{n-1}-\dfrac{1}{n}\right)$

$\qquad =\left(1-\dfrac{1}{2}\right)+\left(\dfrac{1}{2}-\dfrac{1}{3}\right)+\cdots+\left(\dfrac{1}{998}-\dfrac{1}{999}\right)$

$\qquad =\dfrac{998}{999}$ (○)

09 정답 24

(가)에 따라 구간 $0<x<2$에서 함수 $p(x)$가 일차함수가 되려면 구간 $(-x, 3x)$ 즉 구간 $-2<x<6$에서 함수 $h(x)$는 상수함수라야 하므로 $\int_{-x}^{3x} k \, dt = 4kx$로 놓을 수 있다.

한편 $h(x) = \begin{cases} g(x) & (f(x) \geq g(x)) \\ f(x) & (f(x) < g(x)) \end{cases}$ 이므로

$h(x)$는 두 함수 $f(x)$, $g(x)$ 중에서 크지 않은 값을 취하는 함수다. 즉 함수 $h(x)$가 구간 $-2<x<6$에서 상수함수 꼴이 되려면 이 구간에서 $f(x) \geq g(x)$이고, $g(x)$는 상수함수이면 된다.

한편 $f(1) = g(1)$이어서 두 함수 $f(x)$, $g(x)$의 그래프는 $x=1$일 때 만나고, $-2<x<6$에서 $f(x) \geq g(x)$이므로 그림처럼 $x=1$에서 두 함수의 그래프가 접한다.

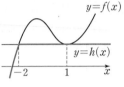

또 $x<-2$에서 $f(x)<g(x)$, $x \geq 1$에서 $f(x) \geq g(x)$임을 알 수 있다.

또 (나)에 따라 구간 $0<x<3$에서 $p(x)$가 증가하려면 $h(x)$가 $+$, 즉 $g(x)>0$이고 $g(x)=k$ $(k>0)$라 했으므로 삼차함수 $f(x)$는 $f(x)=(x+2)(x-1)^2+k$이다.

한편 $p(x) = \int_{-x}^{3x} h(t) \, dt$의 양변을 미분하면

$p'(x) = 3h(3x) + h(-x)$이고, 구간 $0<x<3$에서 $p(x)$는 증가하고 구간 $x>3$에서 $p(x)$가 감소하므로 $p'(3)=0$이다.

즉 $p'(3) = 3h(9) + h(-3) = 3g(9) + f(-3)$에서

$g(9)=k$, $f(-3)=-16+k$이므로

$3k + (-16+k) = 4k - 16 = 0$　　$\therefore k=4$

따라서 $f(x) = \underline{(x+2)(x-1)^2+4}$ 이므로

$f(3) = 5 \times 2^2 + 4 = 24$

10 정답 200

$0 \leq x \leq 2$에서 $x=a$, $x=b$, $x=2$를 기준으로 다음과 같은 그래프를 그려 생각해 보자.

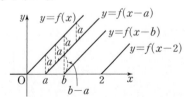

이때 $h_1(x) = f(x) - f(x-a) - f(x-b) + f(x-2)$라 하면 그 그래프는 그림처럼 나타낼 수 있다. 즉 $a+b-2$의 값에 따라 그래프 모양이 변한다.

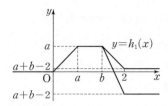

이때 $y=h_1(x)$의 그래프를 실수배한 $y=h(x)$의 그래프를 이와 같이 생각하면 $\int_0^2 \{g(x) - h(x)\} \, dx$의 값이 최소인 경우는 다음과 같다.

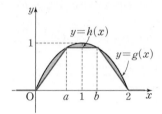

이때 $\int_0^2 g(x) \, dx$의 값이 일정하므로 $\int_0^2 h(x) \, dx$가 최대이면 $\int_0^2 \{g(x) - h(x)\} \, dx$의 값이 최소임을 알 수 있다.

즉 실수 x에 대하여 $0 \leq h(x) \leq g(x)$이므로 위 그림과 같이 $h(x)$는 사다리꼴이고, 두 꼭짓점이 곡선 $g(x)$와 접할 때 $\int_0^2 h(x) \, dx$의 값은 최대가 된다.

$\therefore h(a) = g(a)$, $h(2) = g(2) = 0$

즉 $ka = a(2-a)$, $k(a+b-2) = 0$에서

$k = 2-a$, $\underline{a+b=2}$ $(\because k \neq 0)$

또 $a+b=2$에서 a, b는 $x=1$에 대하여 대칭이므로

$a=1-t$, $b=1+t$라 놓으면 사다리꼴의 높이는

$g(1-t) = (1-t)\{2-(1-t)\} = (1-t)(1+t)$이고

$\int_0^2 h(x) \, dx = $ (사다리꼴의 넓이)

$$= \frac{1}{2}(2t+2)(1+t)(1-t)$$

$$= (1+t)^2(1-t) \ (0<t \leq 1)$$

$p(t) = (1+t)^2(1-t)$라 하면 $(0<t \leq 1)$

$p'(t) = 2(1+t)(1-t) - (1+t)^2 = (1+t)(1-3t)$

즉 $p(t)$는 $t=\dfrac{1}{3}$일 때 극대이면서 최대이므로

$a = 1 - \dfrac{1}{3} = \dfrac{2}{3}$, $b = 1 + \dfrac{1}{3} = \dfrac{4}{3}$, $k = 2 - \dfrac{2}{3} = \dfrac{4}{3}$

따라서 $60(a+b+k) = 60 \times \dfrac{10}{3} = 200$

참고

$a \leq x \leq b$인 x에 대하여 $f(x) - f(x-a) = x - (x-a) = 0$

$b \leq x \leq 2$인 x에 대하여

$f(x) - f(x-a) - f(x-b) = x - (x-a) - (x-b)$

$= a+b-x$

11 답 ④

$g(x)=x^2\displaystyle\int_0^x f(t)\,dt-\int_0^x t^2 f(t)\,dt$에 대하여

$g'(x)=2x\displaystyle\int_0^x f(t)\,dt-x^2 f(x)-x^2 f(x)=2x\int_0^x f(t)\,dt$이고,

$f(x)=(x+1)(x-1)(x-a)\ (a>1)$이므로

$g'(x)=0$을 만족시키는 x의 값은

$x=0$ 또는 방정식 $\displaystyle\int_0^x f(t)\,dt=0$의 실근이다.

(i) 그림처럼 $\displaystyle\int_0^\alpha f(t)\,dt=0$을 만족시키는 실수 $\alpha(\alpha<-1)$가

반드시 존재한다.

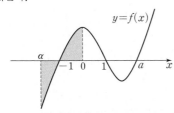

이때 $x=\alpha$의 좌우에서 $g'(x)$의 부호는 음에서 양으로 바뀌므로 함수 $g(x)$는 $x=\alpha$에서 극값을 가진다.

(ii) $\displaystyle\int_0^0 f(t)\,dt=0$이고,

$-1<x<0$인 임의의 실수 x에 대하여 $\displaystyle\int_0^x f(t)\,dt<0$

$0<x<1$인 임의의 실수 x에 대하여 $\displaystyle\int_0^x f(t)\,dt>0$이므로

$x=0$의 좌우에서 $\displaystyle\int_0^x f(t)\,dt$의 부호는 $-$에서 $+$로 바뀐다.

즉 $x=0$의 좌우에서 $g'(x)=2x\displaystyle\int_0^x f(t)\,dt\geq 0$이므로

함수 $g(x)$는 $x=0$에서 극값을 갖지 않으므로 a가 최대가 되는 조건을 만족시키는 경우는 그림처럼 색칠한 두 부분의 넓이가 같을 때이다.

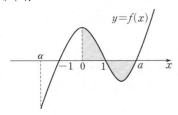

즉 $\underline{\displaystyle\int_0^a f(x)\,dx=0}$ 이어야 하므로

$\displaystyle\int_0^a (x+1)(x-1)(x-a)\,dx$

$=\left[\dfrac{1}{4}x^4-\dfrac{a}{3}x^3-\dfrac{1}{2}x^2+ax\right]_0^a$

$=-\dfrac{1}{12}a^4+\dfrac{1}{2}a^2=0$에서 $a^2=6$

따라서 a의 최댓값은 $\sqrt{6}$

12 답 ①

주어진 조건에서 함수 $f(x)$는 $x=1$에 대하여 대칭이면서 원점에 대하여 대칭이므로 그래프 개형은 그림과 같다.

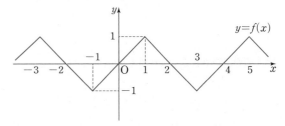

이때 다음과 같이 각 구간별로 함수 $g(x)$를 생각해 보자.

(i) $0\leq x<1$일 때 그림처럼 생각하면 $\displaystyle\int_{2-x}^{2+x} f(t)\,dt=0$이므로

$g(x)=\displaystyle\int_x^{x+2} f(t)\,dt$

$=\displaystyle\int_x^{2-x} f(t)\,dt$

$=2\displaystyle\int_x^1 f(t)\,dt$

$=2\left[\dfrac{1}{2}t^2\right]_x^1$

$=\overset{\bullet}{\underline{1-x^2}}$

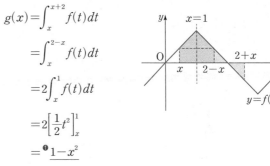

(ii) $1\leq x<2$일 때 $\displaystyle\int_x^{4-x} f(t)\,dt=0$임을 이용하면

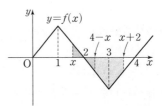

$g(x)=\displaystyle\int_x^{x+2} f(t)\,dt=\int_{4-x}^{x+2} f(t)\,dt=2\int_3^{x+2} f(t)\,dt$

$=2\left[\dfrac{1}{2}t^2-4t\right]_3^{x+2}=\overset{\bullet}{\underline{(x-2)^2-1}}$

(iii) $2\leq x<3$일 때 $\displaystyle\int_{6-x}^{x+2} f(t)\,dt=0$임을 이용하면

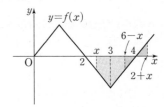

$g(x)=\displaystyle\int_x^{x+2} f(t)\,dt=\int_x^{6-x} f(t)\,dt=2\int_x^3 f(t)\,dt$

$=2\left[-\dfrac{1}{2}t^2+2t\right]_x^3=\overset{\bullet}{\underline{(x-2)^2-1}}$

(iv) $3\leq x<4$일 때

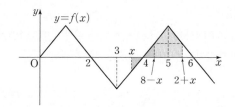

$\int_{x}^{8-x} f(t)dt = 0$임을 이용하면

$$g(x) = \int_{x}^{x+2} f(t)dt = \int_{8-x}^{x+2} f(t)dt = 2\int_{5}^{x+2} f(t)dt$$

$$= 2\left[-\frac{1}{2}t^2 + 6t\right]_{5}^{x+2} \overset{\text{\textcircled{4}}}{=} \underline{-(x-4)^2 + 1}$$

한편 $x \geq 0$일 때. 함수 $f(x)$는 주기가 4인 주기함수이므로 함수 $g(x)$도 $x \geq 0$에서 주기가 4인 주기함수이다.

즉 함수 $g(x)$의 그래프는 그림과 같다.

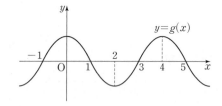

ㄱ. $g(x) = \int_{x}^{x+2} f(t)dt$의 양변을 미분하면

$\quad g'(x) = f(x+2) - f(x)$이므로

$\quad g'(1) = f(3) - f(1) = (-1) - 1 = -2$ (○)

ㄴ. $0 \leq x \leq 10$에서 함수 $g(x)$의 극댓값은

$\quad g(4) = g(8) = 1$이다. (○)

ㄷ. 그래프에서 함수 $g(x)$의 주기는 4다. (×)

ㄹ. 함수 $g(x)$는 y축에 대하여 대칭인 함수다.

$\quad$ 즉 $g(-x) = g(x)$ (×)

따라서 옳은 것은 ㄱ, ㄴ

참고

$0 \leq x < 1$일 때 $f(x) = x$, $1 \leq x < 3$일 때 $f(x) = 2 - x$라 생각해서

$g(x) = \int_{x}^{x+2} f(t)dt = \int_{x}^{1} t dt + \int_{1}^{x+2}(2-t)dt$ 처럼 구할 수도 있는데, 이렇게 하는 것보다 조건에서 대칭성을 최대한 생각할 수 있으므로 풀이처럼 $g(x)$를 구하는 것이 더 간단하다.

집중공략 유형 09 정적분의 활용

01 ④	**02-1** ④	**02-2** ③	**03-1** ①
03-2 ②	**04** 336	**05** 64	**06** 26
07 2	**08** 77	**09** 4	**10** 36
11 9	**12** 261	**13** ⑤	

01 답 ④

㈏에서 $\int_{0}^{6} f(x)dx = \int_{0}^{3} f(x)dx + \int_{3}^{6} f(x)dx$

$$= \int_{0}^{3} f(x)dx + \int_{3}^{6}\{f(x-3)+4\}dx$$

$$= \int_{0}^{3} f(x)dx + \int_{3}^{6}\{f(x)+4\}dx$$

$$= \int_{0}^{3} f(x)dx + \int_{0}^{3} f(x)dx + \int_{0}^{3} 4dx$$

$$= 2\int_{0}^{3} f(x)dx + 12$$

$\int_{0}^{6} f(x)dx = 0$이므로 $2\int_{0}^{3} f(x)dx + 12 = 0$

즉 $\int_{0}^{3} f(x)dx = -6$이고, 이때 $\int_{3}^{6} f(x)dx = 6$

함수 $f(x)$의 그래프와 x축 및 두 직선 $x=6$, $x=9$로 둘러싸인 부분의 넓이는 $\int_{6}^{9} f(x)dx$이므로

$$\int_{6}^{9} f(x)dx = \int_{6}^{9}\{f(x-3)+4\}dx$$

$$= \int_{3}^{6}\{f(x)+4\}dx$$

$$= \int_{3}^{6} f(x)dx + 12$$

$$= 6 + 12 = 18$$

02-1 답 ④

두 곡선 $y = x^3 + 4x^2 - 6x + 5$, $y = x^3 + 5x^2 - 9x + 6$이 만나는 점의 x좌표는 $x^3 + 4x^2 - 6x + 5 = x^3 + 5x^2 - 9x + 6$을 정리한 방정식 $x^2 - 3x + 1 = 0$ ······㉠의 두 근 α, β $(\alpha < \beta)$와 같다.

판별식 $D = 9 - 4 = 5 > 0$

근과 계수의 관계에서 $\alpha + \beta = 3$, $\alpha\beta = 1$ ······㉡

즉 두 근 α, β는 서로 다른 양수이다.

이때 구간 (α, β)에서 곡선 $y = 6x^5 + 4x^3 + 1$은 x축보다 위쪽에 있으므로 곡선 $y = 6x^5 + 4x^3 + 1$과 두 직선 $x = \alpha$, $x = \beta$와 x축으로 둘러싸인 부분의 넓이 S는

$$S = \int_{\alpha}^{\beta}(6x^5 + 4x^3 + 1)dx = \left[x^6 + x^4 + x\right]_{\alpha}^{\beta}$$

$$= (\beta^6 - \alpha^6) + (\beta^4 - \alpha^4) + (\beta - \alpha) \quad \cdots\cdots ㉢$$

㉡에서 $(\beta - \alpha)^2 = (\beta + \alpha)^2 - 4\alpha\beta = 9 - 4 = 5$

$\therefore \beta-\alpha=\sqrt{5}$

$\beta^2-\alpha^2=(\beta+\alpha)(\beta-\alpha)={}^{\color{black}❶}\underline{3\sqrt{5}}$

$\beta^2+\alpha^2=(\beta+\alpha)^2-2\alpha\beta=9-2=7$

$\therefore \beta^4-\alpha^4=(\beta^2+\alpha^2)(\beta^2-\alpha^2)=7\times3\sqrt{5}={}^{\color{black}❷}\underline{21\sqrt{5}}$

$\beta^3+\alpha^3=(\beta+\alpha)^3-3\alpha\beta(\beta+\alpha)=27-3\times3=18$

$\beta^3-\alpha^3=(\beta-\alpha)^3+3\alpha\beta(\beta-\alpha)=5\sqrt{5}+3\sqrt{5}=8\sqrt{5}$

$\therefore \beta^6-\alpha^6=(\beta^3+\alpha^3)(\beta^3-\alpha^3)=18\times8\sqrt{5}={}^{\color{black}❸}\underline{144\sqrt{5}}$

그러므로 ⓒ에서

$S=(\beta^6-\alpha^6)+(\beta^4-\alpha^4)+(\beta-\alpha)$

$\quad=144\sqrt{5}+21\sqrt{5}+\sqrt{5}=166\sqrt{5}$

$\therefore a=166$

◀ 다른 풀이 ▶

차수 줄이기를 이용할 수 있다. 즉 ⊙에서 $x^2=3x-1$, 이때

$x^4=(3x-1)^2=9x^2-6x+1$

$\quad=9(3x-1)-6x+1=21x-8$

$x^6=x^2\times x^4=(3x-1)(21x-8)=63x^2-45x+8$

$\quad=63(3x-1)-45x+8=144x-55$

이므로 $\alpha^2=3\alpha-1$, $\alpha^4=21\alpha-8$, $\alpha^6=144\alpha-55$이다.

β의 경우도 마찬가지이다.

02-2 답 ③

두 곡선 $y=x^3+3x^2$, $y=x^3+5x^2+6x+2$가 만나는 점의 x좌표는 $x^3+3x^2=x^3+5x^2+6x+2$를 정리한 방정식

$x^2+3x+1=0$ ······ ⊙의 두 근 α, β $(\alpha<\beta)$와 같다.

판별식 $D=9-4=5>0$

근과 계수의 관계에서 $\alpha+\beta=-3$, $\alpha\beta=1$ ······ ⓒ

즉 두 근 α, β는 서로 다른 음수이다.

이때 구간 (α, β)에서 곡선 $y=5x^4+6x^2+1$은 x축보다 위쪽에 있으므로 곡선 $y=5x^4+6x^2+1$과 두 직선 $x=\alpha$, $x=\beta$와 x축으로 둘러싸인 부분의 넓이 S는

$S=\displaystyle\int_\alpha^\beta(5x^4+6x^2+1)dx=\Big[x^5+2x^3+x\Big]_\alpha^\beta$

$\quad=(\beta^5-\alpha^5)+2(\beta^3-\alpha^3)+(\beta-\alpha)$ ······ ⓒ

ⓒ에서 $(\beta-\alpha)^2=(\beta+\alpha)^2-4\alpha\beta=9-4=5$

$\therefore \beta-\alpha=\sqrt{5}$

또 $\beta^2+\alpha^2=(\beta+\alpha)^2-2\alpha\beta=7$

$\beta^3-\alpha^3=(\beta-\alpha)^3+3\alpha\beta(\beta-\alpha)=5\sqrt{5}+3\sqrt{5}={}^{\color{black}❶}\underline{8\sqrt{5}}$

$\therefore \beta^5-\alpha^5=(\beta^3-\alpha^3)(\beta^2+\alpha^2)-\alpha^2\beta^2(\beta-\alpha)$

$\qquad\qquad=8\sqrt{5}\times7-\sqrt{5}={}^{\color{black}❷}\underline{55\sqrt{5}}$

그러므로 ⓒ에서

$S=(\beta^5-\alpha^5)+2(\beta^3-\alpha^3)+(\beta-\alpha)$

$\quad=55\sqrt{5}+16\sqrt{5}+\sqrt{5}=72\sqrt{5}$

$\therefore a=72$

03-1 답 ①

조건에서 주어진 시각 t $(0\le t\le5)$에서의 속도 $v(t)$를 그래프를 나타내면 그림과 같다.

또 시각 $t=0$에서 $t=x$까지 움직인 거리를 l_1, 시각 $t=x$에서 $t=x+2$까지 움직인 거리를 l_2, 시각

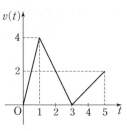

$t=x+2$에서 $t=5$까지 움직인 거리 l_3이라 하자.

ㄱ. $x=1$이면 $l_1=2$, $l_2=4$, $l_3=2$이므로 $f(1)={}^{\color{black}❶}\underline{2}$ (○)

ㄴ. $x=2$이면 $l_1=5$, $l_2=\dfrac{3}{2}$, $l_3=\dfrac{3}{2}$이므로 $f(2)=\dfrac{3}{2}$

이때 $f(2)-f(1)=\dfrac{3}{2}-2=-\dfrac{1}{2}$이고

$\displaystyle\int_1^2 v(t)dt=\int_1^2(-2t+6)dt={}^{\color{black}❷}\underline{3}$

$\therefore f(2)-f(1)\ne\displaystyle\int_1^2 v(t)dt$ (×)

ㄷ. h가 충분히 작은 양수일 때 그림과 같이 생각할 수 있다.

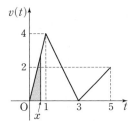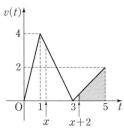

$x=1$이면 $l_1=2$, $l_2=4$, $l_3=2$이므로

$1-h<x<1$일 때 $f(x)=l_1$, 즉

$f(x)=\dfrac{1}{2}\times x\times4x=2x^2$에서 $f'(x)={}^{\color{black}❸}\underline{4x}$

이때 $\displaystyle\lim_{x\to1-}f'(x)=4$

마찬가지로 생각하면 $1<x<1+h$일 때

l_3이 최소이므로 $f(x)=l_3$, 즉

$f(x)=2-\dfrac{1}{2}\{(x+2)-3\}^2$에서 $f'(x)={}^{\color{black}❹}\underline{-x+1}$

이때 $\displaystyle\lim_{x\to1+}f'(x)=0$

$x=1$에서 $f'(x)$의 좌우 미분계수가 다르므로 $x=1$에서 미분 불가능하다. (×)

03-2 답 ②

시각 $t=0$에서 $t=x$까지 움직인 거리를 l_1

시각 $t=x$에서 $t=x+2$까지 움직인 거리를 l_2

시각 $t=x+2$에서 $t=5$까지 움직인 거리 l_3이라 하고, 조건에서 주어진 시각 $t(0\le t\le5)$에서의 속도 $v(t)$를 그래프를 나타내면 다음과 같다.

(i) $0 \leq x < 1$일 때

그림처럼 생각하면

l_1, l_2, l_3 중 l_1이 최소이다. 이때

$l_1 = \int_0^x 2t\,dt = x^2$이므로

$f(x) = l_1 = {}^{❶}\underline{x^2}$

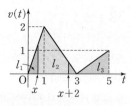

(ii) $1 < x < 3$일 때

그림처럼 생각하면

l_1, l_2, l_3 중 l_3이 최소이다. 이때

$l_3 = \int_{x+2}^5 \left(\dfrac{t}{2} - \dfrac{3}{2}\right)dt$

$= \left[\dfrac{1}{4}t^2 - \dfrac{3}{2}t\right]_{x+2}^5$

$= -\dfrac{1}{4}x^2 + \dfrac{1}{2}x + \dfrac{3}{4}$

$\therefore f(x) = l_3 = {}^{❷}\underline{-\dfrac{1}{4}x^2 + \dfrac{1}{2}x + \dfrac{3}{4}}$

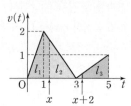

(i), (ii)에서

$\displaystyle\int_0^3 f(x)\,dx = \int_0^1 f(x)\,dx + \int_1^3 f(x)\,dx$

$= \displaystyle\int_0^1 x^2\,dx + \int_1^3 \left(-\dfrac{1}{4}x^2 + \dfrac{1}{2}x + \dfrac{3}{4}\right)dx$

$= \left[\dfrac{1}{3}x^3\right]_0^1 + \left[-\dfrac{1}{12}x^3 + \dfrac{1}{4}x^2 + \dfrac{3}{4}x\right]_1^3$

$= \dfrac{1}{3} - \dfrac{1}{12}(27-1) + \dfrac{1}{4}(9-1) + \dfrac{3}{4}(3-1)$

$= \dfrac{5}{3}$

 참고

$1 < x < 3$일 때 $l_3 = 1 - \dfrac{1}{2}\{(x+2)-3\}\left\{\dfrac{1}{2}(x+2) - \dfrac{3}{2}\right\}$

$= 1 - \dfrac{1}{4}(x-1)^2$

04 답 336

정사각형 OABC의 넓이가 t^2이므로

곡선 $y = mx^2$, y축, $\overline{BC}$로 둘러싸인

부분의 넓이가 $\dfrac{1}{2}t^2$이다.

즉 $\displaystyle\int_0^a (t - mx^2)\,dx = \dfrac{1}{2}t^2$이고

곡선 $y = mx^2$과 $\overline{BC}$가 만나는 점의 좌

표를 (a, t)라 할 때,

$ma^2 = t$, 즉 $m = \dfrac{t}{a^2}$이고

$\displaystyle\int_0^a (t - mx^2)\,dx = \left[tx - \dfrac{m}{3}x^3\right]_0^a = at - \dfrac{\frac{t}{a^2}}{3}a^3$

$= \dfrac{2}{3}at = \dfrac{1}{2}t^2$

에서 $a = {}^{❶}\dfrac{3}{4}t$, 이때 $\dfrac{1}{m} = \dfrac{a^2}{t} = \dfrac{\frac{9}{16}t^2}{t} = \dfrac{9}{16}t$

$\therefore f(t) = {}^{❷}\dfrac{9}{16}t$

따라서 $f(t)$가 정수가 되려면 t는 16의 배수이고, 이중에서 두 자리 자연수는 16, 32, 48, 64, 80, 96이므로 모두 더하면

$16(1 + 2 + \cdots + 6) = 16 \times 21 = 336$

05 답 64

함수 $f(t)$를 $f(t) = x_1 - x_2 = t^3 + (1-a)t^2 - bt$라 하면

$f(0) = 0$이고, $t > 0$에서 $f(t) = 0$인 점이 있음을 알 수 있다.

또 $f(t)$의 극댓값은 $x = \alpha$일 때 44, $f(t)$의 극솟값은 $x = \beta$일 때 -64라 하면 $f(t)$의 그래프 개형은 그림과 같다.

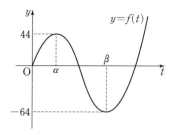

이때 $f'(t) = 3(t-\alpha)(t-\beta) = 3t^2 - 3(\alpha+\beta)t + 3\alpha\beta$이고

$f(t) = t^3 - \dfrac{3}{2}(\alpha+\beta)t^2 + 3\alpha\beta t$에서

($\because y = f(x)$의 그래프가 원점을 지난다.)

$f(\alpha) = -\dfrac{1}{2}\alpha^3 + \dfrac{3}{2}\alpha^2\beta = 44$이고

$f(\beta) = -\dfrac{1}{2}\beta^3 + \dfrac{3}{2}\alpha\beta^2 = -64$이므로

$f(\alpha) - f(\beta) = \dfrac{1}{2}(\beta^3 - \alpha^3 - 3\alpha\beta^2 + 3\alpha^2\beta) = \dfrac{1}{2}(\beta-\alpha)^3 = 108$

에서 $\beta - \alpha = 6$

이때 얻은 $\beta = \alpha + 6$을 $f(\alpha)$에 대입하면

$\alpha^3 + 9\alpha^2 - 44 = (\alpha-2)(\alpha^2 + 11\alpha + 22) = 0$

즉 $\alpha = 2$, $\beta = 8$이므로 $f(t) = {}^{❶}\underline{t^3 - 15t^2 + 48t} = x_1 - x_2$

$\therefore x_2 = x_1 - (t^3 - 15t^2 + 48t)$

$= (t^3 + t^2) - t^3 + 15t^2 - 48t$

$= {}^{❷}\underline{16t^2 - 48t}$

따라서 $t = 4$일 때, 점 Q의 위치는

$4^4 - 3 \times 4^3 = 4^3 = 64$

06 답 26

두 함수

$f(x) = \begin{cases} 3x - x^3 & (x \geq 0) \\ -x^2 - 3x & (x < 0) \end{cases}$, $g(x) = tx$

의 그래프가 만나는 점의 x좌표는

$x>0$일 때, $3x-x^3=tx$에서 $x=$ ^❶$\underline{\sqrt{3-t}}$ $(t<3)$,

$x<0$일 때, $-x^2-3x=tx$에서 $x=$ ^❷$\underline{-t-3}$ $(t>-3)$

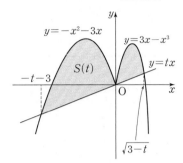

$\therefore S(t)=\dfrac{1}{6}(t+3)^3+\displaystyle\int_0^{\sqrt{3-t}}(-x^3+3x-tx)dx$

$=\dfrac{1}{6}(t+3)^3+\left[-\dfrac{1}{4}x^4+\dfrac{3-t}{2}x^2\right]_0^{\sqrt{3-t}}$

$=\dfrac{1}{6}(t+3)^3-\dfrac{1}{4}(3-t)^2+\dfrac{(3-t)^2}{2}$

$=\dfrac{1}{6}(t+3)^3+\dfrac{1}{4}(3-t)^2$

$=$ ^❸$\underline{\dfrac{1}{6}t^3+\dfrac{7}{4}t^2+3t+\dfrac{27}{4}}$

즉 $S'(t)=\dfrac{1}{2}t^2+\dfrac{7}{2}t+3=\dfrac{1}{2}(t+6)(t+1)$이므로

$S(t)$는 $t=-1$일 때 극소이면서 최솟값을 가진다.

즉 $S(t)$의 최솟값은 $S(-1)=-\dfrac{1}{6}+\dfrac{7}{4}-3+\dfrac{27}{4}=\dfrac{16}{3}$

따라서 $m=-1$, $n=\dfrac{16}{3}$이므로 $6(m+n)=26$

참고

$\sqrt{3-t}$에서 $t<3$이고, $-t-3<0$이므로 $t>-3$이다.

즉 $-3<t<3$에서 $S(t)$를 생각한다.

---

07 답 2

$(xf(x))'=f(x)+xf'(x)$이므로 $h'(x)=f(x)+xf'(x)$에서

$h(x)=xf(x)+C$ (단, C는 적분상수)

이때 $f(x)$가 삼차함수이므로 $h(x)$는 사차함수이고, 사차항의 계수는 $f(x)$의 삼차항의 계수와 같은 1이다.

㈎, ㈏에서 $y=h(x)-g(x)$의 그래프 개형은 그림과 같은 꼴이므로

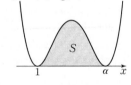
$y=h(x)-g(x)$

$h(x)-g(x)=$ ^❶$\underline{(x-1)^2(x-\alpha)^2}$

이 되고 ㈐에서 두 함수 $g(x)$, $h(x)$로 둘러싸인 영역의 넓이는

곡선 $y=h(x)-g(x)$와 x축 사이의 넓이와 같으므로 이 넓이를

S라 하면 $S=\dfrac{1}{30}(\alpha-1)^5=\dfrac{16}{15}$

이때 $(\alpha-1)^5=32$에서 $\alpha=$ ^❷$\underline{3}$이므로

$h(x)=(x-1)^2(x-3)^2+g(x)=x^4-8x^3+22x^2-22x+8$

이고, $h(x)=xf(x)+C$에서

$C=8$, $f(x)=$ ^❸$\underline{x^3-8x^2+22x-22}$

따라서 $f(4)=64-128+88-22=2$

킬러 격파 Tip

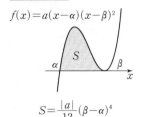

$f(x)=a(x-\alpha)(x-\beta)^2$

$S=\dfrac{|a|}{12}(\beta-\alpha)^4$

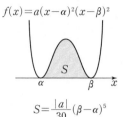

$f(x)=a(x-\alpha)^2(x-\beta)^2$

$S=\dfrac{|a|}{30}(\beta-\alpha)^5$

08 답 77

두 함수 $f(x)$, $g(x)$의 그래프가 만나는 점의 x좌표를 각각 α, β $(\alpha<\beta)$라 할 때,

$x^2-2x+4=m(x-2)+5$에서

$x^2-(m+2)x+(2m-1)=0$

이때 $\alpha+\beta=$ ^❶$\underline{m+2}$,

$\alpha\beta=$ ^❷$\underline{2m-1}$ 이고, 실선으로

나타낸 부분이 $y=h(x)$의 그래프이므로 구하려는 $S(m)$은 그림에서 색칠한 부분의 넓이와 같다. 즉

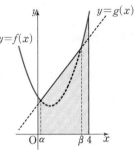

$S(m)=\displaystyle\int_0^{\alpha}f(x)dx+\int_{\alpha}^{\beta}g(x)dx+\int_{\beta}^4 f(x)dx$

$=\displaystyle\int_0^{\alpha}(x^2-2x+4)dx+\int_{\alpha}^{\beta}(mx-2m+5)dx$

$\qquad+\displaystyle\int_{\beta}^4 (x^2-2x+4)dx$

$=\left[\dfrac{1}{3}x^3-x^2+4x\right]_0^{\alpha}+\left[\dfrac{m}{2}x^2+(-2m+5)x\right]_{\alpha}^{\beta}$

$\qquad+\left[\dfrac{1}{3}x^3-x^2+4x\right]_{\beta}^4$

$=\left(\dfrac{1}{3}\alpha^3-\alpha^2+4\alpha\right)+\dfrac{m}{2}(\beta^2-\alpha^2)+(5-2m)(\beta-\alpha)$

$\qquad+\left(\dfrac{64}{3}-16+16-\dfrac{1}{3}\beta^3+\beta^2-4\beta\right)$

$=(\beta-\alpha)\left\{-\dfrac{1}{3}(\alpha^2+\alpha\beta+\beta^2)+\dfrac{m^2}{2}+3\right\}+\dfrac{64}{3}$

$=$ ^❸$\underline{\dfrac{1}{6}\{(m-2)^2+4\}^{\frac{3}{2}}+\dfrac{64}{3}}\geq\dfrac{68}{3}$

따라서 $a=2$, $b=\dfrac{68}{3}$, $a+b=\dfrac{74}{3}$이므로 $p+q=77$

참고

❶ $S(m)=\dfrac{1}{3}(\beta^3-\alpha^3)+\left(\dfrac{m}{2}+1\right)(\beta^2-\alpha^2)+(1-2m)(\beta-\alpha)+\dfrac{64}{3}$

에서 $\alpha+\beta=m+2$, $\alpha\beta=2m-1$을 이용해서 정리하면

$$S(m)=\frac{1}{6}\{(m-2)^2+4\}^{\frac{3}{2}}+\frac{64}{3}$$ 를 얻는다.

❷ $\frac{1}{2}\le m\le\frac{5}{2}$와 $\alpha\beta=2m-1$에서 $0\le\alpha\beta\le4$

즉 α가 음수인 경우는 없으므로 $S(m)$을 풀이와 같이 구할 수 있다.

09 답 4

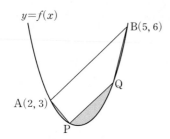

곡선 위의 네 점이 $A(2, 3)$, $B(5, 6)$, $P(a, f(a))$, $Q(b, f(b))$
이고, 곡선 $f(x)$와 네 변 $\overline{AB}$, $\overline{AP}$, $\overline{PQ}$, $\overline{QB}$로 둘러싸인 부분의
넓이를 차례로 S_1, S_2, S_3, S_4라 하면, 공식을 이용해 다음과 같이
구할 수 있다.

$$S_1=\frac{1}{6}(5-2)^3=^{❶}\underline{\frac{9}{2}}, \ S_2=\frac{1}{6}(a-2)^3$$

$$S_3=\frac{1}{6}(b-a)^3, \ S_4=\frac{1}{6}(5-b)^3$$

즉 $S_2+S_3+S_4=^{❷}\underline{\frac{1}{6}(a-2)^3+\frac{1}{6}(b-a)^3+\frac{1}{6}(5-b)^3}$

이때 $a-2=x$, $b-a=y$, $5-b=z$라 하면
(단, $x>0$, $y>0$, $z>0$, $x+y+z=3$)

$$S_1=\frac{9}{2}, \ S_2=\frac{1}{6}x^3, \ S_3=\frac{1}{6}y^3, \ S_4=\frac{1}{6}z^3$$이고

$$S_2+S_3+S_4$$
$$=\frac{1}{6}(x^3+y^3+z^3)$$
$$=\frac{1}{6}\{(x+y+z)(x^2+y^2+z^2-xy-yz-zx)+3xyz\}$$
$$=\frac{1}{12}(x+y+z)\{(x-y)^2+(y-z)^2+(z-x)^2\}+\frac{1}{2}xyz$$

에서 $\{(x-y)^2+(y-z)^2+(z-x)^2\}$은
$x=y=z=1$일 때 최솟값이 0이 되므로

$$S_2+S_3+S_4\ge\frac{1}{2}xyz=^{❸}\underline{\frac{1}{2}}$$

따라서 사각형 APQB 넓이의 최댓값은 $\frac{9}{2}-\frac{1}{2}=4$

참고

인수분해 공식에서
$x^3+y^3+z^3-3xyz$
$=(x+y+z)(x^2+y^2+z^2-xy-yz-zx)$이므로
$x^3+y^3+z^3=(x+y+z)(x^2+y^2+z^2-xy-yz-zx)+3xyz$

10 답 36

(가)~(다)를 만족시키는 함수 $f(x)$의 그래프는 그림과 같다.

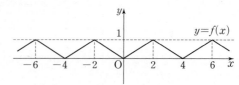

이때 $g(x)=\int_0^x f(t)dt$이므로

$0\le x<2$일 때 $g(x)=\int_0^x\frac{1}{2}t\,dt=^{❶}\underline{\frac{1}{4}x^2}$이고,

$2\le x<4$일 때 $g(x)=\int_0^2\frac{1}{2}t\,dt+\int_2^x\left(-\frac{1}{2}t+2\right)dt$

$$=^{❷}\underline{-\frac{1}{4}(x-4)^2+2}$$

마찬가지로 구해 보면 $4\le x\le6$일 때 $g(x)=\frac{1}{4}(x-4)^2+2$

$f(x)$가 주기함수여서 같은 모양이 반복되므로 $g(x)$의 그래프도
그림처럼 같은 모양이 평행이동된 꼴이 되고, 구하려는 값은 색칠
한 부분의 넓이와 같다.

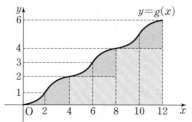

$$\int_0^{12}g(x)dx$$

$$=3\left\{\int_0^2 g(x)dx+\int_2^4 g(x)dx\right\}+^{❸}\underline{24}$$

$$=3\left\{\int_0^2\frac{1}{4}x^2dx+\int_2^4\left(-\frac{x^2}{4}+2x-2\right)dx\right\}+24$$

$$=3\left\{\frac{8}{12}-\frac{1}{12}(64-8)+4^2-2^2-2(4-2)\right\}+24$$

$$=3\times4+24=36$$

킬러 격파 Tip

$f(x+4)=f(x)$에서 $f(x)$는 주기가 4인 주기함수이고, $g'(x)=f(x)$이
므로 $g'(x+4)=f(x+4)=f(x)=g'(x)$에서 $g'(x+4)-g'(x)=0$이
고, 이때 $g(x+4)-g(x)=C$ (단, C는 적분상수)
$\therefore g(x+4)=g(x)+C$
즉 $g(x)$는 구간의 길이가 4인 부분을 오른쪽으로 4, 위로 C만큼 평행이동
시키면서 같은 모양이 반복되는 그래프임을 알 수 있다.
(풀이에서 $C=2$를 구할 수 있다.)

11 🔲 9

$$\lim_{n \to \infty}(2a_n - n^2) = 2\lim_{n \to \infty}\left(a_n - \frac{n^2}{2}\right)$$

$$= 2\lim_{n \to \infty}\int_0^n \{h(x) - x\}dx$$

이고, $h(x) - x = \begin{cases} g(x) - x & (0 \le x < 5 \text{ 또는 } x \ge k) \\ x - g(x) & (5 \le x < k) \end{cases}$ 에서

$$2\lim_{n \to \infty}\int_0^n \{h(x) - x\}dx$$

$$= 2\lim_{n \to \infty}\left[\int_0^5 \{g(x) - x\}dx + \int_5^k \{x - g(x)\}dx \right.$$
$$\left. + \int_k^n \{g(x) - x\}dx\right]$$

$$= 2\lim_{n \to \infty}\left[\int_0^5 \{g(x) - x\}dx - \int_5^k \{g(x) - x\}dx \right.$$
$$\left. + \int_k^n \{g(x) - x\}dx\right]$$

$$= 2\lim_{n \to \infty}\left[\int_0^n \{g(x) - x\}dx - 2\int_5^k \{g(x) - x\}dx\right]$$

한편 $f(x) - x = \dfrac{x - x^2}{2}$ 에서

$$\int_0^1 \{f(x) - x\}dx = \frac{\frac{1}{2}}{6}(1 - 0)^3 = {}^{❶}\underline{\frac{1}{12}}$$ 이고

$g(x) - x = \dfrac{1}{2^n}\{f(x - n) - (x - n)\}$ 은 $\{f(x) - x\}$ 를 x축 방향

으로 n만큼 평행이동하면서 $\dfrac{1}{2}$ 을 n번 곱한 것이므로

$n \le x < n + 1$ 에서 $g(x) - x$ 와 x축 사이의 넓이는

$0 \le x < 1$ 에서 $f(x) - x$ 와 x축 사이 넓이의 $\dfrac{1}{2^n}$ 배이다.

$$\therefore \int_n^{n+1} \{g(x) - x\}dx = {}^{❷}\underline{\frac{1}{12 \times 2^n}}$$

따라서 다음과 같은 계산이 가능하다.

$$2\lim_{n \to \infty}\left[\int_0^n \{g(x) - x\}dx - 2\int_5^k \{g(x) - x\}dx\right]$$

$$= 2\lim_{n \to \infty}\left\{\left(\frac{1}{12} + \frac{1}{12 \times 2} + \frac{1}{12 \times 2^2} + \cdots + \frac{1}{12 \times 2^{n-1}}\right)\right.$$
$$\left. - 2\left(\frac{1}{12 \times 2^5} + \frac{1}{12 \times 2^6} + \cdots + \frac{1}{12 \times 2^{k-1}}\right)\right\}$$

$$= 2\lim_{n \to \infty}\left\{\frac{\frac{1}{12}\left(1 - \frac{1}{2^n}\right)}{1 - \frac{1}{2}} - 2 \times \frac{\frac{1}{12 \times 2^5}\left(1 - \frac{1}{2^{k-5}}\right)}{1 - \frac{1}{2}}\right\}$$

$$= 2\left\{\frac{1}{6} - \frac{1}{3 \times 2^5}\left(1 - \frac{1}{2^{k-5}}\right)\right\}$$

$$= \frac{1}{3} - \frac{1}{3 \times 2^4}\left(1 - \frac{1}{2^{k-5}}\right) = \frac{241}{768}$$

즉 $\dfrac{1}{3 \times 2^4}\left(1 - \dfrac{1}{2^{k-5}}\right) = \dfrac{1}{3} - \dfrac{241}{768} = \dfrac{15}{768} = \dfrac{15}{3 \times 2^8}$

$1 - \dfrac{1}{2^{k-5}} = \dfrac{15}{2^4} = \dfrac{15}{16}$ 이므로 $\dfrac{1}{2^{k-5}} = \dfrac{1}{16}$ 에서 $k = 9$

> **참고**

$$\lim_{x \to \infty} \frac{\frac{1}{12}\left(1 - \frac{1}{2^n}\right)}{1 - \frac{1}{2}} = \frac{\frac{1}{12}}{1 - \frac{1}{2}} = \frac{1}{6}$$

12 🔲 261

$f(x) = x^4 - 6x^2 - 10x - 1$ 에서 $f'(x) = 4x^3 - 12x - 10$ 이고,
$f'(x) = 0$ 이 되는 x값을 찾기가 까다로우므로
$p(x) = 4x^3 - 12x - 10$ 이라 하면
$p'(x) = 12x^2 - 12 = 12(x + 1)(x - 1)$ 이고
$p(-1) = -2$, $p(1) = -18$ 이므로 $y = p(x)$, 즉 $y = f'(x)$ 의 그래프 개형은 [그림 1]과 같고, ㈎ 조건을 생각하면 $y = f(x)$ 의 그래프 개형을 극솟값만 1개 있는 [그림 2]처럼 생각할 수 있다.

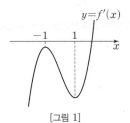

[그림 1]   [그림 2]

이때 ㈎를 만족시키는 직선 $g(x)$는
오른쪽 그림에서 l 또는 m 중 하나이다.
또 $f'(-1) = -2$, $f'(1) = -18$
이므로 ㈏를 만족시키는 것은
$x = -1$일 때, 즉 l이다.

이때 $g(x) = f'(-1)(x + 1) + f(-1) = {}^{❶}\underline{-2x + 2}$
이고, 두 곡선 $f(x)$, $g(x)$의 그래프가 만나는 점의 x좌표는
$x^4 - 6x^2 - 10x - 1 = -2x + 2$ 에서
$(x + 1)^3(x - 3) = 0$ $\therefore x = -1, 3$
이때 두 곡선 $f(x)$, $g(x)$로 둘러싸인 부분의 넓이는

$$\int_{-1}^3 \{g(x) - f(x)\}dx$$

$$= \int_{-1}^3 (-x^4 + 6x^2 + 8x + 3)dx$$

$$= \left[-\frac{1}{5}x^5 + 2x^3 + 4x^2 + 3x\right]_{-1}^3 = {}^{❷}\underline{\frac{256}{5}}$$

따라서 $p = 5$, $q = 256$ 이므로 $p + q = 261$

> **참고**

$g(x) = ax + b$로 두고 $f(x) = g(x)$를 풀 때, 접점 $x = t$에서 $f(t) = g(t)$, $f'(t) = g'(t)$가 성립해야 하므로 적어도 중근을 가진다는 것을 알 수 있다. 또 접점이 아닌 교점에서는 미분이 불가능하므로 중근을 가지면 안 되고 또 다른 교점도 있으면 안 되므로 사차방정식 $f(x) - g(x) = 0$은 접점에서 삼중근과 접점이 아닌 교점에서 다른 근 하나를 가진다.

즉 접점의 x좌표를 α, 다른 교점의 x좌표를 β라 하면
$$f(x)-g(x)=(x-\alpha)^3(x-\beta)$$
$$=x^4-(3\alpha+\beta)x^3+(3\alpha^2+3\alpha\beta)x^2-(3\alpha^2\beta+\alpha^3)x+\alpha^3\beta$$
$$=x^4-6x^2-(10+a)x-1-b$$
가 된다.

한편 $f(x)-g(x)$에는 삼차항이 없으므로
근과 계수의 관계에서 네 근의 합은 $3\alpha+\beta=0$이고,
이차항끼리 비교한 결과에서
$3\alpha^2+3\alpha\beta=3\alpha^2+3\alpha(-3\alpha)=-6\alpha^2=-6$이므로 $\alpha=-1, 1$
이고 이것이 접점의 x좌표다.

13 답 ⑤

그림과 같이 삼차함수 $f'(x)$와 x축으로 둘러싸인 부분의 넓이를
각각 S_1, S_2라 하면

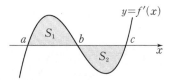

$$\int_a^b f'(x)dx=\Big[f(x)\Big]_a^b=f(b)-f(a)=S_1$$
$$\int_b^c f'(x)dx=\Big[f(x)\Big]_b^c=f(c)-f(b)=-S_2$$

이고, ㈐에서 $S_1+S_2=9k+6$
(i) $f(a)>f(c)$일 때 ㈑를 생각하면
$$f(a)-f(c)=\{f(b)-f(c)\}-\{f(b)-f(a)\}$$
$$=S_2-S_1$$
$$=-2k^2+5k+18$$
이므로 $S_1+S_2=9k+6$과 연립하여 풀면
$S_1=k^2+2k-6$, $S_2=-k^2+7k+12$
(ii) $f(a)<f(c)$일 때 ㈑를 생각하면
$$f(c)-f(a)=\{f(b)-f(a)\}-\{f(b)-f(c)\}$$
$$=S_1-S_2$$
$$=2k^2-5k-18$$
이 성립하므로 $S_1+S_2=9k+6$과 연립하여 풀면
$S_1=k^2+2k-6$, $S_2=-k^2+7k+12$
(iii) $f(a)=f(c)$일 때 ㈑를 생각하면
$$f(a)-f(c)=-2k^2+5k+18$$
$$=(-2k+9)(k+2)=0$$
에서 k는 정수이므로 $k=-2$이고, 이때 $y=f'(x)$와 x축 사
이의 넓이의 합이 $9k+6=-12$가 되어 모순이므로
$f(a)=f(c)$인 경우는 없다.

즉 (i), (ii)에서 $S_1=$❶ $\underline{k^2+2k-6}$, $S_2=$❷ $\underline{-k^2+7k+12}$

ㄱ. $f'(a)=f'(b)=f'(c)=0$에서 사차함수 $f(x)$의 극점이 3개
임을 알 수 있고 $\dfrac{f(a+h^2)-f(a)}{h^2}$는 $(a, f(a))$와 그보다 오

른쪽에 있는 점 $(a+h^2, f(a+h^2))$을 지나는 직선의 기울기를
의미하므로 $y=f(x)$ 그래프의 개형을 그림처럼 생각할 수 있
다.

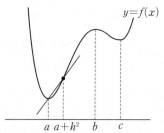

즉 $\dfrac{f(a+h^2)-f(a)}{h^2}>0$이면 위 그림처럼 사차항의 계수가
양수인 경우로 생각할 수 있으며, $x=a$에서 극솟값을 가지고,
$x=b$에서 극댓값을 가진다.
∴ $f(a)<f(b)$ （○）

ㄴ. $y=|f(x)|$의 극댓값이 3개인 경우를 생각하면 다음과 같다.

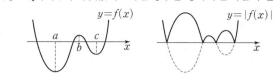

∴ $g(k)=|f(b)|+|f(c)|=f(b)-f(c)=S_2$
$$=-k^2+7k+12=-\left(k-\frac{7}{2}\right)^2+\frac{97}{4}$$
즉 $k=3, 4$일 때, 최댓값 24를 가진다. （○）
（∵ k는 정수）

ㄷ. $f(b)-f(a)=S_1=k^2+2k-6=18$에서
$(k+6)(k-4)=0$ ∴ $k=-6, 4$
$k=-6$이면 $f(b)-f(c)=S_2=-k^2+7k+12<0$
이므로 모순이다. 즉 $k=4$이고, 이때
$f(b)-f(c)=S_2=-k^2+7k+12=24$ （○）
따라서 옳은 것은 ㄱ, ㄴ, ㄷ

01 ⑤	02 ④	03 ①	04 ④
05 ①	06 ②	07 ④	08 ④
09 ②	10 ③	11 ②	12 ③

01 답 ⑤

주어진 그림 R_1에서

$\overline{AA_1}=3$, $\overline{AB_1}=5$이므로

$\overline{A_1B_1}=4$

또 $\overline{D_1E_1}=4$, $\overline{D_1D}=2$이므로

$\angle DD_1E_1=60°$, $\angle C_1D_1E_1=30°$

이때 S_1은 부채꼴 $D_1A_1E_1$에서

$\triangle D_1DE_1$을 뺀 부분과 직사각형

$D_1DF_1C_1$에서 부채꼴 $D_1E_1C_1$, $\triangle D_1DE_1$을 뺀 부분의 합과 같다.

$\therefore S_1=\left(\dfrac{8}{3}\pi-2\sqrt{3}\right)+\left(8-2\sqrt{3}-\dfrac{4}{3}\pi\right)=8-4\sqrt{3}+\dfrac{4}{3}\pi$

한편 정사각형 $A_{n+1}B_{n+1}C_{n+1}D_{n+1}$의 한 변 길이는

정사각형 $A_nB_nC_nD_n$의 한 변 길이의 $\dfrac{4}{5}$이므로

그림 R_{n+1}에서 새로 색칠한 부분의 넓이는

그림 R_n에서 새로 색칠한 부분의 넓이의 $\dfrac{16}{25}$이다.

즉 도형 R_n에서 색칠한 부분의 넓이를 S_n이라 하면 $\{S_n\}$은

첫째항이 $8-4\sqrt{3}+\dfrac{4}{3}\pi$이고, 공비가 $\dfrac{16}{25}$인 등비급수가 된다.

$\therefore \displaystyle\lim_{n\to\infty}S_n=\dfrac{8-4\sqrt{3}+\dfrac{4}{3}\pi}{1-\dfrac{16}{25}}=\dfrac{100}{9}\left(2-\sqrt{3}+\dfrac{\pi}{3}\right)$

02 답 ④

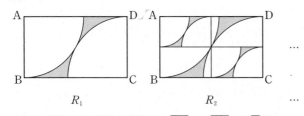

R_1 R_2 ⋯

그림 R_1에서 두 사분원이 접하므로 $\overline{AC}=4$, $\overline{BC}=2\sqrt{3}$이고,

이때 색칠한 부분의 넓이는 직사각형 $ABCD$에서 두 부채꼴 넓이를 뺀 값이다. $\therefore S_1=^{●}4\sqrt{3}-2\pi$

그림 R_1에서 두 사분원이 접하는 점을 E라 할 때,

직사각형 $ABCD$와 닮음인 도형의 대각선은 $\overline{AE}$와 $\overline{CE}$다.

이때 $\overline{AE}=\overline{CE}=2$이므로 직사각형 $ABCD$와 그림 R_2에서 생긴

직사각형의 닮음비는 $2:1$이고, 넓이비는 $4:1$이다.

$S_2=(4\sqrt{3}-2\pi)+\dfrac{1}{4}(4\sqrt{3}-2\pi)\times 2$

$\quad=(4\sqrt{3}-2\pi)+(4\sqrt{3}-2\pi)\times\dfrac{1}{2}$

즉 $\{S_n\}$이 따르는 등비급수의 공비가 $^{❷}\dfrac{1}{2}$이다.

$\displaystyle\lim_{n\to\infty}S_n=\dfrac{4\sqrt{3}-2\pi}{1-\dfrac{1}{2}}=8\sqrt{3}-4\pi$

03 답 ①

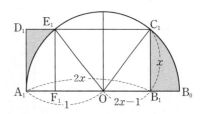

그림 R_1에서 $\overline{A_1D_1}=\overline{B_1C_1}=x$라 할 때, $\overline{A_1B_1}=2x$이고

$\overline{OB_1}=\overline{A_1B_1}-\overline{OA_1}=2x-1$이므로 직각삼각형 OB_1C_1에서

$(2x-1)^2+x^2=1^2$ $\therefore x=\dfrac{4}{5}$

선분 C_1D_1과 호 A_1C_1의 교점을 E_1이라 하고, E_1에서 선분 A_1B_1에 내린 수선의 발을 F_1이라 하면 호 B_0C_1과, 선분 B_1C_1, 선분 B_0B_1으로 둘러싸인 도형과 호 A_1E_1과 선분 E_1F_1, 선분 A_1F_1으로 둘러싸인 도형은 합동이므로 그림 R_1에서 색칠한 도형의 넓이는 직사각형 $A_1F_1E_1D_1$의 넓이와 같다.

$\therefore S_1=\dfrac{2}{5}\times\dfrac{4}{5}=^{●}\dfrac{8}{25}$

그림 R_2에서 그린 반원의

반지름 길이 $\overline{OB_1}=\dfrac{3}{5}$이므로

색칠한 두 도형의 닮음비는 $1:\dfrac{3}{5}$,

R_2

넓이비는 $1:\dfrac{9}{25}$이다.

즉 $\{S_n\}$이 따르는 등비급수의 공비가 $^{❷}\dfrac{9}{25}$

$\therefore \displaystyle\lim_{n\to\infty}S_n=\dfrac{\dfrac{8}{25}}{1-\dfrac{9}{25}}=\dfrac{1}{2}$

04 답 ④

점 E_1에서 선분 A_1B_1에 내린 수선의 발을

H_1이라 하고, $\overline{A_1H_1}=x$라 하자.

이때 $\triangle A_1H_1E_1$과 $\triangle A_1B_1D_1$이 닮음임을

이용하면 $\overline{E_1H_1}=2x$이고,

$\angle E_1B_1H_1=\dfrac{\pi}{4}$이므로 $\overline{B_1H_1}=2x$

또 $x+2x=1$이므로 $x=\dfrac{1}{3}$

R_1에서 색칠한 부분의 넓이 S_1은

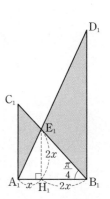

$\triangle A_1E_1C_1$과 $\triangle B_1D_1E_1$의 넓이 합이므로

$S_1 = \dfrac{1}{2} \times \overline{A_1C_1} \times \overline{A_1H_1} + \dfrac{1}{2} \times \overline{B_1D_1} \times \overline{B_1H_1}$

$\qquad = \dfrac{1}{6} + \dfrac{2}{3} = {}^{\bullet} \dfrac{5}{6}$

그림 R_2에서 $\overline{A_1A_2} = y$라 하면

$\overline{A_2C_2} = \overline{A_2B_2} = 2y,$

$\overline{B_2D_2} = \overline{B_2B_1} = 4y$

$\overline{A_1B_1} = y + 2y + 4y = 1, \ y = \dfrac{1}{7}$

오각형 $A_1B_1D_1E_1C_1$과

오각형 $A_2B_2D_2E_2C_2$의 닮음비는

$\overline{A_1B_1}$과 $\overline{A_2B_2}$의 길이인 $1 : \dfrac{2}{7}$이므로

넓이비는 $1 : \dfrac{4}{49}$

따라서 그림 R_n에 색칠되어 있는 부분의 넓이 S_n에 대하여

$\{S_n\}$이 따르는 등비급수의 공비가 ${}^{\bullet} \dfrac{4}{49}$이다.

$\therefore \ \lim_{n \to \infty} S_n = \dfrac{\dfrac{5}{6}}{1 - \dfrac{4}{49}} = \dfrac{49}{54}$

05 目 ①

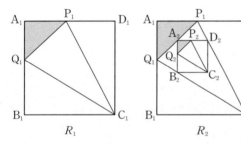

$R_1 \qquad\qquad R_2 \qquad \cdots$

그림 R_1의 $\triangle B_1C_1Q_1$에서 $\angle B_1C_1Q_1 = \dfrac{\pi}{6}$이므로

$\overline{B_1Q_1} = \dfrac{\sqrt{3}}{3}, \ \overline{A_1Q_1} = 1 - \dfrac{\sqrt{3}}{3}$

이때 $S_1 = \dfrac{1}{2}\left(1 - \dfrac{\sqrt{3}}{3}\right)^2 = {}^{\bullet} \dfrac{2 - \sqrt{3}}{3}$

또 $\overline{P_1Q_1} = \sqrt{2}\,\overline{A_1Q_1} = \sqrt{2} - \dfrac{\sqrt{6}}{3}$이고

그림 R_2에서 $\triangle Q_1B_2A_2 \equiv \triangle P_1D_2A_2$ (ASA합동)

이므로 $\overline{A_2P_1} = \dfrac{1}{2}\overline{P_1Q_1} = \dfrac{\sqrt{2}}{2} - \dfrac{\sqrt{6}}{6}$

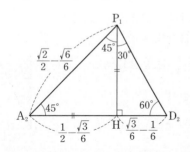

이때 그림과 같이 $\triangle P_1A_2D_2$에서

$\overline{A_2D_2} = \left(\dfrac{1}{2} - \dfrac{\sqrt{3}}{6}\right) + \left(\dfrac{\sqrt{3}}{6} - \dfrac{1}{6}\right) = \dfrac{1}{3}$이므로

두 정사각형 $A_1B_1C_1D_1$과 $A_2B_2C_2D_2$의 닮음비가 $1 : \dfrac{1}{3}$

이때 $\triangle A_1P_1Q_1$과 $\triangle A_2P_2Q_2$의 닮음비도 $1 : \dfrac{1}{3}$이므로

색칠한 삼각형의 넓이비는 $1 : \dfrac{1}{9}$

따라서 $\{S_n\}$이 따르는 등비급수의 공비가 ${}^{\bullet} \dfrac{1}{9}$이다.

$\therefore \ \lim_{n \to \infty} S_n = \dfrac{\dfrac{2 - \sqrt{3}}{3}}{1 - \dfrac{1}{9}} = \dfrac{6 - 3\sqrt{3}}{8}$

06 目 ②

직각삼각형 $B_1C_1D_1$에서 $\overline{C_1D_1} = \overline{B_1C_1}\cos 30° = \dfrac{\sqrt{3}}{2}$

$(\triangle B_1C_1D_1$의 넓이$) = \dfrac{1}{2} \times \dfrac{1}{2} \times \dfrac{\sqrt{3}}{2} = \dfrac{\sqrt{3}}{8}$

$(부채꼴 C_1D_1B_2$의 넓이$) = \dfrac{1}{2}\left(\dfrac{\sqrt{3}}{2}\right)^2 \dfrac{\pi}{6} = \dfrac{\pi}{16}$

두 선분 B_1B_2와 B_1D_1과 호 D_1B_2로 둘러싸인 영역의 넓이는

$\dfrac{\sqrt{3}}{8} - \dfrac{\pi}{16} = \dfrac{2\sqrt{3} - \pi}{16}$

$(\triangle C_1A_2C_2$의 넓이$)$

$= \dfrac{1}{2} \times \overline{C_2C_1} \times \overline{C_1A_2} \times \sin 30°$

$= \dfrac{1}{2} \times \left(\dfrac{1}{2}\,\overline{B_2C_1}\right) \times (\overline{B_2C_1}\cos 30°) \times \sin 30°$

$= \dfrac{3\sqrt{3}}{64}$

$\therefore \ S_1 = \dfrac{2\sqrt{3} - \pi}{16} + \dfrac{3\sqrt{3}}{64} = \dfrac{11\sqrt{3} - 4\pi}{64}$

한편 직각삼각형 $A_2B_2C_1$에서 $\angle A_2B_2C_1 = 60°$

$\overline{A_2B_2} = \overline{B_2C_1}\sin 30° = \dfrac{\sqrt{3}}{2} \times \dfrac{1}{2} = \dfrac{\sqrt{3}}{4}$

이때 $\overline{A_2B_2} = \overline{B_2C_2}$이므로

$\triangle A_2B_2C_2$는 한 변의 길이가 $\dfrac{\sqrt{3}}{4}$인 정삼각형이다.

즉 두 정삼각형의 길이비가 $1 : \dfrac{\sqrt{3}}{4}$이므로 넓이비는 $1 : \dfrac{3}{16}$이다.

이때 그림 R_n에 색칠되어 있는 부분의 넓이 S_n에 대하여 $\{S_n\}$이

따르는 등비급수의 공비가 $\dfrac{3}{16}$이다.

$\therefore \ \lim S_n = \dfrac{\dfrac{11\sqrt{3} - 4\pi}{64}}{1 - \dfrac{3}{16}} = \dfrac{11\sqrt{3} - 4\pi}{52}$

07 답 ④

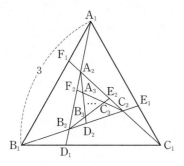

$\overline{B_1C_1}=3$, $\overline{C_1E_1}=1$이므로 코사인법칙에 따라

$\overline{B_1E_1}=\sqrt{3^2+1^2-2\times3\times1\times\cos60°}=\sqrt{7}$

이고, $\triangle A_1B_1D_1$, $\triangle B_1C_1E_1$, $\triangle C_1A_1F_1$은 합동이므로

$\angle A_1D_1B_1=\angle B_1E_1C_1=\angle C_1F_1A_1$

이때 $\triangle B_1B_2D_1$, $\triangle B_1C_1E_1$은 닮음이므로

$\overline{B_1D_1}:\overline{B_1B_2}=\overline{B_1E_1}:\overline{B_1C_1}$

즉 $1:\overline{B_1B_2}=\sqrt{7}:3$에서 $\overline{B_1B_2}=\dfrac{3}{\sqrt{7}}=$ **❶** $\dfrac{3\sqrt{7}}{7}$

또 $\triangle C_1C_2E_1$, $\triangle C_1A_1F_1$도 서로 닮음이므로

$\overline{C_1E_1}:\overline{E_1C_2}=\overline{C_1F_1}:\overline{F_1A_1}$

즉 $1:\overline{E_1C_2}=\sqrt{7}:a$에서 $\overline{E_1C_2}=\dfrac{1}{\sqrt{7}}=$ **❷** $\dfrac{\sqrt{7}}{7}$

$\overline{B_2C_2}=\sqrt{7}-\dfrac{3\sqrt{7}}{7}-\dfrac{\sqrt{7}}{7}=\dfrac{3\sqrt{7}}{7}=\dfrac{\sqrt{7}}{7}\times3$

$=\dfrac{\sqrt{7}}{7}\times\overline{B_1C_1}$

이므로 정삼각형 $A_1B_1C_1$과 정삼각형 $A_2B_2C_2$의 한 변의 길이비는 $1:\dfrac{\sqrt{7}}{7}$이고 넓이비는 $1:\dfrac{1}{7}$이다.

같은 방법으로 생각해 $\triangle A_nB_nC_n$의 넓이를 S_n이라 하면 $\{S_n\}$이 따르는 등비급수의 공비는 **❸** $\dfrac{1}{7}$이다.

$S_1=\dfrac{9\sqrt{3}}{4}$이므로 $\displaystyle\sum_{n=1}^{\infty}S_n=\dfrac{\frac{9\sqrt{3}}{4}}{1-\frac{1}{7}}=\dfrac{21\sqrt{3}}{8}$

08 답 ④

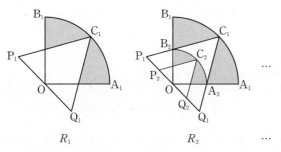

그림 R_1에서 $\overline{OA_1}$과 $\overline{C_1Q_1}$의 교점을 A_2, $\overline{OB_1}$과 $\overline{C_1P_1}$의 교점을 B_2라 할 때, A_2에서 $\overline{OC_1}$에 내린 수선의 발을 H_1이라 하자.

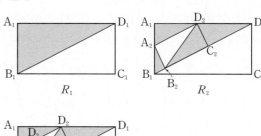

$\triangle C_1B_2A_2$는 정삼각형, $\triangle B_2OA_2$는 직각이등변삼각형이므로 $\overline{A_2H_1}=x$라 하면 $\overline{OH_1}=x$, $\overline{C_1H_1}=\sqrt{3}x$

즉 $(\sqrt{3}+1)x=1$에서 $x=\dfrac{\sqrt{3}-1}{2}$

그림 R_1에서 색칠한 도형의 넓이 S_1은 부채꼴 OA_1B_1의 넓이에서 사각형 $OD_1C_1E_1$의 넓이를 뺀 값이다.

즉 $S_1=\dfrac{\pi}{4}-\dfrac{1}{2}\times1\times\dfrac{\sqrt{3}-1}{2}\times2=$ **❷** $\dfrac{\pi-2(\sqrt{3}-1)}{4}$

한편 $\overline{OA_2}=\sqrt{2}x=\dfrac{\sqrt{6}-\sqrt{2}}{2}$이므로 R_2에서 색칠한 도형과 R_1에서 색칠한 도형의 닮음비는 $\overline{OA_1}$과 $\overline{OA_2}$의 길이비인 $1:\dfrac{\sqrt{6}-\sqrt{2}}{2}$이므로 넓이비는 $1:(2-\sqrt{3})$이다.

즉 그림 R_n에 색칠되어 있는 부분의 넓이 S_n에 대하여 $\{S_n\}$이 따르는 등비급수의 공비는 **❷** $(2-\sqrt{3})$이다.

$\therefore \displaystyle\lim_{n\to\infty}S_n=\dfrac{\frac{\pi-2(\sqrt{3}-1)}{4}}{1-(2-\sqrt{3})}=\dfrac{\pi(\sqrt{3}+1)-4}{8}$

09 답 ②

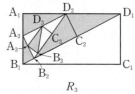

R_1에서 $S_1=\dfrac{1}{2}\times2\times4=4$이고, 그림에서 만들어진 직각삼각형은 모두 닮음이며 변의 길이비가 $\sqrt{5}:2:1$이다.

R_2에서 $\overline{A_2B_2}=x$라 하면 $\overline{A_2B_1}=\dfrac{\sqrt{5}}{2}x$,

$\overline{A_2D_2}=2x$에서 $\overline{A_1A_2}=\dfrac{2}{\sqrt{5}}x$이므로

$\dfrac{\sqrt{5}}{2}x+\dfrac{2}{\sqrt{5}}x=2$　　$\therefore x=\overline{A_2B_2}=$ **❶** $\dfrac{4\sqrt{5}}{9}$

$\triangle A_1B_1D_1$과 $\triangle A_2B_2D_2$에서 $\overline{A_1B_1}=2$, $\overline{A_2B_2}=\dfrac{4\sqrt{5}}{9}$이므로

닮음비는 $2:\dfrac{4\sqrt{5}}{9}=1:\dfrac{2\sqrt{5}}{9}$이고, 넓이비는 ❷ $1:\dfrac{20}{81}$

즉 $\triangle A_2B_2D_2=4\times\dfrac{20}{81}$, $\triangle A_3B_3D_3=4\left(\dfrac{20}{81}\right)^2$이므로

$S_2=4-4\times\dfrac{20}{81}$, $S_3=4-4\times\dfrac{20}{81}+4\left(\dfrac{20}{81}\right)^2$

따라서 그림 R_n에 색칠되어 있는 부분의 넓이 S_n에 대하여

$\{S_n\}$이 따르는 등비급수의 공비는 ❸ $-\dfrac{20}{81}$

$\therefore \displaystyle\lim_{n\to\infty}S_n=\dfrac{4}{1-\left(-\dfrac{20}{81}\right)}=\dfrac{324}{101}$

10 답③

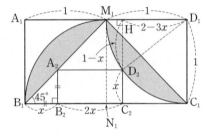

R_1의 넓이는 사분원 $D_1M_1C_1$에서 삼각형 $D_1M_1C_1$을 뺀 넓이의

2배이므로 $S_1=\left(\dfrac{\pi}{4}-\dfrac{1}{2}\right)\times 2=\dfrac{\pi}{2}-1$

$\overline{C_2D_2}=x$라 하고, D_2에서 $\overline{A_1D_1}$에 내린 수선의 발을 H라 하자.

$\overline{B_1M_1}$과 $\overline{B_1C_1}$이 이루는 각이 45°이므로

$\overline{B_1B_2}=\overline{A_2B_2}=x$, $\overline{B_2C_2}=2x$, $\overline{HD_1}=2-3x$, $\overline{HD_2}=1-x$

이때 $(2-3x)^2+(1-x)^2=1$에서

$(5x-2)(x-1)=0$ $\therefore x=\dfrac{2}{5}\,(\because x<1)$

즉 두 직사각형 $A_1B_1C_1D_1$과 $A_2B_2C_2D_2$의 닮음비는 $1:\dfrac{2}{5}$이므로

그림 R_2에서 색칠한 도형과 그림 R_1에서 색칠한 도형의 닮음비도

$1:\dfrac{2}{5}$이고, 넓이비는 $1:\dfrac{4}{25}$다.

따라서 그림 R_n에 색칠되어 있는 부분의 넓이 S_n에 대하여

$\{S_n\}$이 따르는 등비급수의 공비는 $\dfrac{4}{25}$이다.

$\therefore \displaystyle\lim_{n\to\infty}S_n=\dfrac{\dfrac{\pi}{2}-1}{1-\dfrac{4}{25}}=\dfrac{25}{21}\left(\dfrac{\pi}{2}-1\right)$

11 답②

R_1에서 다음 그림처럼 생각해 보자.

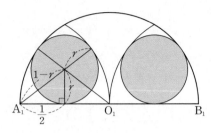

이때 $\left(\dfrac{1}{2}\right)^2+r^2=(1-r)^2$에서 $r=\dfrac{3}{8}$

즉 그림 R_1에서 색칠한 두 원의 넓이 S_1은 $S_1=2\pi r^2=$ ❶ $\dfrac{9}{32}\pi$

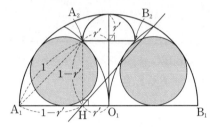

그림 R_2에서 반원 C_2의 반지름 길이를 r'이라 할 때, A_2에서 $\overline{A_1B_1}$에 내린 수선의 발을 H라 하면 $\triangle A_1HA_2$는 빗변이 아닌 변의 길이가 각각 $(1-r')$인 직각이등변삼각형이므로

$\sqrt{2}(1-r')=\overline{A_1A_2}=1$ $\therefore r'=1-\dfrac{1}{\sqrt{2}}$

그림 R_1에서 색칠한 두 원과 그림 R_2에서 색칠한 두 원의 닮음비는 반원 C_1의 반지름 길이와 반원 C_2의 반지름 길이비와 같다.

즉 닮음비는 $r:r'=1:1-\dfrac{1}{\sqrt{2}}$, 넓이비는 $1:\dfrac{3-2\sqrt{2}}{2}$이므로

그림 R_n에 색칠되어 있는 부분의 넓이 S_n에 대하여

$\{S_n\}$이 따르는 등비급수의 공비는 ❷ $\dfrac{3-2\sqrt{2}}{2}$ 이다.

$\therefore \displaystyle\lim_{n\to\infty}S_n=\dfrac{\dfrac{9}{32}\pi}{1-\dfrac{3-2\sqrt{2}}{2}}=\dfrac{9}{112}(2\sqrt{2}+1)\pi$

12 답③

직각삼각형 $C_1D_1E_1$에서

$\overline{D_1E_1}=1$, $\overline{C_1D_1}=2$이므로

$\overline{C_1E_1}=\sqrt{5}$

직각삼각형 $C_1E_1F_1$에서

$\overline{C_1F_1}=\overline{E_1F_1}$

$\overline{C_1F_1}^2+\overline{E_1F_1}^2=5$

$\therefore \overline{C_1F_1}=\overline{E_1F_1}=\dfrac{\sqrt{10}}{2}$

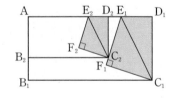

이때 $S_1=\triangle C_1D_1E_1+\triangle C_1E_1F_1=$ ❶ $\dfrac{9}{4}$

$\angle C_1E_1D_1=\theta$라 하면 $\angle F_1E_1D_2=\dfrac{3}{4}\pi-\theta$이고

$\tan\theta=2$이므로

$$\tan(\angle F_1E_1D_2)=\tan\left(\frac{3}{4}\pi-\theta\right)=\frac{\tan\dfrac{3}{4}\pi-\tan\theta}{1+\tan\dfrac{3}{4}\pi\tan\theta}$$

$$=\frac{(-1)-2}{1+(-1)\times2}=3$$

이때 $\overline{C_2D_2}=k$라 하면 $\overline{AD_2}=2k$이므로 $\overline{D_2E_1}=3-2k$

$\tan(\angle F_1E_1D_2)=\dfrac{k}{3-2k}=3$에서 $k=\dfrac{9}{7}$

두 사각형 $AB_1C_1D_1$, $AB_2C_2D_2$의 닮음비가

$2:\dfrac{9}{7}$, 즉 $1:\dfrac{9}{14}$이므로

두 사각형 $C_1D_1E_1F_1$, $C_2D_2E_2F_2$의 넓이비는 $1:\left(\dfrac{9}{14}\right)^2$

사각형 $E_nF_nC_nD_n$의 넓이를 S_n이라 하면 $\{S_n\}$이 따르는

등비급수의 공비는 $\left(\dfrac{9}{14}\right)^2$, 즉 ❷ $\dfrac{81}{196}$

$$\therefore\lim_{x\to\infty}S_n=\frac{\dfrac{9}{4}}{1-\dfrac{81}{196}}=\frac{441}{115}$$

다른 풀이

점 A를 원점으로 생각해 보자.

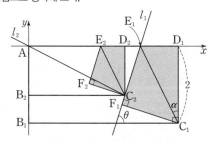

위 그림에서 두 점 E_1, F_1을 지나는 직선을 l_1, 두 점 A, C_2를 지나는 직선을 l_2라 하면, 점 C_2는 l_1과 l_2의 교점이다.

직선 l_1이 직선 B_1C_1과 이루는 각을 θ라 하면 B_1C_1이 x축과 평행하므로 l_1의 기울기는 $\tan\theta$이다.

$\angle E_1C_1D_1=\alpha$라 하면 $\theta=\dfrac{\pi}{4}+\alpha$이다.

또 $\tan\alpha=\dfrac{\overline{E_1D_1}}{\overline{C_1D_1}}=\dfrac{1}{2}$이므로 삼각함수의 덧셈정리에서

$$\therefore\tan\theta=\tan\left(\frac{\pi}{4}+\alpha\right)=\frac{1+\dfrac{1}{2}}{1-1\times\dfrac{1}{2}}=3$$

즉 l_1은 기울기가 3이고 $E_1(3,\ 0)$을 지나므로 $l_1:y=3x-9$

$\overline{AD_1}:\overline{AB_1}=\overline{AD_2}:\overline{AB_2}=2:1$이므로 l_2의 기울기가 $-\dfrac{1}{2}$이다.

$$\therefore l_2:y=-\frac{1}{2}x$$

직선 l_1과 l_2를 연립하여 풀면 점 C_2의 좌표는 $C_2\left(\dfrac{18}{7},\ -\dfrac{9}{7}\right)$

직사각형 $AB_1C_1D_1$과 $AB_2C_2D_2$의 닮음비는 $\dfrac{\overline{C_2D_2}}{\overline{C_1D_1}}=\dfrac{\dfrac{9}{7}}{2}=\dfrac{9}{14}$

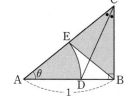

01 답 ②

직각삼각형 ABC에서 $\overline{AB}=1$,

$\angle CAB=\theta$이므로

$\overline{AC}=\dfrac{1}{\cos\theta}$, $\overline{BC}=\tan\theta$이고,

$\angle ACB=\dfrac{\pi}{2}-\theta$

$\angle DCB=\dfrac{\pi}{4}-\dfrac{\theta}{2}=\alpha$라 하면 $\overline{BD}=\tan\theta\tan\alpha$

$\overline{AD}=\overline{AB}-\overline{BD}=1-\tan\theta\tan\alpha=\overline{AE}$

$$\therefore S(\theta)=\frac{1}{2}(1-\tan\theta\tan\alpha)^2\times\theta$$

또 $\overline{CE}=\overline{AC}-\overline{AE}=\dfrac{1}{\cos\theta}-1+\tan\theta\tan\alpha$

$$\therefore T(\theta)=\frac{1}{2}\left(\frac{1}{\cos\theta}-1+\tan\theta\tan\alpha\right)\times\tan\theta\sin\left(\frac{\pi}{2}-\theta\right)$$

이때 $\displaystyle\lim_{\theta\to0+}\tan\alpha=\lim_{\theta\to0+}\tan\left(\dfrac{\pi}{4}-\dfrac{\theta}{2}\right)=\tan\dfrac{\pi}{4}=1$이고

$\displaystyle\lim_{\theta\to0+}\tan\theta=0$, $\displaystyle\lim_{\theta\to0+}(1-\tan\theta)=1$ 등을 이용할 수 있다.

$$\therefore\lim_{\theta\to0+}\frac{\{S(\theta)\}^2}{T(\theta)}$$

$$=\lim_{\theta\to0+}\frac{\dfrac{1}{4}(1-\tan\theta\tan\alpha)^4\times\theta^2}{\dfrac{1}{2}\left(\dfrac{1}{\cos\theta}-1+\tan\theta\tan\alpha\right)\times\tan\theta\sin\left(\dfrac{\pi}{2}-\theta\right)}$$

$$=\lim_{\theta\to0+}\frac{\dfrac{1}{4}(1-\tan\theta)^4\times\theta^2}{\dfrac{1}{2}\left(\dfrac{1-\cos\theta}{\cos\theta}+\tan\theta\right)\times\tan\theta\cos\theta}$$

$$=\lim_{\theta\to0+}\frac{\dfrac{1}{4}\theta^2}{\dfrac{1}{2}\{\tan\theta(1-\cos\theta)+\tan^2\theta\cos\theta\}}$$

$$=\frac{1}{2}\lim_{\theta\to0+}\frac{\theta^2}{\tan^2\theta}=\frac{1}{2}$$

다른 풀이

직각삼각형 ABC에서 $\overline{AB}=1$, $\angle CAB=\theta$이므로

$\overline{AC}=\sec\theta$, $\overline{BC}=\tan\theta$

$S(\theta)$를 구하려면 $\overline{AD}$의 길이를 알아야 한다.

직선 CD가 $\angle ACB$를 이등분하므로 $\overline{AD}:\overline{BD}=\overline{AC}:\overline{BC}$

즉 $\overline{AD}:\overline{BD}=\sec\theta:\tan\theta$에서

$\overline{AD}=\overline{AB}\times\dfrac{\sec\theta}{\sec\theta+\tan\theta}=1\times\dfrac{\sec\theta}{\sec\theta+\tan\theta}=\dfrac{1}{1+\sin\theta}$

$$S(\theta)=\frac{1}{2}\left(\frac{1}{1+\sin\theta}\right)^2\times\theta=\frac{\theta}{2(1+\sin\theta)^2}$$

한편 $\overline{CE}$의 길이를 이용하면 $T(\theta)$를 구할 수 있다.

$\overline{CE}=\sec\theta-\dfrac{1}{1+\sin\theta}$이고, $\angle ACB=\dfrac{\pi}{2}-\theta$이므로

$$T(\theta)=\frac{1}{2}\times\tan\theta\times\left(\sec\theta-\frac{1}{1+\sin\theta}\right)\times\sin\left(\frac{\pi}{2}-\theta\right)$$
$$=\frac{1}{2}\times\frac{\sin\theta}{\cos\theta}\times\left(\sec\theta-\frac{1}{1+\sin\theta}\right)\times\cos\theta$$
$$=\frac{1}{2}\sin\theta\left(\sec\theta-\frac{1}{1+\sin\theta}\right)$$

$\therefore \displaystyle\lim_{\theta\to0+}\frac{\{S(\theta)\}^2}{T(\theta)}$

$$=\lim_{\theta\to0+}\frac{\left\{\dfrac{\theta}{2(1+\sin\theta)^2}\right\}^2}{\dfrac{1}{2}\sin\theta\left(\sec\theta-\dfrac{1}{1+\sin\theta}\right)}$$
$$=\lim_{\theta\to0+}\left\{\frac{1}{2}\times\frac{\theta}{\sin\theta}\times\frac{\cos\theta}{(1+\sin\theta)^3}\times\frac{\theta}{1+\sin\theta-\cos\theta}\right\}$$
$$=\lim_{\theta\to0+}\left\{\frac{1}{2}\times\frac{\theta}{\sin\theta}\times\frac{\cos\theta}{(1+\sin\theta)^3}\times\frac{1}{\dfrac{\sin\theta}{\theta}+\dfrac{1-\cos\theta}{\theta}}\right\}$$
$$=\frac{1}{2}\times1\times1\times\frac{1}{1+0}=\frac{1}{2}$$

02-1 답 16

$\angle BCD=\alpha$라 하면

$\angle ACD=2\alpha$이고

사인법칙에서

$\dfrac{\overline{CD}}{\sin\theta}=\dfrac{\overline{AD}}{\sin2\alpha}$,

$\dfrac{\overline{CD}}{\sin2\theta}=\dfrac{\overline{BD}}{\sin\alpha}$이다.

즉 $\overline{AD}=\dfrac{\sin2\alpha}{\sin\theta}\overline{CD}$, $\overline{BD}=\dfrac{\sin\alpha}{\sin2\theta}\overline{CD}$에서

$\overline{AD}+\overline{BD}=1$이므로 $\overline{CD}=\dfrac{1}{\dfrac{\sin2\alpha}{\sin\theta}+\dfrac{\sin\alpha}{\sin2\theta}}$

한편 $3\theta+3\alpha=\pi$이므로 $\alpha=\dfrac{\pi}{3}-\theta$

$\therefore \displaystyle\lim_{\theta\to0+}\frac{\overline{CD}}{\theta}=\lim_{\theta\to0+}\frac{1}{\dfrac{\sin2\alpha}{\sin\theta}\times\theta+\dfrac{\sin\alpha}{\sin2\theta}\times\theta}$

$$=\lim_{\alpha\to\frac{\pi}{3}-}\frac{1}{\sin2\alpha+\dfrac{1}{2}\sin\alpha}$$
$$=\frac{1}{\dfrac{\sqrt3}{2}+\dfrac{\sqrt3}{4}}=\frac{4}{3\sqrt3}=a$$

$\therefore 27a^2=27\times\dfrac{16}{27}=16$

다른 풀이

$\angle BCD=\dfrac{1}{3}(\angle BCA)=\dfrac{\pi-3\theta}{3}$, $\angle BDC=\pi-\dfrac{\pi-3\theta}{3}-2\theta=\dfrac{2}{3}\pi-\theta$

$\triangle ABC$에서 $\dfrac{1}{\sin(\pi-3\theta)}=\dfrac{\overline{BC}}{\sin\theta}$

$\triangle BCD$에서 $\dfrac{\overline{BC}}{\sin\left(\dfrac{2}{3}\pi-\theta\right)}=\dfrac{\overline{CD}}{\sin2\theta}$

$\therefore \overline{CD}=\dfrac{\sin2\theta}{\sin\left(\dfrac{2}{3}\pi-\theta\right)}\overline{BC}=\dfrac{\sin2\theta}{\sin\left(\dfrac{2}{3}\pi-\theta\right)}\times\dfrac{\sin\theta}{\sin3\theta}$

$\therefore a=\displaystyle\lim_{\theta\to+0}\frac{\overline{CD}}{\theta}=\lim_{\theta\to+0}\frac{1}{\sin\left(\dfrac{2}{3}\pi-\theta\right)}\times\frac{\sin2\theta}{\theta}\times\frac{\sin\theta}{\sin3\theta}=\frac{4}{3\sqrt3}$

02-2 답 9

$\angle BCD=\alpha$라 하면

$\angle ACD=3\alpha$

삼각형 ADC에서

$\dfrac{\overline{CD}}{\sin\theta}=\dfrac{\overline{AD}}{\sin3\alpha}$

이때 $\overline{AD}=\dfrac{\sin3\alpha}{\sin\theta}\overline{CD}$

삼각형 BDC에서 $\dfrac{\overline{CD}}{\sin3\theta}=\dfrac{\overline{BD}}{\sin\alpha}$

이때 $\overline{BD}=\dfrac{\sin\alpha}{\sin3\theta}\overline{CD}$

$\overline{AD}+\overline{BD}=1$이므로 $\overline{CD}\left(\dfrac{\sin\alpha}{\sin3\theta}+\dfrac{\sin3\alpha}{\sin\theta}\right)=1$

$\overline{CD}=\dfrac{1}{\dfrac{\sin3\alpha}{\sin\theta}+\dfrac{\sin\alpha}{\sin3\theta}}$

한편 $4\theta+4\alpha=\pi$이므로 $\alpha=\dfrac{\pi}{4}-\theta$

이때 $\theta\to0+$이면 $\alpha\to\dfrac{\pi}{4}-$

즉 $\theta\to0+$일 때 $\sin\alpha\to\dfrac{\sqrt2}{2}$, $\sin3\alpha\to\dfrac{\sqrt2}{2}$

$\therefore \displaystyle\lim_{\theta\to0+}\frac{\overline{CD}}{\theta}=\lim_{\theta\to0+}\frac{1}{\dfrac{\sin3\alpha}{\sin\theta}\times\theta+\dfrac{\sin\alpha}{\sin3\theta}\times\theta}$

$$=\lim_{\theta\to0+}\frac{1}{\sin3\alpha\times\dfrac{\theta}{\sin\theta}+\sin\alpha\times\dfrac{\theta}{\sin3\theta}}$$
$$=\frac{1}{\dfrac{\sqrt2}{2}\times1+\dfrac{\sqrt2}{2}\times\dfrac{1}{3}}=\frac{3\sqrt2}{4}=a$$

따라서 $8a^2=8\times\dfrac{18}{16}=9$

03-1 답 ④

$\overline{OH}=\cos\theta$, $\overline{PH}=\sin\theta$이므로

$f(\theta)=\dfrac{1}{2}\sin\theta\cos\theta$

$\angle OPQ=\dfrac{\pi}{2}$이므로

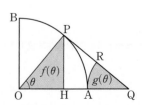

$\overline{OQ} = \dfrac{1}{\sin\left(\dfrac{\pi}{2}-\theta\right)} = \dfrac{1}{\cos\theta}$ 이고,

$\overline{AQ} = \overline{OQ} - 1 = \dfrac{1-\cos\theta}{\cos\theta}$ 이다.

$\therefore g(\theta) = \dfrac{1}{2}\overline{OQ}^2 \angle AQR = \underset{❷}{\dfrac{1}{2}\left(\dfrac{1-\cos\theta}{\cos\theta}\right)^2\left(\dfrac{\pi}{2}-\theta\right)}$

이때 $\theta \times f(\theta) = \dfrac{\theta\sin\theta\cos\theta}{2}$

$\sqrt{g(\theta)} = \dfrac{\sqrt{\dfrac{1}{2}\left(\dfrac{\pi}{2}-\theta\right)}(1-\cos\theta)}{\cos\theta}$ 이므로

$\dfrac{\sqrt{g(\theta)}}{\theta \times f(\theta)} = 2\sqrt{\dfrac{1}{2}\left(\dfrac{\pi}{2}-\theta\right)} \times \dfrac{1-\cos\theta}{\theta\sin\theta\cos^2\theta}$

$= \dfrac{1}{\cos^2\theta}\sqrt{2\left(\dfrac{\pi}{2}-\theta\right)} \times \dfrac{1-\cos\theta}{\theta^2} \times \dfrac{\theta}{\sin\theta}$

$= \dfrac{1}{\cos^2\theta}\sqrt{2\left(\dfrac{\pi}{2}-\theta\right)} \times \dfrac{\sin^2\theta}{\theta^2(1+\cos\theta)} \times \dfrac{\theta}{\sin\theta}$

$\therefore \lim_{\theta \to 0+} \dfrac{\sqrt{g(\theta)}}{\theta \times f(\theta)} = \dfrac{\sqrt{\pi}}{2}$

03-2 답 9

직각삼각형 ABC에서
$\overline{AB} = \cos\theta$, $\overline{BC} = \sin\theta$
변 AC에 접하는 원의 접점을 P
라 하면
$\overline{BP} \times 1 = \overline{AB} \times \overline{BC}$이므로
$\overline{BP} = \sin\theta\cos\theta = \overline{BD} = \overline{BF}$
$\overline{AD} = \overline{AB} - \overline{BD} = \cos\theta - \sin\theta\cos\theta = \cos\theta(1-\sin\theta)$
$\overline{DE} = \overline{AD}\tan\theta = \cos\theta(1-\sin\theta)\tan\theta$
이므로 $f(\theta) = \underset{❶}{\dfrac{1}{2}\{\cos\theta(1-\sin\theta)\}^2\tan\theta}$
마찬가지로 생각하면
$\overline{CF} = \sin\theta - \sin\theta\cos\theta = \sin\theta(1-\cos\theta)$
$\angle ACB = \dfrac{\pi}{2}-\theta$이므로
$g(\theta) = \underset{❷}{\dfrac{1}{2}\{\sin\theta(1-\cos\theta)\}^2\left(\dfrac{\pi}{2}-\theta\right)}$
$\lim_{\theta \to 0+} \dfrac{g(\theta)}{\theta^5 \times f(\theta)}$

$= \lim_{\theta \to 0+} \dfrac{\sin^2\theta(1-\cos\theta)^2\left(\dfrac{\pi}{2}-\theta\right)}{\theta^5\cos^2\theta(1-\sin\theta)^2\tan\theta}$

$= \lim_{\theta \to 0+} \dfrac{\tan\theta(1-\cos\theta)^2\left(\dfrac{\pi}{2}-\theta\right)}{\theta^5(1-\sin\theta)^2}$

$= \lim_{\theta \to 0+} \dfrac{\dfrac{\pi}{2}-\theta}{(1-\sin\theta)^2} \times \dfrac{\tan\theta}{\theta} \times \dfrac{(1-\cos\theta)^2(1+\cos\theta)^2}{\theta^4(1+\cos\theta)^2}$

$= \lim_{\theta \to 0+} \dfrac{\dfrac{\pi}{2}-\theta}{(1-\sin\theta)^2} \times \dfrac{\tan\theta}{\theta} \times \dfrac{\sin^4\theta}{\theta^4(1+\cos\theta)^2} = \dfrac{1}{8}\pi$

따라서 $p=8$, $q=1$이므로 $p+q=9$

---

04 답 ②

이등변삼각형과 삼각형의 내각과 외각의 성질을 이용해 그림과
같이 △OPQ의 내각을 θ를 써서 나타낼 수 있다.

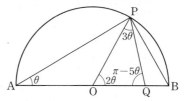

$\angle POQ = 2\theta$, $\angle OQP = \pi - 5\theta$,
삼각형 OPQ에서 사인법칙에 따라

$\dfrac{\overline{OP}}{\sin\angle OQP} = \dfrac{\overline{PQ}}{\sin\angle QOP} = \dfrac{\overline{OQ}}{\sin\angle OPQ}$에서

$\overline{OQ}\sin(\pi-5\theta) = \overline{OP}\sin 3\theta$

즉 $\overline{OQ} = \dfrac{\sin 3\theta}{\sin(\pi-5\theta)} = \dfrac{\sin 3\theta}{\sin 5\theta}$이므로

$\overline{BQ} = 1 - \dfrac{\sin 3\theta}{\sin 5\theta}$

$\lim_{\theta \to 0+}\overline{BQ} = \lim_{\theta \to 0+}\left(1-\dfrac{\sin 3\theta}{\sin 5\theta}\right) = 1-\dfrac{3}{5} = \dfrac{2}{5}$

---

05 답 2

반지름 길이가 1이고 중심각 크기가 θ이므로
($\overset{\frown}{AB}$의 길이) $=\theta = \overline{BP}$ $\therefore \overline{OP} = \underset{❶}{1+\theta}$
코사인법칙에서
$\overline{AP}^2 = \overline{OA}^2 + \overline{OP}^2 - 2\overline{OA} \times \overline{OP}\cos\theta$
$= 1^2 + (1+\theta)^2 - 2 \times 1 \times (1+\theta)\cos\theta$
$= \underset{❷}{2+2\theta+\theta^2-2\cos\theta-2\theta\cos\theta} = f(\theta)$
이므로 $f(\theta) = \theta^2 + 2(1-\cos\theta) + 2\theta(1-\cos\theta)$라 하면
$\lim_{\theta \to 0+} \dfrac{f(\theta)}{\theta^2}$

$= \lim_{\theta \to 0+} \dfrac{\theta^2 + 2(1-\cos\theta) + 2\theta(1-\cos\theta)}{\theta^2}$

$= \lim_{\theta \to 0+}\left[1 + \dfrac{\{2(1-\cos\theta) + 2\theta(1-\cos\theta)\}(1+\cos\theta)}{\theta^2(1+\cos\theta)}\right]$

$= \lim_{\theta \to 0+}\left\{1 + \dfrac{2\sin^2\theta + 2\theta\sin^2\theta}{\theta^2(1+\cos\theta)}\right\}$

$= 1+1+0 = 2$

06 답 ③

점 B가 원 $x^2+y^2=1$ 위에 있으므로 $B(\cos\theta, \sin\theta)$라 하면 점 B를 지나고 x축에 평행한 직선은 $y=\sin\theta$이다.

이 직선이 곡선 $y=\ln x$와 만나는 점이 C이므로

$\sin\theta=\ln x$에서 $x=e^{\sin\theta}$, 즉 $C(e^{\sin\theta}, \sin\theta)$

이때 $\overline{BC}=f(\theta)=$ ^❶ $\underline{e^{\sin\theta}-\cos\theta}$ 이고,

$\widehat{AB}=g(\theta)=1\times\theta=$ ^❷ $\underline{\theta}$

$$\therefore \lim_{\theta\to0+}\frac{f(\theta)}{g(\theta)}=\lim_{\theta\to0+}\frac{e^{\sin\theta}-\cos\theta}{\theta}$$

$$=\lim_{\theta\to0+}\left\{\frac{e^{\sin\theta}-1}{\theta}+\frac{1-\cos\theta}{\theta}\right\}$$

$$=\lim_{\theta\to0+}\left\{\frac{e^{\sin\theta}-1}{\sin\theta}\times\frac{\sin\theta}{\theta}+\frac{\sin^2\theta}{\theta(1+\cos\theta)}\right\}$$

$$=1\times1+0=1$$

07 답 30

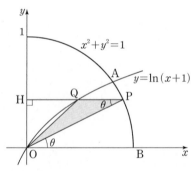

$P(\cos\theta, \sin\theta)$라 하면 점 Q의 x좌표는

$\sin\theta=\ln(x+1)$에서 $x=e^{\sin\theta}-1$

즉 $Q(e^{\sin\theta}-1, \sin\theta)$이므로 $\overline{PQ}=\cos\theta-e^{\sin\theta}+1$

이때 $S(\theta)=$ ^❶ $\underline{\dfrac{1}{2}(\cos\theta-e^{\sin\theta}+1)\sin\theta}$

한편 $L(\theta)=\overline{HQ}=$ ^❷ $\underline{e^{\sin\theta}-1}$

$$\therefore k=\lim_{\theta\to0+}\frac{S(\theta)}{L(\theta)}$$

$$=\frac{1}{2}\lim_{\theta\to0+}\frac{(\cos\theta-e^{\sin\theta}+1)\sin\theta}{e^{\sin\theta}-1}$$

$$=\frac{1}{2}\lim_{\theta\to0+}(\cos\theta-+e^{\sin\theta}+1)\times\lim_{\theta\to0+}\frac{\sin\theta}{e^{\sin\theta}-1}$$

$$=\frac{1}{2}\times(1-1+1)\times1=\frac{1}{2}$$

$$\therefore 60k=60\times\frac{1}{2}=30$$

08 답 ⑤

원에 외접하는 정n각형의 한 변을 $\overline{PQ}$, 원의 중심을 O, $\overline{PQ}$의 중점을 T라 하면

$\angle POQ=\dfrac{2\pi}{n}$, $\angle QOT=\dfrac{\pi}{n}$

$\triangle OPQ=2\times\dfrac{1}{2}\times1\times\tan\dfrac{\pi}{n}$

$$=\tan\dfrac{\pi}{n}$$

$\therefore S_n=$ ^❶ $\underline{n\tan\dfrac{\pi}{n}}$

또 $\triangle AOB=\dfrac{1}{2}\times1\times1\times\sin\dfrac{2\pi}{n}=\sin\dfrac{\pi}{n}\cos\dfrac{\pi}{n}$

$\therefore T_n=$ ^❷ $\underline{n\sin\dfrac{\pi}{n}\cos\dfrac{\pi}{n}}$

$$\therefore \lim_{n\to\infty}n^2(S_n-T_n)=\lim_{n\to\infty}n^3\left(\tan\dfrac{\pi}{n}-\sin\dfrac{\pi}{n}\cos\dfrac{\pi}{n}\right)$$

$$=\lim_{n\to\infty}n^3\left(\dfrac{\sin\dfrac{\pi}{n}}{\cos\dfrac{\pi}{n}}-\sin\dfrac{\pi}{n}\cos\dfrac{\pi}{n}\right)$$

$$=\lim_{n\to\infty}n^3\dfrac{\sin\dfrac{\pi}{n}}{\cos\dfrac{\pi}{n}}\left(1-\cos^2\dfrac{\pi}{n}\right)$$

$$=\lim_{n\to\infty}n^3\dfrac{\sin^3\dfrac{\pi}{n}}{\cos\dfrac{\pi}{n}}$$

$\dfrac{\pi}{n}=\theta$로 놓으면 $n=\dfrac{\pi}{\theta}$이고, $n\to\infty$일 때, $\theta\to0$이므로

$$\therefore \lim_{n\to\infty}n^2(S_n-T_n)=\lim_{\theta\to0}\dfrac{\pi^3}{\theta^3}\times\dfrac{\sin^3\theta}{\cos\theta}=\pi^3$$

09 답 3

두 반원 O_1, O_2에서 $\overline{AR}$에 내린 수선의 발을 차례로 M, N이라 하고 두 반원이 만나는 점을 C라 하자.

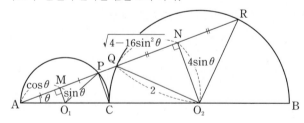

이때 $\overline{AO_1}=1$, $\overline{AO_2}=4$이므로

$\overline{AP}=2\cos\theta$, $\overline{AN}=4\cos\theta$, $\overline{O_2N}=4\sin\theta$

직각삼각형 QNO_2에서 $\overline{QO_2}^2=\overline{O_2N}^2+\overline{QN}^2$

$\therefore \overline{QN}=$ ^❶ $\underline{\sqrt{4-16\sin^2\theta}}$

이때 $\overline{PQ}=\overline{AN}-\overline{QN}-\overline{AP}$이므로

$\overline{PQ}=4\cos\theta-(2\cos\theta+\sqrt{4-16\sin^2\theta})$

$$=$$ ^❷ $\underline{2\cos\theta-\sqrt{4-16\sin^2\theta}}$

$$\therefore \lim_{\theta \to 0+} \frac{\overline{PQ}}{\theta^2}$$

$$= \lim_{\theta \to 0+} \frac{2\cos\theta - \sqrt{4 - 16\sin^2\theta}}{\theta^2}$$

$$= \lim_{\theta \to 0+} \frac{(2\cos\theta - \sqrt{4 - 16\sin^2\theta})(2\cos\theta + \sqrt{4 - 16\sin^2\theta})}{\theta^2(2\cos\theta + \sqrt{4 - 16\sin^2\theta})}$$

$$= \lim_{\theta \to 0+} \frac{(4\cos^2\theta - 4) + 16\sin^2\theta}{\theta^2(2\cos\theta + \sqrt{4 - 16\sin^2\theta})}$$

$$= \lim_{\theta \to 0+} \frac{12\sin^2\theta}{\theta^2(2\cos\theta + \sqrt{4 - 16\sin^2\theta})} = \frac{12}{2 + \sqrt{4}} = 3$$

10 답 5

$\overline{AB}$의 중점을 O, 점 O에서 선분 $\overline{AP}$에 내린 수선의 발을 H라 할 때, $\overline{OA} = 1$, $\overline{AH} = \cos\theta$, $\overline{OH} = \sin\theta$이다.

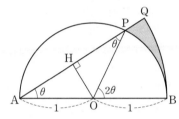

$\overgroup{BP}$, $\overline{PQ}$, $\overgroup{BQ}$로 둘러싸인 도형의 둘레 길이가 $f(\theta)$이므로

$\overgroup{BP} = 1 \times 2\theta = 2\theta$, $\overgroup{BQ} = 2 \times \theta = 2\theta$

$\overline{PQ} = \overline{AQ} - \overline{AP} = 2 - 2\cos\theta$,

$\therefore f(\theta) = \overgroup{BP} + \overgroup{BQ} + \overline{PQ} = ^{❶}\underline{4\theta + 2 - 2\cos\theta}$

또 $\overgroup{BP}$, $\overline{PQ}$, $\overgroup{BQ}$로 둘러싸인 도형의 넓이가 $g(\theta)$이다. 부채꼴 BAQ의 넓이를 S, 그림처럼 $\triangle$OAP의 넓이를 S_1, $\triangle$BOP의 넓이를 S_2라 할 때, $g(\theta) = S - (S_1 + S_2)$이다.

$S = \dfrac{1}{2} \times 2^2 \times \theta = 2\theta$

$S_1 = \dfrac{1}{2} \times 2\cos\theta \times 1 \times \sin\theta = \sin\theta\cos\theta$

$S_2 = \dfrac{1}{2} \times 1 \times 2\theta = \theta$

$\therefore g(\theta) = 2\theta - (\sin\theta\cos\theta + \theta) = ^{❷}\underline{\theta - \sin\theta\cos\theta}$

$$\therefore \lim_{\theta \to 0+} \frac{f(\theta) - 4g(\theta)}{\theta^n}$$

$$= \lim_{\theta \to 0+} \frac{4\theta + 2 - 2\cos\theta - 4(\theta - \sin\theta\cos\theta)}{\theta^n}$$

$$= \lim_{\theta \to 0+} \frac{2 - 2\cos\theta + 4\sin\theta\cos\theta}{\theta^n}$$

$$= \lim_{\theta \to 0+} \left\{ \frac{2(1 - \cos\theta)(1 + \cos\theta)}{\theta^n(1 + \cos\theta)} + \frac{4\sin\theta\cos\theta}{\theta^n} \right\}$$

$$= \lim_{\theta \to 0+} \left\{ \frac{2\sin^2\theta}{\theta^n(1 + \cos\theta)} + \frac{4\sin\theta\cos\theta}{\theta^n} \right\}$$

$$= \lim_{\theta \to 0+} \left(\frac{2\sin\theta}{1 + \cos\theta} + 4\cos\theta \right) \times \frac{\sin\theta}{\theta^n} = \alpha$$

에서 $\lim\limits_{\theta \to 0+} \left(\dfrac{2\sin\theta}{1 + \cos\theta} + 4\cos\theta \right) = \dfrac{2 \times 0}{1 + 1} + 4 = 4$이므로

0이 아닌 실수 α가 존재하려면 $\lim\limits_{\theta \to 0+} \dfrac{\sin\theta}{\theta^n}$은 0이 아닌 실수로 존재해야 한다. $\quad \therefore n = 1$

이때 $\lim\limits_{\theta \to 0+} \dfrac{\sin\theta}{\theta} = 1$이므로 $\alpha = \lim\limits_{\theta \to 0+} \dfrac{f(\theta) - 4g(\theta)}{\theta} = 4$

$\therefore n + \alpha = 1 + 4 = 5$

참고

$\lim\limits_{\theta \to 0} \dfrac{\sin\theta}{\theta^a} = p \neq 0$일 때, $a = 1$이고

$\lim\limits_{\theta \to 0} \dfrac{1 - \cos\theta}{\theta^b} = q \neq 0$일 때, $b = 2$

11 답 5

삼각형 OBC에서 $\overline{OC} = \cos\theta$

내접원의 중심을 O_1이라 하고, O_1에서 $\overline{OA}$, $\overline{BC}$에 내린 수선의 발을 차례로 M, N이라 하자. 이때

$\overline{O_1M} = \overline{O_1N} = f(\theta)$, $\overline{OM} = \cos\theta + f(\theta)$, $\overline{OO_1} = 1 - f(\theta)$

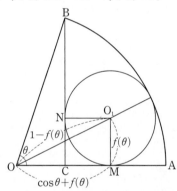

직각삼각형 OO_1M에서

$\{\cos\theta + f(\theta)\}^2 + \{f(\theta)\}^2 = \{1 - f(\theta)\}^2$

$f(\theta) = X$로 놓고 정리하면 $X^2 + 2(1 + \cos\theta)X - \sin^2\theta = 0$

근의 공식에서 $X = -(1 + \cos\theta) \pm \sqrt{(1 + \cos\theta)^2 + \sin^2\theta}$

$0 < f(\theta) < 1$이므로 $f(\theta) = \sqrt{2 + 2\cos\theta} - (1 + \cos\theta)$

$$\therefore \lim_{\theta \to 0+} \frac{f(\theta)}{\theta^2} = \lim_{\theta \to 0+} \frac{\sqrt{2 + 2\cos\theta} - (1 + \cos\theta)}{\theta^2}$$

$$= \lim_{\theta \to 0+} \frac{2 + 2\cos\theta - (1 + \cos\theta)^2}{\theta^2\{\sqrt{2 + 2\cos\theta} + (1 + \cos\theta)\}}$$

$$= \lim_{\theta \to 0+} \frac{\sin^2\theta}{\theta^2\{\sqrt{2 + 2\cos\theta} + (1 + \cos\theta)\}}$$

$$= \frac{1}{\sqrt{2 + 2} + (1 + 1)} = \frac{1}{4}$$

따라서 $\alpha = \dfrac{1}{4}$이므로 $20\alpha = 5$

12 답 ③

점 D에서 변 AB에 내린 수선의 발을 H라 하자.

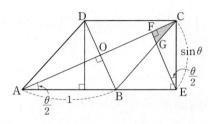

직각삼각형 AHD에서 $\overline{AD}=1$, $\angle DAB=\theta$이므로

$\overline{DH}=\sin\theta$, 이때 $\overline{CE}=\overline{DH}=\sin\theta$

직각삼각형 AEC에서 $\angle CAB=\dfrac{\theta}{2}$이므로 $\angle CEF=\dfrac{\theta}{2}$

삼각형 CEF에서 $\sin\dfrac{\theta}{2}=\dfrac{\overline{CF}}{\overline{CE}}=\dfrac{\overline{CF}}{\sin\theta}$

$\overline{CF}=\overset{\text{❶}}{\underline{\sin\theta\sin\dfrac{\theta}{2}}}$

$\triangle ABC$에서 $\overline{AB}=\overline{BC}$이므로 $\angle BCA=\angle BAC=\dfrac{\theta}{2}$

직각삼각형 CFG에서 $\tan\dfrac{\theta}{2}=\dfrac{\overline{FG}}{\overline{CF}}$이므로

$\overline{FG}=\overline{CF}\tan\dfrac{\theta}{2}=\overset{\text{❷}}{\underline{\sin\theta\sin\dfrac{\theta}{2}\tan\dfrac{\theta}{2}}}$

즉 직각삼각형 CFG의 넓이 $S(\theta)$는

$S(\theta)=\dfrac{1}{2}\times\overline{CF}\times\overline{FG}$

$\quad=\dfrac{1}{2}\times\sin\theta\sin\dfrac{\theta}{2}\times\sin\theta\sin\dfrac{\theta}{2}\tan\dfrac{\theta}{2}$

$\quad=\overset{\text{❸}}{\underline{\dfrac{1}{2}\sin^2\theta\sin^2\dfrac{\theta}{2}\tan\dfrac{\theta}{2}}}$

$\therefore \displaystyle\lim_{\theta\to 0+}\dfrac{S(\theta)}{\theta^5}$

$=\displaystyle\lim_{\theta\to 0+}\dfrac{\sin^2\theta\sin^2\dfrac{\theta}{2}\tan\dfrac{\theta}{2}}{2\theta^5}$

$=\dfrac{1}{16}\displaystyle\lim_{\theta\to 0+}\left\{\left(\dfrac{\sin\theta}{\theta}\right)^2\times\left(\dfrac{\sin\dfrac{\theta}{2}}{\dfrac{\theta}{2}}\right)^2\times\dfrac{\tan\dfrac{\theta}{2}}{\dfrac{\theta}{2}}\right\}$

$=\dfrac{1}{16}\times 1^2\times 1^2\times 1=\dfrac{1}{16}$

13 目 35

$\angle QPB=\theta$에서 중심각 $\angle QOB=2\theta$이고

$\angle POA=\theta$에서 $\angle OPR=\angle OBR=\dfrac{\theta}{2}$이므로

$\angle POR=\pi-3\theta$, $\angle PRO=\dfrac{5}{2}\theta$, $\overline{OP}=1$

$\triangle POR$에서 $\dfrac{1}{\sin\dfrac{5}{2}\theta}=\dfrac{\overline{OR}}{\sin\dfrac{5}{2}\theta}$이므로 $\overline{OR}=\dfrac{\sin\dfrac{\theta}{2}}{\sin\dfrac{5}{2}\theta}$

$f(\theta)=\dfrac{1}{2}\times 1\times\dfrac{\sin\dfrac{\theta}{2}}{\sin\dfrac{5}{2}\theta}\times\sin(\pi-3\theta)$

$\overset{\text{❶}}{\quad}=\dfrac{1}{2}\times\dfrac{\sin\dfrac{1}{2}\theta}{\sin\dfrac{5}{2}\theta}\times\sin 3\theta$

$g(\theta)$는 부채꼴 OBQ에서 $\triangle OBR$를 뺀 것과 같으므로

$g(\theta)=\dfrac{1}{2}\times 1^2\times 2\theta-\dfrac{1}{2}\dfrac{\sin\dfrac{\theta}{2}}{\sin\dfrac{5}{2}\theta}\times\sin 2\theta$

$\overset{\text{❷}}{\quad}=\theta-\dfrac{1}{2}\times\sin 2\theta\times\dfrac{\sin\dfrac{1}{2}\theta}{\sin\dfrac{5}{2}\theta}$

또 $h(\theta)$는 $\triangle OPQ$에서 $\triangle OPR$을 뺀 것이므로

$h(\theta)=\dfrac{1}{2}\times 1\times 1\times\sin(\pi-3\theta)-f(\theta)$

$\quad=\dfrac{1}{2}\times\sin 3\theta-\dfrac{1}{2}\times\dfrac{\sin\dfrac{1}{2}\theta}{\sin\dfrac{5}{2}\theta}\times\sin 3\theta$

$\overline{PQ}=2\sin\left(\dfrac{\pi-3\theta}{2}\right)=2\cos\dfrac{3}{2}\theta$

$\displaystyle\lim_{\theta\to 0+}\dfrac{f(\theta)+g(\theta)}{h(\theta)\times\overline{PQ}}$

$=\displaystyle\lim_{\theta\to 0+}\dfrac{\dfrac{1}{2}\times\dfrac{\sin\dfrac{1}{2}\theta}{\sin\dfrac{5}{2}\theta}\times\sin 3\theta+\theta-\dfrac{1}{2}\times\sin 3\theta\times\dfrac{\sin\dfrac{1}{2}\theta}{\sin\dfrac{5}{2}\theta}}{\left\{\dfrac{1}{2}\times\sin 3\theta-\dfrac{1}{2}\times\dfrac{\sin\dfrac{1}{2}\theta}{\sin\dfrac{5}{2}\theta}\times\sin 3\theta\right\}\times 2\cos\dfrac{3}{2}\theta}$

$=\displaystyle\lim_{\theta\to 0+}\dfrac{\dfrac{1}{2}\times\dfrac{\sin\dfrac{1}{2}\theta}{\sin\dfrac{5}{2}\theta}\times\dfrac{\sin 3\theta}{\theta}+1-\dfrac{1}{2}\times\dfrac{\sin 2\theta}{\theta}\times\dfrac{\sin\dfrac{1}{2}\theta}{\sin\dfrac{5}{2}\theta}}{\left\{\dfrac{1}{2}\times\dfrac{\sin 3\theta}{\theta}-\dfrac{1}{2}\times\dfrac{\sin\dfrac{1}{2}\theta}{\sin\dfrac{5}{2}\theta}\times\dfrac{\sin 3\theta}{\theta}\right\}\times 2\cos\dfrac{3}{2}\theta}$

$=\dfrac{\dfrac{1}{2}\times\dfrac{1}{5}\times 3+1-\dfrac{1}{2}\times 2\times\dfrac{1}{5}}{\left(\dfrac{1}{2}\times 3-\dfrac{1}{2}\times\dfrac{1}{5}\times 3\right)\times 2}=\dfrac{11}{24}$

따라서 $p+q=35$

14 目 ①

그림과 같이 반지름 길이가 $f(\theta)$인 $\triangle ABC$의 내접원의 중심에서 변 BC에 내린 수선의 발을 H라 하면

$\angle O_1BH=\dfrac{\theta}{2}$,

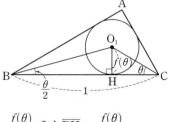

$\angle O_1CH=\theta$이므로 $\tan\dfrac{\theta}{2}=\dfrac{f(\theta)}{\overline{BH}}$에서 $\overline{BH}=\dfrac{f(\theta)}{\tan\dfrac{\theta}{2}}$

또 $\tan \theta = \dfrac{f(\theta)}{\overline{CH}}$ 에서 $\overline{CH} = \dfrac{f(\theta)}{\tan \theta}$

이때 $\overline{BH} + \overline{CH} = \overline{BC} = 1$이므로

$$\frac{f(\theta)}{\tan \dfrac{\theta}{2}} + \frac{f(\theta)}{\tan \theta} = 1, \quad \frac{1}{\tan \dfrac{\theta}{2}} + \frac{1}{\tan \theta} = \frac{1}{f(\theta)}$$

$$\therefore f(\theta) = \overset{\text{❶}}{\frac{\tan \dfrac{\theta}{2} \tan \theta}{\tan \dfrac{\theta}{2} + \tan \theta}}$$

한편 $\angle BAC = \pi - 3\theta$이므로 외접원의 반지름 길이가 $g(\theta)$인 $\triangle ABC$에서 사인법칙에 따라

$$\frac{\overline{BC}}{\sin(\angle BAC)} = \frac{1}{\sin(\pi - 3\theta)} = \frac{1}{\sin 3\theta} = 2g(\theta)$$

$$g(\theta) = \overset{\text{❷}}{\frac{1}{2 \sin 3\theta}}$$

$$\therefore \lim_{\theta \to 0+} f(\theta)g(\theta) = \lim_{\theta \to 0+} \frac{\tan \dfrac{\theta}{2} \tan \theta}{\tan \dfrac{\theta}{2} + \tan \theta} \times \frac{1}{2 \sin 3\theta}$$

$$= \lim_{\theta \to 0+} \frac{\dfrac{\tan \dfrac{\theta}{2}}{\theta} \times \dfrac{\tan \theta}{\theta}}{\dfrac{\tan \dfrac{\theta}{2}}{\theta} + \dfrac{\tan \theta}{\theta}} \times \frac{1}{\dfrac{2 \sin 3\theta}{\theta}}$$

$$= \frac{\dfrac{1}{2} \times 1}{\dfrac{1}{2} + 1} \times \frac{1}{2 \times 3} = \frac{1}{18}$$

킬러 격파 Tip

$\triangle ABC$에 대하여
- 한 변의 길이와 그 양 끝각의 크기
- 두 변의 길이와 끼인각이 아닌 각의 크기

가 주어져 있으면 사인법칙을 생각한다.

15 답 ⑤

그림처럼 내접원 O_1과 부채꼴 OBG에서 선분 OC와 접하는 점을 제외한 다른 두 접점을 P, Q라 하자. 마찬가지로 내접원 O_2가 선분 OC와 접하는 점을 제외한 다른 두 접점을 R, S라 하자.

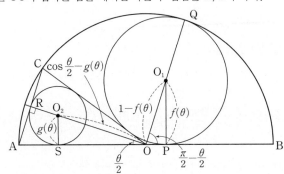

$\angle COB = \pi - \theta$이므로 직각삼각형 OPO_1과 합동인 삼각형을 생각하면 $\angle COO_1 = \angle O_1OP = \dfrac{\pi}{2} - \dfrac{\theta}{2}$

한편 $\overline{OO_1} = 1 - f(\theta)$

직각삼각형 OPO_1에서 $\sin\left(\dfrac{\pi}{2} - \dfrac{\theta}{2}\right) = \cos \dfrac{\theta}{2} = \dfrac{f(\theta)}{1 - f(\theta)}$

$$\therefore f(\theta) = \overset{\text{❶}}{\frac{\cos \dfrac{\theta}{2}}{1 + \cos \dfrac{\theta}{2}}}$$

또한 $\angle AOO_2 = \dfrac{\theta}{2}$, $\overline{OR} = \overline{OC} \cos \dfrac{\theta}{2} = \cos \dfrac{\theta}{2}$

조건에서 $\overline{O_2R} = \overline{O_2S} = g(\theta)$이므로

$$\overline{OO_2} = \overline{OR} - \overline{O_2R} = \cos \dfrac{\theta}{2} - g(\theta)$$

이때 직각삼각형 OSO_2에서

$$\sin \dfrac{\theta}{2} = \frac{\overline{O_2S}}{\overline{OO_2}} = \frac{g(\theta)}{\cos \dfrac{\theta}{2} - g(\theta)}$$

$$\therefore g(\theta) = \overset{\text{❷}}{\frac{\sin \dfrac{\theta}{2} \cos \dfrac{\theta}{2}}{1 + \sin \dfrac{\theta}{2}}}$$

$$\therefore \lim_{\theta \to 0+} \frac{\left(\dfrac{1}{2} - f(\theta)\right)g(\theta)}{\theta^3}$$

$$= \lim_{\theta \to 0+} \frac{\left(\dfrac{1}{2} - \dfrac{\cos \dfrac{\theta}{2}}{1 + \cos \dfrac{\theta}{2}}\right)\dfrac{\sin \dfrac{\theta}{2} \cos \dfrac{\theta}{2}}{1 + \sin \dfrac{\theta}{2}}}{\theta^3}$$

$$= \lim_{\theta \to 0+} \frac{\left(1 - \cos \dfrac{\theta}{2}\right)\sin \dfrac{\theta}{2} \cos \dfrac{\theta}{2}}{2\theta^3\left(1 + \cos \dfrac{\theta}{2}\right)\left(1 + \sin \dfrac{\theta}{2}\right)}$$

$$= \lim_{\theta \to 0+} \frac{\left(1 - \cos \dfrac{\theta}{2}\right)\left(1 + \cos \dfrac{\theta}{2}\right)\sin \dfrac{\theta}{2} \cos \dfrac{\theta}{2}}{2\theta^3\left(1 + \cos \dfrac{\theta}{2}\right)^2\left(1 + \sin \dfrac{\theta}{2}\right)}$$

$$= \lim_{\theta \to 0+} \frac{\sin^3 \dfrac{\theta}{2} \cos \dfrac{\theta}{2}}{16\left(\dfrac{\theta}{2}\right)^3\left(1 + \cos \dfrac{\theta}{2}\right)^2\left(1 + \sin \dfrac{\theta}{2}\right)}$$

$$= \frac{1}{16} \lim_{\theta \to 0+} \frac{\cos \dfrac{\theta}{2}}{\left(1 + \cos \dfrac{\theta}{2}\right)^2\left(1 + \sin \dfrac{\theta}{2}\right)} = \frac{1}{64}$$

01 64   **02-1** ④   **02-2** ①   **03-1** ④

03-2 ③   **04** 108   **05** 2   **06** ④

07 ②   **08** ③   **09** ①   **10** ③

11 39   **12** 20   **13** ③

01 답 64

$y=t^3\ln(x-t)$는 x에 대한 함수로 그래프 모양이 위로 볼록이고, $y=2e^{x-a}$은 그래프 모양이 아래로 볼록인 함수다.

이때 아래로 볼록인 곡선과 위로 볼록인 곡선이 한 점에서만 만나려면 두 곡선이 접해야 한다.

즉 접점에서 함숫값과 미분계수가 모두 같아야 한다.

곡선 $y=t^3\ln(x-t)$와 곡선 $y=2e^{x-a}$이 만나는 점의 x좌표를 $k\,(k>t)$라 하면

$$t^3\ln(k-t)=2e^{k-a} \quad\cdots\cdots\text{㉠}$$

$$\ln(k-t)=\frac{2e^{k-a}}{t^3}$$

또 곡선 $y=t^3\ln(x-t)$에서 $y'=\dfrac{t^3}{x-t}$

$y=2e^{x-a}$에서 $y'=2e^{x-a}$

$x=k$일 때 미분계수가 같아야 하므로

$$\frac{t^3}{k-t}=2e^{k-a} \quad\cdots\cdots\text{㉡}$$

조건에서 $a=f(t)$라 했으므로 이것을 이용해 ㉠에 대입해서 양변을 t에 대하여 미분하면

$$3t^2\ln(k-t)+t^3\times\left(-\frac{1}{k-t}\right)=2e^{k-f(t)}\times(-1)\times f'(t)$$

위 등식을 ㉠, ㉡을 이용하여 정리하면

$$2e^{k-a}\times\frac{3}{t}-2e^{k-a}=2e^{k-a}\times(-1)\times f'(t)$$

위 등식의 양변을 $2e^{k-a}$로 나누고 정리하면

$$\frac{3}{t}-1=(-1)\times f'(t)\text{에서 } f'(t)=-\frac{3}{t}+1$$

$$\therefore f'\left(\frac{1}{3}\right)=-8$$

따라서 구하려는 $\left\{f'\left(\dfrac{1}{3}\right)\right\}^2=(-8)^2=64$

킬러 격파 Tip

$a=f(t)$이고 $f'(t)$를 구해야 하므로 $a=f(t)$를 이용한 식에서 t에 대하여 미분하는 것을 생각한다.

02-1 답 ④

$f(x)=(x^2+ax+b)e^x$에서

$f(1)=(1+a+b)e=e$이므로 $a+b=0$

또 $f'(x)=\{x^2+(a+2)x+a+b\}e^x$에서

$f'(1)=\{1+(a+2)+a+b\}e=e$이므로 $2a+b=-2$

a,b에 대한 두 방정식을 연립해서 풀면 $a=-2,b=2$

이므로 $f(x)=^{\text{❶}}(x^2-2x+2)e^x$이고,

$f'(x)=x^2e^x$, $f''(x)=x(x+2)e^x$이므로 $f''(1)=3e$

한편 $f'(x)=x^2e^x$에서 모든 실수 x에 대하여 $f'(x)\geq0$이므로 함수 $f(x)$는 역함수가 존재한다.

즉 $f(f^{-1}(x))=x$에서 $(f^{-1})'(x)=\dfrac{1}{f'(f^{-1}(x))}$이므로

$$(f^{-1})'(e)=\frac{1}{f'(f^{-1}(e))}=\frac{1}{f'(1)}=^{\text{❷}}\frac{1}{e}$$

$h(x)=f^{-1}(x)g(x)$에서

$h'(x)=(f^{-1})'(x)g(x)+f^{-1}(x)g'(x)$이므로

$$h'(e)=(f^{-1})'(e)g(e)+f^{-1}(e)g'(e) \quad\cdots\cdots\text{㉠}$$

또 $f(1)=e$에서 $f^{-1}(e)=1$이고

한편 $g(f(1))=f'(1)$, 즉 $g(e)=e$이고

$g(f(x))=f'(x)$의 양변을 x에 대하여 미분한

$g'(f(x))f'(x)=f''(x)$에 $x=1$을 대입하면

$g'(f(1))f'(1)=f''(1)$에서 $g'(e)\times e=3e$

$$\therefore g'(e)=3$$

이 값들을 ㉠에 대입하면

$$h'(e)=\frac{1}{e}\times e+1\times3=4$$

02-2 답 ①

$f(x)=(x^2+2ax+b)e^x$에서

$f(1)=(1+2a+b)e=2e$이므로 $2a+b=1$

또 $f'(x)=\{x^2+(2a+2)x+2a+b\}e^x$에서

$2a+b=1$을 대입하면

$f'(1)=\{1+(2a+2)+1\}e=2e$이므로 $a=-1,b=3$

$\therefore f(x)=(x^2-2x+3)e^x$

$f'(x)=(x^2+1)e^x$, $f''(x)=(x+1)^2e^x$이므로 $f''(1)=^{\text{❶}}4e$

또 $f(1)=2e$에서 $f^{-1}(2e)=1$

한편 $f'(x)=(x^2+1)e^x$에서 모든 실수 x에 대하여 $f'(x)\geq0$이므로 함수 $f(x)$는 역함수가 존재한다.

즉 $(f^{-1})'(x)=\dfrac{1}{f'(f^{-1}(x))}$이므로

$$(f^{-1})'(2e)=\frac{1}{f'(f^{-1}(2e))}=\frac{1}{f'(1)}=\frac{1}{2e}$$

또 몫의 미분법에서

$$h'(x)=\frac{(f^{-1})'(x)g(x)-f^{-1}(x)g'(x)}{\{g(x)\}^2}\text{이므로}$$

$$h'(2e)=\frac{(f^{-1})'(2e)g(2e)-f^{-1}(2e)g'(2e)}{\{g(2e)\}^2} \quad\cdots\cdots\text{㉠}$$

한편 $g(f(1))=f'(1)$에서 $g(2e)=2e$

$g(f(x))=f'(x)$의 양변을 x에 대하여 미분한

$g'(f(x))f'(x)=f''(x)$에 $x=1$을 대입하면

$g'(f(1))f'(1)=f''(1)$에서 $g'(2e)\times 2e=4e$

$\therefore g'(2e)=$ ^❷ 2

이 값들을 ㉠에 대입하면

$h'(2e)=\dfrac{\dfrac{1}{2e}\times 2e-1\times 2}{(2e)^2}=$ ^❸ $-\dfrac{1}{4e^2}$

따라서 $(a^2+b^2+2)h'(2e)=12\times\left(-\dfrac{1}{4e^2}\right)=-\dfrac{3}{e^2}$

03-1 답 ④

$y=x^3+2x^2-15x+5$에서 $p(x)=x^3+2x^2-15x+5$라 하면

곡선 $y=p(x)$와 직선 $y=t$가 세 점에서 만날 때 만나는 점의 좌표를 그림처럼 생각할 수 있다.

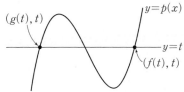

$h(t)=t\{f(t)-g(t)\}$에서

$h'(t)=\{f(t)-g(t)\}+t\{f'(t)-g'(t)\}$이므로

$h'(5)=\{f(5)-g(5)\}+5\{f'(5)-g'(5)\}$ ……㉠

$y=p(x)$와 직선 $y=5$가 만나는 점의 x좌표는

$x^3+2x^2-15x+5=5$에서 $x(x^2+2x-15)=0$

$\therefore x=-5$, 또는 $x=0$, 또는 $x=3$

즉 $f(5)=3,\ g(5)=-5$

한편 $(f(t),\ t),\ (g(t),\ t)$가 곡선 $y=p(x)$ 위의 점이므로

$p(f(t))=t,\ p(g(t))=t$가 성립한다.

즉 $p'(f(t))f'(t)=1,\ p'(g(t))g'(t)=1$에서

$f'(t)=\dfrac{1}{p'(f(t))},\ g'(t)=\dfrac{1}{p'(g(t))}$ 이고

$p'(x)=3x^2+4x-15$와 $f(5)=3,\ g(5)=-5$임을 이용하면

$f'(5)=\dfrac{1}{3\times 3^2+4\times 3-15}=$ ^❶ $\dfrac{1}{24}$ ……㉡

$g'(5)=\dfrac{1}{3\times(-5)^2+4\times(-5)-15}=$ ^❷ $\dfrac{1}{40}$ ……㉢

㉡, ㉢을 ㉠에 대입하면

$h'(5)=\{3-(-5)\}+5\left(\dfrac{1}{24}-\dfrac{1}{40}\right)=\dfrac{97}{12}$

03-2 답 ③

$y=x^3-3x^2+4$에서 $y'=3x^2-6x$이고 접선의 기울기가 t일 때, 곡선 위의 두 접점 중에서 x좌표가 큰 점의 x좌표를 $f(t)$, x좌표가 작은 점의 좌표를 $g(t)$라 했으므로 $3x^2-6x=t$를 만족시키는

x값 중 큰 것이 $f(t)$, 작은 것이 $g(t)$이다.

$h(t)=t\{f(t)-g(t)\}$이므로

$h'(t)=\{f(t)-g(t)\}+t\{f'(t)-g'(t)\}$에서

$h'(9)=\{f(9)-g(9)\}+9\{f'(9)-g'(9)\}$ ……㉠

$3x^2-6x=t$의 두 근이 $f(t),\ g(t)$이므로

$3\{f(t)\}^2-6\{f(t)\}=t,\ 3\{g(t)\}^2-6\{g(t)\}=t$

이때 $t=9$, 즉 $y=x^3-3x^2+4$에 그은 접선의 기울기가 9일 때의

x좌표는 $3x^2-6x=9$에서 $3(x-3)(x+1)=0$

$\therefore x=-1$ 또는 $x=3$

즉 $f(9)=3,\ g(9)=-1$ ……㉡

한편 $3\{f(t)\}^2-6\{f(t)\}=t$에서 $\{6f(t)-6\}f'(t)=1$이므로

$f'(t)=\dfrac{1}{6f(t)-6}$

$\therefore f'(9)=\dfrac{1}{6f(9)-6}=\dfrac{1}{6\times 3-6}=$ ^❶ $\dfrac{1}{12}$

마찬가지 방법으로

$g'(9)=\dfrac{1}{6g(9)-6}=\dfrac{1}{6\times(-1)-6}=$ ^❷ $-\dfrac{1}{12}$ ……㉢

㉡, ㉢을 ㉠에 대입하면

$h'(9)=\{3-(-1)\}+9\left\{\dfrac{1}{12}-\left(-\dfrac{1}{12}\right)\right\}=4+\dfrac{3}{2}=\dfrac{11}{2}$

04 답 108

$f(x)=a\ln x+\dfrac{b}{x}$에서 $x>0$이고,

$f'(x)=\dfrac{a}{x}-\dfrac{b}{x^2},\ f''(x)=-\dfrac{a}{x^2}+\dfrac{2b}{x^3}=$ ^❶ $\dfrac{-ax+2b}{x^3}$

㈎에 따라 $x=2$를 기준으로 그래프의 오목, 볼록 상태가 바뀌므로 $f''(2)=0$임을 이용하면 $a=b$이고

곡선 $y=f(x)$에서 변곡점의 좌표는 $\left(2,\ a\ln 2+\dfrac{a}{2}\right)$이다.

곡선 $y=f(x)$위의 점 $\left(2,\ a\ln 2+\dfrac{a}{2}\right)$에서의 접선은

기울기가 $f'(2)=\dfrac{a}{2}-\dfrac{a}{4}=\dfrac{a}{4}$이므로 접선의 방정식은

$y-\left(a\ln 2+\dfrac{a}{2}\right)=\dfrac{a}{4}(x-2)$에서 $y=\dfrac{a}{4}x+a\ln 2$

따라서 $A(-4\ln 2,\ 0),\ B(0,\ a\ln 2)$이므로

(삼각형 OAB의 넓이)$=2a(\ln 2)^2$

㈏에서 $2a(\ln 2)^2=6(\ln 2)^2$이므로 $a=$ ^❷ 3

$\therefore f(x)=$ ^❸ $3\ln x+\dfrac{3}{x}$

한편 $a+b=2a=6$이므로

$f(6)=3\ln 6+\dfrac{3}{6}=\ln 216+\dfrac{1}{2}$에서 $p=216,\ q=\dfrac{1}{2}$

따라서 $pq=216\times\dfrac{1}{2}=108$

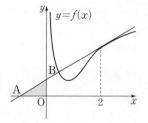

참고

문제의 내용을 그림과 같이 나타낼 수 있다. 이때 삼각형 OAB의 밑변 길이가 $4\ln 2$, 높이는 $a\ln 2$이므로

(△OAB의 넓이)

$= \dfrac{1}{2} \times 4\ln 2 \times 2a\ln 2$

$= 2a(\ln 2)^2$

05 답 2

⑴의 식 $f(x+y)=f(x)f(y)+4f(x)+4f(y)+12$에 $y=0$을 대입하면 $f(x)=f(x)f(0)+4f(x)+4f(0)+12$

에서 $\{f(x)+4\}\{f(0)+3\}=0$이므로 $f(0)=-3$ ……㉠

도함수의 정의에 따라

$$f'(x)=\lim_{h\to 0}\frac{f(x+h)-f(x)}{h}$$

$$=\lim_{h\to 0}\frac{f(x)f(h)+4f(x)+4f(h)+12-f(x)}{h}$$

$$=\lim_{h\to 0}\frac{\{f(x)+4\}\{f(h)+3\}}{h}$$

$$=\{f(x)+4\}\times\lim_{h\to 0}\frac{f(h)+3}{h}$$

$$=\{f(x)+4\}\times\lim_{h\to 0}\frac{f(0+h)-f(0)}{h}\ (\because ㉠)$$

$$=\{f(x)+4\}\times f'(0)=2\{f(x)+4\}$$

$\therefore f'(\ln 2)=2\{f(\ln 2)+4\}=8$

이때 $y=f(x)$ 위의 점 $(\ln 2, f(\ln 2))$에서의 접선의 기울기를 m_1이라 하면 $m_1=f'(\ln 2)=$ ❶ $\underline{8}$

또 $y=g(x)$ 위의 점 $(k, g(k))$에서의 접선의 기울기를 m_2라 하면 $g(x)=\dfrac{1}{3}x^3+2\ln x$에서 $g'(x)=x^2+\dfrac{2}{x}$이므로

$m_2=g'(k)=$ ❷ $\underline{k^2+\dfrac{2}{k}}$ ……㉡

두 접선이 x축의 양의 방향과 이루는 각의 크기를 각각 α, β라 하면 $\tan\alpha=8$, $\tan\beta=m_2$이고

$$\tan\theta=|\tan(\alpha-\beta)|=\left|\frac{\tan\alpha-\tan\beta}{1+\tan\alpha\tan\beta}\right|$$

$$=\left|\frac{8-m_2}{1+8m_2}\right|=\frac{3}{41}$$

위 식을 정리하면 $m_2=5$ 또는 $m_2=\dfrac{331}{17}$

즉 ㉡에서 $m_2=k^2+\dfrac{2}{k}=5$ 또는 $m_2=k^2+\dfrac{2}{k}=\dfrac{331}{17}$

(ⅰ) $m_2=k^2+\dfrac{2}{k}=5$인 경우

$k^3-5k+2=0$, 즉 $(k-2)(k^2+2k-1)=0$에서

가능한 자연수 $k=2$

(ⅱ) $m_2=k^2+\dfrac{2}{k}=\dfrac{331}{17}$인 경우

$17k^3-331k+34=0$에서 자연수 근이 없다.

(ⅰ), (ⅱ)에서 자연수 $k=2$

참고

❶ 보통의 경우처럼 $x=y=0$을 대입해 $f(0)$의 값을 구해 보면 위 함수식에서 $f(0)=-3$, -4가 된다. 함수의 정의에 따라 위 풀이처럼 $y=0$을 대입하든지 아니면 $x=0$을 대입해 보면 $f(0)=-3$임을 확인할 수 있다.

❷ 풀이에서 $\tan\beta$ 대신 $k^2+\dfrac{2}{k}$를 대입하면 계산하기가 불편하므로 $k^2+\dfrac{2}{k}=m_2$라 하고 m_2를 구한 결과를 이용한다.

06 답 ④

$f(x)=(-\ln ax)^2=(\ln ax)^2$에서

$f'(x)=2\ln ax \times \dfrac{a}{ax}=\dfrac{2\ln ax}{x}$

$f''(x)=\dfrac{\dfrac{2}{x}\times x-2\ln ax}{x^2}=\dfrac{2(1-\ln ax)}{x^2}$

$f''(x)=0$에서 $x=\dfrac{e}{a}$, $f\left(\dfrac{e}{a}\right)=\left(\ln a\times\dfrac{e}{a}\right)^2=1$

즉 변곡점의 좌표는 $\left(\dfrac{e}{a}, 1\right)$

ㄱ. 변곡점이 직선 $y=2x$ 위의 점이므로 $\dfrac{2e}{a}=1$

$\therefore a=$ ❶ $\underline{2e}$ (×)

ㄴ. ㄱ에서 $a=2e$이므로 변곡점의 좌표는 $\left(\dfrac{1}{2}, 1\right)$이고

$f'\left(\dfrac{1}{2}\right)=\dfrac{2\ln e}{\dfrac{1}{2}}=4$

변곡점에서 접선의 방정식은

$y=4\left(x-\dfrac{1}{2}\right)+1=$ ❷ $\underline{4x-1}$

이때 x절편은 $\dfrac{1}{4}$ (○)

ㄷ. $f(x)=(\ln 2ex)^2=(\ln x+\ln 2e)^2$

에서 $\displaystyle\int_{\frac{1}{2}}^{\frac{e}{2}}\frac{f(x)}{x}dx=\int_{\frac{1}{2}}^{\frac{e}{2}}\frac{(\ln x+\ln 2e)^2}{x}dx$

$\ln x+\ln 2e=t$로 치환하면

$x=\dfrac{1}{2}$일 때 $t=1$이고, $x=\dfrac{e}{2}$일 때, $t=2$이다.

또 $\dfrac{1}{x}dx=dt$이므로

$\displaystyle\int_{\frac{1}{2}}^{\frac{e}{2}}\frac{(\ln x+\ln 2e)^2}{x}dx=$ ❸ $\displaystyle\int_{1}^{2}t^2dt=\frac{7}{3}$ (○)

따라서 옳은 것은 ㄴ, ㄷ

07 답 ②

ㄱ. $f(x)=t^4\ln(x-t)$는
$y=(\text{양수})\times\ln x$ 꼴,
즉 위로 볼록인 함수이므로
α, β $(\alpha<\beta)$에 대하여
$f(\alpha)+f(\beta)\leq 2f\left(\dfrac{\alpha+\beta}{2}\right)$
가 그림처럼 성립함을 알 수
있다. (◯)

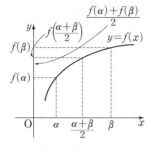

ㄴ. $f(x)=t^4\ln(x-t)$의 그래프는 위로 볼록인 곡선이고,
$g(x)=3e^{x-a}$의 그래프는 아래로 볼록인 곡선이다.
아래로 볼록인 곡선과 위로 볼록인 곡선이 한 점에서 만나려면 두 곡선이 접해야 한다. 두 곡선이 접할 때는 접점에서 공통인 접선을 가지게 되며 접점에서 함숫값과 미분계수가 같다.
곡선 $f(x)=t^4\ln(x-t)$와 곡선 $g(x)=3e^{x-a}$의 접점의 x좌표를 $k\,(k>t)$라 하면
$t^4\ln(k-t)=3e^{k-a}$ ……㉠
$x=k$에서 미분계수도 같으므로 $f'(k)=g'(k)$
즉 $\dfrac{t^4}{k-t}=3e^{k-a}$ ……㉡
㉠, ㉡이 모두 성립할 때의 a값이 $h(t)$이므로
㉠에서 $t^4\ln(k-t)=3e^{k-h(t)}$ ……㉢
㉡에서 $\dfrac{t^4}{k-t}=3e^{k-h(t)}$ ……㉣
이때 $t=1$을 ㉣에 대입하면 $3e^{k-h(1)}=\dfrac{1}{k-1}$
이 등식의 양변에 $\dfrac{k-1}{3}$을 곱하면
$(k-1)e^{k-h(1)}=\dfrac{1}{3}$ (◯)

ㄷ. ㉢의 양변을 t에 대하여 미분하면
$4t^3\ln(k-t)-\dfrac{t^4}{k-t}=3e^{k-h(t)}(-h'(t))$
$t^4\ln(k-t)\times\dfrac{4}{t}-\dfrac{t^4}{k-t}=3e^{k-h(t)}(-h'(t))$
㉢, ㉣을 이용해 위 등식을 정리한
$3e^{k-h(t)}\times\dfrac{4}{t}-3e^{k-h(t)}=3e^{k-h(t)}(-h'(t))$에서
$\dfrac{4}{t}-1=-h'(t)$
즉 $h'(t)=-\dfrac{4}{t}+1$ 이므로 $h'(1)=-3$이다. (×)

따라서 옳은 것은 ㄱ, ㄴ

08 답 ③

ㄱ. 원점을 지나고 기울기가 $\tan(\sin t)$인 직선의 방정식은

$y=\tan(\sin t)x$ ……㉠
이때 점 P는 원 $x^2+y^2=e^{2t}$과 이 직선의 교점이므로
$x^2+\{\tan(\sin t)x\}^2=e^{2t}$
즉 $\{1+\tan^2(\sin t)\}x^2=e^{2t}$에서 $\dfrac{x^2}{\cos^2(\sin t)}=e^{2t}$
이므로 $x^2=e^{2t}\cos^2(\sin t)$
$\therefore x=e^t\cos(\sin t)\ (\because x>0)$
이것을 ㉠에 대입하면 $y=e^t\sin(\sin t)$
점 P의 좌표를 P$(f(t),g(t))$라 하면
$f(t)=e^t\cos(\sin t)$, $g(t)=\underline{e^t\sin(\sin t)}$ ……㉡
(◯)

ㄴ. ㉡에서
$g'(t)=e^t\sin(\sin t)+\{e^t\cos(\sin t)\}\cos t$
$\quad=e^t\{\sin(\sin t)+\cos(\sin t)\cos t\}$ ……㉢
이때 $g'\left(\dfrac{\pi}{2}\right)=e^{\frac{\pi}{2}}\left\{\sin\left(\sin\dfrac{\pi}{2}\right)+\cos\left(\sin\dfrac{\pi}{2}\right)\cos\dfrac{\pi}{2}\right\}$
$\quad=e^{\frac{\pi}{2}}\{\sin 1+\cos 1\times 0\}=\underline{e^{\frac{\pi}{2}}\times\sin 1}$
에서 $\sin 1<\sin\dfrac{\pi}{3}$이므로
$g'\left(\dfrac{\pi}{2}\right)=e^{\frac{\pi}{2}}\times\sin 1<e^{\frac{\pi}{2}}\times\sin\dfrac{\pi}{3}=\dfrac{\sqrt{3}}{2}e^{\frac{\pi}{2}}$ (×)

ㄷ. $t=\pi$일 때, P$(e^{\pi}\cos(\sin\pi), e^{\pi}\sin(\sin\pi))$
즉 P$(e^{\pi},0)$이고, ㉡에서
$f'(t)=e^t\cos(\sin t)-\{e^t\sin(\sin t)\}\cos t$
$\quad=e^t\{\cos(\sin t)-\sin(\sin t)\cos t\}$ ……㉣
이므로 곡선 C 위의 점 P$(f(t),g(t))$에서
$x=f(t), y=g(t)$라 하면 $dx=f'(t)dt, dy=g'(t)dt$
이때 점 P에서의 접선의 기울기는
$\dfrac{dy}{dx}=\dfrac{g'(t)dt}{f'(t)dt}=\dfrac{g'(t)}{f'(t)}$
㉢, ㉣에서 $t=\pi$일 때,
$\dfrac{g'(\pi)}{f'(\pi)}=\dfrac{e^{\pi}\{\sin(\sin\pi)+\cos(\sin\pi)\cos\pi\}}{e^{\pi}\{\cos(\sin\pi)-\sin(\sin\pi)\cos\pi\}}$
$\quad=\dfrac{-e^{\pi}}{e^{\pi}}=\underline{-1}$ (◯)

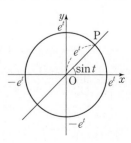

참고

원 $x^2+y^2=(e^t)^2$은 중심이 원점이며
반지름 길이가 e^t인 원이고, 점 P가 원 위의 점이므로 $\overline{\text{OP}}=e^t$이다.
또 직선 OP의 기울기가 $\tan(\sin t)$이므로 직선 OP와 x축의 양의 방향이 이루는 각의 크기는 $\sin t$이다.
따라서 점 P의 좌표는
P$(e^t\cos(\sin t), e^t\sin(\sin t))$이다.

09 답 ①

함수 $f(x)=(x^2-1)e^{-x}$에서 $f'(x)=(-x^2+2x+1)e^{-x}$

$f'(x)=t$에서 $(-x^2+2x+1)e^{-x}=t$

이때 $g(t)=x$이므로 $g((-x^2+2x+1)e^{-x})=x$ ······ ㉠

한편 $(-1, 0)$에서 곡선 $y=f(x)$에 그은 접선을 l이라 하고,

접선 l과 곡선 $y=f(x)$의 접점의 좌표를 $(x_1, f(x_1))$이라 하면

접선 l의 방정식은 $y-f(x_1)=f'(x_1)(x-x_1)$

즉 $y-(x_1^2-1)e^{-x_1}=(-x_1^2+2x_1+1)e^{-x_1}(x-x_1)$

이 직선이 $(-1, 0)$을 지나므로

$0-(x_1^2-1)e^{-x_1}=(-x_1^2+2x_1+1)e^{-x_1}(-1-x_1)$에서

$0=(-x_1^2+2x_1+1)(-1-x_1)e^{-x_1}+(x_1^2-1)e^{-x_1}$

을 정리하면 $0=(x_1+1)^2(x_1-2)e^{-x_1}$에서

$x_1=$ **❶** $\underline{2}$ $(\because x_1>1)$

이때 $a=f'(2)=(-4+4+1)e^{-2}=$ **❷** $\underline{\dfrac{1}{e^2}}$

㉠의 양변을 x에 대하여 미분하면

$g'((-x^2+2x+1)e^{-x})(x^2-4x+1)e^{-x}=1$이므로

$g'((-x^2+2x+1)e^{-x})=\dfrac{e^x}{x^2-4x+1}$ ······ ㉡

㉡의 양변에 $x=2$를 대입하면 $g'\left(\dfrac{1}{e^2}\right)=-\dfrac{e^2}{3}$

즉 $g'(a)=g'\left(\dfrac{1}{e^2}\right)=-\dfrac{e^2}{3}$이므로

$a\times g'(a)=\dfrac{1}{e^2}\times\left(-\dfrac{e^2}{3}\right)=-\dfrac{1}{3}$

◀ 다른 풀이 ▶

그림처럼 생각하면

$f'(g(t))=t$이고, 이때

$f''(g(t))g'(t)=1$에서

$g'(t)=\dfrac{1}{f''(g(t))}$이고, 위 풀이를

생각하면 $g(a)=2$이므로

$g'(a)=\dfrac{1}{f''(g(a))}=\dfrac{1}{f''(2)}=-\dfrac{e^2}{3}$

⇐ $f'(x)=(-x^2+2x+1)e^{-x}$에서 $f''(x)=(x^2-4x+1)e^{-x}$

10 답 ③

$F(x)=\ln|f(x)|$에서 $F'(x)=\dfrac{f'(x)}{f(x)}$

$\lim\limits_{x\to1}(x-1)F'(x)=\lim\limits_{x\to1}\dfrac{(x-1)f'(x)}{f(x)}=2$에서 $f(1)=0$이다.

$f(x)=(x-1)q(x)$라 하면 $f'(x)=q(x)+(x-1)q'(x)$

이므로 $\lim\limits_{x\to1}\dfrac{(x-1)\{q(x)+(x-1)q'(x)\}}{(x-1)q(x)}=1\neq2$

이려면 $\lim\limits_{x\to1}q(x)=0$이어야 하므로 $f(x)$는 $(x-1)^2$을 인수로

가진다.

즉 $f(x)=(x-1)^2(x+a)$ 꼴이 된다.

$G'(x)=\dfrac{g'(x)\sin x+g(x)\cos x}{g(x)\sin x}$에서

$\dfrac{1}{G'(x)}=\dfrac{g(x)\sin x}{g'(x)\sin x+g(x)\cos x}$이므로

$\lim\limits_{x\to0}\dfrac{F'(x)}{G'(x)}=\lim\limits_{x\to0}\dfrac{f'(x)g(x)\sin x}{f(x)\{g'(x)\sin x+g(x)\cos x\}}$

$\qquad\qquad=\dfrac{1}{3}$ ······ ㉠

에서 $x\to0$일 때 (분자)$\to0$이므로

(분모)$\to0$에서 $f(0)=0$ $\therefore f(x)=$ **❶** $\underline{x(x-1)^2}$

이때 $f'(x)=2(x-1)x+(x-1)^2$이므로

$\dfrac{f'(x)}{f(x)}=\dfrac{2(x-1)x+(x-1)^2}{(x-1)^2x}=\dfrac{3x-1}{x(x-1)}$ ······ ㉡

㉡을 ㉠에 대입하면

$\lim\limits_{x\to0}\dfrac{F'(x)}{G'(x)}$

$=\lim\limits_{x\to0}\dfrac{(3x-1)g(x)\sin x}{x(x-1)\{g'(x)\sin x+g(x)\cos x\}}$

$=\lim\limits_{x\to0}\left\{\dfrac{3x-1}{x-1}\times\dfrac{\sin x}{x}\times\dfrac{g(x)}{g'(x)\sin x+g(x)\cos x}\right\}=\dfrac{1}{3}$

에서 $g(0)=0$이다.

$g(x)=xk(x)$라 하면 $g'(x)=k(x)+xk'(x)$이고

$\lim\limits_{x\to0}\dfrac{(3x-1)\sin x}{x(x-1)}=1$이므로

$\lim\limits_{x\to0}\dfrac{F'(x)}{G'(x)}=\lim\limits_{x\to0}\dfrac{xk(x)}{\{k(x)+xk'(x)\}\sin x+xk(x)\cos x}=\dfrac{1}{3}$

에서 $k(0)=0$이므로 $g(x)=$ **❷** $\underline{x^2}$ 임을 알 수 있다.

따라서 $f(4)+g(4)=4(4-1)^2+4^2=52$

◀ 참고 ▶

$\lim\limits_{x\to1}(x-1)F'(x)=2$에서 $f(x)$는 $(x-1)^2$을 인수로 가진다.

이때 $f(x)=(x-1)^k h(x)$ $(k\geq2$인 자연수)라 하면

$f'(x)=k(x-1)^{k-1}h(x)+(x-1)^k h'(x)$이므로

$\lim\limits_{x\to1}\dfrac{(x-1)f'(x)}{f(x)}$

$=\lim\limits_{x\to1}\dfrac{(x-1)\{k(x-1)^{k-1}h(x)+(x-1)^k h'(x)\}}{(x-1)^k h(x)}$

$=\lim\limits_{x\to1}\dfrac{k(x-1)^k h(x)+(x-1)^{k+1}h'(x)}{(x-1)^k h(x)}$

$=k$

이므로 $k=2$이다.

11 답 39

$f(x)=e^{x+1}-1$에서 $f'(x)=e^{x+1}$

이때 $f(-1)=0$, $f'(-1)=1$이고

$g(x)=100|f(x)|-\sum\limits_{k=1}^{n}|f(x^k)|$

$\quad=100|f(x)|-(|f(x)|+|f(x^2)|+\cdots+|f(x^n)|)$

$\quad=100|f(x)|-(|f(x)|+|f(x^3)|+\cdots+|f(x^m)|)$

$\qquad-(|f(x^2)|+|f(x^4)|+\cdots+|f(x^{m\pm1})|)$

$\qquad\qquad$ (m은 홀수이고, $m=n$ 또는 $m=n-1$)

에서 $|f(x^2)|+|f(x^4)|+\cdots+|f(x^{m\pm1})|$은

$x=-1$일 때 미분 가능하므로 $g(x)$의 미분 가능성은

$h(x)=100|f(x)|-(|f(x)|+|f(x^3)|+\cdots+|f(x^m)|)$

이라 놓고 $x=-1$일 때 $h(x)$의 미분 가능성을 따지면 된다.

$h(x)=\begin{cases}h_1(x) & (x>-1)\\ h_2(x) & (x<-1)\end{cases}$ 이라 하자.

(i) $x>-1$일 때, $x^k>-1$이므로 $f(x^k)>0$

$\quad h_1(x)=100f(x)-f(x)-f(x^3)-\cdots-f(x^m)$

$\quad h_1{}'(x)=100f'(x)-f'(x)-3x^2f'(x^3)$

$\qquad\qquad -\cdots-mx^{m-1}f'(x^m)$

(ii) $x<-1$일 때, k가 홀수이면 $x^k<-1$이므로 $f(x^k)<0$

$\quad h_2(x)=-100f(x)+f(x)+f(x^3)+\cdots+f(x^m)$

$\quad h_2{}'(x)=-100f'(x)+f'(x)+3x^2f'(x^3)$

$\qquad\qquad +\cdots+mx^{m-1}f'(x^m)$

이므로 $h(x)$가 $x=-1$일 때

미분 가능하려면 $h_1{}'(-1)=h_2{}'(-1)$이면 된다.

(i), (ii)에서

$h_1{}'(-1)=100f'(-1)-f'(-1)-3f'(-1)-\cdots-mf'(-1)$

$\qquad\quad =100-(1+3+\cdots+m)$

$h_2{}'(-1)=-100f'(-1)+f'(-1)+3f'(-1)$

$\qquad\qquad +\cdots+mf'(-1)$

$\qquad\quad =-100+(1+3+\cdots+m)$

이므로 $1+3+\cdots+m=A$라 하면

$h_1{}'(-1)=h_2{}'(-1)$, 즉 $100-A=-100+A$에서

$A=100=1+3+5+\cdots+19$이므로 $m=19$

즉 $g(x)=100|f(x)|-(|f(x)|+|f(x^3)|+\cdots+|f(x^{19})|)$

$\qquad\qquad -(|f(x^2)|+|f(x^4)|+\cdots+|f(x^{18})|)$

또는 $g(x)=100|f(x)|-(|f(x)|+|f(x^3)|+\cdots+|f(x^{19})|)$

$\qquad\qquad -(|f(x^2)|+|f(x^4)|+\cdots+|f(x^{20})|)$

이면 $\lim\limits_{x\to-1-}g'(x)=\lim\limits_{x\to-1+}g'(x)$가 되어 $g(x)$는 $x=-1$에서

미분 가능하다.

따라서 가능한 자연수 n은 <u>19 또는 20</u> 이므로 구하려는 값은

$19+20=39$

참고

$h_1(-1)=100f(-1)-f(-1)-f(-1)\cdots-f(-1)$

$h_2(-1)=-100f(-1)+f(-1)+f(-1)\cdots+f(-1)$

그런데 $f(-1)=0$이므로 n값에 관계없이 $h_1(-1)=h_2(-1)=0$

즉 $g(x)$는 $x=-1$에서 연속이므로 좌미분계수와 우미분계수가 서로 같으

면 미분 가능성 조건을 만족시킨다.

12 🔲 20

$f(x)=|\sin x|$이므로

$g(x)=mf\left(2x+\dfrac{\pi}{2}\right)+\sum\limits_{k=1}^{n}f\left(x+(-1)^k\dfrac{\pi}{4}\right)$

$\quad=m\left|\sin\left(2x+\dfrac{\pi}{2}\right)\right|+\sum\limits_{k=1}^{n}\left|\sin\left(x+(-1)^k\dfrac{\pi}{4}\right)\right|$

1부터 n까지의 자연수 중 홀수 개수를 α, 짝수 개수를 β라 하면,

$g(x)$를 다음과 같이 나타낼 수 있다.

$g(x)=m\left|\sin\left(2x+\dfrac{\pi}{2}\right)\right|+\alpha\left|\sin\left(x-\dfrac{\pi}{4}\right)\right|+\beta\left|\sin\left(x+\dfrac{\pi}{4}\right)\right|$

$\qquad$ (이때 $\alpha+\beta=n$이고, $\alpha=\beta$이거나 $\alpha=\beta+1$)

$g(x)$에서 $x=\dfrac{1}{4}\pi$, $\dfrac{3}{4}\pi$일 때 절댓값 안이 0이 되므로

$x=\dfrac{1}{4}\pi$, $\dfrac{3}{4}\pi$에서만 함수 $g(x)$의 미분 가능성을 조사하면 된다.

(i) $x=\dfrac{\pi}{4}-h$ (h는 충분히 작은 양수)일 때

$\quad g(x)=m\sin\left(2x+\dfrac{\pi}{2}\right)-\alpha\sin\left(x-\dfrac{\pi}{4}\right)+\beta\sin\left(x+\dfrac{\pi}{4}\right)$

$\quad g'(x)=2m\cos\left(2x+\dfrac{\pi}{2}\right)-\alpha\cos\left(x-\dfrac{\pi}{4}\right)+\beta\cos\left(x+\dfrac{\pi}{4}\right)$

$\quad \therefore \lim\limits_{x\to\frac{\pi}{4}-}g'(x)=-2m-\alpha$

(ii) $x=\dfrac{\pi}{4}+h$ (h는 충분히 작은 양수)일 때

$\quad g(x)=-m\sin\left(2x+\dfrac{\pi}{2}\right)+\alpha\sin\left(x-\dfrac{\pi}{4}\right)+\beta\sin\left(x+\dfrac{\pi}{4}\right)$

$\quad g'(x)=-2m\cos\left(2x+\dfrac{\pi}{2}\right)+\alpha\cos\left(x-\dfrac{\pi}{4}\right)+\beta\cos\left(x+\dfrac{\pi}{4}\right)$

$\quad \therefore \lim\limits_{x\to\frac{\pi}{4}+}g'(x)=-2m+\alpha$

(i), (ii)에서 좌미분계수와 우미분계수가 서로 같아야 하므로

$-2m-\alpha=-2m+\alpha$에서 $\alpha=-2m$

(iii) $x=\dfrac{3}{4}\pi-h$ (h는 충분히 작은 양수)일 때

$\quad g(x)=-m\sin\left(2x+\dfrac{\pi}{2}\right)+\alpha\sin\left(x-\dfrac{\pi}{4}\right)+\beta\sin\left(x+\dfrac{\pi}{4}\right)$

$\quad g'(x)=-2m\cos\left(2x+\dfrac{\pi}{2}\right)+\alpha\cos\left(x-\dfrac{\pi}{4}\right)+\beta\cos\left(x+\dfrac{\pi}{4}\right)$

$\quad \therefore \lim\limits_{x\to\frac{3}{4}\pi-}g'(x)=-2m-\beta$

(iv) $x=\dfrac{3}{4}\pi+h$ (h는 충분히 작은 양수)일 때

$\quad g(x)=m\sin\left(2x+\dfrac{\pi}{2}\right)+\alpha\sin\left(x-\dfrac{\pi}{4}\right)-\beta\sin\left(x+\dfrac{\pi}{4}\right)$

$\quad g'(x)=2m\cos\left(2x+\dfrac{\pi}{2}\right)+\alpha\cos\left(x-\dfrac{\pi}{4}\right)-\beta\cos\left(x+\dfrac{\pi}{4}\right)$

$\quad \therefore \lim\limits_{x\to\frac{3}{4}\pi+}g'(x)=2m+\beta$

(iii), (iv)에서 좌미분계수와 우미분계수가 서로 같아야 하므로

$-2m-\beta=2m+\beta$에서 $\beta=-2m$

즉 $\alpha=\beta=-2m$이고, $-2\le m\le2$인 실수이므로

α로 가능한 값은 $-4\le\alpha\le4$에서 자연수인 **①** $\underline{1, 2, 3, 4}$ 이다.

또 $\alpha=\beta$이므로 $n=\alpha+\beta=2\alpha$

따라서 이러한 조건을 만족시키는 모든 자연수 n은

② $\underline{2, 4, 6, 8}$ 이므로 그 합은 $2+4+6+8=20$

13 답 ③

일차함수 $g(x)$가 주어진 조건을 만족시키려면

$1\le x\le2$일 때 $f(x)\le g(x)$이고, $x\ge2$일 때 $f(x)\ge g(x)$이어야 한다.

그림처럼 적당한 t만큼 곡선이 움직이면 점 $(1, 0)$을 지나는 직선과 접한다. 이때 접점의 x좌표를 α라 하자.

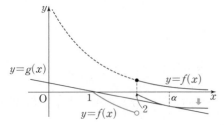

또 다음 그림처럼 점 $(1, 0)$에서 $f(x)$에 접선을 그을 수 없는 경우 $(\alpha<2)$이면 $h(t)$는 $(1, 0)$과 $\left(2, \dfrac{1}{e}-t\right)$를 연결한 직선의 기울기와 같다.

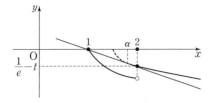

위 경우를 거꾸로 생각하면 $y=e^{-x+1}-t$ 위의 점 $\left(2, \dfrac{1}{e}-t\right)$에서 그은 접선의 x절편이 1보다 크면 조건을 만족시키는 직선을 그을 수 있고, 접선의 x절편이 1보다 작으면 조건을 만족시키는직선을 그을 수 없다.

$y=e^{-x+1}-t\ (x\ge2)$ 위의 점 $(2, f(2))$에서 그은 접선의 방정식은 $y=-\dfrac{1}{e}(x-2)+\dfrac{1}{e}-t$이고 x절편은 $x=3-et$이다.

(i) $3-et>1$ 즉, $0<t<\dfrac{2}{e}$인 경우

점 $(1, 0)$에서 $f(x)=e^{-x+1}-t$에 접선을 그을 수 있으므로 $h(t)$는 이때 접선의 기울기이다.

접점의 좌표를 $(k, e^{-k+1}-t)$라 하면 접선의 방정식은
$y=-e^{-k+1}(x-k)+e^{-k+1}-t$

$(1, 0)$을 대입하면 $0=-e^{-k+1}(1-k)+e^{-k+1}-t$

를 만족시키는 k에 대하여 최대 기울기인 $h(t)=-e^{-k+1}$,

이때 $1-k=\ln(-h(t))$이므로

위 등식에 대입하고 정리하면

$0=h(t)\ln(-h(t))-h(t)-t$

양변을 t에 대하여 미분하면

$0=h'(t)\times\ln(-h(t))+h(t)\times\dfrac{-h'(t)}{-h(t)}-h'(t)-1$

$\therefore\ h'(t)=\dfrac{1}{\ln(-h(t))}$

(ii) $3-et<1$, 즉 $\dfrac{2}{e}<t<1$인 경우

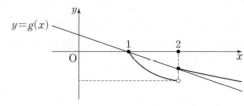

점$(1, 0)$에서 $f(x)$에 접선을 그을 수 없으므로 $h(t)$는 두 점

$(1, 0)$, $\left(2, \dfrac{1}{e}-t\right)$를 지나는 직선의 기울기와 같다.

$h(t)=\dfrac{\left(\dfrac{1}{e}-t\right)}{2-1}=-t+\dfrac{1}{e}$에서 $h'(t)=-1$

그런데 $\dfrac{12}{6e}<\dfrac{13}{6e}<\dfrac{6e}{6e}$이므로 $\dfrac{13}{6e}$은 $\dfrac{2}{e}<t<1$에 속한다.

$\therefore\ h'\left(\dfrac{13}{6e}\right)=$ **①** $\underline{-1}$

한편 t의 범위가 $\dfrac{2}{e}<t<1$일 때

$h(t)=\dfrac{1}{e}-t$의 범위는 $\dfrac{1}{e}-1<h(t)<\dfrac{1}{e}-\dfrac{2}{e}=-\dfrac{1}{e}$이고

$-\dfrac{1}{e}<-\dfrac{1}{e^3}$이므로 $\dfrac{2}{e}<t<1$에서 $h(a)=-\dfrac{1}{e^3}$ 을 만족시키는

a는 없다. 즉 $a\le\dfrac{2}{e}$이므로

(i)에서 $h'(a)=\dfrac{1}{\ln(-h(a))}=\dfrac{1}{\ln\dfrac{1}{e^3}}=$ **②** $\underline{-\dfrac{1}{3}}$

따라서 $h'\left(\dfrac{13}{6e}\right)\times h'(a)=(-1)\times\left(-\dfrac{1}{3}\right)=\dfrac{1}{3}$

> **참고**
>
> 두 점 $(1, 0)$, $\left(2, \dfrac{1}{e}-t\right)$를 지나는 직선의 기울기 $\left(=\dfrac{1}{e}-t\right)$가
>
> $f'(2)=-\dfrac{1}{e}$보다 클 때 조건을 만족시키는 접선을 그을 수 있다.
>
> 즉 $\dfrac{1}{e}-t>-\dfrac{1}{e}$에서 $t<\dfrac{2}{e}$

집중 공략 **유형 13** 초월함수의 그래프 (합답형)

01 ⑤	02-1 ⑤	02-2 ③	03-1 ⑤
03-2 ⑤	04 ④	05 ⑤	06 ⑤
07 ①	08 ⑤	09 ③	10 ④
11 ③	12 ①	13 ③	

01 답 ⑤

곡선 $y=e^x$ 위의 점 (t, e^t)에서의 접선의 방정식이 $y=f(x)$이므로 $f(x)=e^t(x-t)+e^t$이고, 함수 $y=|f(x)+k-\ln x|$에서 $h(x)=f(x)+k=e^t x+(1-t)e^t+k$라 하자.

함수 $y=|h(x)-\ln x|$가 양수 전체에서 미분 가능하고, 실수 k가 최소일 때는 직선 $y=h(x)$와 곡선 $y=\ln x$가 접할 때다.

직선 $y=h(x)$와 곡선 $y=\ln x$의 접점의 x좌표를 p라 하면

$e^t p+(1-t)e^t+k=\ln p$ ······ ㉠

$h'(x)=e^t$이고, $y=\ln x$에서 $y'=\dfrac{1}{x}$이므로 $e^t=\dfrac{1}{p}$ ······ ㉡

$\ln p=\ln\dfrac{1}{e^t}=-t$ ······ ㉢

㉡, ㉢을 ㉠에 대입하면 $\dfrac{1}{p}\times p+(1-t)e^t+k=-t$

$\therefore k=(t-1)e^t-t-1$

따라서 $g(t)=(t-1)e^t-t-1$

ㄱ. $g'(t)=e^t+(t-1)e^t-1$
$=te^t-1=0$

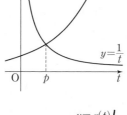

에서 $e^t=\dfrac{1}{t}$이므로

그림처럼 생각하면 $g'(p)=0$

즉 $t<p$에서 $g'(t)<0$,

$t>p$에서 $g'(t)>0$이므로

함수 $y=g(t)$의 그래프 개형을

그림처럼 생각할 수 있다.

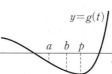

이때 $\displaystyle\int_a^b g(t)dt=m<0$

인 두 실수 a, b가 존재한다. (○)

ㄴ. $g(t)=(t-1)e^t-t-1$이므로

$g(c)=(c-1)e^c-c-1=0$에서 $e^c=\dfrac{c+1}{c-1}$이고

$g(-c)=(-c-1)e^{-c}+c-1$

$=-(c+1)\times\dfrac{c-1}{c+1}+c-1=0$ (○)

ㄷ. ㄴ에서 그림처럼 생각할 수 있다. 즉 $\beta=c, \alpha=-c$이고 $g'(t)=te^t-1$이므로

$\dfrac{1+g'(\beta)}{1+g'(\alpha)}=\dfrac{1+g'(c)}{1+g'(-c)}$

$=\dfrac{ce^c}{-ce^{-c}}=-e^{2c}$

한편 $g(1)=-2$이므로 $c>1$이다.

즉 $e^{2c}>e^2$에서 $-e^{2c}<-e^2$이므로 $\dfrac{1+g'(\beta)}{1+g'(\alpha)}<-e^2$ (○)

따라서 옳은 것은 ㄱ, ㄴ, ㄷ

02-1 답 ⑤

ㄱ. $f(x)=2x\cos x$이고 $f'(x)=2\cos x-2x\sin x$에서 $x=a$일 때 $f'(x)=0$이라 하면 $f'(a)=0$, 즉 $f'(a)=2\cos a-2a\sin a=0$에서 $\tan a=$❶$\dfrac{1}{a}$ (○)

ㄴ. $f'(x)=2\cos x(1-x\tan x)$

이때 $f'(x)=0$이 될 때는

$\cos x=0$ 또는 $\tan x=\dfrac{1}{x}$

$\tan x=\dfrac{1}{x}$의 근을 a라 하면

$0<a<\dfrac{\pi}{2}$

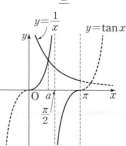

이때 $f(x)$의 증감은 표와 같다.

x	0	$\cdots$	a	$\cdots$	$\dfrac{\pi}{2}$	$\cdots$	π
$f'(x)$	2	$+$	0	$-$	0	$-$	-2
$f(x)$	0	↗	극대	↘	0	↘	-2π

즉 $f(x)$는 $x=a$에서 극댓값을 가진다.

구간 $\left(\dfrac{\pi}{4}, \dfrac{\pi}{3}\right)$에서 $\cos x>0$이므로 $g(x)=\dfrac{1}{x}-\tan x$라 하면

$g\left(\dfrac{\pi}{4}\right)=\dfrac{4}{\pi}-1>0$, $g\left(\dfrac{\pi}{3}\right)=\dfrac{3}{\pi}-\sqrt{3}<0$

즉 사잇값 정리에 따라 구간 $\left(\dfrac{\pi}{4}, \dfrac{\pi}{3}\right)$에서 $g(a)=0$인 a가 존재한다. (○)

ㄷ. $f\left(\dfrac{\pi}{3}\right)=\dfrac{2}{3}\pi\times\dfrac{1}{2}>1$이므로

$f(a)>$❷$1$이다. 함수 $f(x)$의 그래프 개형과 $y=1$을 함께 나타내면 그림과 같다.

즉 닫힌구간 $\left[0, \dfrac{\pi}{2}\right]$에서 방정식 $f(x)=1$은 서로 다른 두 실근을 가진다. (○)

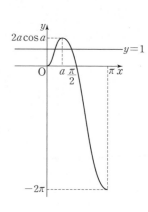

따라서 옳은 것은 ㄱ, ㄴ, ㄷ

02-2 답 ③

ㄱ. $f(x)=2x\sin x$이고, $f'(x)=2(\sin x+x\cos x)$에서

$f'(a)=2\sin a+2a\cos a=0$이면 $a\neq\dfrac{\pi}{2}, \dfrac{3}{2}\pi$이므로

등식의 양변을 $\cos a$로 나눌 수 있다.

즉 $\tan a + $ ❶$\underline{}\, a = 0$ (○)

ㄴ. $f'(x) = 2\sin x + 2x\cos x$

$\qquad = 2\cos x(\tan x + x)$

$\qquad = 2\cos x(\tan x - (-x))$

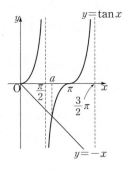

(i) $x = \dfrac{\pi}{2}$일 때 $\cos x$는 $(+)$에서 $(-)$로 $\tan x - (-x)$도 $(+)$에서 $(-)$로 동시에 변하면서 $f'(x)$는 $x = a$일 때까지 계속 $(+)$

(ii) $a < x < \pi$일 때 $\cos x$는 $(-)$, $\tan x - (-x)$는 $(+)$, 즉 $f'(x) < 0$

(iii) $\pi < x < \dfrac{3}{2}\pi$일 때 $\cos x$는 $(-)$, $\tan x - (-x)$는 $(+)$, 즉 $f'(x) < 0$

이므로 $0 \le x \le \pi$에서 $f(x)$는 $x = a$에서만 ❷극댓값 을 가진다.

한편 구간 $\left(\dfrac{2}{3}\pi, \dfrac{3}{4}\pi\right)$에서 $\cos x < 0$이고

$g(x) = \tan x + x$라 하면, $\displaystyle\lim_{x \to \frac{\pi}{2}+}g(x) = -\infty + \dfrac{\pi}{2} < 0$,

$g\left(\dfrac{2}{3}\pi\right) = \tan\dfrac{2}{3}\pi + \dfrac{2}{3}\pi = -\sqrt{3} + \dfrac{2}{3}\pi > 0$

$g\left(\dfrac{3}{4}\pi\right) = \tan\dfrac{3}{4}\pi + \dfrac{3}{4}\pi = -1 + \dfrac{3}{4}\pi > 0$

$g(x)$가 연속이므로 사잇값 정리에 따라 구간 $\left(\dfrac{2}{3}\pi, \dfrac{3}{4}\pi\right)$에서 $g(a) = 0$인 a가 존재하지 않는다. 즉 $f'(a) = 0$인 a는 구간 $\left(\dfrac{\pi}{2}, \dfrac{2}{3}\pi\right)$에 존재한다. (×)

ㄷ. $f(x) = 2x\sin x$에서

$f\left(\dfrac{\pi}{2}\right) = \pi$, $f\left(\dfrac{2}{3}\pi\right) = \dfrac{2\sqrt{3}}{3}\pi > 2\sqrt{3}$, $f\left(\dfrac{3}{2}\pi\right) = -3\pi$

이므로 함수 $f(x)$의 그래프 개형은 그림과 같다.

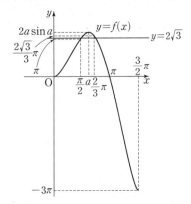

즉 구간 $\left[0, \dfrac{3}{2}\pi\right]$에서 방정식 $f(x) = 2\sqrt{3}$은 서로 다른 두 실근을 가진다.(○)

따라서 옳은 것은 ㄱ, ㄷ이다.

03-1 답 ⑤

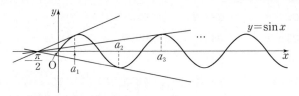

ㄱ. 접점의 x좌표를 a_n이라 하면 접점은 $(a_n, \sin a_n)$

접점에서의 기울기는 $\cos a_n$이므로

$\dfrac{\sin a_n - 0}{a_n + \dfrac{\pi}{2}} = \cos a_n$

양변을 $\cos a_n$으로 나누어 정리하면 $\left(\because a_n \ne \dfrac{2n-1}{2}\pi\right)$

$\tan a_n = $ ❶$\underline{}\, a_n + \dfrac{\pi}{2}$ (○)

ㄴ. ㄱ에서 a_n은 곡선 $y = \tan x$와 직선 $y = x + \dfrac{\pi}{2}$의 교점의 x좌표를 작은 수부터 크기순으로 나열한 것이다.

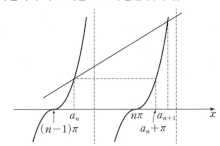

위 그림에서 $a_{n+1} > a_n + \pi$이므로 $a_{n+1} - a_n > $ ❷$\underline{}\, \pi$, 즉

$\tan a_{n+2} - \tan a_n = \left(a_{n+2} + \dfrac{\pi}{2}\right) - \left(a_n + \dfrac{\pi}{2}\right)$

$\qquad = a_{n+2} - a_n$

$\qquad = (a_{n+2} - a_{n+1}) + (a_{n+1} - a_n)$

$\qquad > \pi + \pi = 2\pi$ (○)

ㄷ. n값이 커질수록 $a_{n+1} - a_n$은 점점 ❸작아진다. 이때

$a_{n+1} - a_n > a_{n+2} - a_{n+1} > a_{n+3} - a_{n+2}$

즉 $a_{n+1} - a_n > a_{n+3} - a_{n+2}$에서

$a_{n+1} + a_{n+2} > a_n + a_{n+3}$ (○)

따라서 옳은 것은 ㄱ, ㄴ, ㄷ

참고

위 문제에서 접점의 x좌표를 $a_1, a_2, \cdots, a_n, \cdots$이라 했는데 이것은 점 $\left(-\dfrac{\pi}{2}, 0\right)$에서 곡선 $y = |\sin x|$에 그은 접선의 x좌표와 같음을 알 수 있다. 이때 n값이 커질수록 접점은 극댓값에 가까워진다.

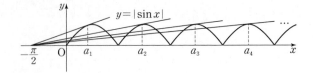

03-2 目 ⑤

ㄱ. 접점의 x좌표를 a_n이라 하면 접점은 $(a_n, \cos a_n)$이고

$(\cos x)' = -\sin x$이므로 접점에서의 기울기는 $-\sin a_n$

이 접선이 두 점 $(0, 0)$, $(a_n, \cos a_n)$을 지나므로

기울기는 $\dfrac{\cos a_n - 0}{a_n}$, 즉 $-\sin a_n = \dfrac{\cos a_n}{a_n}$에서

양변을 $\cos a_n$으로 나누면 ($\because \cos a_n \neq 0$)

$\tan a_n = \overset{\text{❸}}{-\dfrac{1}{a_n}}$ ······ ㉠ (×)

ㄴ. a_n은 아래 그래프에서 함수 $y = \tan x$와 함수 $y = -\dfrac{1}{x}$ $(x > 0)$

의 교점의 x좌표를 작은 수부터 크기순으로 나열한 것이다.

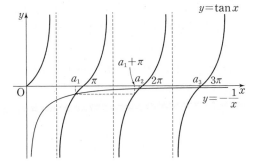

위 그래프에서 n이 커질수록 a_n은 $n\pi$에 가까워지므로

$\pi - a_1 > 2\pi - a_2 > 3\pi - a_3 > \cdots\cdots > n\pi - a_n$

에서 $a_{n+1} - a_n > \overset{\text{❶}}{\underline{\pi}}$ ······ ㉡

㉠에서 $\tan a_{n+1} = -\dfrac{1}{a_{n+1}}$, $\tan a_n = -\dfrac{1}{a_n}$이므로

$\tan a_{n+1} - \tan a_n = \left(-\dfrac{1}{a_{n+1}}\right) - \left(-\dfrac{1}{a_n}\right) = \dfrac{a_{n+1} - a_n}{a_n a_{n+1}}$

즉 ㉡에서 $a_{n+1} - a_n > \pi$이고

그래프에서 $a_n < n\pi$, $a_{n+1} < (n+1)\pi$이므로

$\dfrac{a_{n+1} - a_n}{a_n a_{n+1}} > \dfrac{\pi}{(n\pi)((n+1)\pi)} = \dfrac{1}{n(n+1)\pi}$

$\therefore \tan a_{n+1} - \tan a_n > \dfrac{1}{n(n+1)\pi}$ (○)

ㄷ. n이 커질수록 $a_{n+1} - a_n$의 값이 점점 $\overset{\text{❷}}{\underline{\text{작아진다.}}}$ 즉

$a_{n+1} - a_n > a_{n+2} - a_{n+1} > a_{n+3} - a_{n+2}$이므로

$a_{n+1} - a_n > a_{n+3} - a_{n+2}$에서

$a_{n+1} + a_{n+2} > a_n + a_{n+3}$ (○)

> **참고**
>
> 위 그림에서 $a_2 > a_1 + \pi$ $\quad \therefore a_2 - a_1 > \pi$
> 이것을 a_1, a_2 대신 a_n, a_{n+1}이라 생각해도 되므로 $a_{n+1} - a_n > \pi$라 할 수 있지만 $n\pi - a_n > (n+1)\pi - a_{n+1}$을 정리해서 $a_{n+1} - a_n > \pi$를 구할 수도 있다.

04 目 ④

ㄱ. $f(x) = \ln(4 + x^2)$에서 $f'(x) = \dfrac{2x}{4 + x^2}$이고

$f''(x) = \dfrac{2(4 + x^2) - 2x \times 2x}{(4 + x^2)^2} = \dfrac{2(2 - x)(2 + x)}{(4 + x^2)^2}$에서

$f''(x) = 0$의 해는 $x = \overset{\text{❶}}{\underline{2, -2}}$

이때 함수 $y = f'(x)$의 그래프 개형은 그림과 같다.

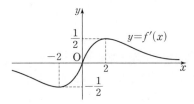

즉 $f'(x) = \dfrac{1}{999}$의 서로 다른 실근은 2개다. (×)

ㄴ. ㄱ에서 $y = f'(x)$의 최댓값은 $\dfrac{1}{2}$이고, 최솟값은 $-\dfrac{1}{2}$이므로

$|f'(x)| \leq \overset{\text{❷}}{\underline{\dfrac{1}{2}}}$ ······ ㉠

미분 가능한 함수 $f(x)$에 대하여 구간 $[a, b]$에서

$\dfrac{f(b) - f(a)}{b - a} = f'(c)$ ······ ㉡ ⇐ 평균값 정리

인 c가 구간 (a, b)에서 적어도 하나 존재한다.

㉠, ㉡에서 구간 (a, b)에 속한 임의의 실수 c에 대하여

$\left| \dfrac{f(b) - f(a)}{b - a} \right| = |f'(c)| \leq \dfrac{1}{2}$

즉 임의의 실수 a, b에 대하여 $2|f(a) - f(b)| \leq |a - b|$
(○)

ㄷ. 점 $(t, f(t))$에서의 접선의 방정식은

$y = \dfrac{2t}{4 + t^2}(x - t) + \ln(4 + t^2)$이고

$x = 0$을 대입해 구한 y절편, 즉 $g(t)$는

$g(t) = \overset{\text{❸}}{\dfrac{-2t^2}{4 + t^2}} + \ln(4 + t^2)$

$g'(t) = \dfrac{-4t(4 + t^2) - (-2t^2) \times 2t}{(4 + t^2)^2} + \dfrac{2t}{4 + t^2}$

$\quad = \dfrac{2t(t + 2)(t - 2)}{(4 + t^2)^2}$

이때 함수 $y = g(t)$의 증감을 표로 나타내면 다음과 같다.

t	$\cdots$	-2	$\cdots$	0	$\cdots$	2	$\cdots$
$g'(t)$	$-$	0	$+$	0	$-$	0	$+$
$g(t)$	$\searrow$	극소	$\nearrow$	극대	$\searrow$	극소	$\nearrow$

이때 $g(-2) = g(2) = -1 + \ln 8 = \ln \dfrac{8}{e}$이므로

함수 $g(t)$의 최솟값은 $\ln \dfrac{8}{e}$ (○)

05 目 ⑤

$f(x) = \dfrac{x^2 - k}{x - 2} = \dfrac{(x^2 - 4) + (4 - k)}{x - 2} = x + 2 + \dfrac{4 - k}{x - 2}$

이므로 점근선은 $x = 2$와 $y = x + 2$이다.

$\therefore \displaystyle\lim_{x \to \infty} \{f(x) - (x + 2)\} = 0$

ㄱ. $\lim\limits_{x\to\infty}\{f(x)-(x+1)\}=1$이므로 $a=1,\,b=1$

즉 $a+b=$ ❶ $\underline{2}$ (○)

ㄴ. $k=3$이면 $f(x)=\dfrac{x^2-3}{x-2}=x+2+\dfrac{1}{x-2}$

$f'(x)=1-\dfrac{1}{(x-2)^2}=\dfrac{(x-1)(x-3)}{(x-2)^2}$이고

$x=2$에서는 $f'(x)$의 부호 변화가 없어서 극값을 가지지 않고, $f(x)$는 $x=$ ❷ $\underline{1,\,3}$ 일 때 극값을 가진다.

x	$\cdots$	1	$\cdots$	2	$\cdots$	3	$\cdots$
$f'(x)$	+	0	−		−	0	+
$f''(x)$	−	−	−		+	+	+
$f(x)$	↗	극대	↘		↘	극소	↗

이때 $y=f(x)$의 그래프 개형은 그림과 같다.

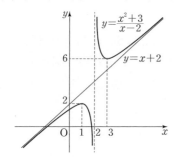

즉 극댓값과 극솟값의 합은

$f(1)+f(3)=2+6=8$ (○)

ㄷ. $f'(x)=\dfrac{2x(x-2)-(x^2-k)}{(x-2)^2}=\dfrac{x^2-4x+k}{(x-2)^2}$

에서 방정식 $x^2-4x+k=0$의 판별식이 $\dfrac{D}{4}=4-k$이므로

$k>4$이면 함수 $f(x)$는 극값을 가지지 않고, 모든 실수 x에 대하여 $f'(x)>0$이므로 계속 증가 상태가 된다. 또

$\lim\limits_{x\to2-}\left(x+2-\dfrac{k-4}{x-2}\right)=\infty$, $\lim\limits_{x\to2+}\left(x+2-\dfrac{k-4}{x-2}\right)=-\infty$

즉 곡선 $y=f(x)$, 직선 $y=\dfrac{3n^3}{n^3-n+1}$의 그래프 개형은 그림과 같고, $y=f(x)$, $y=\dfrac{3n^3}{n^3-n+1}$은 모든 자연수 n에 대하여 항상 서로 다른 두 점에서 만나므로 방정식의 실근은 ❸ $\underline{2}$ 개다. (○)

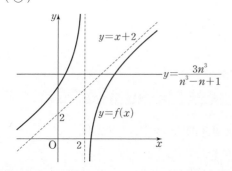

참고

ㄱ. $\lim\limits_{x\to\infty}\{f(x)-ax-b\}$

$=\lim\limits_{x\to\infty}\left\{\dfrac{x^2-k}{x-2}-(ax+b)\right\}$

$=\lim\limits_{x\to\infty}\left\{\dfrac{x^2-k-(ax+b)(x-2)}{x-2}\right\}$

$=\lim\limits_{x\to\infty}\left\{\dfrac{(1-a)x^2+(2a-b)x+(2b-k)}{x-2}\right\}=1$

에서 $1-a=0,\,2a-b=1$이므로 $a=1,\,b=1$

06 답 ⑤

$f(x)=x^n e^{-x}$에서 $f'(x)=-x^{n-1}e^{-x}(x-n)$ $(3\le n\le10)$에서 n이 홀수이면 $x=0$에서 부호 변화가 없으므로 $x=$ ❶ $\underline{n}$ 일 때 극값을 가진다.

n이 짝수이면 $x=0$에서 부호 변화가 있으므로 $x=0,\,n$일 때 극값을 가진다.

한편 $f''(x)=e^{-x}x^{n-2}\{x^2-2nx+n(n-1)\}$이고,

$x^2-2nx+n(n-1)=0$에서

$\dfrac{D}{4}=n^2-(n^2-n)=n>0$이므로

$x^2-2nx+n(n-1)=0$은 항상 서로 다른 두 실근을 가진다.

이 두 실근을 $\alpha,\,\beta$ $(\alpha<\beta)$라 하면

$\alpha+\beta,\,\alpha\beta$ 모두 양수이므로 $\alpha,\,\beta$도 모두 양수이다.

즉 $x=\alpha,\,\beta$ $(0<\alpha<\beta)$에서는 반드시 변곡점을 가지고 n이 홀수일 때만 $x=0$에서 $f''(x)$의 부호 변화가 생기므로 $x=0$일 때 변곡점을 가진다.

또 $\lim\limits_{x\to\infty}f(x)=\lim\limits_{x\to\infty}x^n e^{-x}=0$이고,

$\lim\limits_{x\to-\infty}f(x)=\lim\limits_{x\to-\infty}x^n e^{-x}$에서 $x=-t$라 하면

$x\to-\infty$일 때 $t\to\infty$이므로 $\lim\limits_{x\to-\infty}x^n e^{-x}=\lim\limits_{t\to\infty}(-t)^n e^t$

즉 n이 홀수이면 $\lim\limits_{x\to-\infty}f(x)=-\infty$이고

n이 짝수이면 $\lim\limits_{x\to-\infty}f(x)=\infty$이다.

이상에서 함수 $y=f(x)$의 그래프 개형은 다음과 같다.

n이 홀수인 경우 $(3\le n\le10)$

x	$\cdots$	0	$\cdots$	α	$\cdots$	n	$\cdots$	β	$\cdots$
y'	+	+	+	+	+	0	−	−	−
y''	−	0	+	0	−	−	−	0	+
y	↗	변곡점	↗	변곡점	↗	극대	↘	변곡점	↘

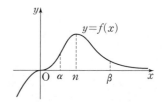

n이 짝수인 경우 $(3\leq n\leq 10)$

x	$\cdots$	0	$\cdots$	α	$\cdots$	n	$\cdots$	β	$\cdots$
y'	$-$	0	$+$	$+$	$+$	0	$-$	$-$	$-$
y''	$+$	$+$	$+$	0	$-$	$-$	$-$	0	$+$
y	$\searrow$	극소	$\nearrow$	변곡점	$\nearrow$	극대	$\searrow$	변곡점	$\searrow$

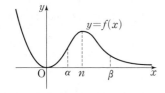

ㄱ. 함수 $f(x)$는 $x=n$에서 항상 극댓값을 갖는다. (○)

ㄴ. 위 그래프에서 변곡점의 개수 a_n은

n이 홀수일 때, $a_n=3$

n이 짝수일 때, $a_n=$ ❷ $\underline{2}$

$\therefore \sum_{n=3}^{10} a_n=3\times 4+2\times 4=20$ (○)

ㄷ. $f(n)=\left(\dfrac{n}{e}\right)^n$에서 $n\geq 3$이면 $\dfrac{n}{e}>1$이므로 $f(n)>1$

(ⅰ) n이 홀수인 경우

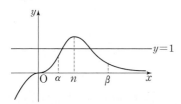

(ⅱ) n이 짝수인 경우

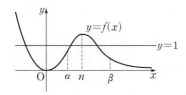

즉 $f(x)=1$의 서로 다른 근의 개수 b_n은

n이 홀수일 때, $b_n=2$ $(n\geq 3)$

n이 짝수일 때, $b_n=$ ❸ $\underline{3}$ $(n\geq 4)$

$\therefore \sum_{n=3}^{10} b_n=2\times 4+3\times 4=20$ (○)

따라서 옳은 것은 ㄱ, ㄴ, ㄷ

07 답 ①

$x>0$일 때 $f'(x)=x(x-2)e^x$ 이므로 $f'(x)=0$에서 $x=2$에서 극소이고, $f(0)=4+k$이므로 함수 $y=f(x)$의 증감을 생각해 그래프 개형을 그려 보면 그림과 같다.

x	0	$\cdots$	2	$\cdots$
$f'(x)$		$-$	0	$+$
$f(x)$	$4+k$	$\searrow$	k	$\nearrow$

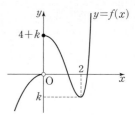

$g(x)=\begin{cases} 0 & (f(x)\geq 0) \\ -2f(x) & (f(x)<0) \end{cases}$ 이므로 k값의 범위에 따라

$y=g(x)$의 그래프를 그려 다음과 같이 $h(k)$를 구해 보자.

(ⅰ) $k\geq 0$일 때

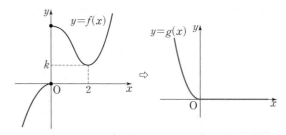

함수 $g(x)$는 $x=0$에서 연속이고,

$\displaystyle \lim_{x\to 0-}\frac{g(x)-g(0)}{x-0}=\lim_{x\to 0-}\frac{2x^2}{x}=0$

$\displaystyle \lim_{x\to 0+}\frac{g(x)-g(0)}{x-0}=\lim_{x\to 0+}\frac{0}{x}=0$

이므로 $x=0$에서 미분 가능 하다. 즉 미분 불가능한 점은 없다.

$\therefore h(k)=0\ (k\geq 0)$ $\cdots\cdots$ ㉠

(ⅱ) $-4<k<0$일 때

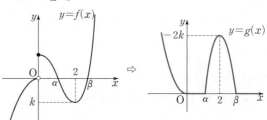

함수 $g(x)$의 그래프가 그림과 같으므로 $x=\alpha$, β일 때 $g(x)$를 미분할 수 없다.

$\therefore h(k)=2\ (-4<k<0)$ $\cdots\cdots$ ㉡

(ⅲ) $k=-4$일 때

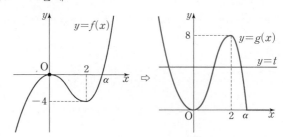

$g(x)$의 그래프가 그림과 같으므로 $x=0$에서 연속이고

$\displaystyle \lim_{x\to -0}\frac{g(x)-g(0)}{x-0}=\lim_{x\to +0}\frac{g(x)-g(0)}{x-0}=0$

즉 $x=0$에서 미분 가능하고 $x=\alpha$에서 미분 불가능하다.

$\therefore h(k)=1\ (k=-4)$ $\cdots\cdots$ ㉢

(iv) $k<-4$일 때

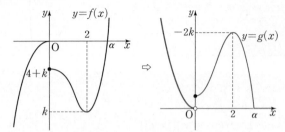

그림처럼 생각하면 $x=0$, α일 때 $g(x)$를 미분할 수 없다.

∴ $h(k)=2$ $(k<-4)$ ……㉣

㉠~㉣에서 $y=h(k)$의 그래프는 그림과 같다.

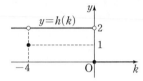

ㄱ. $k\geq0$일 때 $h(k)=$ **❶** $\underline{0}$ (◯)

ㄴ. $h(k)=2$이면 **❷** $\underline{-4<k<0}$ 이거나 **❸** $\underline{k<-4}$ 이다. (×)

ㄷ. $h(k)=1$일 때는 ㉢에서 $-2k=8$이므로 방정식
$g(x)=|f(x)|-f(x)=t$에서 $0<t<8$일 때 서로 다른 실근이 3개가 된다. 즉 정수 t는 $1, 2, \cdots$, 7이므로 모두 **❹** $\underline{7}$ 개다. (×)

따라서 옳은 것은 ㄱ

08 답 ⑤

$f(x)=x^x (x>0)$이라 하면 $\ln f(x)=x\ln x$ ……㉠

㉠의 양변을 미분하면 $\dfrac{f'(x)}{f(x)}=\ln x+1$

$f'(x)=(\ln x+1)f(x)$

$f''(x)=(\ln x+1)'f(x)+(\ln x+1)f'(x)$

$\qquad =\left(\dfrac{1}{x}\right)f(x)+(\ln x+1)(\ln x+1)f(x)$

$\qquad =\left\{\dfrac{1}{x}+(\ln x+1)^2\right\}f(x)$ ……㉡

에서 $f'\left(\dfrac{1}{e}\right)=0$이므로 $x>0$에서 함수 $f(x)$의 증감을 다음과 같이 표로 나타낼 수 있고, $f(x)$는 $x=\dfrac{1}{e}$에서 극솟값 $\left(\dfrac{1}{e}\right)^{\frac{1}{e}}=e^{-\frac{1}{e}}$을 가진다.

x	$\cdots$	$\dfrac{1}{e}$	$\cdots$
$f'(x)$	$-$	0	$+$
$f''(x)$	$+$	$+$	$+$
$f(x)$	$\searrow$	극소	$\nearrow$

이때 모든 양의 실수 x에 대하여 $f''(x)>0$이므로 곡선 $f(x)=x^x (x>0)$는 항상 아래로 볼록한 함수이다.
또 $\lim\limits_{x\to\infty}x^x=\infty$, $\lim\limits_{x\to0+}x^x=1$이고, 점근선이 존재하지 않는다.

그러므로 $y=f(x)$의 그래프 개형은 그림과 같다.

ㄱ. $x>0$에서 함수 $f(x)$의 최솟값이 **❶** $\underline{e^{-\frac{1}{e}}}$이므로 $f(x)\geq e^{-\frac{1}{e}}$이 항상 성립한다.
이때 임의의 두 양수
α, β $(\alpha<\beta)$에 대하여
$\displaystyle\int_\alpha^\beta\left\{f(x)-e^{-\frac{1}{e}}\right\}dx\geq0$ (◯)

ㄴ. ㉡에서 $\dfrac{f''(x)}{f(x)}=$ **❷** $\dfrac{1}{x}+(\ln x+1)^2$

∴ $\displaystyle\int_1^e\dfrac{f''(x)}{f(x)}dx=\int_1^e\left\{\dfrac{1}{x}+(\ln x+1)^2\right\}dx$

$\qquad =\displaystyle\int_1^e\left\{\dfrac{1}{x}+(\ln x)^2+2(\ln x)+1\right\}dx$

$\displaystyle\int_1^e\dfrac{1}{x}dx=\left[\ln x\right]_1^e=1$

$\displaystyle\int_1^e\ln x\,dx=\left[x\ln x-x\right]_1^e=(e-e)-(0-1)=1$

$\displaystyle\int_1^e(\ln x)^2dx=\left[x(\ln x)^2\right]_1^e-\int_1^e 2\ln x\,dx$

$\qquad =e-2\displaystyle\int_1^e\ln x\,dx$

$\qquad =e-2$

$\displaystyle\int_1^e dx=e-1$

∴ $\displaystyle\int_1^e\dfrac{f''(x)}{f(x)}dx=1+(e-2)+2+(e-1)=2e$ (◯)

ㄷ. $x>0$에서 최솟값이 $f\left(\dfrac{1}{e}\right)$이므로 $f\left(\dfrac{1}{\pi}\right)>f\left(\dfrac{1}{e}\right)$

즉 $\left(\dfrac{1}{\pi}\right)^{\frac{1}{\pi}}>\left(\dfrac{1}{e}\right)^{\frac{1}{e}}$에서 $\left\{\left(\dfrac{1}{\pi}\right)^{\frac{1}{\pi}}\right\}^{e\pi}>\left\{\left(\dfrac{1}{e}\right)^{\frac{1}{e}}\right\}^{e\pi}$이므로

$\left(\dfrac{1}{\pi}\right)^e>\left(\dfrac{1}{e}\right)^\pi$ ∴ $\pi^e<e^\pi$ (◯)

따라서 옳은 것은 ㄱ, ㄴ, ㄷ

09 답 ③

ㄱ. $g(-x)=\dfrac{\sin f(-x)}{-x}=\dfrac{\sin f(x)}{-x}=$ **❶** $\underline{-g(x)}$

즉 모든 양의 실수 x에 대하여
$g(x)+g(-x)=0$이다. (◯)

ㄴ. 함수 $f(x)$가 미분 가능하므로
㈐에서 $\lim\limits_{x\to0}f(x)=f(0)=0$이고,
㈎에서 $f'(x)=-f'(-x)$이므로 $f'(0)=0$이다.

$\lim\limits_{x\to0}g(x)=\lim\limits_{x\to0}\dfrac{\sin f(x)}{x}$

$\qquad =\lim\limits_{x\to0}\left(\dfrac{\sin f(x)}{f(x)}\times\dfrac{f(x)}{x}\right)$

$$=1\times f'(0)=\overset{\textcircled{\scriptsize 2}}{\underline{0}} \quad (\bigcirc)$$

ㄷ. $g(\alpha)=\dfrac{\sin f(\alpha)}{\alpha}=\dfrac{1}{\alpha}>0$이고, $\displaystyle\lim_{x\to 0}g(x)=0$이므로

$0<x<\alpha$에서 함수 $g(x)$가 증가하는 구간이 있다.

$g'(x)=\dfrac{xf'(x)\cos f(x)-\sin f(x)}{x^2}$에서

$g'(\alpha)=\dfrac{\alpha f'(\alpha)\cos f(\alpha)-\sin f(\alpha)}{\alpha^2}=-\dfrac{1}{\alpha^2}<0$

이때 함수 $g(x)$는 $x=\alpha$에서 감소 상태이므로

구간 $(0,\alpha)$에서 $\dfrac{1}{\alpha}$보다 큰 극댓값을 갖는다.

즉 방정식 $g(x)=\dfrac{1}{\alpha}$은 $0<x\le\alpha$에서 서로 다른 실근을 적어

도 2개 갖는다. 또 $g(-x)=-g(x)$이므로 방정식

$g(x)=-\dfrac{1}{\alpha}$은 $-\alpha\le x<0$에서 서로 다른 실근을 적어도 2개

갖는다. 결국 방정식 $|g(x)|=\dfrac{1}{\alpha}$은 서로 다른 실근을 적어도

$\overset{\textcircled{\scriptsize 3}}{\underline{4}}$ 개 갖는다.

따라서 옳은 것은 ㄱ, ㄴ

참고

$0\le f(x)<\pi$이므로 $x\ge 0$에서 $y=\sin f(x)$의 그래프와 $y=\dfrac{\sin f(x)}{x}$의

그래프를 다음과 같이 짐작할 수 있다.

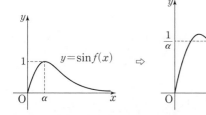 $\Rightarrow$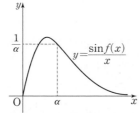

이때 $g(x)=\dfrac{\sin f(x)}{x}$가 ㄱ에서 원점에 대하여 대칭이고,

$g'(\alpha)<0$에서 $g(x)$는 $x=\alpha$일 때 감소하는 함수임을 알 수 있다.

$y=|g(x)|$의 그래프와 직선 $y=\dfrac{1}{\alpha}$에서

그림처럼 생각할 수 있다.

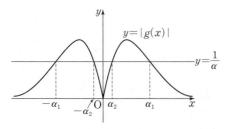

10 답 ④

ㄱ. $x=e^t$, $y=(2t^2+nt+n)e^t$에서

$\dfrac{dx}{dt}=e^t$, $\dfrac{dy}{dt}=\{(4t+n)+(2t^2+nt+n)\}e^t$

$$\therefore \dfrac{dy}{dx}=(4t+n)+(2t^2+nt+n)$$
$$=2t^2+(4+n)t+2n$$
$$=(2t+n)(t+2) \quad\cdots\cdots \text{①}$$

$x=1$일 때 $t=\overset{\textcircled{\scriptsize 1}}{\underline{0}}$이므로 $n=6$이면

$f'(1)=(0+6)(0+2)=12 \quad (\times)$

ㄴ. ①에서 $\dfrac{dy}{dx}=0$이면 $t=-2$ 또는 $t=-\dfrac{n}{2}$

$x\ge e^{-\frac{n}{2}}$일 때, $x=e^t$이므로 $t\ge-\dfrac{n}{2}$

즉 $t\ge-\dfrac{n}{2}$에서 함수 $y=f(x)$의 최솟값을 다음과 같이 n값

의 범위에 따라 구해 보자.

(ⅰ) $n=1, 2, 3$일 때,

$-2<-\dfrac{n}{2}$이어서

$y=f(x)$의 그래프의 개형을

그림처럼 생각할 수 있으므로 $t=-\dfrac{n}{2}$,

즉 $x=e^{-\frac{n}{2}}$일 때 극소이면서 최소가 된다.

이때 $a_n=e^{-\frac{n}{2}}$이고, 함수 $y=f(x)$의 최솟값 b_n은

$b_n=\left(2\times\dfrac{n^2}{4}-\dfrac{n^2}{2}+n\right)e^{-\frac{n}{2}}=ne^{-\frac{n}{2}}$

(ⅱ) $n=4$일 때, $-2=-\dfrac{n}{2}$이어서

$\dfrac{dy}{dx}=2(t+2)^2\ge 0$이므로 $y=f(x)$는 증가함수이다.

$x\ge e^{-2}$이므로 $x=e^{-2}$, 즉 $t=-2$, $n=4$일 때 최솟값을

가진다. 이때 $a_4=e^{-2}$이고,

$b_4=\{2\times(-2)^2+4\times(-2)+4\}e^{-2}=4e^{-2}$

(ⅰ), (ⅱ)에서 $1\le n\le 4$일 때 $a_n=\overset{\textcircled{\scriptsize 2}}{\underline{e^{-\frac{n}{2}}}}$, $b_n=ne^{-\frac{n}{2}}$ $(\bigcirc)$

ㄷ. ㄴ에서 $1\le n\le 4$일 때

$\dfrac{b_n}{a_n}=\dfrac{ne^{-\frac{n}{2}}}{e^{-\frac{n}{2}}}=n \quad\cdots\cdots \text{ⓛ}$

$n\ge 5$일 때, $-\dfrac{n}{2}<-2$이므로

$y=f(x)$의 그래프의 개형을 그림처럼 생각할 수 있다.

이 경우 $t=-2$, 즉 $x=e^{-2}$일 때 극소이면서 최소가 된다.

이때 $a_n=e^{-2}$이고 함수 $y=f(x)$의 최솟값 b_n은

$b_n=(2\times 4-2n+n)e^{-2}=(8-n)e^{-2}$

$\dfrac{b_n}{a_n}=\dfrac{(8-n)e^{-2}}{e^{-2}}=\overset{\textcircled{\scriptsize 3}}{\underline{8-n}} \quad\cdots\cdots \text{ⓒ}$

ⓛ, ⓒ에서 $\displaystyle\sum_{n=1}^{10}\dfrac{b_n}{a_n}=\sum_{n=1}^{4}\dfrac{b_n}{a_n}+\sum_{n=5}^{10}\dfrac{b_n}{a_n}$

$=\displaystyle\sum_{n=1}^{4}n+\sum_{n=5}^{10}(8-n)$

$=(1+2+3+4)+(3+2+1+0-1-2)$

$=10+3=13 \quad (\bigcirc)$

따라서 옳은 것은 ㄴ, ㄷ

11 답 ③

ㄱ. $f(x)=\cos x+2x\sin x$에서

$f'(x)=-\sin x+2\sin x+2x\cos x=\sin x+2x\cos x$

이때 $f(x)$는 $x=\alpha$와 $x=\beta$에서 극값을 가지므로

$f'(\alpha)=\sin\alpha+2\alpha\cos\alpha=0$ ……㉠

$f'(\beta)=\sin\beta+2\beta\cos\beta=0$ ……㉡

한편 $f'\left(\dfrac{\pi}{2}\right)=1+0=1$, $f'\left(\dfrac{3\pi}{2}\right)=-1+0=-1$이므로

$f(x)$는 $x=\dfrac{\pi}{2}$, $\dfrac{3\pi}{2}$에서는 극값을 갖지 않는다.

즉 α, β는 모두 $\dfrac{\pi}{2}$, $\dfrac{3\pi}{2}$가 아니므로 $\cos\alpha\neq0$, $\cos\beta\neq0$

이때 ㉠, ㉡의 양변을 각각 $\cos\alpha$, $\cos\beta$로 나누고 정리하면

$\tan\alpha+2\alpha=0$ ∴ $\tan\alpha=\underline{-2\alpha}^{\,\boldsymbol{1}}$ ……㉢

$\tan\beta+2\beta=0$ ∴ $\tan\beta=-2\beta$ ……㉣

∴ $\tan(\alpha+\beta)=\dfrac{\tan\alpha+\tan\beta}{1-\tan\alpha\tan\beta}=\dfrac{(-2\alpha)+(-2\beta)}{1-(-2\alpha)(-2\beta)}$

$=\dfrac{-2(\alpha+\beta)}{1-4\alpha\beta}=\dfrac{2(\alpha+\beta)}{4\alpha\beta-1}$ (○)

ㄴ. ㉢, ㉣에서 α, β는 다음 방정식의 두 근이다.

$\tan x=-2x$ $(0<\alpha<\beta<2\pi)$ ……㉤

이때 $y=\tan x$와 $y=-2x$의 교점을 각각

$A(\alpha,\ \tan\alpha)$, $B(\beta,\ \tan\beta)$라 하자.

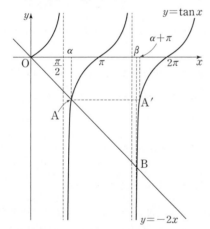

위 그림에서 $\dfrac{3}{2}\pi<\beta<\alpha+\pi<2\pi$이므로

$0<\underline{\cos\beta<\cos(\alpha+\pi)}^{\,\boldsymbol{2}}<1$, 이때 $\sec^2\beta>\sec^2(\alpha+\pi)$

또 $g(x)=\tan x$에서 $g'(x)=\sec^2 x$이므로

$g'(\alpha+\pi)=\sec^2(\alpha+\pi)$, $g'(\beta)=\sec^2\beta$

∴ $g'(\alpha+\pi)<g'(\beta)$ (×)

※ 점 A′, 점 B에서의 접선의 기울기를 각각 생각해서 비교해도 된다.

ㄷ. $A'(\alpha+\pi,\ \tan(\alpha+\pi))$라 하면 $A'(\alpha+\pi,\ \tan(\alpha+\pi))$,

$B(\beta,\ \tan\beta)$를 지나는 직선의 기울기는

$\dfrac{\tan(\pi+\alpha)-\tan\beta}{(\pi+\alpha)-\beta}=\dfrac{\tan\alpha-\tan\beta}{\pi+\alpha-\beta}$

$=\dfrac{(-2\alpha)-(-2\beta)}{\pi+\alpha-\beta}=\dfrac{2(\beta-\alpha)}{\alpha+\pi-\beta}$

또 $y=\tan x$의 그래프는 구간 $\left(\dfrac{3}{2}\pi,\ 2\pi\right)$에서 위로 볼록이므

로 점 A′에서의 접선의 기울기 ⇨ ①

직선 A′B의 기울기 ⇨ ②, 점 B′에서의 접선의 기울기 ⇨ ③

이라 하면 ①<②<③

∴ $\sec^2\alpha<\dfrac{2(\beta-\alpha)}{\alpha+\pi-\beta}<\sec^2\beta$ (○)

12 답 ①

$h(x)=|g(x)-f(x-k)|$가 $x=k$에서 최솟값 $g(k)$를 가지는

데, $h(x)\geq0$이므로 $g(k)\geq0$이다.

$g(k)=0$인 경우 $h(k)=|g(k)-f(0)|=g(k)$에서

$f(0)=0$이 되어야 하지만 $f(x)=\ln(e^x+1)+2e^x$에서

$f(0)=\ln2+2\neq0$이므로 모순이다.

즉 $g(k)\neq0$이므로 $g(k)>0$이고,

이때 두 곡선 $y=g(x)$,

$y=f(x-k)$의 위치는 그림과 같이 만나

지 않아야 한다.

즉 실수 전체 범위에서

$h(x)=f(x-k)-g(x)$이다.

또 주어진 조건에서 $x=k$일 때 $h(x)$

의 최솟값 $g(k)$는

$h(k)=f(0)-g(k)=g(k)$에서

$g(k)=\dfrac{1}{2}f(0)=\underline{1+\dfrac{1}{2}\ln2=\ln\sqrt{2}e}^{\,\boldsymbol{1}}$ ……㉠

㉠을 써서 이차함수 $g(x)$를

$g(x)=a(x-k)^2+b(x-k)+\ln\sqrt{2}e$라 놓을 수 있다.

또 $h(x)$가 $x=k$에서 최솟값을 가지므로

연속인 함수 $h(x)$는 $x=k$일 때 극소가 된다.

즉 $h(x)=f(x-k)-g(x)$에서 $h'(x)=f'(x-k)-g'(x)$

이때 $h'(k)=f'(0)-g'(k)=0$

$f'(x)=\dfrac{e^x}{e^x+1}+2e^x$에서 $f'(0)=\dfrac{5}{2}$

$g'(x)=2a(x-k)+b$에서 $g'(k)=b$이므로

$f'(0)=g'(k)$에서 $b=\dfrac{5}{2}$

한편 닫힌구간 $[k-1,\ k+1]$에서 함수 $h(x)$의 최댓값은

$x=k+1$일 때의 값과 같으므로 ⇦ ㄴ 참고

$h(k+1)=f(1)-g(k+1)$

$=\ln(e+1)+2e-a-\dfrac{5}{2}-\ln\sqrt{2}e$

$=2e+\ln\left(\dfrac{1+e}{\sqrt{2}}\right)$

에서 $a=-\dfrac{7}{2}$이므로

$g(x)=-\dfrac{7}{2}(x-k)^2+\dfrac{5}{2}(x-k)+\ln\sqrt{2}e$ ...... ㉡

ㄱ. ㉠에서 $g(k)=1+\dfrac{1}{2}\ln 2$ (○)

ㄴ. ㉡에서 $g(k+1)=-1+\ln\sqrt{2}e$,

$g(k-1)=-6+\ln\sqrt{2}e$이므로

$h(k+1)=\ln(e+1)+2e+1-\ln\sqrt{2}e$ ...... ㉢

$h(k-1)=\ln\left(\dfrac{1}{e}+1\right)+\dfrac{2}{e}+6-\ln\sqrt{2}e$ ...... ㉣

이때 ㉢－㉣＝**❷** $2e-\dfrac{2}{e}-4$ 이고

$\dfrac{5}{2}<e<3$이므로 $\dfrac{1}{5}<2e-\dfrac{2}{e}-4<\dfrac{4}{3}$

$\therefore h(k+1)>h(k-1)$ (×)

ㄷ. ㉡에서 $g'(x)=$**❸** $-7(x-k)+\dfrac{5}{2}$이므로

$g'\left(k-\dfrac{1}{2}\right)=\dfrac{7}{2}+\dfrac{5}{2}=6$ (×)

따라서 옳은 것은 ㄱ

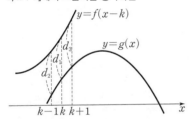

참고

닫힌구간 $[k-1,\,k+1]$에서 그림처럼 생각하면

x값이 커질수록 $f(x-k)$의 값은 지수함수를 따라 증가하지만 $g(x)$의 값은 이차함수를 따라 증가하므로 $x=k$에서 최소이면 구간 $[k-1,\,k+1]$에서는 $x=k+1$일 때 $h(x)$가 최대가 됨을 짐작할 수 있다. 즉 $d_1<d_2<d_3$가 된다.

13 답 ③

주어진 증감표를 다시 정리하면 다음과 같다.

x	$\cdots$	$a-1$	$\cdots$	3	$\cdots$	$a+3$	$\cdots$	b	$\cdots$
$f'(x)$	$-$	0	$+$	$+$	$+$	0	$-$	$-$	$-$
$f''(x)$	$+$	$+$	$+$	0	$-$	$-$	$-$	0	$+$
$f(x)$	$\searrow$	극소 0	$\nearrow$	변곡 점	$\nearrow$	극대 5	$\searrow$	변곡 점	$\searrow$

또 $\lim\limits_{x\to\infty}f(x)=0$,

$\lim\limits_{x\to-\infty}f(x)=\infty$

이므로 점근선이 x축인 함수

$y=f(x)$의 그래프는 다음과 같다.

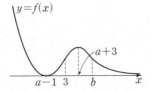

ㄱ. 위 그래프에서 극댓값이 5이므로 방정식 $f(x)=3$의 서로 다른 실근은 **❶** 3개다. (○)

ㄴ. 점 $(3, f(3))$은 변곡점이므로 다음 그림처럼 이 점에서 곡선 $y=f(x)$에 그은 접선은 접점 이외에 곡선과 만나는 점이 없다. (○)

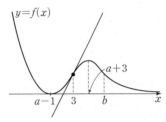

ㄷ. $\dfrac{f(x)-f(t)}{x-t}=f'(t)$를 정리하면

$f(x)=f'(t)(x-t)+f(t)$이고, 이것은 곡선 $y=f(x)$ 위의 점 $(t, f(t))$에서의 접선의 방정식이다. 이때 함수 $g(t)$는 이 접선이 접점 이외에서 곡선 $y=f(x)$와 만나는 점의 개수이므로 t값의 범위에 따라 다음과 같이 구할 수 있다.

$g(t)=\begin{cases} 0\ (t\le a-1) \\ 1\ (a-1<t<3) \\ 0\ (t=3) \\ 1\ (3<t\le a+3) \\ 1\ (t=a+3) \\ 2\ (a+3<t<b) \\ 1\ (t=b) \\ 2\ (t>b) \end{cases}$

즉 함수 $g(t)$는 $t=a-1,\,3,\,a+3,\,b$에서 불연속이므로 불연속인 실수 t값의 합은

$(a-1)+3+(a+3)+b=2a+b+5=16$

즉 **❷** $2a+b=11$ 이고, $a-1<3<a+3<b$를 만족시키는 자연수 $a,\,b$의 순서쌍은 $(1, 9)$, $(2, 7)$로 모두 2개다. (×)

따라서 옳은 것은 ㄱ, ㄴ

01 27   **02-1** ⑤   **02-2** ①   **03-1** ④

03-2 14   **04** 49   **05** 22   **06** 108

07 ③   **08** ③   **09** 29   **10** 2

11 30   **12** 13   **13** 216   **14** 838

01 답 27

함수 $g(x) = \dfrac{1}{2 + \sin f(x)}$ 에 대하여

$$g'(x) = \dfrac{-f'(x)\cos f(x)}{\{2 + \sin f(x)\}^2} \quad \cdots\cdots \ \text{㉠}$$

$g'(x) = 0$이 되는 경우는 $f'(x) = 0$ 또는 $\cos f(x) = 0$

그런데 함수 $g(x)$가 $x = \alpha$에서 극대 또는 극소이므로

$f'(\alpha) = 0$ 또는 $\cos f(\alpha) = 0$이고

$\cos f(\alpha) = 0$일 때는 $f(\alpha) = \pm\dfrac{\pi}{2},\ \pm\dfrac{3}{2}\pi,\ \pm\dfrac{5}{2}\pi,\ \cdots$이다.

㈎에서 $g(\alpha_1) = g(0) = \dfrac{1}{2 + \sin f(0)} = \dfrac{2}{5}$이므로

$\sin f(0) = \dfrac{1}{2}$이고, $0 < f(0) < \dfrac{\pi}{2}$이므로 $f(0) = \dfrac{\pi}{6}$

또 $g'(\alpha_1) = g'(0) = 0$에서 $\cos f(0) \neq 0$이므로 $f'(0) = 0$

$\therefore f(x) = 6\pi x^3 + bx^2 + \dfrac{\pi}{6} \quad \cdots\cdots \ \text{㉡}$ (단, b는 상수)

한편 $\dfrac{1}{g(x)} = 2 + \sin f(x)$이므로 ㈏의 $\dfrac{1}{g(\alpha_5)} = \dfrac{1}{g(\alpha_2)} + \dfrac{1}{2}$은

$2 + \sin f(\alpha_5) = 2 + \sin f(\alpha_2) + \dfrac{1}{2}$과 같다.

$\therefore \sin f(\alpha_5) = \sin f(\alpha_2) + \dfrac{1}{2}$

이때 $\cos f(\alpha) = 0$이면 $\sin f(\alpha) = \pm 1$이므로

$\cos f(\alpha_5) = \cos f(\alpha_2) = 0$이 되면 안 된다.

즉 α_2, α_5 중 하나는 $\cos f(\alpha) = 0$이 되고 다른 하나는 $f'(\alpha) = 0$이 되어야 하므로 다음 두 가지 경우로 나눌 수 있다.

(i) $f'(\alpha_2) = 0$, $\cos f(\alpha_5) = 0$인 경우

   $f'(\alpha_2) = 0$이므로 $f(x)$는 $x = \alpha_1, \alpha_2$일 때 극값을 가진다.

   이때 $\cos f(\alpha_3) = \cos f(\alpha_4) = \cos f(\alpha_5) = 0$이고

   $f(\alpha_3), f(\alpha_4), f(\alpha_5)$는 각각 $x = \pm\dfrac{\pi}{2},\ \pm\dfrac{3}{2}\pi,\ \pm\dfrac{5}{2}\pi,\ \cdots$ 꼴이므로 $\alpha_1 = 0$임을 생각하면 함수 $y = f(x)$의 그래프 개형을 그림처럼 생각할 수 있다.

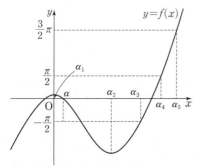

이때 α_1과 α_2 사이에 $\cos f(\alpha) = 0$인 α가 존재하게 되므로 $g'(\alpha) = 0$인 α를 작은 수부터 나열한 것이 $\alpha_1, \alpha_2, \alpha_3, \alpha_4, \cdots$라는 문제의 조건에 위배된다.

(ii) $\cos f(\alpha_2) = 0$, $f'(\alpha_5) = 0$인 경우

   $f'(\alpha_5) = 0$이므로 $f(x)$는 $x = \alpha_1, \alpha_5$일 때 극값을 가진다.

   이때 $\cos f(\alpha_2) = \cos f(\alpha_3) = \cos f(\alpha_4) = 0$이고

   $f(\alpha_2), f(\alpha_3), f(\alpha_4)$는 각각 $x = -\dfrac{\pi}{2},\ -\dfrac{3}{2}\pi,\ -\dfrac{5}{2}\pi$이므로

   함수 $y = f(x)$의 그래프 개형을 그림처럼 생각할 수 있다.

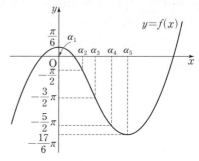

이때 $\sin f(\alpha_5) = \sin f(\alpha_2) + \dfrac{1}{2}$에서

$\sin f(\alpha_5) = -\dfrac{1}{2}$이므로 $f(\alpha_5) = -3\pi + \dfrac{\pi}{6} = -\dfrac{17}{6}\pi$

(i), (ii)에서 $f'(\alpha_5) = 0$이고, $f(\alpha_5) = -\dfrac{17}{6}\pi$

한편 ㉡에서 $f'(x) = 2x(9\pi x + b)$이므로

$f'(x) = 0$에서 $x = 0$ 또는 $x = -\dfrac{b}{9\pi}$

$\therefore \alpha_5 = -\dfrac{b}{9\pi}$

이때 $f(\alpha_5) = f\left(-\dfrac{b}{9\pi}\right) = -\dfrac{17}{6}\pi = -3\pi + \dfrac{\pi}{6}$이므로

$f\left(-\dfrac{b}{9\pi}\right) = 6\pi\left(-\dfrac{b}{9\pi}\right)^3 + b\left(-\dfrac{b}{9\pi}\right)^2 + \dfrac{\pi}{6}$

$\qquad\qquad = \dfrac{b^3}{243\pi^2} + \dfrac{\pi}{6} = -3\pi + \dfrac{\pi}{6}$

즉 $\dfrac{b^3}{243\pi^2} = -3\pi$에서 $b = -9\pi$

$\therefore f(x) = 6\pi x^3 - 9\pi x^2 + \dfrac{\pi}{6}$, $f'(x) = 18\pi x^2 - 18\pi x$

㉠에 $x = -\dfrac{1}{2}$을 대입하면

$g'\left(-\dfrac{1}{2}\right) = \dfrac{-f'\left(-\dfrac{1}{2}\right)\cos f\left(-\dfrac{1}{2}\right)}{\left\{2 + \sin f\left(-\dfrac{1}{2}\right)\right\}^2}$

이때 $f\left(-\dfrac{1}{2}\right) = -\dfrac{3}{4}\pi - \dfrac{9}{4}\pi + \dfrac{\pi}{6} = -3\pi + \dfrac{\pi}{6}$

$f'\left(-\dfrac{1}{2}\right) = \dfrac{9}{2}\pi + 9\pi = \dfrac{27}{2}\pi$이므로

$\sin f\left(-\dfrac{1}{2}\right) = \sin\left(-3\pi + \dfrac{\pi}{6}\right) = -\dfrac{1}{2}$

$\cos f\left(-\dfrac{1}{2}\right) = \cos\left(-3\pi + \dfrac{\pi}{6}\right) = -\dfrac{\sqrt{3}}{2}$

$$\therefore g'\left(-\frac{1}{2}\right)=\frac{-\dfrac{27}{2}\pi\left(-\dfrac{\sqrt{3}}{2}\right)}{\left(2-\dfrac{1}{2}\right)^2}=3\sqrt{3}\,\pi=a\pi$$

따라서 $a=3\sqrt{3}$이므로 $a^2=27$

◀ 다른 풀이 ▶

그림처럼 $y=f(x)$의 그래프를 y축 방향으로 $-\dfrac{\pi}{6}$만큼 이동한 곡선을 생각해서 $x=t$일 때 x축과 만난다고 하자. 이때 삼차함수의 그래프가 변곡점에 대하여 대칭인 것을 생각하면

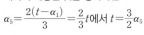

$\alpha_5=\dfrac{2(t-\alpha_1)}{3}=\dfrac{2}{3}t$에서 $t=\dfrac{3}{2}\alpha_5$

즉 $f(x)-\dfrac{\pi}{6}=6\pi x^2(x-t)=6\pi x^2\left(x-\dfrac{3}{2}\alpha_5\right)$

$\therefore f(x)=6\pi x^2\left(x-\dfrac{3}{2}\alpha_5\right)+\dfrac{\pi}{6}$

이때 $f(\alpha_5)=6\pi\alpha_5^2\left(\alpha_5-\dfrac{3}{2}\alpha_5\right)+\dfrac{\pi}{6}=-3\pi+\dfrac{\pi}{6}$에서 $\alpha_5=1$

즉 $f(x)=6\pi x^2\left(x-\dfrac{3}{2}\right)+\dfrac{\pi}{6}$이고, $f'(x)=18\pi x(x-1)$

※ 삼차함수 $f(x)=ax^3+bx^2+cx+d$가 $x=\alpha$, β에서 극점을 가지고 그림처럼 극점을 지나면서 x축에 평행한 직선을 그었을 때 다음이 성립한다.

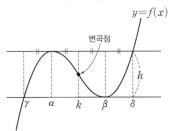

① 변곡점의 x좌표, 즉 $k=\dfrac{\alpha+\beta}{2}$

② $h=f(\alpha)-f(\beta)=\dfrac{|a|}{2}(\beta-\alpha)^3$ *

③ $\alpha-\gamma=k-\alpha=\beta-k=\delta-\beta \Rightarrow \beta=\dfrac{2}{3}(\delta-\alpha)$

02-1 답 ⑤

$f(x)=kx^2e^{-x}\,(k>0)$에서 $f'(x)=kx(2-x)e^{-x}$

$f'(x)=0$에서 $x=0$ 또는 $x=2$

이때 $f(x)$의 증감을 나타내면 표와 같다.

x	$\cdots$	0	$\cdots$	2	$\cdots$
$f'(x)$	$-$	0	$+$	0	$+$
$f(x)$	$\searrow$	극소	$\nearrow$	극대	$\searrow$

또 $\displaystyle\lim_{x\to\infty}f(x)=\lim_{x\to\infty}kx^2e^{-x}=\lim_{x\to\infty}\dfrac{kx^2}{e^x}=0$

이므로 함수 $y=f(x)$의 개형은 다음과 같다.

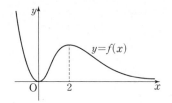

곡선 $y=f(x)$ 위의 점 $(t, f(t))$에서 x축까지의 거리와 y축까지의 거리 중 크지 않은 값이 $g(t)$이므로 곡선 $y=f(x)$와 직선 $y=x$, $y=-x$를 그려 그림처럼 $x=\alpha$에서 곡선과 직선이 만나고, $x=t$일 때 곡선과 직선이 접한다고 하자.

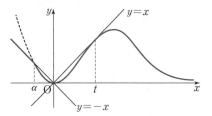

$|f(t)|\leq|t|$인 경우는 $g(t)=|f(t)|$이고 $|f(t)|>|t|$인 경우는 $g(t)=|t|$이므로 함수 $g(t)$의 그래프는 그림에서 색으로 나타낸 선과 같다.

그런데 곡선과 직선의 교점 $(\alpha, -\alpha)$에서 $g(t)$는 미분 가능하지 않으므로 $x>0$에서는 항상 미분 가능해야 한다.

즉 ❶ 직선과 곡선이 만나지 않거나 한 점에서 접해야 $x>0$에서 $y=g(t)$의 그래프는 곡선 부분만 있게 되므로 함수 $y=g(t)$는 한 점에서만 미분 가능하지 않게 된다.

곡선 $y=f(x)$와 직선 $y=x$가 접하는 점의 좌표를 $(t, f(t))$라 하면 $kt^2e^{-t}=t$ ······ ㉠

이고, $x=t$에서 접선의 기울기가 1이므로 $kt(2-t)e^{-t}=1$ ······ ㉡

㉠, ㉡을 연립해서 풀면 $t=$❷$\underline{1}$, $k=e$

따라서 k의 최댓값은 e

02-2 답 ①

$f(x)=kx^3e^{-x}\,(k>0)$에서 $f'(x)=kx^2(3-x)e^{-x}$

이때 $f(x)$는 $x=3$에서 극값을 가지지만 $x=0$에서는 $f'(x)$의 부호 변화가 없으므로 극값을 가지지 않으므로 함수 $f(x)$의 증감을 나타내면 표와 같다.

x	$\cdots$	0	$\cdots$	3	$\cdots$
$f'(x)$	$+$	0	$+$	0	$-$
$f(x)$	$\nearrow$	0	$\nearrow$	극대	$\searrow$

또 $\displaystyle\lim_{x\to\infty}x^3e^{-3}=0$, $\displaystyle\lim_{x\to-\infty}x^3e^{-x}=-\infty$이므로 함수 $y=f(x)$의 개형은 다음과 같다.

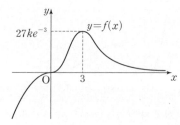

$g(t)$는 x축까지의 거리와 y축까지의 거리 중 작지 않은 값이므로 $|f(t)|\leq|t|$인 경우는 $g(t)=|t|$이고, $|f(t)|>|t|$인 경우는 $g(t)=|f(t)|$이다.

$|f(x)|=|kx^3e^{-x}|$ $(k>0)$이고, $g(t)$의 그래프는 다음 그림에서 색으로 나타낸 선과 같다.

그런데 $x=\alpha$인 점과 원점에서 $g(t)$는 미분 가능하지 않으므로 함수 $g(t)$에서 미분 불가능한 점이 4개이려면 $x>0$에서 곡선 $y=f(x)$와 직선 $y=x$가 서로 다른 두 점에서 만나야 한다.

즉 원점에서 $y=f(x)$에 그은 접선의 기울기가 **❶**1보다 커야 한다.

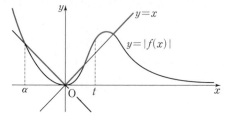

위 그림에서 k값이 작아지면서 곡선의 모양이 변해 곡선 $y=f(x)$와 직선 $y=x$가 접하고, 그 접점을 $(t,f(t))$라 하면

$$kt^3e^{-t}=t \qquad \cdots\cdots\ \bigcirc$$

이고, $x=t$에서 접선의 기울기가 1이므로

$$kt^2(3-t)e^{-t}=1 \qquad \cdots\cdots\ \bigcirc$$

$\bigcirc$, $\bigcirc$을 연립해서 풀면 $t=$**❷**2

즉 원점에서 함수 $y=f(x)$에 그은 접선의 접점의 좌표는 $(2,8ke^{-2})$이고, 직선 $y=x$와 곡선 $y=f(x)$가 접하는 점의 좌표가 $(2,2)$이므로 조건을 만족시키려면 $f(2)=8ke-2>2$이어야 한다.

$$\therefore k>\frac{e^2}{4}$$

03-1 답 ④

구간 $\left(-\dfrac{\pi}{2},\dfrac{\pi}{4}\right)$에서 $f'(x)=6\sin^2 x\cos x$이므로 연속인 함수 $f(x)$는 $x=0$일 때 극값을 갖지 않으며 계속 증가하고, $f\left(-\dfrac{\pi}{2}\right)=-2,\ f\left(\dfrac{\pi}{4}\right)=\dfrac{\sqrt{2}}{2}$이므로 함수 $y=f(x)$의 그래프 개형은 다음과 같다.

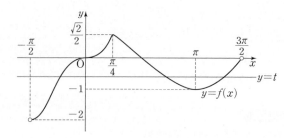

이때 곡선 $y=f(x)$와 직선 $y=t$가 만나는 점에서 함수 $y=\sqrt{|f(x)-t|}$는 미분 가능하지 않다.

한편 $x=\dfrac{\pi}{4}$에서 $f(x)$와 $x=\pi$에서 $t=-1$일 때 $y=\sqrt{|f(x)-t|}$의 미분 가능성을 확인해 보면

$\displaystyle\lim_{x\to\frac{\pi}{4}-}f(x)=f\left(\frac{\pi}{4}\right)=\frac{\sqrt{2}}{2}$이므로 $f(x)$는 $x=\dfrac{\pi}{4}$에서 연속이지만,

$\displaystyle\lim_{x\to\frac{\pi}{4}-}f'(x)=\frac{3\sqrt{2}}{2},\ \lim_{x\to\frac{\pi}{4}+}f'(x)=-\frac{\sqrt{2}}{2}$이므로 t값에 관계없이 $x=\dfrac{\pi}{4}$에서 $y=\sqrt{|f(x)-t|}$는 미분 가능하지 않다.

또 $t=-1$일 때 $y=\sqrt{|f(x)-t|}$, 즉 $y=\sqrt{1+\cos x}$의 $x=\pi$에서의 미분 가능성을 조사해보면

$$\lim_{h\to 0}\frac{\sqrt{1+\cos(\pi+h)}}{h}=\lim_{h\to 0}\frac{\sqrt{1-\cos h}}{h}$$

$$=\lim_{h\to 0}\frac{\sqrt{2\sin^2\frac{h}{2}}}{h}=\lim_{h\to 0}\frac{\sqrt{2}\left|\sin\frac{h}{2}\right|}{h}$$

에서 $\displaystyle\lim_{h\to 0-}\frac{\sqrt{2}\left|\sin\frac{h}{2}\right|}{h}=-\frac{\sqrt{2}}{2}$

$$\lim_{h\to 0+}\frac{\sqrt{2}\left|\sin\frac{h}{2}\right|}{h}=\frac{\sqrt{2}}{2}$$

이므로 $t=-1$일 때 $x=\pi$에서 미분 가능하지 않다.

따라서 t값의 범위에 따른 $g(t)$는 다음과 같다.

$$g(t)=\begin{cases}1 & (t\leq -2)\\ 2 & (-2<t<-1)\\ 3 & (t=-1)\\ 4 & (-1<t<0)\\ 2 & (t=0)\\ 3 & \left(0<t<\frac{\sqrt{2}}{2}\right)\\ 1 & \left(t\geq\frac{\sqrt{2}}{2}\right)\end{cases}$$

$$\therefore a=g\left(\frac{\sqrt{2}}{2}\right)=\text{❶}\underline{1},\ b=g(0)=\text{❷}\underline{2},\ c=g(-1)=\text{❸}\underline{3}$$

그런데 함수 $h(g(t))$가 실수 전체에서 연속이려면

$$\lim_{t\to -2-}h(g(t))=h(1)=\lim_{t\to -2+}h(g(t))=h(2)$$

마찬가지로 $\displaystyle\lim_{t\to -1-}h(g(t))=\lim_{t\to -1+}h(g(t))=h(g(-1))$

에서 $h(2)=h(4)=h(3)$

즉 $h(1)=h(2)=h(3)=h(4)$가 성립하고

$h(x)$는 최고차항의 계수가 1인 사차함수이므로

$h(x)=$ <u>❹ $(x-1)(x-2)(x-3)(x-4)$</u> $+\alpha$라 할 수 있다.

$\therefore h(a+5)-h(b+3)+c=h(6)-h(5)+3$

$\qquad\qquad\qquad\qquad\quad =(120+\alpha)-(24+\alpha)+3$

$\qquad\qquad\qquad\qquad\quad =99$

참고

❶ $\cos(\pi+h)=-\cos h$이고, $\sin^2\dfrac{h}{2}=\dfrac{1-\cos h}{2}$이므로

$\quad 1-\cos h=2\sin^2\dfrac{h}{2}$

❷ $h(x)$가 사차함수이므로 함수 $h(x)$의 함숫값 정보가 4개 있으면 된다.

$\quad$ 함수 $g(t)$가 $t=-2,\,-1,\,0,\,\dfrac{\sqrt2}{2}$일 때 불연속이므로 함수

$\quad h(x)$가 $-2,\,-1,\,0,\,\dfrac{\sqrt2}{2}$일 때 연속이면 된다.

$\quad$ 그런데 $t=-2,\,-1$일 때 풀이처럼 함수 $h(x)$의 함숫값 정보를 얻었으

$\quad$ 므로 나머지 $0,\,\dfrac{\sqrt2}{2}$일 때 연속이기 위한 조건을 따지지 않았다.

03-2 답 14

함수 $y=f(x)$의 그래프 개형은 다음과 같다.

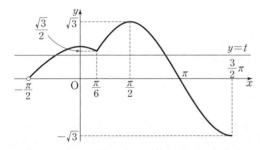

이때 곡선 $y=f(x)$와 직선 $y=t$가 만나는 점에서

함수 $y=\sqrt{|f(x)-t|}$는 미분 가능하지 않다.

한편 $x=\dfrac{\pi}{6}$에서 $y=\sqrt{|f(x)-t|}$의 미분 가능성을 확인해 보면

$\displaystyle\lim_{x\to\frac{\pi}{6}}f(x)=f\left(\dfrac{\pi}{6}\right)=\dfrac{\sqrt3}{2}$이므로 $f(x)$는 $x=\dfrac{\pi}{6}$에서 연속이지만,

$\displaystyle\lim_{x\to\frac{\pi}{6}-}f'(x)=-\dfrac{1}{2},\ \lim_{x\to\frac{\pi}{6}+}f'(x)=\dfrac{3}{2}$이므로

t값에 관계없이 $x=\dfrac{\pi}{6}$에서 $y=\sqrt{|f(x)-t|}$는 미분 가능하지 않다.

또 $t=1$일 때 $x=0$에서 $y=\sqrt{|f(x)-t|}$, 즉 $y=\sqrt{1-\cos x}$의

미분 가능성을 조사해보면

$\displaystyle\lim_{h\to0}\dfrac{\sqrt{1-\cos(0+h)}}{h}=\lim_{h\to0}\dfrac{\sqrt{2\sin^2\frac{h}{2}}}{h}=\lim_{h\to0}\dfrac{\sqrt2\left|\sin\frac{h}{2}\right|}{h}$

에서 $\displaystyle\lim_{h\to0-}\dfrac{\sqrt2\left|\sin\frac{h}{2}\right|}{h}=-\dfrac{\sqrt2}{2}$

$\displaystyle\lim_{h\to0+}\dfrac{\sqrt2\left|\sin\frac{h}{2}\right|}{h}=\dfrac{\sqrt2}{2}$

이므로 $t=1$일 때 $x=0$에서 미분 가능하지 않다.

또 $t=\sqrt3$일 때 $x=\dfrac{\pi}{2}$에서 $y=\sqrt{|f(x)-t|}$,

즉 $y=\sqrt{\sqrt3-\sqrt3\sin x}$의 미분 가능성을 조사해보면

$\displaystyle\lim_{h\to0}\dfrac{\sqrt{\sqrt3\left(1-\sin\left(\frac{\pi}{2}+h\right)\right)}}{h}=\lim_{h\to0}\dfrac{\sqrt{\sqrt3(1-\cos h)}}{h}$

$\qquad\qquad\qquad\qquad\qquad =\lim_{h\to0}\dfrac{\sqrt{2\sqrt3\sin^2\frac{h}{2}}}{h}$

$\qquad\qquad\qquad\qquad\qquad =\lim_{h\to0}\dfrac{\sqrt[4]{12}\left|\sin\frac{h}{2}\right|}{h}$

에서 $\displaystyle\lim_{h\to0-}\dfrac{\sqrt[4]{12}\left|\sin\frac{h}{2}\right|}{h}=-\dfrac{\sqrt[4]{12}}{2}$

$\displaystyle\lim_{h\to0+}\dfrac{\sqrt[4]{12}\left|\sin\frac{h}{2}\right|}{h}=\dfrac{\sqrt[4]{12}}{2}$

이므로 $t=\sqrt3$일 때 $x=\dfrac{\pi}{2}$에서 미분 가능하지 않다.

따라서 t값의 범위에 따른 $g(t)$는 다음과 같다.

$g(t)=\begin{cases}1 & (t\le-\sqrt3)\\2 & (-\sqrt3<t\le0)\\3 & \left(0<t\le\dfrac{\sqrt3}{2}\right)\\5 & \left(\dfrac{\sqrt3}{2}<t<1\right)\\4 & (t=1)\\3 & (1<t<\sqrt3)\\2 & (t=\sqrt3)\\1 & (t>\sqrt3)\end{cases}$

$\therefore a=g\left(\dfrac{\sqrt3}{2}\right)=$ ❶ $\underline{3}$, $b=g(1)=$ ❷ $\underline{4}$, $c=g(\sqrt3)=$ ❸ $\underline{2}$

또 함수 $g(t)$에서 불연속점이 5개이므로 $d=$ ❹ $\underline{5}$

따라서 $a+b+c+d=3+4+2+5=14$

04 답 49

$f(x)=\dfrac{\ln x^2}{x}=\dfrac{2\ln|x|}{x}$의 그래프는 원점에 대하여 대칭이므

로 $x>0$인 부분을 먼저 그린 다음 원점에 대하여 대칭이동한 것

도 함께 나타내면 된다.

$x>0$일 때는 $y=\dfrac{2\ln x}{x}$에서

$y'=\dfrac{\dfrac{2}{x}\times x-2\ln x\times1}{x^2}=\dfrac{2-2\ln x}{x^2}$

$y'=0$에서 $x=e$일 때 극값을 가진다.

$$y''=\frac{-\frac{2}{x}\times x^2-2(1-\ln x)\times 2x}{x^4}=\frac{2(2\ln x-3)}{x^3}$$

$y''=0$에서 $x=e^{\frac{3}{2}}$일 때 변곡점을 가진다.

x	$\cdots$	e	$\cdots$	$e^{\frac{3}{2}}$	$\cdots$
y'	$+$	0	$-$	$-$	$-$
y''	$-$	$-$	$-$	0	$+$
y	$\nearrow$	극대	$\searrow$	변곡점	$\searrow$

또 x절편은 $(1,0)$이고, $\displaystyle\lim_{x\to\infty}\frac{2\ln x}{x}=0$, $\displaystyle\lim_{x\to 0+}\frac{2\ln x}{x}=-\infty$

이므로 위 결과를 이용하여 $y=\dfrac{2\ln x}{x}$ $(x>0)$의 그래프를 그려

보면 그 개형은 그림과 같다.

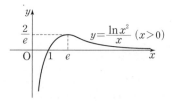

$y=\dfrac{\ln x^2}{x}=\dfrac{2\ln|x|}{x}$ 의 그래프는 위 그림에서 곡선을 원점에

대하여 대칭이동한 것까지 포함하므로 다음 그림과 같다.

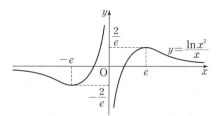

한편 점 $\left(0,4e^{-\frac{n}{4}}\right)$에서 $4e^{-\frac{n}{4}}>0$이므로 $y=\dfrac{2\ln|x|}{x}$ 중에서

$x<0$ 부분을 나타내는 곡선인 $y=\dfrac{2\ln|-x|}{x}$ 에는 항상 하나의

접선을 그릴 수 있고, $x>0$ 부분을 나타내는 곡선인

$y=\dfrac{2\ln x}{x}$ 에 그을 수 있는 접선의 개수는 n에 따라 변한다.

곡선 $y=\dfrac{2\ln x}{x}$ 에 그은 접선의 접점을 $(t,f(t))$라 하면 접선의

방정식은 $y=\dfrac{2-2\ln t}{t^2}(x-t)+\dfrac{2\ln t}{t}$

이 접선이 점 $\left(0,4e^{-\frac{n}{4}}\right)$을 지나므로

$4e^{-\frac{n}{4}}=\dfrac{2-2\ln t}{t^2}(0-t)+\dfrac{2\ln t}{t}$

정리하면 $2e^{-\frac{n}{4}}=\dfrac{2\ln t-1}{t}$ $\quad\cdots\cdots\ \ominus$

이때 t에 대한 방정식 $\ominus$의 근의 개수는 $g(t)=\dfrac{2\ln t-1}{t}$라 하고,

$y=g(t)$의 그래프를 이용해 구할 수 있다.

$g'(t)=\dfrac{\frac{2}{t}\times t-(2\ln t-1)\times 1}{t^2}=\dfrac{3-2\ln x}{t^2}$이고

$g'(t)=0$에서 $\ln t=\dfrac{3}{2}$

즉 $t=e^{\frac{3}{2}}$일 때 극댓값 $2e^{-\frac{3}{2}}$을 가진다.

또 $\displaystyle\lim_{x\to\infty}\frac{2\ln t-1}{t}=0$, $\displaystyle\lim_{x\to 0+}\frac{2\ln t-1}{t}=-\infty$이므로

곡선 $y=g(t)$의 그래프는 그림과 같다.

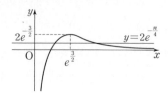

$y=2e^{-\frac{n}{4}}$에서 $n=6$일 때, 곡선과 직선이 접하고 n값이 커질수록

$2e^{-\frac{n}{4}}$의 값은 작아지므로 자연수 n에 따라 방정식 $\ominus$의 실근 개수

는 다음과 같다.

① $1\le n<6$일 때 실근은 없다.

② $n=6$일 때 실근은 1개다.

③ $n>6$일 때 실근의 개수는 2개다.

한편 점 $\left(0,4e^{-\frac{n}{4}}\right)$에서 $y=\dfrac{2\ln(-x)}{x}$에 항상 하나의 접선을

그릴 수 있으므로 $1\le n\le 5$일 때 $a_n=$ **❶** $\underline{1}$

$n=6$일 때 $a_n=$ **❷** $\underline{2}$

$n>6$일 때 $a_n=$ **❸** $\underline{3}$

$\therefore \displaystyle\sum_{n=1}^{20}a_n=5+2+3\times 14=49$

참고

방정식 $2e^{-\frac{n}{4}}=\dfrac{2\ln t-1}{t}$의 근의 개수는 점 $\left(0,4e^{-\frac{n}{4}}\right)$에서 곡선

$y=\dfrac{\ln x^2}{x}$에 그은 접선의 개수와 같다.

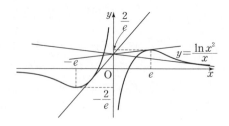

05 📘 22

$x>0$일 때 $y=\dfrac{\ln x}{x}$에서 $y'=\dfrac{1-\ln x}{x^2}$

$$y''=\frac{-\frac{1}{x}\times x^2-2x(1-\ln x)}{x^4}=\frac{-3+2\ln x}{x^3}$$

즉 $x=e$에서 극값을 가지고, $x=e^{\frac{3}{2}}$일 때 변곡점이 된다.

$x>0$에서 $y=\dfrac{\ln x}{x}$의 증가와 감소, 오목과 볼록을 표로 나타내면 다음과 같다.

x	$\cdots$	e	$\cdots$	$e^{\frac{3}{2}}$	$\cdots$
y'	$+$	0	$-$	$-$	$-$
y''	$-$	$-$	$-$	0	$+$
y	$\nearrow$	극대	$\searrow$	변곡점	$\searrow$

또 $\displaystyle\lim_{x\to 0+}\dfrac{\ln x}{x}=-\infty$, $\displaystyle\lim_{x\to\infty}\dfrac{\ln x}{x}=0$이고, 점근선은 y축과 x축이므로 $y=\dfrac{\ln x}{x}$ $(x>0)$의 그래프 개형은 그림과 같다.

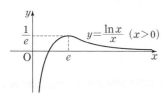

이 곡선과 이 곡선을 원점에 대하여 대칭이동한 곡선 둘 다 y축 방향으로 $\dfrac{1}{e}$만큼 평행이동하면 그림과 같은 $f(x)=\dfrac{\ln|x|}{x}+\dfrac{1}{e}$의 그래프 개형을 얻을 수 있다.

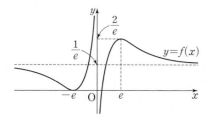

이때 함수 $|f(x)-k|$에서 미분 불가능한 점의 개수가 $g(k)$이므로 그림처럼 $0<k<\dfrac{1}{e}$일 때 $g(k)=$ ❶$\underline{3}$이다.

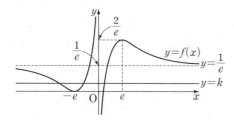

k값을 바꿔가면서 확인하면 함수 $y=g(k)$는 다음과 같다.

$$g(k)=\begin{cases}1 & (k\le 0)\\ 3 & \left(0<k<\dfrac{1}{e}\right)\\ 2 & \left(k=\dfrac{1}{e}\right)\\ 3 & \left(\dfrac{1}{e}<k<\dfrac{2}{e}\right)\\ 1 & \left(\dfrac{2}{e}\le k\right)\end{cases}$$

한편 모든 실수 k에 대하여 함수 $h(g(k))$가 연속이므로 함수

$g(k)$가 불연속인 점 $k=0,\ \dfrac{1}{e},\ \dfrac{2}{e}$에서 연속인 조건을 만족시켜야 한다.

(i) $k=0$일 때

$\displaystyle\lim_{k\to 0-}h(g(k))=h(1),\ \lim_{k\to 0+}h(g(k))=h(3),$

$h(g(0))=h(1)$ ∴ $h(1)=h(3)$

(ii) $k=\dfrac{1}{e}$일 때

$\displaystyle\lim_{k\to\frac{1}{e}-}h(g(k))=\lim_{k\to\frac{1}{e}+}h(g(k))=h(3),$

$h\left(g\left(\dfrac{1}{e}\right)\right)=h(2)$ ∴ $h(3)=h(2)$

(iii) $k=\dfrac{2}{e}$일 때

$\displaystyle\lim_{k\to\frac{2}{e}-}h(g(k))=h(3),\ \lim_{k\to\frac{2}{e}+}h(g(k))=h(1),$

$h\left(g\left(\dfrac{2}{e}\right)\right)=h(1)$ ∴ $h(3)=h(1)$

(i)~(iii)에서 $h(1)=$ ❷$\underline{h(2)=h(3)}=\alpha$ (α는 상수)라 하면 $h(x)$가 최고차항의 계수가 2인 삼차함수이므로

$h(x)=$ ❸$\underline{2(x-1)(x-2)(x-3)}+\alpha$이고

$h'(x)=2(x-2)(x-3)+2(x-1)(x-3)+2(x-1)(x-2)$

∴ $h'(4)=4+6+12=22$

06 📘 108

$g(x)=\dfrac{1}{2+\cos f(x)}$에 대하여 $g'(x)=\dfrac{f'(x)\sin f(x)}{\{2+\cos f(x)\}^2}$

$g'(x)=0$이 되는 경우는 $f'(x)=0$ 또는 $\sin f(x)=0$

그런데 함수 $g(x)$가 $x=\alpha$에서 극대 또는 극소이므로

$f'(\alpha)=0$ 또는 $\sin f(\alpha)=0$이고

$\sin f(\alpha)=0$일 때는 $f(\alpha)=0,\ \pm\pi,\ \pm 2\pi,\ \pm 3\pi,\ \cdots$이다.

㈎에서 $g(\alpha_1)=g(0)=\dfrac{1}{2+\cos f(0)}=\dfrac{2}{5}$이므로

$\cos f(0)=\dfrac{1}{2}$이고 $0<f(0)<\dfrac{\pi}{2}$이므로 $f(0)=$ ❶$\underline{\dfrac{\pi}{3}}$

또 $g'(\alpha_1)=g'(0)=0$에서 $\sin f(0)\ne 0$이므로 $f'(0)=0$

즉 $f'(0)=0,\ f(0)=\dfrac{\pi}{3}$에서

$f(x)=\dfrac{\pi}{6}x^3+bx^2+\dfrac{\pi}{3}$ (단, b는 상수)

한편 $\dfrac{1}{g(x)}=2+\cos f(x)$이므로

㈏ 조건의 $\dfrac{1}{g(\alpha_6)}=\dfrac{1}{g(\alpha_3)}+\dfrac{1}{2}$은

$2+\cos f(\alpha_6)=2+\cos f(\alpha_3)+\dfrac{1}{2}$

∴ $\cos f(\alpha_6)=\cos f(\alpha_3)+\dfrac{1}{2}$ ……㉠

이때 $\sin f(\alpha)=0$이면 $\cos f(\alpha)=\pm 1$이므로

$\sin f(\alpha_6)=\sin f(\alpha_3)=0$이면 안 된다. 즉 α_3, α_6 중 하나는 $\sin f(\alpha)=0$을 만족시키고, 다른 하나는 $f'(\alpha)=0$을 만족시켜야 하므로 다음 두 가지 경우로 나눌 수 있다.

(i) $\sin f(\alpha_6)=0$, $f'(\alpha_3)=0$인 경우

$f'(\alpha_3)=0$이므로 $f(x)$는 $x=\alpha_1$, α_3일 때 극값을 가지고 $\sin f(\alpha_2)=\sin f(\alpha_4)=\sin f(\alpha_5)=\sin f(\alpha_6)=0$이고, $f(\alpha_2)$, $f(\alpha_4)$, $f(\alpha_5)$, $f(\alpha_6)$은 각각 $n\pi$ (n은 정수) 꼴이므로 함수 $y=f(x)$의 그래프 개형을 그림처럼 생각할 수 있다.

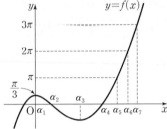

이때 $f(\alpha_6)=2\pi$이므로 $\cos f(\alpha_6)=\cos 2\pi=1$

$\cos f(\alpha_6)=1$을 ㉠에 대입하면 $\cos f(\alpha_3)=\dfrac{1}{2}$

$-\pi<f(\alpha_3)<0$에서 $f(\alpha_3)=-\dfrac{\pi}{3}$

$f(x)=\dfrac{\pi}{6}x^3+bx^2+\dfrac{\pi}{3}$에서 $f'(x)=\dfrac{x}{2}(\pi x+4b)$이므로

$x=0$, $-\dfrac{4b}{\pi}$일 때 $f'(x)=0$ $\therefore \alpha_3=-\dfrac{4b}{\pi}$

$f\left(-\dfrac{4b}{\pi}\right)=\dfrac{\pi}{6}\left(-\dfrac{4b}{\pi}\right)^3+b\left(-\dfrac{4b}{\pi}\right)^2+\dfrac{\pi}{3}=\dfrac{16b^3}{3\pi^2}+\dfrac{\pi}{3}$

$f(\alpha_3)=f\left(-\dfrac{4b}{\pi}\right)=-\dfrac{\pi}{3}$이므로 $\dfrac{16b^3}{3\pi^2}+\dfrac{\pi}{3}=-\dfrac{\pi}{3}$

즉 $\dfrac{16b^3}{3\pi^2}=-\dfrac{2\pi}{3}$에서 $b^3=-\dfrac{\pi^3}{8}$ $\therefore b=-\dfrac{\pi}{2}$

이때 $\alpha_3=-\dfrac{4b}{\pi}=2$ ······ ㉡

$f(x)=\dfrac{\pi}{6}x^3-\dfrac{\pi}{2}x^2+\dfrac{\pi}{3}=\dfrac{\pi}{6}(x^3-3x^2+2)$ ······ ㉢

(ii) $\sin f(\alpha_3)=0$, $f'(\alpha_6)=0$인 경우

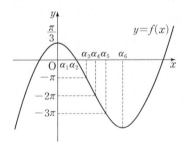

$f(\alpha_3)=-\pi$이므로 $\cos f(\alpha_3)=\cos(-\pi)=-1$

㉠에서 $\cos f(\alpha_6)=\cos f(\alpha_3)+\dfrac{1}{2}$이므로 $\cos f(\alpha_6)=-\dfrac{1}{2}$

$-4\pi<f(\alpha_6)<-3\pi$이므로 $f(\alpha_6)=-3\pi-\dfrac{\pi}{3}=-\dfrac{10\pi}{3}$

$f(x)=\dfrac{\pi}{6}x^3+bx^2+\dfrac{\pi}{3}$에서 $f'(x)=\dfrac{x}{2}(\pi x+4b)$이므로

$x=0$, $-\dfrac{4b}{\pi}$일 때 $f'(x)=0$ $\therefore \alpha_6=-\dfrac{4b}{\pi}$

$f\left(-\dfrac{4b}{\pi}\right)=\dfrac{16b^3}{3\pi^2}+\dfrac{\pi}{3}=-\dfrac{10\pi}{3}$

즉 $\dfrac{16b^3}{3\pi^2}=-\dfrac{11\pi}{3}$에서 $b^3=-\dfrac{11\pi^3}{16}$이므로 $b=-\sqrt[3]{\dfrac{11}{16}}\pi$

$\therefore f(x)=\dfrac{\pi}{6}x^3-\sqrt[3]{\dfrac{11}{16}}\pi x^2+\dfrac{\pi}{3}$

이것은 ㈐ 조건을 만족시키지 않는다.

(i), (ii)에서 구하려는 $f(x)$는 ㉢에서

$f(x)=\dfrac{\pi}{6}x^3-\dfrac{\pi}{2}x^2+\dfrac{\pi}{3}=\underset{\text{❷}}{\underline{\dfrac{\pi}{6}(x^3-3x^2+2)}}$

또 ㉡에서 $2\alpha_3=4$이므로 $f(2\alpha_3)=f(4)=\dfrac{\pi}{6}(64-48+2)=3\pi$

따라서 $a=3$이고, 이때 $12a^2=108$

07 답 ③

$f(x)=ax^2+bx+c$라 하면 $f'(x)=2ax+b$, $f''(x)=2a$

$g'(x)=e^{-x}\{-f(x)+f'(x)\}$

$g''(x)=e^{-x}\{f(x)-2f'(x)+f''(x)\}$

  $=e^{-x}\{ax^2+(b-4a)x+(2a-2b+c)\}$

이고, $(1, g(1))$, $(4, g(4))$가 변곡점이므로

$g''(1)=g''(4)=0$

즉 $1, 4$가 $ax^2+(b-4a)x+(2a-2b+c)=0$의 근이므로

$\dfrac{4a-b}{a}=5$, $\dfrac{2a-2b+c}{a}=4$

두 식을 정리하면 $b=-a$, $c=0$이므로 $f(x)=\underset{\text{❶}}{\underline{a(x^2-x)}}$

$\therefore g(x)=a(x^2-x)e^{-x}$, $g'(x)=a(-x^2+3x-1)e^{-x}$

㈏에서 $1\le x_1<x_2$일 때 $g(x_2)-g(x_1)+x_1-x_2\le 0$이므로

$\dfrac{g(x_2)-g(x_1)}{x_2-x_1}\le 1$

그런데 함수 $g(x)$는 닫힌구간 $[x_1, x_2]$에서 연속이고, 열린구간 (x_1, x_2)에서 미분 가능하므로 평균값 정리에 따라

$\dfrac{g(x_2)-g(x_1)}{x_2-x_1}=g'(k)$인 k가 구간 (x_1, x_2)에 존재한다.

즉 $x_1<k<x_2$에 대하여 $g'(k)\le 1$이므로

$x\ge 1$일 때 $a(-x^2+3x-1)e^{-x}\le 1$

$(-x^2+3x-1)e^{-x}\ge \dfrac{1}{a}$ $(\because a<0)$

$h(x)=(-x^2+3x-1)e^{-x}$이라 하면

$h'(x)=(x-1)(x-4)e^{-x}$

$h'(x)=0$에서 $x=1$ 또는 $x=4$

$x\ge 1$에서 함수 $h(x)$의 증감은 표와 같다.

x	1	$\cdots$	4	$\cdots$
$h'(x)$	0	$-$	0	$+$
$h(x)$	e^{-1}	$\searrow$	$-5e^{-4}$	$\nearrow$

함수 $h(x)$는 $x=4$에서 최솟값이 $h(4)={}^{❷}\underline{-5e^{-4}}$이므로

$-5e^{-4}\geq\dfrac{1}{a}$에서 $a\geq-\dfrac{e^4}{5}$

$\therefore -\dfrac{e^4}{5}\leq a<0$

한편 $f(x)=a(x^2-x)$에서 $f\left(\dfrac{1}{2}\right)=-\dfrac{a}{4}$

이때 $0<-\dfrac{a}{4}\leq\dfrac{e^4}{20}$이므로 $f\left(\dfrac{1}{2}\right)$의 최댓값은 $\dfrac{e^4}{20}$

08 답 ③

$g(x)=x^2-3x-\dfrac{1}{x}$이라 하면

$g'(x)=2x-3+\dfrac{1}{x^2}=\dfrac{(2x+1)(x-1)^2}{x^2}$이므로

$x=1$에서는 $g'(x)$의 부호 변화가 없어서 극값을 가지지 않고,

$x=-\dfrac{1}{2}$에서 극값을 가진다.

또 $g''(x)=2-\dfrac{2}{x^3}$

$\qquad\qquad=\dfrac{2(x-1)(x^2+x+1)}{x^3}$

이므로 $x=1$에서 변곡점이 되고,

$g(1)=-3$, $g\left(-\dfrac{1}{2}\right)=\dfrac{15}{4}$

$\displaystyle\lim_{x\to0+}\left(x^2-3x-\dfrac{1}{x}\right)=-\infty$,

$\displaystyle\lim_{x\to0-}\left(x^2-3x-\dfrac{1}{x}\right)=\infty$

이므로 함수 $g(x)$의 그래프는 그림과 같다.

즉 $f(x)=|g(x)+\alpha|$가 0을 제외한 모든 실수 x에 대하여 미분

가능하려면 $\alpha={}^{❶}\underline{3}$이므로 $f(x)=\left|x^2-3x-\dfrac{1}{x}+3\right|$

한편 x에 대한 방정식 $\left|x^2-3x-\dfrac{1}{x}+\alpha\right|=\left|k^2-3k-\dfrac{1}{k}+\alpha\right|$

는 $f(x)=f(k)$와 같고, 이 방정식이 서로 다른 세 실근을 가질 때

는 그림처럼 $f(k)=\dfrac{15}{4}+3={}^{❷}\underline{\dfrac{27}{4}}$일 때다.

또 $f(k)=\dfrac{27}{4}$이 되는 서로 다른 실수 k는 3개이므로 $m=3$

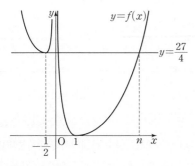

$f(k)=\dfrac{27}{4}$이 되는 k는 $x^2-3x-\dfrac{1}{x}+3=\pm\dfrac{27}{4}$의 근이지만

구하려는 자연수 근 n이 1보다 크므로 $x^2-3x-\dfrac{1}{x}+3=\dfrac{27}{4}$

의 자연수 근을 구하면 된다.

위 방정식의 양변에 $4x$를 곱해서 정리한

$4x^3-12x^2-15x-4=0$의 한 근이 $-\dfrac{1}{2}$임을 이용하면

$(2x+1)^2(x-4)=0$

이때 방정식의 근 중에서 자연수는 4이므로 $n=4$

따라서 $\alpha\times m\times n=3\times3\times4=36$

참고

❶ 그래프에서 $f(x)=\dfrac{27}{4}$의 서로 다른 근은 3개이고, 중근을 생각하면 모두 4개이다.

$x^2-3x-\dfrac{1}{x}+3-\dfrac{27}{4}=\dfrac{4x^3-12x^2-15x-4}{4x}$에서

$4x^3-12x^2-15x-4=(2x+1)^2(x+a)$로 놓고 $a=-4$를 구할 수 있다.

❷ 풀이에서 구한 것은 $x^2-3x-\dfrac{1}{x}+3=\dfrac{27}{4}$의 근, 즉 중근 $-\dfrac{1}{2}$과 자연수 근 4이고, $x^2-3x-\dfrac{1}{x}+3=-\dfrac{27}{4}$에서 그래프에 있는 나머지 근을 구할 수 있다.

09 답 29

$g(x)=f(\sin^2\pi x)$에서

$g'(x)=f'(\sin^2\pi x)\times2\sin\pi x\times\cos\pi x\times\pi$이고

$0<x<1$에서 $g'(x)=0$인 경우는

$x=\dfrac{1}{2}$과 $f'(\sin^2\pi x)=0$을 만족시킬 때다.

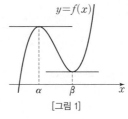

[그림 1]

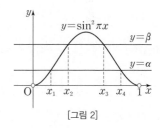

[그림 2]

$y=f(x)$는 최고차항의 계수가 1삼차함수이므로 [그림1]과 같이

$f'(\alpha)=f'(\beta)=0$ $(0<\alpha<\beta<1)$인 경우라 하자.

이때 [그림2]처럼 $\sin^2\pi x=\alpha$, $\sin^2\pi x=\beta$가 되는 x_1, x_2, x_3, x_4를 찾을 수 있으므로

$f'(\sin^2\pi x_1)=f'(\alpha)=0$, 즉 $g'(x_1)=0$

x_2, x_3, x_4에 대해서도 마찬가지로 생각할 수 있다.

즉 함수 $g(x)$가 $x=\dfrac{1}{2}$과 x_1, x_2, x_3, x_4일 때 극값을 가지면 된다.

한편 $g(1-x)=f(\sin^2\pi(1-x))=f(\{\sin(\pi-\pi x)\}^2)$

$\qquad\qquad=f(\sin^2\pi x)=g(x)$

즉 $g(1-x)=g(x)$이므로 $y=g(x)$의 그래프는 ${}^{❶}\underline{x=\dfrac{1}{2}}$ 에 대하여 대칭이다.

결국 $g(x)$의 최댓값이 $\frac{1}{2}$이고 세 극댓값이 모두 같으므로 $y=g(x)$의 그래프 개형을 그림처럼 생각할 수 있다.

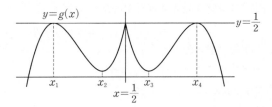

즉 $g(x_1)=g\left(\frac{1}{2}\right)=g(x_4)=\frac{1}{2}$

한편 $g(x_1)=f(\sin^2 \pi x_1)=f(\alpha)$, $g\left(\frac{1}{2}\right)=f\left(\sin^2 \frac{\pi}{2}\right)=f(1)$

또 x_4에 대해서도 마찬가지로 $g(x_4)=f(\alpha)$

즉 $f(\alpha)=f(1)=\frac{1}{2}$이고, 삼차함수 $y=f(x)$의 그래프 개형을 그림처럼 생각할 수 있다.

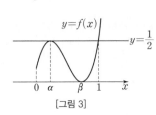
[그림 3]

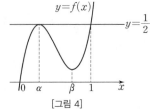
[그림 4]

이때 함수 $f(x)$의 최고차항의 계수가 1이므로

$f(x)-\frac{1}{2}=(x-\alpha)^2(x-1)$ $(0<\alpha<1)$

이라 하면 $f(x)=(x-\alpha)^2(x-1)+\frac{1}{2}$

[그림 3]과 같은 경우이면 $f(\beta)=0$이고,

삼차함수 그래프의 성질에서 $\beta=\frac{\alpha+2}{3}$이므로

$f(\beta)=\left(\frac{2-2\alpha}{3}\right)^2\left(\frac{\alpha-1}{3}\right)+\frac{1}{2}=0$

즉 $(\alpha-1)^3=-\frac{27}{8}$에서 $\alpha=-\frac{1}{2}$은 조건에 맞지 않다.

[그림 4]와 같은 경우이면

$f(0)=(-\alpha)^2\times(-1)+\frac{1}{2}=0$에서 $\alpha=\frac{\sqrt{2}}{2}$

$\therefore f(x)=$ **❷**$\underline{\left(x-\frac{\sqrt{2}}{2}\right)^2(x-1)+\frac{1}{2}}$

따라서 $f(2)=5-2\sqrt{2}$이므로 $5^2+(-2)^2=29$

10 답 2

$f(x)=x^2 e^{-x}$에서 $f'(x)=xe^{-x}(2-x)$이므로

$x=0, 2$일 때 $f'(x)=0$이고

$\lim_{x\to-\infty} f(x)=\infty$, $\lim_{x\to\infty} f(x)=0$

이때 함수 $y=f(x)$의 증감과 그래프의 개형은 그림과 같다.

x	$\cdots$	0	$\cdots$	2	$\cdots$
$f'(x)$	$-$	0	$+$	0	$-$
$f(x)$	$\searrow$	극소	$\nearrow$	극대	$\searrow$

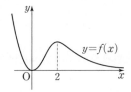

한편 $g(x)=\begin{cases} f(x) & (0\le x\le 2) \\ m-f(x) & (x<0,\ x>2) \end{cases}$ 이므로

함수 $|g(x)-n|$이 실수 전체에서 연속이려면

$x=0$과 $x=2$에서 연속이어야 한다.

(i) $x=0$에서 연속일 조건

$\lim_{x\to 0-}|g(x)-n|=\lim_{x\to 0-}|m-f(x)-n|=|m-n|$

$\lim_{x\to 0+}|g(x)-n|=\lim_{x\to 0+}|f(x)-n|=|-n|$

$|g(0)-n|=|f(0)-n|=|-n|$

즉 함수 $|g(x)-n|$이 $x=0$에서 연속이려면

$|m-n|=|-n|$이어야 하므로

$m=0$ 또는 $m=2n$

(ii) $x=2$에서 연속일 조건

$\lim_{x\to 2-}|g(x)-n|=\lim_{x\to 2-}|f(x)-n|=|f(2)-n|$

$\lim_{x\to 2+}|g(x)-n|=\lim_{x\to 2+}|m-f(x)-n|=|m-f(2)-n|$

$|g(2)-n|=|f(2)-n|$

즉 함수 $|g(x)-n|$이 $x=2$에서 연속이려면

$|f(2)-n|=|m-f(2)-n|$이어야 하므로

$m=2f(2)$ 또는 $m=2n$

(i), (ii)에서 함수 $|g(x)-n|$이 실수 전체에서 연속일 조건은

❶$\underline{m=2n}$ ($\because f(2)\ne 0$)

즉 $g(x)=\begin{cases} f(x) & (0\le x\le 2) \\ 2n-f(x) & (x<0,\ x>2) \end{cases}$ 이고

$2n-f(x)$는 $f(x)$를 $y=n$에 대칭시킨 것과 같으므로

n값의 범위에 따른 $g(x)$의 그래프 개형은 다음과 같다.

(i) $n\le 0$인 경우 $y=g(x)$의 그래프는 왼쪽 그림과 같고, 이때 $|g(x)-n|$은 $g(x)$의 그래프를 $y=n$에 대하여 접어 올린 그래프이므로 오른쪽 그림과 같다.

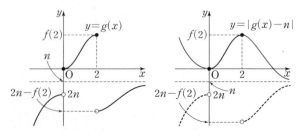

즉 함수 $|g(x)-n|$은 실수 전체에서 미분가능하다.

(ii) $0<n<f(2)$인 경우 $y=g(x)$의 그래프는 왼쪽 그림과 같고, 이때 $|g(x)-n|$의 그래프는 오른쪽 그림과 같다.

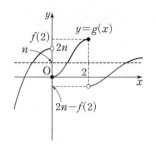
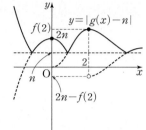

즉 함수 $|g(x)-n|$은 세 점에서 미분 불가능하다.

(iii) $n \geq f(2)$인 경우 $y=g(x)$의 그래프는 왼쪽 그림과 같고, 이때 $|g(x)-n|$의 그래프는 오른쪽 그림과 같다.

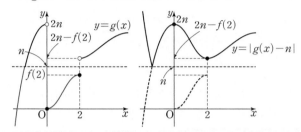

즉 함수 $|g(x)-n|$은 한 점에서만 미분 불가능하다.

(i), (ii), (iii)에서 함수 $|g(x)-n|$이 한 점에서만 미분 불가능하도록 하는 n값의 범위는 (iii), 즉 $n \geq f(2) = \dfrac{4}{e^2}$일 때이므로

n의 최솟값은 **❷** $\underline{\dfrac{4}{e^2} = 4 \times e^{-2}}$

따라서 $a=4$, $b=-2$이므로 $a+b=2$

11 📖 30

$g(x) = 2x^4 e^{-x}$에서 $g'(x) = -2x^3(x-4)e^{-x}$

즉 $g(x)$는 $x=0$일 때 극소이면서 최소이고, $x=4$에서 극대이므로 $y=g(x)$의 그래프 개형은 다음과 같다.

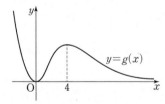

한편 최솟값이 0인 사차함수 $f(x)$의 그래프 개형을 생각하면 $f(a)=0$인 a가 1개 또는 2개 존재한다.

(i) $f(a)=0$인 a가 1개 있는 경우

$h(x)=0$, 즉 $f(g(x))=0$이면 $f(a)=0$이므로 그림처럼 $g(x)=a$가 서로 다른 4개의 실근을 가져야 하지만 불가능하다.

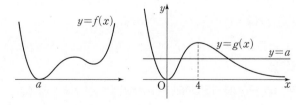

(ii) $f(a)=0$인 a가 두 개 존재하는 경우

$f(a)=0$인 a값을 각각 α, β $(\alpha<\beta)$라 하면 그림과 같은 경우 ㈎ 조건 $h(x)=0$의 서로 다른 실근이 4개가 된다.

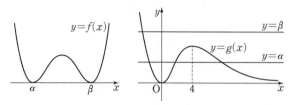

(i), (ii)에서 $f(x)=$ **❶** $\underline{\dfrac{1}{2}(x-\alpha)^2(x-\beta)^2}$ $(\alpha<\beta)$라 할 수 있다.

한편 ㈏에 따라 $h(x)=f(g(x))$가 $x=0$에서 극솟값을 가지므로 $\alpha=0$이거나 $\beta=0$이어야 한다. ⇨ 참고 확인

이때 다음 그림과 같이 $\alpha=0$이고, $\beta<(f(x)$의 극댓값$)$이 되면 조건을 만족시키지만 $\alpha<0$이고, $\beta=0$이면 ㈎ 조건을 만족시키지 않는다.

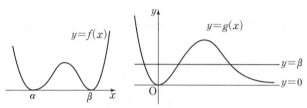

즉 $\alpha=$ **❷** $\underline{0}$이어야 하므로 $f(x)=\dfrac{1}{2}x^2(x-\beta)^2$으로 놓을 수 있다.

또 $h(x)=8$에서 $h(x)=f(g(x))$이므로 $f(x)=8$의 실근은 다음 세 가지 경우에 따라 실근의 개수가 결정된다.

(i) $(f(x)$의 극댓값$)<8$인 경우

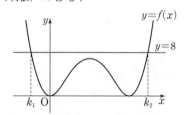

$g(x) \geq 0$이므로 $g(x)=k_1$의 실근은 존재하지 않고, $g(x)=k_2$는 최대 3개까지 서로 다른 실근을 가질 수 있다.

즉 $h(x)=8$의 실근이 6개가 될 수 없다.

(ii) $(f(x)$의 극댓값$)=8$인 경우

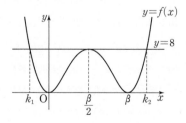

$g(x)=k_1$의 실근은 존재하지 않고, $g(x)=\dfrac{\beta}{2}$는 서로 다른 3개의 실근을 갖는다. 또 $g(x)=k_2$도 서로 다른 실근을 최대 3개까지 가질 수 있으므로 $h(x)=8$의 서로 다른 실근이 6개가 될 수 있다.

(iii) ($f(x)$의 극댓값)>8인 경우

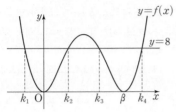

$g(x)=k_1$의 실근은 존재하지 않고, $g(x)=k_2$는 서로 다른 3개의 실근을 갖는다. 또 $g(x)=k_3$도 서로 다른 실근을 3개 가지고, $\beta<k_4$이므로 $g(x)=k_4$는 적어도 한 개의 실근을 가진다. 즉 $h(x)=8$의 서로 다른 실근은 7개 이상이 된다.

(i)~(iii)에서 $h(x)=8$이 서로 다른 실근을 6개 가지려면 $f(x)$의 극댓값이 ❷$8$이어야 한다.

즉 $f\left(\dfrac{\beta}{2}\right)=\dfrac{1}{2}\times\left(\dfrac{\beta}{2}\right)^2\times\left(\dfrac{\beta}{2}\right)^2=8$에서 $\beta=4$이므로

$f(x)=\dfrac{1}{2}x^2(x-4)^2$이고, 이때 $f'(x)=2x(x-2)(x-4)$

따라서 $f'(5)=30$

$h(x)$가 $x=0$에서 극솟값을 가지려면 $h'(x)$는 충분히 작은 양수 h에 대하여 $h'(0-h)<0$, $h'(0+h)>0$이어야 한다.
$h'(x)=f'(g(x))g'(x)$에서 $h'(0-h)=f'(g(0-h))g'(0-h)<0$
이때 $g(0-h)=0+h$, $g'(0-h)<0$이므로 $f'(0+h)>0$이어야 한다.
마찬가지로 $h'(0+h)>0$인 경우를 확인하면 $f'(0+h)>0$이다.
그림과 같은 $y=f'(x)$의 그래프를 생각하면 $\alpha=0$ 또는 $\beta=0$일 때 $f'(0+h)>0$임을 알 수 있다.

12 답 13

$f(x)=e^{-x}(ax^3+bx^2)$에서
$f'(x)=-xe^{-x}\{ax^2-(3a-b)x-2b\}$
$f(0)=f'(0)=0$이므로 $f(x)$의 그래프는 $x=0$에서 x축에 접하면서 극값을 가진다. 또 ㉮ 조건에 따라 $f(x)$는 $x<0$에서 증가함을 알 수 있으므로 $a>0$이다.

또 $f\left(-\dfrac{b}{a}\right)=0$이므로 $x<0$에서 증가하는 그래프 개형을 생각하면 $-\dfrac{b}{a}<0$일 수 없다. 즉 $-\dfrac{b}{a}>0$이므로 $b<0$이다.

한편 $f'(x)=-xe^{-x}\{ax^2-(3a-b)x-2b\}$에서
이차방정식 $ax^2-(3a-b)x-2b=0$의 판별식을 D라 하면
$D=(3a-b)^2+8ab=(a+b)^2+8a^2>0$이므로 이차방정식은 서로 다른 두 실근 α, β $(\alpha<\beta)$를 갖는다.
이때 $\alpha+\beta=\dfrac{3a-b}{a}>0$, $\alpha\beta=-\dfrac{2b}{a}>0$이므로

$\alpha>0$, $\beta>0$이고 $x=\alpha$에서 $f(x)$는 극솟값을 가지며 $x=\beta$에서 $f(x)$는 극댓값을 가진다.
또 $x=0$에서 극댓값을 가진다.

한편 단서에서 $\displaystyle\lim_{x\to\infty}\dfrac{x^3}{e^x}=0$이므로 $\displaystyle\lim_{x\to\infty}f(x)=$❶$\underline{0}$이다.

$f'(x)=-axe^{-x}(x-\alpha)(x-\beta)$라 하고 $f'(x)$의 부호를 확인하면 $f(x)$의 증감은 표와 같으므로 $f(x)$의 그래프 개형은 그림과 같다.

x	$\cdots$	0	$\cdots$	α	$\cdots$	β	$\cdots$
$f'(x)$	$+$	0	$-$	0	$+$	0	$-$
$f(x)$	↗	극대	↘	극소	↗	극대	↘

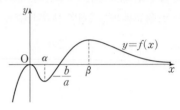

이때 양수 k에 대하여 닫힌구간 $[k, k+2]$에 있는 임의의 실수 t에 대해서 $M(t)=f(t)$를 만족시키려면
구간 $\left[-\dfrac{b}{a}, \beta\right]$와 구간 $[k, k+2]$가 서로 같아야 하므로
$-\dfrac{b}{a}=k$, $\beta=k+2$이어야 한다.

$f'(\beta)=f'(k+2)=0$에서
$\dfrac{-(k+2)}{e^{k+2}}\{a(k+2)^2-(3a+ak)(k+2)+2ak\}=0$
$\dfrac{-(k+2)}{e^{k+2}}\neq 0$이므로 $a(k+2)^2-(3a+ak)(k+2)+2ak=0$

위 등식을 정리하면 $a(k-2)=0$
$\therefore k=2$, $\beta=4$

즉 $f(x)=ae^{-x}(x^3-2x^2)$이고, $f(\beta)=f(4)=\dfrac{32a}{e^4}$

$\therefore M(t)=\begin{cases}0 & (0<t<2)\\ ae^{-t}(t^3-2t^2) & (2\leq t\leq 4)\\ \dfrac{32a}{e^4} & (t>4)\end{cases}$

이때 $\displaystyle\int_1^2\{e^t\times M(t)\}dt=0$이므로 ㉰ 조건에서

$\displaystyle\int_1^5\{e^t\times M(t)\}dt=\int_2^4(at^3-2at^2)dt+\int_4^5\left(\dfrac{32a}{e^4}e^t\right)dt$

$\quad=\left[\dfrac{a}{4}t^4-\dfrac{2a}{3}t^3\right]_2^4+\left[\dfrac{32a}{e^4}e^t\right]_4^5$

$\quad=32ae-\dfrac{28a}{3}=8e-\dfrac{7}{3}$

$\therefore a=$❷$\dfrac{1}{4}$

따라서 $f(k+1)=f(3)=\dfrac{9}{4}e^{-3}$이므로 $p+q=13$

양수 t가 $-\dfrac{b}{a}$보다 작은 값이면 구간 $[-t, t]$에서 함수 $f(x)$의 최댓값

$M(t)=0$이다. 또 양수 t가 β보다 큰 값이면 구간 $[-t,\,t]$에서 함수 $f(x)$의 최댓값은 $f(\beta)$이다.

따라서 (ii)에서 양수 t가 존재하는 구간 $[k,\,k+2]$와 구간 $\left[-\dfrac{b}{a},\,\beta\right]$가 같아야 한다.

13 答 216

$f(x)=\dfrac{g(x)}{x-a}\,(x>a)$에서 $f(x)=\dfrac{g(x)-0}{x-a}$이라 하면

$g(x)$가 최고차항의 계수가 -1인 사차함수이므로
$f(x)$는 그림처럼 x축 위의 점 $(a,\,0)$과 곡선 $y=g(x)$ 위의 점 $(x,\,g(x))$를 잇는 직선의 기울기와 같다.

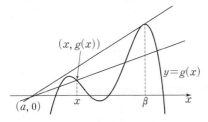

이때 곡선을 따라 점을 움직여 보면
점 $(a,\,0)$을 지나는 직선이 곡선과 $x=\beta$에서 접한다고 하면
$f(x)$는 $x=\beta$일 때 극대가 됨을 알 수 있다.
마찬가지로 직선이 곡선과 $x=\alpha$에서 접한다고 하면
$f(x)$는 $x=\alpha$일 때 극대가 됨을 알 수 있다.
그런데 두 극댓값이 M으로 같으므로
그림처럼 기울기가 M인 공통 접선이면 ㈏ 조건을 만족시킨다.
또 $x=\gamma$에서 접한다고 하면 $f(x)$는 $x=\gamma$일 때 극소가 된다.

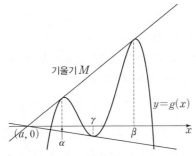

즉 이 경우는 함수 $f(x)$의 극값이 3개고, 함수 $g(x)$의 극값도 3개이므로 ㈏ 조건에 어긋난다.

그런데 $y=g(x)$의 그래프 개형이 그림과 같은 꼴이면 $g(x)$의 극값은 1개이고, 함수 $y=f(x)$에서 극대 또는 극소가 되는 x값은 3개이므로 ㈏ 조건을 만족시킨다.

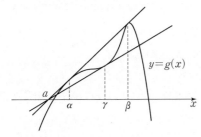

즉 곡선 $y=g(x)$에 대하여 공통 접선은 기울기가 M이고,
점 $(a,\,0)$을 지나면서 $x=\alpha$, β에서 접하므로
직선 $y=M(x-a)$와 $y=g(x)$에 대하여
$$M(x-a)-g(x)=\underline{(x-\alpha)^2(x-\beta)^2}$$
양변을 미분하면 $M-g'(x)=2(x-\alpha)(x-\beta)(2x-\alpha-\beta)$
$g'(x)=0$이 되는 x가 2개 이하일 때 ㈐ 조건을 만족시키므로
$g'(x)=0$에서 $M=2(x-\alpha)(x-\beta)(2x-\alpha-\beta)$
의 근이 2개 이하이면 된다.
즉 직선 $y=M$과 곡선 $h(x)=2(x-\alpha)(x-\beta)(2x-\alpha-\beta)$가
두 점 이하에서 만나도록 하는 양수 M값의 범위는 그림과 같이
$M\geq(h(x)$의 극댓값)이다.

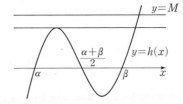

조건에서 $\beta-\alpha=6\sqrt{3}$이고,
$h(x)$의 그래프를 x축 방향으로 움직여도 극값은 변하지 않으므로
$\alpha=-3\sqrt{3}$, $\beta=3\sqrt{3}$이라 해도 된다.
이때 $h(x)=4x(x+3\sqrt{3})(x-3\sqrt{3})=4x^3-108x$이고
$h'(x)=12(x+3)(x-3)$이므로
$x=-3,\,3$일 때 $h(x)$는 극값을 가진다.
즉 $h(-3)=216$, $h(3)=-216$이므로
$y=h(x)$의 그래프 개형은 그림과 같다.

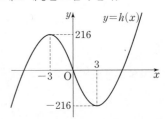

즉 $M\geq216$일 때 ㈐ 조건을 만족시키므로 $(\because M>0)$
M의 최솟값은 216

참고

$x>a$에서 $x-a\neq0$이므로 $f(x)=\dfrac{g(x)}{x-a}$이고, 주어진 범위에서는 항상
미분 가능하다.
또 ㈏ 조건에 따라 $f(a)\neq0$이고 $f(x)$는 다항함수가 아니라 분수함수이다.
$(\because$ 만약 $f(a)=0$이라면 $f(x)$는 삼차함수인데 삼차함수는 극댓값을 2개
가질 수 없다.)
$f(x)=\dfrac{g(x)}{x-a}$는 $x>a$에서 미분 가능하므로 ㈏ 조건에 따라
$f(a)=f(\beta)=M$, $f'(a)=f'(\beta)=0$ ……㉠임을 알 수 있다.
방정식 $f(x)=\dfrac{g(x)}{x-a}=M$을 정리하면
$g(x)-M(x-a)=0$이 되고
이 방정식은 $g(x)$가 최고차항의 계수가 -1인 사차함수이므로
근은 ㉠에 따라 α, α, β, β이다.

그러므로 $g(x)-M(x-a)=-(x-\alpha)^2(x-\beta)^2$이고
$g(x)=M(x-a)-(x-\alpha)^2(x-\beta)^2$이다.
이때 $g'(x)=M-2(x-\alpha)(x-\beta)(2x-\alpha-\beta)=0$의 근의 개수는 직선
$y=M$과 곡선 $y=2(x-\alpha)(x-\beta)(2x-\alpha-\beta)$가 만나는 점의 개수와
같다.

14 📖 838

$f(x)=24-\dfrac{kx^2}{x^2+2x+3}$에서

$f'(x)=-\dfrac{2kx(x^2+2x+3)-kx^2(2x+2)}{(x^2+2x+3)}$

$\qquad =-\dfrac{2kx(x+3)}{(x^2+2x+3)^2}$

$f'(x)=0$에서 $x=-3$ 또는 $x=0$

$k>0$이므로 함수 $f(x)$의 증가와 감소를 표로 나타내면 다음과
같다.

x	$\cdots$	-3	$\cdots$	0	$\cdots$
$f'(x)$	$-$	0	$+$	0	$-$
$f(x)$	$\searrow$	극소	$\nearrow$	극대	$\searrow$

$\displaystyle\lim_{x\to-\infty}f(x)=\lim_{x\to-\infty}\left(24-\dfrac{kx^2}{x^2+2x+3}\right)=24-k$

$\displaystyle\lim_{x\to\infty}f(x)=\lim_{x\to\infty}\left(24-\dfrac{kx^2}{x^2+2x+3}\right)=24-k$

$f(-3)=24-\dfrac{3}{2}k,\ f(0)=24$

함수 $y=f(x)$의 그래프는 $24-\dfrac{3}{2}k$의 값과 $24-k$의 값의 부호
에 따라 다음과 같다.

(ⅰ) $24-\dfrac{3}{2}k\geq0$ 즉 $k\leq16$인 경우

이때 함수 $y=|f(x)|$에서 미분
불가능한 점이 없으므로 ㈎를
만족시키지 않는다.

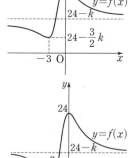

(ⅱ) $24-\dfrac{3}{2}k<0$이고 $24-k\geq0$,

즉 $16<k\leq24$인 경우
이때 함수 $y=|f(x)|$에서 미분
불가능한 점은 2개지만 두 점의
x좌표는 부호가 같으므로 ㈎를
만족시키지 않는다.

(ⅲ) $24-k<0$, 즉 $k>24$인 경우

함수 $y=|f(x)|$에서 미분 불가
능한 점은 2개고 두 점의 x좌표
는 부호가 다르므로 ㈎를 만족시
킨다.

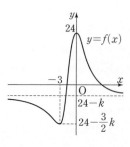

(ⅰ)~(ⅲ)에서 ㈎ 조건을 만족시키는

k값의 범위는 ❶$\underline{k>24}$ 이고,
$y=|f(x)|$의 그래프는 k값의 범위에 따라 그릴 수 있다.

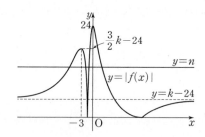

이때 방정식 $|f(x)|=n$의 실근은 $y=f(x)$의 그래프에서 꺾어
올린 것을 생각해야 하므로 $\dfrac{3}{2}k-24=24$, $k-24=24$가 되는 k
값인 32, 48을 기준으로 다음과 같이 나눌 수 있다.

① $24<k<32$일 때, $y=|f(x)|$의 그래프는 다음과 같다.

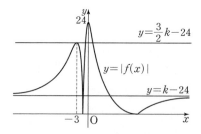

위 그림에서 방정식 $|f(x)|=n$의 실근이 3개가 되는 경우는
$n=k-24$ 또는 $n=\dfrac{3}{2}k-24$ (k가 짝수일 때)이다.

이때 $k=26,\ 28,\ 30$이면 $k-24$와 $\dfrac{3}{2}k-24$ 모두 자연수 n이

되므로 $g(k)=(k-24)+\left(\dfrac{3}{2}k-24\right)=\dfrac{5}{2}k-48$

또 k가 홀수, $k=25,\ 27,\ 29,\ 31$이면 $k-24$만 자연수 n이 되
므로 $g(k)=k-24$

즉 $g(25)=1,\ g(26)=17,\ g(27)=3,\ g(28)=22,$
$g(29)=5,\ g(30)=27,\ g(31)=7$

$\displaystyle\sum_{k=25}^{31}g(k)=1+17+3+22+5+27+7=$❷$\underline{82}$

② $k=32$일 때, 함수 $y=|f(x)|$의 그래프 개형은 다음과 같다.

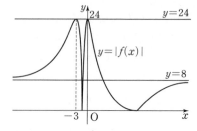

위 그림에서 방정식 $|f(x)|=n$의 실근이 3개가 되는 경우는
$n=8$뿐이므로 $g(k)=8$이다.

즉 $g(32)=8$

③ $32<k<48$일 때, $y=|f(x)|$의 그래프는 다음과 같다.

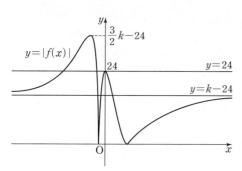

위 그림에서 방정식 $y=|f(x)|=n$의 실근이 3개가 되는 경우는 $n=24$와 $n=k-24$이므로 $g(k)=24+(k-24)=k$

즉 $g(33)=33$, $g(34)=34$, $g(35)=35$, $\cdots$, $g(47)=47$

$\displaystyle\sum_{k=33}^{47}g(k)=33+34+\cdots+46+47=\frac{15(33+47)}{2}=$ ❸$\underline{600}$

④ $k=48$일 때, $y=|f(x)|$의 그래프는 다음과 같다.

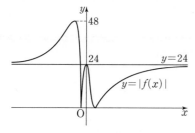

위 그림에서 방정식 $|f(x)|=n$의 실근이 3개가 되는 경우는 존재하지 않으므로 $g(k)=0$이다.

즉 $g(48)=0$

⑤ $k>48$일 때, $y=|f(x)|$의 그래프는 다음과 같다.

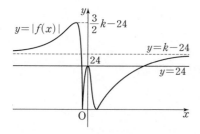

위 그림에서 방정식 $|f(x)|=n$의 실근이 3개가 되는 경우는 $n=24$일 때뿐이므로 $g(k)=24$이다.

즉 $g(49)=g(50)=g(51)=\cdots=24$

㈎를 만족시키는 k값의 범위는 $k>24$이므로 $k_1=25$

이때 $\displaystyle\sum_{k=25}^{48}g(k)=82+8+600=690$

$\displaystyle\sum_{k=25}^{51}g(k)=690+24\times3=762$

$\displaystyle\sum_{k=25}^{52}g(k)=690+24\times4=786$

즉 $\displaystyle\sum_{k=25}^{M}g(k)>770$을 만족시키는 자연수 m의 최솟값은 ❹$\underline{52}$

즉 $M=52$이므로

$\displaystyle\sum_{k=25}^{M}g(k)+M=\sum_{k=25}^{52}g(k)+52=786+52=838$

p. 153~160

집중공략 유형 15 치환적분법과 부분적분법의 활용

01 93	**02-1** ②	**02-2** ④	**03-1** 25
03-2 ④	**04** ③	**05** 10	**06** 54
07 8	**08** 221	**09** ②	**10** ④
11 ①	**12** 75		

01 답 93

$a=f(1)$, $b=f(3)$이라 하자.

$f'(x^2+x+1)=\pi a\sin\pi x+bx+5x^2$

의 양변에 $(2x+1)$을 곱하면

$(2x+1)f'(x^2+x+1)$

$=a\pi(2x+1)\sin\pi x+(bx+5x^2)(2x+1)$ ······㉠

이때 ㉠에서 좌변과 우변을 각각 부정적분하면

$\displaystyle\int f'(x^2+x+1)(2x+1)dx$

$=f(x^2+x+1)+C_1$ ······㉡ (단 C_1은 적분상수)

$\displaystyle\int\{a\pi(2x+1)\sin\pi x+b(2x^2+x)+10x^3+5x^2\}dx$

$\displaystyle=a\pi\int(2x+1)\sin\pi x\,dx+\int\{b(2x^2+x)+10x^3+5x^2\}dx$

(i) $v=2x+1$, $u'=\sin\pi x$라 하면

$\displaystyle a\pi\int(2x+1)\sin\pi x\,dx$

$\displaystyle=-a(2x+1)\cos\pi x-a\int(-2\cos\pi x)dx$

$\displaystyle=-a(2x+1)\cos\pi x+\frac{2a}{\pi}\sin\pi x+C_2$ ······㉢

(단 C_2는 적분상수)

(ii) $\displaystyle\int\{b(2x^2+x)+10x^3+5x^2\}dx$

$=b\left(\dfrac{2}{3}x^3+\dfrac{1}{2}x^2\right)+\dfrac{5}{2}x^4+\dfrac{5}{3}x^3+C_3$ ······㉣

(단 C_3은 적분상수)

㉡, ㉢, ㉣에서

$\therefore f(x^2+x+1)$

$\quad=-a(2x+1)\cos\pi x+\dfrac{2a}{\pi}\sin\pi x$

$\qquad+b\left(\dfrac{2}{3}x^3+\dfrac{1}{2}x^2\right)+\dfrac{5}{2}x^4+\dfrac{5}{3}x^3+C$ ······㉤

이때 $f(x^2+x+1)$에서 $x^2+x+1=1$이면

$x^2+x=0$ $\therefore x=0$ 또는 $x=-1$

$x=0$을 ㉤에 대입하면 $f(1)=-a+C$

$f(1)=a$라 했으므로 $2a=C$

또 $x=-1$을 ㉤에 대입하면 $f(1)=-a-\dfrac{1}{6}b+\dfrac{5}{6}+C$

$f(1)=a$이므로 $12a+b-6C=5$

에서 $C=2a$를 이용하면 $b=5$

마찬가지로 $f(x^2+x+1)$에서 $x^2+x+1=3$이면

$x^2+x-2=0$ $\therefore x=1$ 또는 $x=-2$

$x=1$을 ㉤에 대입하면 $f(3)=3a+\dfrac{7}{6}b+\dfrac{25}{6}+C$

$f(3)=b$라 했으므로 $18a+b+6C=-25$

에서 $b=5, C=2a$를 대입하면 $a=-1$

$\therefore a=-1, b=5, C=-2$

a, b, C 값을 대입해 ㉤을 다시 정리하면

$f(x^2+x+1)$

$=(2x+1)\cos \pi x-\dfrac{2}{\pi}\sin \pi x+\dfrac{5}{2}x^4+5x^3+\dfrac{5}{2}x^2-2$

$\qquad\qquad\qquad\qquad\qquad\qquad\qquad \cdots\cdots$ ㉥

마찬가지로 $f(x^2+x+1)$에서 $x^2+x+1=7$이면

$x^2+x-6=0$ $\therefore x=2$ 또는 $x=-3$

㉥에 $x=2$를 대입하면

$f(7)=5+40+40+10-2=93$

> **참고**
>
> ㉥의 식에 $x=-3$을 대입해서 $f(7)$의 값을 구해도 된다.

02-1 답 ②

㈎의 $\displaystyle\int_{-1}^{1}\{f(x)\}^2g'(x)dx=120$에서

$v=\{f(x)\}^2, u'=g'(x)$라 두면

$\displaystyle\int_{-1}^{1}\{f(x)\}^2g'(x)dx$

$=\Big[\{f(x)\}^2g(x)\Big]_{-1}^{1}-\displaystyle\int_{-1}^{1}2f(x)f'(x)g(x)dx$

$=0-\displaystyle\int_{-1}^{1}2\{f(x)g(x)\}f'(x)dx$

$=-2\displaystyle\int_{-1}^{1}(x^4-1)f'(x)dx=120\ (\because f(x)g(x)=x^4-1)$

$\therefore \displaystyle\int_{-1}^{1}(x^4-1)f'(x)dx=❶\underline{-60}$

이때 $v=x^4-1, u'=f'(x)$라 두면

$\displaystyle\int_{-1}^{1}(x^4-1)f'(x)dx$

$=❷\underline{\Big[(x^4-1)f(x)\Big]_{-1}^{1}-\displaystyle\int_{-1}^{1}4x^3f(x)dx}$

$=0-4\displaystyle\int_{-1}^{1}x^3f(x)dx=-60$

$\therefore \displaystyle\int_{-1}^{1}x^3f(x)dx=15$

> **참고**
>
> $f(x)g(x)=x^4-1$이므로 $f(1)g(1)=0, f(-1)g(-1)=0$이다.
>
> 따라서 $\Big[\{f(x)\}^2g(x)\Big]_{-1}^{1}=\{f(1)\}^2g(1)-\{f(-1)\}^2g(-1)=0$

02-2 답 ④

㈏의 $\displaystyle\int_{-1}^{1}\{f(x)\}^2g'(x)dx=2$에서

$v=\{f(x)\}^2, u'=g'(x)$라 두면

$\displaystyle\int_{-1}^{1}\{f(x)\}^2g'(x)dx$

$=\Big[\{f(x)\}^2g(x)\Big]_{-1}^{1}-\displaystyle\int_{-1}^{1}2f(x)f'(x)g(x)dx$

$=0-\displaystyle\int_{-1}^{1}2\{f(x)g(x)\}f'(x)dx$

$=-2\displaystyle\int_{-1}^{1}f'(x)\sin \pi xdx=2\ (\because f(x)g(x)=\sin \pi x)$

$\therefore \displaystyle\int_{-1}^{1}f'(x)\sin \pi xdx=❶\underline{-1}$

이때 $v=\sin \pi x, u'=f'(x)$라 두면

$\displaystyle\int_{-1}^{1}f'(x)\sin \pi xdx$

$=❷\underline{\Big[f(x)\sin \pi x\Big]_{-1}^{1}-\displaystyle\int_{-1}^{1}\pi f(x)\cos \pi xdx}$

$=0-\pi\displaystyle\int_{-1}^{1}f(x)\cos \pi xdx=-1$

$\therefore \displaystyle\int_{-1}^{1}f(x)\cos \pi xdx=\dfrac{1}{\pi}$

03-1 답 25

$f(2x)=2f(x)f'(x)$ $\cdots\cdots$ ㉠이고, $f\Big(\dfrac{a}{2}\Big)=0$이므로

$f(a)=2f\Big(\dfrac{a}{2}\Big)f'\Big(\dfrac{a}{2}\Big)=0, f(2a)=2f(a)f'(a)=0$

$f(4a)=2f(2a)f'(2a)=0$

$u'=\dfrac{1}{x^2}, v=\{f(x)\}^2$으로 놓으면

$u=-\dfrac{1}{x}, v'=2f(x)f'(x)$이므로

$\displaystyle\int_{a}^{2a}\dfrac{\{f(x)\}^2}{x^2}dx$

$=\displaystyle\int_{a}^{2a}\{f(x)\}^2\Big(\dfrac{1}{x^2}\Big)dx$

$=\Big[\{f(x)\}^2\Big(-\dfrac{1}{x}\Big)\Big]_{a}^{2a}-\displaystyle\int_{a}^{2a}\Big(-\dfrac{1}{x}\Big)2f(x)f'(x)dx$

$=0+\displaystyle\int_{a}^{2a}\dfrac{2f(x)f'(x)}{x}dx\ (\because f(a)=0, f(2a)=0)$

$=\displaystyle\int_{a}^{2a}\dfrac{f(2x)}{x}dx\ (\because ㉠)$

에서 $2x=t$로 치환하면 $2dx=dt$이므로

$\displaystyle\int_{a}^{2a}\dfrac{f(2x)}{x}dx=\displaystyle\int_{2a}^{4a}\dfrac{f(t)}{\frac{1}{2}t}\dfrac{1}{2}dt=\displaystyle\int_{2a}^{4a}\dfrac{f(t)}{t}dt=\dfrac{1}{4}=k$

따라서 $100k=100\times\dfrac{1}{4}=25$

03-2 답 ④

$u'=\dfrac{1}{x^2}$, $v=\ln f(x)$라 하면

$u=-\dfrac{1}{x}$, $v'=\dfrac{f'(x)}{f(x)}=\dfrac{f(x)f(2x)}{f(x)}=f(2x)$이므로

$\displaystyle\int_a^{2a}\dfrac{\ln f(x)}{x^2}\,dx$

$=\left[\left(-\dfrac{1}{x}\right)\ln f(x)\right]_a^{2a}-\displaystyle\int_a^{2a}\left(-\dfrac{1}{x}\right)\times f(2x)\,dx$

$=\left\{\left(-\dfrac{1}{2a}\right)\ln f(2a)-\left(-\dfrac{1}{a}\right)\ln f(a)\right\}+\displaystyle\int_a^{2a}\dfrac{f(2x)}{x}\,dx$

$=\left\{\left(-\dfrac{1}{2a}\right)\times 2-\left(-\dfrac{1}{a}\right)\times 0\right\}+\displaystyle\int_a^{2a}\dfrac{f(2x)}{x}\,dx$

$=-\dfrac{1}{a}+\displaystyle\int_a^{2a}\dfrac{f(2x)}{x}\,dx$

이때 $2x=t$로 치환하면 $2dx=dt$이고

$x=a$일 때 $t=2a$, $x=2a$일 때 $t=4a$이므로

$\displaystyle\int_a^{2a}\dfrac{f(2x)}{x}\,dx=\dfrac{1}{2}\int_{2a}^{4a}\dfrac{f(t)}{\frac{1}{2}t}\,dt$

$\qquad\qquad\qquad=\displaystyle\int_{2a}^{4a}\dfrac{f(t)}{t}\,dt=\dfrac{3}{7}$

$\therefore \displaystyle\int_a^{2a}\dfrac{\ln f(x)}{x^2}\,dx=-\dfrac{1}{a}+\dfrac{3}{7}=\dfrac{3}{7}-\dfrac{1}{a}$

따라서 $p=\dfrac{3}{7}$, $q=1$이므로 $p+q=\dfrac{10}{7}$

04 답 ③

$f(x)=\displaystyle\int f'(x)\,dx=\int x^3 e^{x^2}\,dx$에서

$x^2=t$로 놓으면 $2x\,dx=dt$이므로

$f(x)=\displaystyle\int x^3 e^{x^2}\,dx=\dfrac{1}{2}\int te^t\,dt=\dfrac{1}{2}\left(te^t-\int e^t\,dt\right)$

$\qquad=\dfrac{1}{2}te^t-\dfrac{1}{2}e^t+C$

이때 $t=x^2$이므로 $f(x)=\dfrac{1}{2}e^{x^2}(x^2-1)+C$

$f'(x)=x^3 e^{x^2}$에서 $f'(0)=0$이고, $x<0$일 때 $f'(x)<0$, $x>0$일 때 $f'(x)>0$이므로 함수 $f(x)$는 $x=0$에서 극솟값이면서 최솟값을 가진다. 즉 $f(0)=\dfrac{1}{2}\times 1\times(-1)+C=-\dfrac{1}{2}$에서 $C=0$

$\therefore f(x)=\dfrac{1}{2}e^{x^2}(x^2-1)$ ❶

함수 $f(x)$는 $x>0$일 때 증가하는 함수이므로

구간 $[-1, 2]$에서는 $x=2$일 때의 값이 최대이다. ❷

따라서 함수 $f(x)$의 최댓값은 $f(2)=\dfrac{1}{2}\times e^4\times 3=\dfrac{3}{2}e^4$

05 답 10

입체도형을 x축에 수직으로 자른 단면이 정삼각형이므로

그 넓이를 $S(x)$라 하면 $1\le x\le e$에서

$S(x)=\dfrac{\sqrt{3}}{4}\{f(x)\}^2=\dfrac{(x+2)\ln x}{x^2}$ ❶

이때 $\dfrac{(x+2)\ln x}{x^2}=\dfrac{\ln x}{x}+\dfrac{2\ln x}{x^2}$이므로 부피를 V라 하면

$V=\displaystyle\int_1^e\dfrac{\ln x}{x}\,dx+2\int_1^e\dfrac{\ln x}{x^2}\,dx$에서

$\displaystyle\int_1^e\dfrac{\ln x}{x}\,dx=\int_0^1 t\,dt=\dfrac{1}{2}$ ⇐ 치환적분

$\displaystyle\int_1^e\dfrac{\ln x}{x^2}\,dx=\left[-\dfrac{\ln x}{x}\right]_1^e-\int_1^e\left(-\dfrac{1}{x^2}\right)dx$ ⇐ 부분적분

$\qquad\qquad\qquad=\left[-\dfrac{\ln x}{x}-\dfrac{1}{x}\right]_1^e=1-\dfrac{2}{e}$

$V=\displaystyle\int_1^e\dfrac{\ln x}{x}\,dx+2\int_1^e\dfrac{\ln x}{x^2}\,dx=\dfrac{5}{2}-\dfrac{4}{e}$ ❷ 이므로

$a\times b=\dfrac{5}{2}\times 4=10$

킬러 격파 Tip

도표적분법을 이용하면 부분적분을 좀 더 쉽고 빠르게 할 수 있다. 도표적분법에서 쓰는 기본 스킬은 다음과 같다.

❶ 미분 요소, 적분 요소로 구분한다.

❷ $+$, $-$ 차례로 부호를 정한다.

❸ 미분 요소의 항은 계속 미분하고, 적분 요소의 항은 계속 적분한다. 미분 요소의 항이 0이 될 때까지 계속한다.

부호	미분 요소	적분 요소
$+$	u	v'
$-$	u'	v
$+$	$\vdots$	$\vdots$

❹ 부호와 함께 대각선 방향 또는 가로 방향으로 곱한다. 가로 방향으로 곱할 때는 적분 기호를 붙여야 한다.

❺ 미분 결과와 적분 결과가 복잡한 경우 같은 줄에 있는 것을 곱한 것이 간단한 꼴이면 곱해서 만든 간단한 꼴을 미분 요소와 적분 요소로 다시 나눈다. 이때 그 아래 줄에 이 내용을 적어 사용한다.

❻ 적분하려던 식이 같은 줄에 생기면 가로 방향으로 곱한 것을 이용한다.

예 $\displaystyle\int x^2\sin x\,dx$

① $\displaystyle\int x^2\sin x\,dx$에서 다항식 x^2은 미분 요소, $\sin x$는 적분 요소이다.

이때 $+$, $-$ 차례로 부호를 나타내고, x^2은 0이 될 때까지 미분하고, $\sin x$는 미분 요소가 0이 된 줄까지 적분한다.

② 부호와 함께 대각선 방향으로 곱한 것을 적는다.

부호	미분 요소	적분 요소	곱한 결과
$+$	x^2	① $\sin x$	
$-$	$2x$	② $-\cos x$	① ⇨ $-x^2\cos x$
$+$	2	③ $-\sin x$	② ⇨ $2x\sin x$
$-$	0	$\cos x$	③ ⇨ $2\cos x$

③ 곱한 결과를 모두 나타낸다.

$\therefore \displaystyle\int x^2\sin x\,dx=-x^2\cos x+2x\sin x+2\cos x+C$

예) $\int x \ln x \, dx$

+	$\ln x$	x
−	$\dfrac{1}{x}$	$\dfrac{1}{2}x^2$
+	$-\dfrac{1}{x^2}$	$\dfrac{1}{6}x^3$
−	⋮	⋮

도표적분법을 연습하다 보면 위와 같은 문제가 있다. 도표적분법은 미분한 결과에서 가능한 빨리 0을 만드는 것이 좋다. 이럴 때는 스킬 ❺를 생각한다.

즉 위 표의 두 번째 줄에서 $\dfrac{1}{x} \times \dfrac{1}{2}x^2 = \dfrac{1}{2}x = 1 \times \dfrac{1}{2}x$임을 이용하면 된다. 이때 부호는 변하지 않는다.

+	$\ln x$	x
−	$\dfrac{1}{x}$ ①	$\dfrac{1}{2}x^2$
−	1	$\dfrac{1}{2}x$
+	0 ②	$\dfrac{1}{4}x^2$

① ⟹ $\dfrac{1}{2}x^2 \ln x$

곱한 결과만 적고 이 줄은 없다고 행각한다.

② ⟹ $-\dfrac{1}{4}x^2$

$\therefore \int x \ln x \, dx = \dfrac{1}{2}x^2 \ln x - \dfrac{1}{4}x^2 + C$

한 번의 부분적분에서 스킬 ❺를 두 번 이상 사용하는 경우도 꽤 있다는 점을 기억해야 한다.

예) $\int e^x \sin 2x \, dx$

	$\sin 2x$	① e^x
−	$2\cos 2x$	② e^x
	$-4\sin 2x$	③ e^x

가로 방향으로 곱했으므로 적분 기호를 붙인다.

① ⟹ $e^x \sin 2x$
② ⟹ $-2e^x \cos 2x$
③ ⟹ $-\int 4e^x \sin 2x$

삼각함수와 지수함수의 곱을 부분적분법으로 적분할 때 위와 같은 경우가 생긴다. 이 경우 스킬 ❻을 이용한다.

위 표 세 번째 줄에서 $-4\sin 2x \times e^x$은 적분하려는 $e^x \sin 2x$와 같은 모양이다. 순환하는 꼴에서 이런 경우가 있으면 가로 방향으로 곱하고 적분 기호를 덧붙인다.

즉 $\int e^x \sin 2x \, dx = e^x \sin 2x - 2e^x \cos 2x - 4\int e^x \sin 2x \, dx$

이때 $\int e^x \sin 2x \, dx = A$라 하면 $A = e^x \sin 2x - 2e^x \cos 2x - 4A$

$\therefore A = \int e^x \sin 2x \, dx = \dfrac{1}{5}(e^x \sin 2x - 2e^x \cos 2x) + C$

06 답 54

$\int_0^1 (x-1)f'(3x)\,dx = -4$에서 $3x=t$로 치환하면

$3dx = dt$이고, $x=0$일 때 $t=0$, $x=1$일 때 $t=3$이므로

$\int_0^1 (x-1)f'(3x)\,dx = \dfrac{1}{9}\int_0^3 (t-3)f'(t)\,dt = -4$

에서 $\int_0^3 (t-3)f'(t)\,dt = $ ❶ $\underline{-36}$, 이때

$\int_0^3 (t-3)f'(t)\,dt = \Big[(t-3)f(t)\Big]_0^3 - \int_0^3 f(t)\,dt$

$= 3f(0) - \int_0^3 f(t)\,dt$

$= $ ❷ $\underline{18} - \int_0^3 f(t)\,dt = -36$

$\therefore \int_0^3 f(x)\,dx = \int_0^3 f(t)\,dt = 54$

07 답 8

$\int_0^{\frac{\pi}{4}} f'(x)g(x)\,dx$

$= \Big[f(x)g(x)\Big]_0^{\frac{\pi}{4}} - \int_0^{\frac{\pi}{4}} f(x)g'(x)\,dx$

$= \Big[\tan x \times g(x)\Big]_0^{\frac{\pi}{4}} - \int_0^{\frac{\pi}{4}} \tan x \ln(\cos x)\,dx$

$= $ ❶ $\underline{g\left(\dfrac{\pi}{4}\right)} - \int_0^{\frac{\pi}{4}} \tan x \ln(\cos x)\,dx$

즉 $\int_0^{\frac{\pi}{4}} f'(x)g(x)\,dx - g\left(\dfrac{\pi}{4}\right) = -\int_0^{\frac{\pi}{4}} \tan x \ln(\cos x)\,dx$

에서 $\ln(\cos x) = t$로 치환하면

$x=0$일 때 $t = \ln 1 = 0$,

$x = \dfrac{\pi}{4}$일 때 $t = \ln \dfrac{1}{\sqrt{2}} = -\dfrac{1}{2}\ln 2$이고,

$-\dfrac{\sin x}{\cos x}\,dx = -\tan x\,dx = dt$이므로

$-\int_0^{\frac{\pi}{4}} \tan x \ln(\cos x)\,dx = \int_0^{-\frac{1}{2}\ln 2} t\,dt$

$= \Big[\dfrac{1}{2}t^2\Big]_0^{-\frac{1}{2}\ln 2} = $ ❷ $\underline{\dfrac{1}{8}(\ln 2)^2}$

$\therefore \int_0^{\frac{\pi}{4}} f'(x)g(x)\,dx - g\left(\dfrac{\pi}{4}\right) = \dfrac{1}{8}(\ln 2)^2 = \dfrac{(\ln 2)^2}{8}$

$\therefore k = 8$

킬러 격파 Tip

이 문제는 $\int_0^{\frac{\pi}{4}} f'(x)g(x)\,dx$를 직접 구하더라도

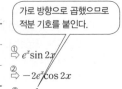

+	$g(x)$	$f'(x)$
−	$g'(x)$	$f(x)$

$g\left(\dfrac{\pi}{4}\right)$의 값을 알기 어려운 유형이다. 이런 경우

도표적분법에 집착하지 말고

$\int_0^{\frac{\pi}{4}} f'(x)g(x)\,dx = \Big[f(x)g(x)\Big]_0^{\frac{\pi}{4}} - \int_0^{\frac{\pi}{4}} g'(x)f(x)\,dx$임을 이용해 주어진 등식의 좌변을 더 간단하게 나타낼 수 있는지 확인해야 한다.

08 답 221

$\int_0^a xf(x)f'(x)\,dx + \int_0^{\sqrt{a}} x\{f(x^2)\}^2\,dx = g(a)\{f(a)\}^2$에서

❶ $\underline{f(x)f'(x)}=\dfrac{1}{2}[\{f(x)\}^2]'$이므로

$u'=[\{f(x)\}^2]'$, $v=x$라 하면 $u=\{f(x)\}^2$, $v'=1$에서

$\displaystyle\int_0^a xf(x)f'(x)dx=\dfrac{1}{2}\int_0^a x[\{f(x)\}^2]'dx$

$\qquad\qquad\qquad\qquad=\dfrac{1}{2}\Big[x\{f(x)\}^2\Big]_0^a-\dfrac{1}{2}\int_0^a\{f(x)\}^2dx$

$\qquad\qquad\qquad\qquad=\dfrac{1}{2}a\{f(a)\}^2-\dfrac{1}{2}\int_0^a\{f(x)\}^2dx$

$\displaystyle\int_0^{\sqrt{a}}x\{f(x^2)\}^2dx$에서 $x^2=t$로 치환하면 $2xdx=dt$

즉 $\displaystyle\int_0^{\sqrt{a}}x\{f(x^2)\}^2dx=$ **❷** $\underline{\dfrac{1}{2}\int_0^a\{f(t)\}^2dt}$

$\displaystyle\int_0^a xf(x)f'(x)dx+\int_0^{\sqrt{a}}x\{f(x^2)\}^2dx$

$=\dfrac{1}{2}a\{f(a)\}^2-\dfrac{1}{2}\int_0^a\{f(x)\}^2dx+\dfrac{1}{2}\int_0^a\{f(t)\}^2dt$

$=\dfrac{1}{2}a\{f(a)\}^2$

즉 $\dfrac{1}{2}a\{f(a)\}^2=g(a)\{f(a)\}^2$이므로 $g(a)=$ **❸** $\underline{\dfrac{1}{2}a}$

이때 $\displaystyle\sum_{n=2}^{10}g(n)g(n+1)=\dfrac{1}{4}\sum_{n=2}^{10}n(n+1)=\dfrac{219}{2}$

따라서 $m+n=2+219=221$

참고

오른쪽 표와 같이 정리하면

$\displaystyle\int_0^a x[\{f(x)\}^2]'dx$

$=\Big[x\{f(x)\}^2\Big]_0^a-\int_0^a\{f(x)\}^2dx$

+	x	$[\{f(x)\}^2]'$
−	1	$\{f(x)\}^2$
+	0	$\int\{f(x)\}^2dx$

---

09 답 ②

$\sqrt{x}=t$라 하면 $\dfrac{1}{2\sqrt{x}}dx=dt$에서 $\dfrac{1}{\sqrt{x}}dx=2dt$

$x=\dfrac{1}{4}$일 때 $t=\dfrac{1}{2}$, $x=4$일 때 $t=2$이므로

$\displaystyle\int_{\frac{1}{4}}^4\dfrac{f(\sqrt{x})}{\sqrt{x}}dx=2\int_{\frac{1}{2}}^2 f(t)dt=\int_{\frac{1}{2}}^2 2f(x)dx=A$라 하자.

$2f(x)+\dfrac{1}{x^2}f\Big(\dfrac{1}{x}\Big)=\ln x+\dfrac{1}{x^2}$이므로

$2f(x)=\ln x+\dfrac{1}{x^2}-\dfrac{1}{x^2}f\Big(\dfrac{1}{x}\Big)$

$A=\displaystyle\int_{\frac{1}{2}}^2 2f(x)dx$

$\quad=\displaystyle\int_{\frac{1}{2}}^2\Big(\ln x+\dfrac{1}{x^2}\Big)dx-\int_{\frac{1}{2}}^2\dfrac{1}{x^2}f\Big(\dfrac{1}{x}\Big)dx$

$\quad=\Big[x\ln x-x-\dfrac{1}{x}\Big]_{\frac{1}{2}}^2-\displaystyle\int_{\frac{1}{2}}^2\dfrac{1}{x^2}f\Big(\dfrac{1}{x}\Big)dx$

$=\Big[\Big(2\ln 2-2-\dfrac{1}{2}\Big)-\Big(\dfrac{1}{2}\ln\dfrac{1}{2}-\dfrac{1}{2}-2\Big)\Big]-\displaystyle\int_{\frac{1}{2}}^2\dfrac{1}{x^2}f\Big(\dfrac{1}{x}\Big)dx$

$=\dfrac{5}{2}\ln 2-\displaystyle\int_{\frac{1}{2}}^2\dfrac{1}{x^2}f\Big(\dfrac{1}{x}\Big)dx$

이때 $\dfrac{1}{x}=p$라 하면 $-\dfrac{1}{x^2}dx=dp$

$x=\dfrac{1}{2}$일 때 $p=2$, $x=2$일 때 $p=\dfrac{1}{2}$이므로

$\displaystyle\int_{\frac{1}{2}}^2\dfrac{1}{x^2}f\Big(\dfrac{1}{x}\Big)dx=-\int_2^{\frac{1}{2}}f(p)dp=\int_{\frac{1}{2}}^2 f(x)dx=$ **❶** $\underline{\dfrac{1}{2}A}$

즉 $A=\dfrac{5}{2}\ln 2-\dfrac{1}{2}A$에서 $A=\displaystyle\int_{\frac{1}{2}}^2 2f(x)dx=\dfrac{5}{3}\ln 2$

다른 풀이

주어진 식에서 직접 $f(x)$를 구해 적분할 수 있다.

$2f(x)+\dfrac{1}{x^2}f\Big(\dfrac{1}{x}\Big)=\ln x+\dfrac{1}{x^2}$ $\cdots\cdots$㉠

㉠에 x 대신 $\dfrac{1}{x}$을 대입하면 $2f\Big(\dfrac{1}{x}\Big)+x^2f(x)=\ln\dfrac{1}{x}+x^2$ $\cdots\cdots$㉡

㉠$\times 2x^2-$㉡에서

$3x^2f(x)=2x^2\ln x+\ln x+2-x^2$

$f(x)=\dfrac{1}{3}\Big(2\ln x+\dfrac{\ln x}{x^2}+\dfrac{2}{x^2}-1\Big)$

이때 $\displaystyle\int\dfrac{\ln x}{x^2}dx=-\dfrac{1}{x}\ln x-\dfrac{1}{x}+C$을 이용하면

$2\displaystyle\int_{\frac{1}{2}}^2 f(x)dx$

$=\dfrac{2}{3}\displaystyle\int_{\frac{1}{2}}^2\Big(2\ln x+\dfrac{\ln x}{x^2}+\dfrac{2}{x^2}-1\Big)dx$

$=\dfrac{2}{3}\Big[2x\ln x-3x-\dfrac{3}{x}-\dfrac{\ln x}{x}\Big]_{\frac{1}{2}}^2$

$=\dfrac{5}{3}\ln 2$

+	$\ln x$	$\dfrac{1}{x^2}$
−	$\dfrac{1}{x}$	$\dfrac{1}{x}$
+	1	$-\dfrac{1}{x^2}$
+	0	$\dfrac{1}{x}$

---

10 답 ④

㈏를 x에 대하여 미분한 $g'(x)=\dfrac{4}{e^4}e^{x^2}f(x)$에 $x=2$를 대입하면

$g'(2)=\dfrac{4}{e^4}\times e^4 f(2)=$ **❶** $\underline{4f(2)}$

$\therefore g'(2)-4g(2)=4\{f(2)-g(2)\}$

㈎의 $\Big(\dfrac{f(x)}{x}\Big)'=x^2e^{-x^2}$을 이용하기 위해 ㈏를 변형하면

$g(x)=\dfrac{4}{e^4}\displaystyle\int_1^x e^{t^2}f(t)dt=\dfrac{4}{e^4}\int_1^x\Big\{te^{t^2}\times\dfrac{f(t)}{t}\Big\}dt$

또 $(e^{t^2})'=2te^{t^2}$이므로 $u'=2te^{t^2}$, $v=\dfrac{f(t)}{t}$라 하면

$u=e^{t^2}$, $v'=t^2e^{-t^2}$에서

$g(x)=\dfrac{2}{e^4}\displaystyle\int_1^x\Big\{2te^{t^2}\times\dfrac{f(t)}{t}\Big\}dt$

$\qquad=\dfrac{2}{e^4}\displaystyle\int_1^x\Big\{(e^{t^2})'\times\dfrac{f(t)}{t}\Big\}dt$

$$=\frac{2}{e^4}\left\{\left[e^{t^2}\times\frac{f(t)}{t}\right]_1^x-\int_1^x e^{t^2}\times\left(\frac{f(t)}{t}\right)'dt\right\}$$

$$=\frac{2}{e^4}\left\{e^{x^2}\times\frac{f(x)}{x}-ef(1)-\int_1^x e^{t^2}\times(t^2e^{-t^2})dt\right\}$$

$$=\frac{2}{e^4}\left\{e^{x^2}\times\frac{f(x)}{x}-\frac{2}{3}-\int_1^x t^2dt\right\}$$

$$=\frac{2}{e^4}\left\{e^{x^2}\times\frac{f(x)}{x}-\frac{1}{3}x^3-\frac{1}{3}\right\}$$

이 등식에 $x=2$를 대입하면

$$g(2)=\frac{2}{e^4}\left\{e^4\times\frac{f(2)}{2}-\frac{2}{3}-\frac{7}{3}\right\}=f(2)-\frac{6}{e^4}$$

즉 $f(2)-g(2)=$ ❷$\dfrac{6}{e^4}$

$$\therefore g'(2)-4g(2)=4\{f(2)-g(2)\}=\frac{24}{e^4}$$

킬러 격파 Tip

풀이 과정의 $\int_1^x\left\{2te^{t^2}\times\dfrac{f(t)}{t}\right\}dt$에서 미분 요소를 $\dfrac{f(t)}{t}$, 적분 요소를 $2te^{t^2}$이라 하면 다음 표와 같이 정리할 수 있다. 이때 조건 ㈎의 $\left(\dfrac{f(x)}{x}\right)'=x^2e^{-x^2}$을 이용하면서 스킬 ❺를 사용하면 된다.

+	$\dfrac{f(t)}{t}$	① $2te^{t^2}$
−	$t^2e^{-t^2}$	e^{t^2}
−	1	② t^2
+	0	$\dfrac{1}{3}t^3$

① $\Rightarrow e^{t^2}\times\dfrac{f(t)}{t}$

② $\Rightarrow -\dfrac{1}{3}t^3$

$$\therefore \int_1^x\left\{2te^{t^2}\times\frac{f(t)}{t}\right\}dt$$

$$=\left[e^{t^2}\times\frac{f(t)}{t}-\frac{1}{3}t^3\right]_1^x$$

$$=e^{x^2}\times\frac{f(x)}{x}-\frac{1}{3}x^3-\frac{1}{3}\left(\because f(1)=\frac{2}{3e}\right)$$

11 답 ①

ㄱ. $a-x=t$로 치환하면 $-dx=dt$

$$A=\int_0^a f'(x)g(a-x)dx=\int_a^0 f'(a-t)g(t)(-dt)$$

$$=\int_0^a f'(a-t)g(t)dt=D$$

$$B=\int_0^a g'(x)f(a-x)dx=\int_a^0 g'(a-t)f(x)(-dt)$$

$$=\int_0^a g'(a-t)f(t)dt=C$$

$A=D$, $B=C$이므로 $AB=CD$ (◯)

ㄴ. $A=\int_0^a f'(x)g(a-x)dx$에서

$u'=f'(x)$, $v=g(a-x)$로 놓으면

$$A=\int_0^a f'(x)g(a-x)dx$$

$$=\Big[f(x)g(a-x)\Big]_0^a+\int_0^a f(x)g'(a-x)dx$$

$$=f(a)g(0)-f(0)g(a)+C$$

$$\therefore A-C=❶\,\underline{f(a)g(0)-f(0)g(a)}\quad(\times)$$

ㄷ. $B=\int_0^a g'(x)f(a-x)dx$에서

$u'=g'(x)$, $v=f(a-x)$로 놓으면

$$B=\int_0^a g'(x)f(a-x)dx$$

$$=\Big[g(x)f(a-x)\Big]_0^a+\int_0^a g(x)f'(a-x)dx$$

$$=g(a)f(0)-g(0)f(a)+D$$

$$\therefore B-D=g(a)f(0)-g(0)f(a)$$

이때 $f(x)=\sin(x^3-2ax^2+a^2x+2\pi x)$

$$=\sin\{x(x-a)^2+2\pi x\}$$

에서 $f(0)=0$, $f(a)=\sin 2\pi a$이고,

또 $g(x)=\cos(x^3-2ax^2+a^2x+2\pi x)$

$$=\cos\{x(x-a)^2+2\pi x\}$$

에서 $g(0)=1$, $g(a)=\cos 2\pi a$

즉 $B-D=g(a)f(0)-g(0)f(a)=$ ❷$-\sin 2\pi a$이므로 $B-D=-\sin 2\pi a=e^{-a}$를 만족시키는 a는 다음과 같이 $0\leq a\leq\dfrac{15}{2}$에서 교점의 개수를 확인하면 된다.

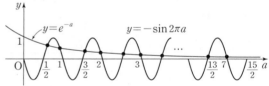

이때 한 주기당 교점은 2개씩이므로
$B-D=e^{-a}$를 만족시키는 실수 a는 14개다. ($\times$)

12 답 75

곡선 $y=f(t)$ 위의 점 $(t,f(t))$에서의 접선의 방정식은
$y=f'(t)(x-t)+f(t)$이고
y절편은 $-tf'(t)+f(t)$이므로 $g(t)=-tf'(t)+f(t)$
주어진 조건 $(1+t^2)\{g(t+1)-g(t)\}=2t$에서

$$g(t+1)-g(t)=\frac{2t}{1+t^2}$$

위 등식의 양변을 구간 $[0,x]$에서 적분하면

$$(좌변)=\int_0^x\{g(t+1)-g(t)\}dt$$

$$=\int_0^x g(t+1)dt-\int_0^x g(t)dt$$

$$=\int_1^{x+1}g(t)dt-\int_0^x g(t)dt$$

$$=\int_0^{x+1}g(t)dt-\int_0^x g(t)dt-\int_0^1 g(t)dt$$

$$=\int_x^{x+1}g(t)dt-\int_0^1 g(t)dt$$

$$(\text{우변})=\int_0^x \frac{2t}{1+t^2}\,dt=\Big[\ln(1+t^2)\Big]_0^x=\ln(1+x^2)$$

$$h(x)=\int_x^{x+1}g(t)dt=^{\mathbf{0}}\underline{\ln(1+x^2)}+\int_0^1 g(t)dt\quad\cdots\cdots\ㄱ$$

한편 $g(t)=-tf'(t)+f(t)$이므로

$$\int_0^1 g(t)dt=\int_0^1\{-tf'(t)+f(t)\}dt$$

$$=\int_0^1\{-tf'(t)\}dt+\int_0^1 f(t)dt$$

$$=\Big[-tf(t)\Big]_0^1+2\int_0^1 f(t)dt$$

$$=-f(1)+2\int_0^1 f(t)dt$$

$$=-3+2a+2b\ln 10$$

$$\therefore h(x)=\ln(1+x^2)-3+2a+2b\ln 10$$

$$\int_{-3}^3 g(t)dt=\int_{-3}^3\{f(t)-tf'(t)\}dt$$

$$=\int_{-3}^3 f(t)dt-\int_{-3}^3 tf'(t)dt$$

$$=2\int_{-3}^3 f(t)dt-\Big[tf(t)\Big]_{-3}^3$$

$$=^{\mathbf{0}}\underline{2\int_{-3}^3 f(t)dt-3f(3)-3f(-3)}$$

$$=30\quad\cdots\cdots\ㄴ\ \Leftarrow\ 조건\ (\text{다})$$

한편 ㄱ에서 $\int_x^{x+1}g(t)dt=h(x)$이고,

$$\int_{-3}^3 g(t)dt=\int_{-3}^{-2}g(t)dt+\int_{-2}^{-1}g(t)\,dt+\cdots+\int_2^3 g(t)dt$$

이므로

$$\int_{-3}^3 g(t)dt$$

$$=h(-3)+h(-2)+h(-1)+h(0)+h(1)+h(2)$$

$$=\ln 10+\ln 5+\ln 2+0+\ln 2+\ln 5+6\int_0^1 g(t)dt$$

$$=3\ln 10+6(2b\ln 10+2a-3)$$

$$=(3+12b)\ln 10+12a-18\quad\cdots\cdots\ㄷ$$

ㄴ=ㄷ에서 $a=4,\ b=-\dfrac{1}{4}$

$$\therefore 20(a+b)=75$$

---

p. 161~170

01 ④	02-1 ⑤	02-2 ②	03-1 127
03-2 588	04 ②	05 456	06 ①
07 ②	08 17	09 ④	10 ④
11 16	12 40		

01 답 ④

연속함수 $f(x)$가 증가하는 함수이므로

$$\int_0^1 f(x)dx=2,\ \int_0^1|f(x)|\,dx=2\sqrt{2}$$

에서 그림처럼 간단한 경우를 생각할

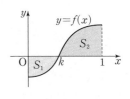

수 있다. $[0,\ 1]$에서 $y=f(x)$의 그래
프가 x축과 만나는 점의 x좌표를 k
라 하자.

$\int_0^1 f(x)dx=2$에서 $-S_1+S_2=2\quad\cdots\cdots\ㄱ$

$\int_0^1|f(x)|\,dx=2\sqrt{2}$에서 $S_1+S_2=2\sqrt{2}\quad\cdots\cdots\ㄴ$

ㄱ, ㄴ에서 $S_1=\sqrt{2}-1,\ S_2=\sqrt{2}+1$

이때 $F(x)=\begin{cases}-\displaystyle\int_0^x f(t)dt & (0\le x<k)\\[2mm]-\displaystyle\int_0^k f(t)dt+\int_k^x f(t)dt & (k\le x\le 1)\end{cases}$

이고, $F(0)=0,\ F(k)=S_1=\sqrt{2}-1,\ F(1)=2\sqrt{2}$

또 $F'(x)=\begin{cases}-f(x) & (0<x<k)\\ f(x) & (k<x<1)\end{cases}$

$$\therefore \int_0^1 f(x)F(x)dx$$

$$=-\int_0^k F'(x)F(x)dx+\int_k^1 F'(x)F(x)dx$$

$$=-\frac{1}{2}\Big[\{F(x)\}^2\Big]_0^k+\frac{1}{2}\Big[\{F(x)\}^2\Big]_k^1$$

$$=-\{F(k)\}^2+\frac{1}{2}\{F(1)\}^2$$

$$=4-(\sqrt{2}-1)^2$$

$$=1+2\sqrt{2}$$

02-1 답 ⑤

ㄱ. (나)의 $\ln f(x)+2\displaystyle\int_0^x(x-t)f(t)dt=0$의 양변을 x에 대하여

미분하면 $\dfrac{f'(x)}{f(x)}+2\displaystyle\int_0^x f(t)dt=0$

$$f'(x)=-2f(x)\int_0^x f(t)dt\quad\cdots\cdots\ㄱ$$

이때 $x>0$이고, $f(x)>0$이므로 $f(x)\displaystyle\int_0^x f(t)dt>0$

즉 $f'(x)<0$이므로 함수 $f(x)$는 $^{\mathbf{0}}\underline{\text{감소}}$한다. (○)

ㄴ. ㉠에 $x=0$을 대입하면 $f'(0)=0$이고,

㉠에서 $f'(x)<0$

또 $x<0$일 때, $f(x)>0$이고 $\int_0^x f(t)\,dt<0$에서 $f'(x)>0$

이므로 $f(x)$는 ^❷ $\underline{x=0}$일 때 극대이면서 최댓값을 갖는다.

㈏에 $x=0$을 대입하면 $\ln f(0)=0$

$\therefore f(0)=e^0=1$

즉 함수 $f(x)$의 최댓값은 1이다. (○)

ㄷ. ㉠에서 $f'(x)=-2f(x)\int_0^x f(t)\,dt=-2f(x)F(x)$이고,

$F(x)=\int_0^x f(t)\,dt$에서

$F(0)=0$, $F'(x)=f(x)$이므로

$f'(x)+2F'(x)F(x)=0$ ……㉡

$g(x)=f(x)+\{F(x)\}^2$이라 하면 ㉡에서

$g'(x)=f'(x)+2F(x)F'(x)=0\ (\because ㉡)$

이므로 $g(x)$는 상수이다.

즉 $f(x)+\{F(x)\}^2=C\ (C$는 상수$)$에 $x=0$을 대입하면

$f(0)+\{F(0)\}^2=1$ $\therefore C=1$

즉 $f(x)+\{F(x)\}^2=$^❸ $\underline{1}$이므로 $f(1)+\{F(1)\}^2=1$ (○)

따라서 옳은 것은 ㄱ, ㄴ, ㄷ

02-2 답 ②

ㄱ. ㈏에서 $\ln f(x)+2\int_0^x (t-x)f(t)\,dt=0$

$\ln f(x)+2\int_0^x tf(t)\,dt-2x\int_0^x f(t)\,dt=0$

양변을 x에 대하여 미분하면

$\dfrac{f'(x)}{f(x)}+2xf(x)-2\int_0^x f(t)\,dt-2xf(x)=0$

에서 $\dfrac{f'(x)}{f(x)}-2\int_0^x f(t)\,dt=0$

$\therefore f'(x)=2f(x)\int_0^x f(t)\,dt$ ……㉠

이때 $x>0$이고, $f(x)>0$이므로 $f(x)\int_0^x f(t)\,dt>0$

즉 $f'(x)>0$이므로 함수 $f(x)$는 ^❶ $\underline{증가}$한다.

$\therefore f(a)<f(b)$이다. (×)

ㄴ. ㉠에 $x=0$을 대입하면 $f'(0)=0$

(i) $x>0$일 때 $f(x)>0$이고 $\int_0^x f(t)\,dt>0$이므로

$f'(x)>0$이다.

(ii) $x<0$일 때도 $f(x)>0$이고 $\int_0^x f(t)\,dt<0$이므로

$f'(x)<0$

즉 (i), (ii)에서 함수 $f(x)$는 $x=0$에서 극소이면서 최솟값을

갖는다.

㈏에 $x=0$을 대입하면 $\ln f(0)=0$, $f(0)=e^0=1$

이므로 함수 $f(x)$의 최솟값은 ^❷ $\underline{1}$이다. (○)

ㄷ. ㉠에서 $f'(x)=2f(x)\int_0^x f(t)\,dt=2f(x)F(x)$이고,

$F(x)=\int_0^x f(t)\,dt$에서 $F'(x)=f(x)$이므로

$f'(x)=2F'(x)F(x)$에서

$f'(x)-2F'(x)F(x)=0$ ……㉡

그런데 $g(x)=f(x)-\{F(x)\}^2$이라 하면

$g'(x)=f'(x)-2F(x)F'(x)=0\ (\because ㉡)$

$f(x)-\{F(x)\}^2=C\ (C$는 상수$)$

이 식에 $x=0$을 대입하면

$f(0)-\{F(0)\}^2=1-0=1$이므로 $C=1$

즉 $\{F(k)\}^2+$^❸ $\underline{1}=f(k)$가 성립하므로

$\displaystyle\sum_{k=1}^n \{F(k)\}^2+n=\sum_{k=1}^n f(k)$ (×)

따라서 옳은 것은 ㄴ

03-1 답 127

$(0,0)$, $(t,f(t))$, $(t+1,f(t+1))$을 꼭짓점으로 하는

삼각형의 넓이는 $\dfrac{1}{2}|tf(t+1)-(t+1)f(t)|=\dfrac{t+1}{t}$

등식의 양변을 $t(t+1)$로 나누면

$\dfrac{1}{2}\left|\dfrac{f(t+1)}{t+1}-\dfrac{f(t)}{t}\right|=\dfrac{1}{t^2}$

$f(t)$는 감소함수이고 $f(t)>0$이므로 $\dfrac{f(t)}{t}>\dfrac{f(t+1)}{t+1}$

$\therefore \dfrac{f(t+1)}{t+1}-\dfrac{f(t)}{t}=$^❶ $\underline{-\dfrac{2}{t^2}}$

$\dfrac{f(t+1)}{t+1}-\dfrac{f(t)}{t}=\left[\dfrac{f(x)}{x}\right]_t^{t+1}$

$\quad\quad\quad\quad\quad\quad=\dfrac{d}{dx}\left(\int_t^{t+1}\dfrac{f(x)}{x}\,dx\right)=-\dfrac{2}{t^2}$ ……㉣

㉣의 양변을 적분하면 $\displaystyle\int_t^{t+1}\dfrac{f(x)}{x}=\dfrac{2}{t}+C$

$t=1$일 때, ㈐에 따라 $\displaystyle\int_1^2 \dfrac{f(x)}{x}\,dx=2+C=2$에서 $C=0$

$\therefore \displaystyle\int_t^{t+1}\dfrac{f(x)}{x}\,dx=$^❷ $\underline{\dfrac{2}{t}}$

$\displaystyle\int_{\frac{7}{2}}^{\frac{11}{2}}\dfrac{f(x)}{x}\,dx=\int_{\frac{7}{2}}^{\frac{9}{2}}\dfrac{f(x)}{x}\,dx+\int_{\frac{9}{2}}^{\frac{11}{2}}\dfrac{f(x)}{x}\,dx$

$\quad\quad\quad\quad\quad=\dfrac{4}{7}+\dfrac{4}{9}=\dfrac{64}{63}$

$\therefore p+q=127$

03-2 답 588

삼각형의 세 꼭짓점의 좌표가 $(0,0)$, $(t,f(t))$, $(t+1,f(t+1))$

일 때, 그 넓이는

$$\frac{1}{2}\,|tf(t+1)-(t+1)f(t)|=\frac{t(t+1)(2t+1)}{2}$$

양변을 양수 $t(t+1)$로 나누면

$$\left|\frac{f(t+1)}{t+1}-\frac{f(t)}{t}\right|=2t+1 \quad \cdots\cdots \ \ominus$$

이때 구간 $(0, 10)$에서 함수 $f(x)$는 증가하면서 위로 볼록한 모
양이고, $f(x)>0$이므로 $0<t<10$인
t에 대하여 원점과 두 점
$(t, f(t))$, $(t+1, f(t+1))$ 각각을
지나는 직선의 기울기를 비교하면

$$\frac{f(t)}{t}>\frac{f(t+1)}{t+1}$$

즉 ㉠에서 $\dfrac{f(t)}{t}-\dfrac{f(t+1)}{t+1}=2t+1$이므로

$$\frac{f(t+1)}{t+1}-\frac{f(t)}{t}=^{\mathbf{0}}\ \underline{-(2t+1)} \quad \cdots\cdots \ \ominus\ominus$$

이때 ㉡은 $\displaystyle\int_{t}^{t+1}\frac{f(x)}{x}\,dx=-(t^{2}+t)+C \quad \cdots\cdots \ \ominus\ominus\ominus$

의 양변을 미분한 것과 같으므로 ㉢에 $t=1$을 대입하면

$$\int_{1}^{2}\frac{f(x)}{x}\,dx=-2+C=100$$에서 $C=102$

$$\int_{t}^{t+1}\frac{f(x)}{x}\,dx=-t(t+1)+^{\mathbf{2}}\ \underline{102}$$

$$\therefore \int_{1}^{10}\frac{f(x)}{x}\,dx$$

$$=\int_{1}^{2}\frac{f(x)}{x}\,dx+\int_{2}^{3}\frac{f(x)}{x}\,dx+\cdots+\int_{9}^{10}\frac{f(x)}{x}\,dx$$

$$=-\sum_{k=1}^{9}k(k+1)+102\times9=588$$

04 답 ②

주어진 식에 $x=0$을 대입하면 $b=^{\mathbf{2}}\ \underline{0}$

$$\int_{0}^{x}(x-t)f(t)\,dt=x\int_{0}^{x}f(t)\,dt-\int_{0}^{x}tf(t)\,dt$$이므로

$$x\int_{0}^{x}f(t)\,dt-\int_{0}^{x}tf(t)\,dt=e^{x}\sin x+ax$$

위 식의 양변을 x에 대하여 미분하면

$$\int_{0}^{x}f(t)\,dt+xf(x)-xf(x)=e^{x}(\sin x+\cos x)+a$$

에서 $\displaystyle\int_{0}^{x}f(t)\,dt=e^{x}(\sin x+\cos x)+a \quad \cdots\cdots \ \ominus$

㉠의 양변에 $x=0$을 대입하면 $a=^{\mathbf{0}}\ \underline{-1}$

$$\therefore \int_{0}^{x}f(t)\,dt=e^{x}(\sin x+\cos x)-1 \quad \cdots\cdots \ \ominus\ominus$$

㉡의 양변을 x에 대하여 미분하면

$$f(x)=^{\mathbf{3}}\ \underline{2e^{x}\cos x}$$

$$\therefore f(a\pi+b)=f(-\pi)=2e^{-\pi}\cos(-\pi)=-2e^{-\pi}$$

05 답 456

$$f(x)=\int_{0}^{x}(a-t)e^{t}\,dt$$에서

$$f'(x)=\frac{d}{dx}\int_{0}^{x}(a-t)e^{t}\,dt=(a-x)e^{x}$$이고,

$$f'(x)=(a-x)e^{x}=0$$에서

양수 a에 대해 $x<a$일 때, $f'(x)>0$, $x>a$일 때, $f'(x)<0$이
므로 $f(x)$는 $x=^{\mathbf{0}}\ \underline{a}$ 에서 극댓값이면서 최댓값 n을 가진다.

이때

$$f(a)=\int_{0}^{a}(a-t)e^{t}\,dt=\Big[(a-t)e^{t}\Big]_{0}^{a}-\int_{0}^{a}(-e^{t})\,dt$$

$$=-a+\Big[e^{t}\Big]_{0}^{a}=e^{a}-a-1$$

$$\therefore f(a)=^{\mathbf{2}}\ \underline{e^{a}-a-1}=n$$

한편 곡선 $y=2e^{x}$과 두 직선 $x=a$, $y=2$로 둘러싸인 부분의 넓
이 $S(n)$은 그림처럼 생각할 수 있으므로

$$S(n)=\int_{0}^{a}(2e^{x}-2)\,dx$$

$$=2\int_{0}^{a}(e^{x}-1)\,dx$$

$$=2\Big[e^{x}-x\Big]_{0}^{a}$$

$$=2(e^{a}-a-1)=^{\mathbf{3}}\ \underline{2n}$$

$$\therefore \sum_{n=25}^{32}S(n)=\sum_{n=25}^{32}2n=\sum_{n=1}^{32}2n-\sum_{n=1}^{24}2n$$

$$=2\times\frac{32\times33}{2}-2\times\frac{24\times25}{2}=456$$

06 답 ①

$$f(x)=\int_{a}^{x}(\sqrt{2}+\sin t^{2})\,dt$$에서 $f'(x)=\sqrt{2}+\sin x^{2}$이고

이때 $f''(x)=2x\cos x^{2}$이므로 $f''(a)=2a\cos a^{2}=\sqrt{2}\,a$에서

$$\cos a^{2}=\frac{\sqrt{2}}{2} \qquad \therefore a^{2}=^{\mathbf{0}}\ \underline{\frac{\pi}{4}}$$

한편, $f^{-1}(0)=k$로 놓으면 $f(k)=0$이므로

$$f(k)=\int_{a}^{k}(\sqrt{2}+\sin t^{2})\,dt=0$$에서 $k=a$이다.

이때 $f'(k)=f'(a)=\sqrt{2}+\sin a^{2}=\sqrt{2}+\sin\dfrac{\pi}{4}=^{\mathbf{2}}\ \dfrac{3\sqrt{2}}{2}$

에서 $(f^{-1})'(0)=\dfrac{1}{f'(f^{-1}(0))}=\dfrac{1}{f'(k)}=\dfrac{2}{3\sqrt{2}}=\dfrac{\sqrt{2}}{3}$

> **참고**
>
> $f'(x)=\sqrt{2}+\sin x^{2}>0$이므로 모든 실수에서 $f(x)$는 증가하는 함수, 즉
> $f(x)$의 역함수가 존재한다.
>
> 이 역함수를 $g(x)$라 하면 $f(g(x))=x$에서 $g'(x)=\dfrac{1}{f'(g(x))}$이고, 구
>
> 하려는 것은 $g'(0)=\dfrac{1}{f'(g(0))}$의 값이므로 $g(0)=k$, 즉 $f(k)=0$인 k를
> 생각할 수 있다.

07 답 ②

ㄱ. 조건 ㈎에서

$$g(x)=(x+1)\int_1^x f'(t)dt-\int_1^x tf'(t)dt$$

양변을 x에 대하여 미분하면

$$g'(x)=\int_1^x f'(t)dt+(x+1)f'(x)-xf'(x)$$

$$\overset{\mathbf{0}}{=}\underline{\int_1^x f'(t)dt+f'(x)}$$

$$\therefore g'(1)=f'(1)=\frac{1}{e}\quad(\bigcirc)$$

ㄴ. $g(1)=0$이고

$$g'(x)=\int_1^x f'(t)dt+f'(x)$$와

㈏의 $f(x)=g'(x)-f'(x)$에서

$$g'(x)-f'(x)=f(x)=\int_1^x f'(t)dt$$

이므로 $x=1$을 대입하면 $f(1)=\overset{\mathbf{0}}{\underline{0}}$

$$\therefore g(1)=f(1)\quad(\bigcirc)$$

ㄷ. $h(x)=g(x)-f(x)$라 하면

ㄴ에서 $h(1)=g(1)-f(1)=0$이고,

$$h'(x)=g'(x)-f'(x)=f(x)$$에서 $h'(1)=f(1)=0$

$$h''(x)=f'(x)=xe^{-x}$$에서 $h''(1)=f'(1)=\frac{1}{e}>0$

즉 $h'(1)=0$이고 $h''(1)>0$이므로 함수 $h(x)$는

$x=1$일 때 극소이면서 최솟값 $h(1)=0$을 가진다.

즉 모든 양수 x에 대하여 $h(x)=g(x)-f(x)\ge0$이므로

$g(x)<f(x)$인 양수 x가 존재하지 않는다. (×)

따라서 옳은 것은 ㄱ, ㄴ

참고

$f'(x)=xe^{-x}$이므로 $f(x)=\int xe^{-x}dx=-\frac{1}{2}e^{-x}+C$

에서 $f(1)=0$을 생각하면 $C=\frac{1}{2e}$

$f(x)=h'(x)$이므로

$h'(x)=-\frac{1}{2}e^{-x}+\frac{1}{2e}$ 의 그래프 개형

은 그림과 같다.

따라서 함수 $y=h'(x)$는 $x=1$일 때 극소

이면서 최솟값을 가지고

$x>1$에서 증가하는 함수임을 알 수 있다.

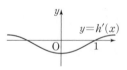

08 답 17

$$F(x)=\int_0^x f(t)dt$$에서 $F(0)=0$, $F'(x)=f(x)$

(i) ㈎에서 $F(x)=f(x)-x$이므로 ㈏에서

$$\int_0^1 F(x)dx=\int_0^1\{f(x)-x\}dx$$

$$=\int_0^1 f(x)dx-\int_0^1 xdx=F(1)-\frac{1}{2}=\frac{5}{2}$$

$$\therefore F(1)=\frac{5}{2}+\frac{1}{2}=\overset{\mathbf{0}}{\underline{3}}$$

(ii) $$\int_0^1 xF(x)dx=\int_0^1 x\{f(x)-x\}dx$$

$$=\int_0^1 xf(x)dx-\int_0^1 x^2dx$$

$$=\Big[xF(x)\Big]_0^1-\int_0^1 F(x)dx-\frac{1}{3}$$

$$=F(1)-\frac{5}{2}-\frac{1}{3}=\overset{\mathbf{0}}{\underline{\frac{1}{6}}}\quad(\Leftarrow 조건 ㈏)$$

$$\therefore \int_0^1 6xF(x)dx=6\int_0^1 xF(x)dx=1$$

(iii) $$\int_0^1 \{F(x)\}^2dx$$

$$=\int_0^1 F(x)\{f(x)-x\}dx$$

$$=\int_0^1 F(x)F'(x)dx-\int_0^1 xF(x)dx$$

$$=\Big[\frac{1}{2}\{F(x)\}^2\Big]_0^1-\frac{1}{6}$$

$$=\frac{1}{2}\{F(1)\}^2-\frac{1}{2}\{F(0)\}^2-\frac{1}{6}=\frac{9}{2}-\frac{1}{6}=\overset{\mathbf{0}}{\underline{\frac{13}{3}}}$$

$$\therefore \int_0^1 3\{F(x)\}^2dx=3\int_0^1\{F(x)\}^2dx=13$$

따라서 $F(1)+\int_0^1 6xF(x)dx+\int_0^1 3\{F(x)\}^2dx=17$

참고

$F(x)=\int_0^x f(t)dt$의 양변을 x에 대하여 미분하면 $F'(x)=f(x)$

㈎의 $F(x)=f(x)-x$의 양변을 x에 대하여 두 번 미분하면

$f'(x)=f''(x)$, 즉 $\dfrac{f''(x)}{f'(x)}=1$이므로 양변을 x에 대하여 적분하면

$\ln|f'(x)|=x+C_1$ (단, C_1은 적분상수), $f'(x)=ke^x$ (단, k는 상수)

또 $f(x)=f'(x)-1$이므로 $f(x)=ke^x-1$이고

$F(x)=ke^x-x+C_2$이다. (단, C_2는 적분상수)

이때 $F(0)=0$, $F(1)=3$을 이용하여 k와 C_2를 구할 수 있다.

09 답 ④

ㄱ. $f(x)=xe^{-x}\times\lim_{n\to\infty}\sum_{k=1}^n\cos\Big(\frac{k^2x^2}{n^2}\Big)\frac{1}{n}=e^{-x}\int_0^x\cos t^2dt$

에서 $f'(x)=-e^{-x}\int_0^x\cos t^2dt+\overset{\mathbf{0}}{\underline{e^{-x}\cos x^2}}$

$$f'\Big(\sqrt{\frac{\pi}{2}}\Big)=-e^{-\sqrt{\frac{\pi}{2}}}\int_0^{\sqrt{\frac{\pi}{2}}}\cos t^2dt+e^{-\sqrt{\frac{\pi}{2}}}\cos\frac{\pi}{2}$$

$$=-e^{-\sqrt{\frac{\pi}{2}}}\int_0^{\sqrt{\frac{\pi}{2}}}\cos t^2dt$$

$$=-f\Big(\sqrt{\frac{\pi}{2}}\Big)\quad(\times)$$

ㄴ. $0<x<\sqrt{\dfrac{\pi}{2}}$에서 $e^{-x}>0$, $\cos x^2 \geq 0$이고, $\cos 0=1$,

$\cos \dfrac{\pi}{2}=0$이므로 $f\left(\sqrt{\dfrac{\pi}{2}}\right)=e^{-\sqrt{\frac{\pi}{2}}}\displaystyle\int_0^{\sqrt{\frac{\pi}{2}}}\cos t^2\,dt>0$

즉 $f(0)=$ ❷ $\underline{}0$, $f\left(\sqrt{\dfrac{\pi}{2}}\right)>0$이므로 구간 $\left(0,\sqrt{\dfrac{\pi}{2}}\right)$에서

함수 $f(x)$가 증가하는 부분이 반드시 있으므로

$f'(a)>0$인 a가 구간 $\left(0,\sqrt{\dfrac{\pi}{2}}\right)$에 적어도 하나 있다. (○)

ㄷ. ㄴ을 만족시키는 a에 대하여 $f'(a)>0$이고,

$f'\left(\sqrt{\dfrac{\pi}{2}}\right)=-f\left(\sqrt{\dfrac{\pi}{2}}\right)<0$이므로 사잇값 정리에 따라

$f'(b)=0$을 만족시키는 b가 구간 $\left(a,\sqrt{\dfrac{\pi}{2}}\right)$에 적어도 하나

존재하므로 구간 $\left(0,\sqrt{\dfrac{\pi}{2}}\right)$에도 적어도 하나 있다. (○)

참고

ㄴ. 함수 $f(x)$가 구간 $\left[0,\sqrt{\dfrac{\pi}{2}}\right]$에서 연속이고, 구간 $\left(0,\sqrt{\dfrac{\pi}{2}}\right)$에서 미분

가능하다. 이때 $f\left(\sqrt{\dfrac{\pi}{2}}\right)>0$, $f(0)=0$이므로 평균값의 정리에서

$f'(a)=\dfrac{f\left(\sqrt{\dfrac{\pi}{2}}\right)-f(0)}{\sqrt{\dfrac{\pi}{2}}-0}=(\text{양수})$를 만족시키는 a가 구간

$\left(0,\sqrt{\dfrac{\pi}{2}}\right)$에 적어도 하나 존재한다.

10 답 ④

$f(x)=2\displaystyle\int_1^{x+1}f(t)\,dt$에 $x=0$을 대입하면 $f(0)=0$

ㄱ. 함수 $y=f(x)$의 그래프가 원점에 대하여 대칭이므로

$f(1)=a$에서 $f(-1)=-a$이다.

$f(x)=2\displaystyle\int_1^{x+1}f(t)\,dt$ ……㉠

$f(-1)=2\displaystyle\int_1^0 f(t)\,dt=-2\displaystyle\int_0^1 f(t)\,dt=-a$에서

$\displaystyle\int_0^1 f(t)\,dt=$ ❶ $\dfrac{a}{2}$ (×)

ㄴ. ㉠의 양변을 미분하면 $f'(x)=2f(x+1)$이므로

$f(x+1)=\dfrac{1}{2}f'(x)$

$\displaystyle\int_0^1 xf(x+1)\,dx=\dfrac{1}{2}\displaystyle\int_0^1 xf'(x)\,dx$, 이때

$\displaystyle\int_0^1 xf'(x)\,dx=\Big[xf(x)\Big]_0^1-\displaystyle\int_0^1 f(x)\,dx$

$\qquad\qquad\qquad=f(1)-\displaystyle\int_0^1 f(x)\,dx=a-\dfrac{a}{2}=\dfrac{a}{2}$

$\therefore \displaystyle\int_0^1 xf(x+1)\,dx=\dfrac{1}{2}\displaystyle\int_0^1 xf'(x)\,dx=$ ❷ $\dfrac{a}{4}$ (○)

ㄷ. $f(x)$가 연속이고, 열린구간 $(0,1)$에서 미분 가능한 함수이므

로 평균값 정리에 따라 구간 $(0,1)$에서

$\dfrac{f(1)-f(0)}{1-0}=a-0=a$,

즉 $f'(c)=a$를 만족시키는 실수 c는 적어도 하나 존재한다.

또 $y=f(x)$의 그래프가 원점에 대하여 대칭이므로

구간 $(-1,0)$에서도 $f'(c)=a$를 만족시키는 실수 c가 적어

도 하나 존재한다.

따라서 구간 $(-1,1)$에서 $f'(c)=a$를 만족시키는 실수 c는

적어도 두 개 존재한다. (○)

11 답 16

$g(x)=\displaystyle\int_0^x \dfrac{f(t)}{|t|+1}\,dt$에서 $g'(x)=\dfrac{f(x)}{|x|+1}$이고

$|x|+1>0$이므로 $g'(x)$와 $f(x)$의 부호는 같다.

즉 $y=f(x)$의 그래프 개형을 통해 그릴 수 있다.

㈎에서 $g'(2)=0$이므로 $f(2)=0$

또 정적분의 정의에서 $g(0)=0$이고, $g(x)$는 상수함수가 아니다.

이때 ㈏에서 $g(x)\geq 0$이므로 그림처럼

$x=0$ 주변에서 $y=g(x)$의 그래프를 생각

하면 $x=0$일 때 극솟값을 가지고,

$g'(0)=0$이다.

이때 $g'(0)=0$이므로 $f(0)=0$

즉 $f(k)=0$이 되는 k값이 ❶ $2,\,0$이므로 최고차항의 계수가 1인

삼차함수 $f(x)$를 $f(x)=x(x-2)(x-\alpha)$라 할 수 있다.

이때 α 값의 범위에 따라 다음 두 가지 경우로 나눌 수 있다.

이때 $g'(-1)=\dfrac{f(-1)}{2}=\dfrac{-3(\alpha+1)}{2}$가 최대가 되려면 α가

가능한 작은 값을 가져야 하므로 $0<\alpha<2$이어야 하고, 위의 오른

쪽 그래프를 생각하면 $y=g(x)$의

그래프 개형은 그림과 같다.

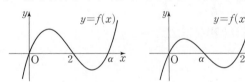

이때 $g(2)\geq 0$이면 모든 실수 x

에서 $g(x)\geq 0$이다.

$f(x)=x(x-2)(x-\alpha)=x^3-(\alpha+2)x^2+2\alpha x$에서

다항식의 나눗셈을 이용하면

$\dfrac{f(x)}{x+1}=x^2-(\alpha+3)x+3(\alpha+1)-\dfrac{3(\alpha+1)}{x+1}$이므로

$g(x)=\displaystyle\int_0^x \left\{t^2-(\alpha+3)t+3(\alpha+1)-\dfrac{3(\alpha+1)}{t+1}\right\}dt$

$\qquad=\left[\dfrac{1}{3}t^3-\dfrac{1}{2}(\alpha+3)t^2+3(\alpha+1)t-3(\alpha+1)\ln(t+1)\right]_0^x$

$\qquad=\dfrac{1}{3}x^3-\dfrac{1}{2}(\alpha+3)x^2+3(\alpha+1)x-3(\alpha+1)\ln(x+1)$

$g(2) = \dfrac{8}{3} - 2(\alpha+3) + 6(\alpha+1) - 3(\alpha+1)\ln 3$

$\qquad = -\dfrac{4}{3} + 4(\alpha+1) - 3(\alpha+1)\ln 3 \geq 0$

에서 $(\alpha+1)(4-3\ln 3) \geq \dfrac{4}{3}$, 즉 $3(\alpha+1) \geq \dfrac{4}{4-3\ln 3}$ 이고,

$f(-1) = -3(\alpha+1)$ 이므로

$f(-1) = -3(\alpha+1) \leq ^{❷}\dfrac{-4}{4-3\ln 3}$

즉 $g'(-1) = \dfrac{f(-1)}{2} = \dfrac{-3(\alpha+1)}{2}$ 이 최대가 되려면

$-3(\alpha+1) = f(-1)$ 이 최대이면 되므로

$f(-1) = \dfrac{-4}{4-3\ln 3}$ 이면 된다.

따라서 $n = -4$, $m = 4$ 이므로 $|m \times n| = 16$

다른 풀이

$0 < \alpha < 2$임을 구했을 때 (분모) > 0이므로

$g(x) = \displaystyle\int_0^x \dfrac{f(t)}{|t|+1}\,dt$에서 $g(x) \geq 0$인

경우를 $y = f(x)$의 그래프에서 생각해

보자. $x < 0$일 때 $g(x) \geq 0$이려

면 $f(x) \leq 0$이어야 한다.

$x > 0$일 때 $0 < x < \alpha$에서 $f(x) > 0$이고,

$\alpha < x < 2$에서 $f(x) < 0$이므로

$g(x) \geq 0$이려면 $\displaystyle\int_0^2 \dfrac{f(t)}{|t|+1}\,dt \geq 0$, 즉 $g(2) \geq 0$이면 된다.

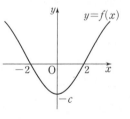

$g(2) = \displaystyle\int_0^2 \dfrac{f(t)}{|t|+1}\,dt$

$\qquad = \displaystyle\int_0^2 \dfrac{t(t-2)(t-\alpha)}{t+1}\,dt$

$\qquad = \displaystyle\int_1^3 \dfrac{(t-1)(t-3)(t-1-\alpha)}{t}\,dt$

$\qquad = \displaystyle\int_1^3 \left\{ t^2 - (5+\alpha)t + (7+4\alpha) - \dfrac{3+3\alpha}{t} \right\}dt$

$\qquad = \left[\dfrac{1}{3}t^3 - \dfrac{5+\alpha}{2}t^2 + (7+4\alpha)t - (3+3\alpha)\ln|t| \right]_1^3$

$\qquad = \dfrac{8}{3} + 4\alpha - 3(1+\alpha)\ln 3 \geq 0$

12 답 40

함수 $f(x) = \ln(x^2+1) - c \ (c>0)$에서 $f(-x) = f(x)$이므로

$y = f(x)$의 그래프는 y축에 대하여

대칭이고, $f'(x) = \dfrac{2x}{x^2+1} = 0$에서

$x = 0$일 때 극솟값을 갖는다.

$c > 0$이므로 $y = f(x)$의 그래프 개

형은 그림과 같다.

또 $g(x) = \displaystyle\int_a^x f(t)\,dt$에서 $g'(x) = f(x)$이고

㈎를 이용하면 $g'(2) = f(2) = 0$이므로

$c = ^{❶}\underline{\ln 5}$ 이고, $y = f(x)$의 그래프는 점 $(2, 0)$을 지난다.

또 $y = f(x)$의 그래프는 y축에 대하여 대칭이므로

점 $(-2, 0)$도 지난다.

$y = g(x)$의 그래프는 $x = -2$일 때

극대, $x = 2$일 때 극소이고

점 $(0, g(0))$에 대하여 대칭이다.

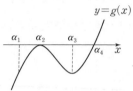

[극소점이 x축과 접하는 경우]

또 $g(x) = \displaystyle\int_a^x f(t)\,dt$에서

$g(a) = 0$이고, $y = g(x)$의 그래프

가 x축과 서로 다른 두 점에서 만

나는 경우이다.

즉 $g(\alpha_1) = 0$, $g(\alpha_3) = 0$

또는 $g(\alpha_2) = 0$, $g(\alpha_4) = 0$이므로

$g(a) = 0$과 ㈎ 조건을 만족시키는

a값은 α_1, $\alpha_2(=-2)$, $\alpha_3(=2)$, α_4

로 모두 4개다. $\quad \therefore m = ^{❷}\underline{4}$

[극대점이 x축과 접하는 경우]

그런데 $a = \alpha_1$이라 했으므로 $g(\alpha_1) = 0$, 즉 $g(x)$의 그래프 개형은

오른쪽 위쪽에 있는 것과 같이 $g(x)$가 $x = \alpha_3$에서 x축에 접하는

경우가 된다.

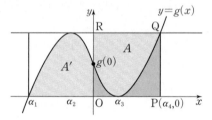

이때 $y = g(x)$의 그래프가 점 $(0, g(0))$에 대해 대칭이므로

위 그림에서 $A = A'$

$\therefore \displaystyle\int_{\alpha_1}^{\alpha_4} g(x)\,dx = (직사각형\ OPQR의\ 넓이) = \overline{OP} \times \overline{OR}$

이고, $\alpha_4 = \overline{OP}$, $\displaystyle\int_0^2 |f(x)|\,dx = |g(2) - g(0)| = \dfrac{1}{2}\overline{OR}$

㈏에서 $\square OPQR = k\alpha_4 |g(2) - g(0)|$

$\qquad\qquad = k \times \overline{OP} \times \dfrac{1}{2}\overline{OR} = \overline{OP} \times \overline{OR}$

에서 $k = ^{❸}\underline{2}$

$\therefore mk \times e^c = 4 \times 2 \times 5 = 40$

참고

$f(x)$가 y축에 대하여 대칭이므로 $f(x) = f(-x)$, 즉 $g'(x) = g'(-x)$이

다. 이때 양변을 적분한 것을 정리하면

$g(x) = -g(-x) + C$, 즉 $g(x) + g(-x) = 2 \times \dfrac{C}{2}$이므로

$g(x)$는 점 $\left(0, \dfrac{C}{2}\right)$에 대하여 대칭이다.

그런데 $g(0) = \dfrac{C}{2}$이므로 $g(x)$는 점 $(0, g(0))$에 대하여 대칭이라 해도

된다.

※ 함수 $f(x)$가 점 (a, b)에 대하여 대칭이면 $f(x) + f(2a-x) = 2b$임을

　생각해 보자.

01 답 35

(내)의 $f(x)=\int_0^x \sqrt{4-2f(t)}\,dt$가 모든 실수에서 성립하는 정적분

으로 정의된 함수이므로 $f(0)=0$ ······ ㉠

이고, (내)의 양변을 x에 대하여 미분한 $f'(x)$를 생각할 수 있다.

즉 모든 실수 x에 대하여 $f'(x)=\sqrt{4-2f(x)}$

이때 숨은 조건 $f'(x)\geq 0$, $f(x)\leq 2$를 확인한다.

$\therefore \{f'(x)\}^2=4-2f(x)$ ······ ㉡

또 $x\leq b$일 때 $f(x)=a(x-b)^2+c$에서

$f'(x)=2a(x-b)$이므로 ㉡에 대입하면

$4a^2(x-b)^2=4-2a(x-b)^2-2c$

$(4a^2+2a)(x-b)^2-(4-2c)=0$ ······ ㉢

㉢이 모든 실수 x에 대하여 성립하므로

$4a^2=-2a$이고 $4-2c=0$이다. $\therefore a=-\dfrac{1}{2}$, $c=2$

따라서 $x\leq b$일 때 $f(x)=-\dfrac{1}{2}(x-b)^2+2$

이때 $b<0$이면 $f(b)=2$이고 ㉠에서 $f(0)=0$이므로

모든 실수 x에 대하여 $f'(x)\geq 0$인 조건에 모순이다. $\therefore b\geq 0$

$f(0)=-\dfrac{1}{2}b^2+2=0$에서 $b^2=4$ $\therefore b=2\ (\because b\geq 0)$

이때 $f'(x)\geq 0$이므로 연속인 함수 $f(x)$는 증가함수 또는 상수

함수라야 하는데 $f(x)\leq 2$이므로 $x>2$일 때 $f(x)=2$이다.

$f(x)=\begin{cases} -\dfrac{1}{2}(x-2)^2+2 & (x\leq 2) \\ 2 & (x>2) \end{cases}$

$\displaystyle\int_0^6 f(x)dx=\int_0^2 f(x)dx+\int_2^6 f(x)dx$

$\qquad =\displaystyle\int_0^2\left\{-\dfrac{1}{2}(x-2)^2+2\right\}dx+\int_2^6 2dx$

$\qquad =\left[-\dfrac{1}{6}(x-2)^3+2x\right]_0^2+\left[2x\right]_2^6=\dfrac{32}{3}$

$\therefore p+q=3+32=35$

• $a=0$이면 모든 실수 x에 대하여 $f(x)=2$가 되므로
  ㉠의 $f(0)=0$에 어긋난다. 따라서 $a\neq 0$이다.
• $f(x)\leq 2$이므로 $x>2$일 때 $f(x)$는 증가하는 함수가 되면 안 된다. 또 모
  든 실수 x에 대하여 $f'(x)\geq 0$이므로 $x>2$일 때 감소하는 함수가 될 수
  도 없다. 즉 증가함수도 아니고 감소함수도 아니므로 $x>2$일 때 $f(x)$는
  상수함수가 된다.

02-1 답 ④

함수 $f(x)$가 미분 가능하므로 $x=0$에서 연속이다.

(개)에서 $f(0)=\displaystyle\lim_{x\to 0+}f(x)=\lim_{x\to 0+}(axe^{2x}+bx^2)=0$

(내)에서 임의의 $x_1\ (x_1<0)$에 대하여

$f'(x_1)=\displaystyle\lim_{x\to x_1}\dfrac{f(x)-f(x_1)}{x-x_1}=\lim_{x\to x_1}\dfrac{3(x-x_1)}{x-x_1}=\lim_{x\to x_1}3=3$

이므로 $x<0$일 때 $f'(x)=3$이고

$f(x)=\displaystyle\int 3dx=3x+C\ (C는 적분 상수)$

$\displaystyle\lim_{x\to 0-}f(x)=C=f(0)=0$이므로 $x<0$일 때 $f(x)=3x$

함수 $f(x)$가 $x=0$에서 미분 가능하므로

$\displaystyle\lim_{x\to 0+}\dfrac{f(x)-f(0)}{x-0}=\lim_{x\to 0+}\dfrac{axe^{2x}+bx^2}{x-0}$

$\qquad =\displaystyle\lim_{x\to 0+}(ae^{2x}+bx)=a$

$\displaystyle\lim_{x\to 0-}\dfrac{f(x)-f(0)}{x-0}=\lim_{x\to 0-}\dfrac{3x}{x}=3$이므로 $a=$ ❶ $\underline{3}$

$f\left(\dfrac{1}{2}\right)=\dfrac{3e}{2}+\dfrac{b}{4}=2e$에서 $b=$ ❷ $\underline{2e}$

즉 $f(x)=\begin{cases} 3x & (x\leq 0) \\ 3xe^{2x}+2ex^2 & (x>0) \end{cases}$에서

$f'(x)=\begin{cases} 3 & (x<0) \\ 3e^{2x}+6xe^{2x}+4ex & (x>0) \end{cases}$

$\therefore f'\left(\dfrac{1}{2}\right)=3e+3e+2e=8e$

02-2 답 10

함수 $f(x)$가 미분 가능하므로 $x=0$에서 연속이다.

(개)에서 $f(0)=\displaystyle\lim_{x\to 0+}f(x)=\lim_{x\to 0+}(axe^{2x}+bx^3+2)=2$

(내)에서 임의의 $x_1\ (x_1<0)$에 대하여

$f'(x_1)=\displaystyle\lim_{x\to x_1}\dfrac{f(x)-f(x_1)}{x-x_1}=1$

이므로 $x<0$일 때 $f'(x)=1$이고

$f(x)=\displaystyle\int 1dx=x+C\ (C는 적분 상수)$

$\displaystyle\lim_{x\to 0-}f(x)=C=f(0)=2$이므로 $x<0$일 때 $f(x)=x+2$

함수 $f(x)$가 $x=0$에서 미분 가능하므로

$\displaystyle\lim_{x\to 0+}\dfrac{f(x)-f(0)}{x-0}=\lim_{x\to 0+}\dfrac{axe^{2x}+bx^3}{x-0}=a$

$\displaystyle\lim_{x\to 0-}\dfrac{f(x)-f(0)}{x-0}=\lim_{x\to 0-}\dfrac{x}{x}=1$이므로 $a=$ ❶ $\underline{1}$

$f\left(\dfrac{1}{2}\right)=\dfrac{e}{2}+\dfrac{b}{8}+2=e+2$에서 $b=$ ❷ $\underline{4e}$

$\therefore f(x)=\begin{cases} x+2 & (x\leq 0) \\ xe^{2x}+4ex^3+2 & (x>0) \end{cases}$

$\dfrac{x}{2}=t$라 하면 $dx=2dt$이므로

$$\int_{-2}^{2} f\left(\frac{x}{2}\right)dx=\int_{-1}^{1} f(t)(2dt)$$

$$=2\int_{-1}^{1} f(t)dt$$

$$=2\int_{-1}^{0} f(t)dt+2\int_{0}^{1} f(t)dt$$

$$=\int_{-1}^{0} (2t+4)dt+2\int_{0}^{1} (te^{2t}+4et^3+2)dt$$

$$\int_{-1}^{0} (2t+4)dt=\left[t^2+4t\right]_{-1}^{0}=0-(1-4)=3$$

$$\int_{0}^{1} te^{2t}dt=\left[\frac{1}{2}te^{2t}\right]_{0}^{1}-\int_{0}^{1} \frac{1}{2}e^{2t}dt$$

$$=\frac{1}{2}e^2-\left[\frac{1}{4}e^{2t}\right]_{0}^{1}=\frac{1}{4}e^2+\frac{1}{4}$$

$$\int_{0}^{1} (4et^3+2)dt=\left[et^4+2t\right]_{0}^{1}=e+2$$

$$\therefore \int_{-2}^{2} f\left(\frac{x}{2}\right)dx=3+2\left(\frac{1}{4}e^2+\frac{1}{4}\right)+2(e+2)$$

$$=\overset{\text{❸}}{\underline{\frac{1}{2}e^2+2e+\frac{15}{2}}}$$

따라서 $p=\dfrac{1}{2},\ q=2,\ r=\dfrac{15}{2}$이므로 $p+q+r=10$

03-1 📘 128

$0\le k\le 7$인 각각의 정수 k에 대하여

① $f(k+t)=f(k)\ (0<t\le1)$인 경우

   $k<x\le k+1$에서 $f(x)=f(k)$ ⇨ 상수함수

② $f(k+t)=2^t\times f(k)\ (0<t\le1)$인 경우

   $k<x\le k+1$에서 $f(x)=f(k)\times 2^{x-k}$ ⇨ 지수함수

이때 구간 $(0, 8)$에서 함수 $f(x)$가 미분가능하지 않은 점이 2개이므로 ①⇨②⇨②⇨ … ⇨① 또는 ②⇨①⇨①⇨ … ⇨② 처럼 변화되는 지점이 2번 있어야 한다.

또 ②가 7번 이상 나오면 $f(8)>100$이 되므로 조건을 만족시키지 않는다.

가능한 경우 중에 ②를 포함한 구간이 많을수록 $\displaystyle\int_{0}^{8} f(x)dx$의 값이 커지므로 8개의 소구간이 ①－②－②－②－②－②－②－① 의 순서로 이어지는 연속함수일 때, $\displaystyle\int_{0}^{8} f(x)dx$가 최대가 된다.

즉 $f(x)=\begin{cases} f(0)=1 & (0\le x\le1) \\ f(k)\times 2^{x-k}=2^{x-1} & (1\le x\le7) \\ f(7)=64 & (7\le x\le8) \end{cases}$ 일 때

$\displaystyle\int_{0}^{8} f(x)dx$의 최댓값은

$$\int_{0}^{1} 1dx+\int_{1}^{7} 2^{x-1}dx+\int_{7}^{8} 64dx$$

$$=\left[x\right]_{0}^{1}+\left[\frac{2^{x-1}}{\ln 2}\right]_{1}^{7}+\left[64x\right]_{7}^{8}$$

$$=65+\frac{63}{\ln 2}$$

$$\therefore p+q=65+63=128$$

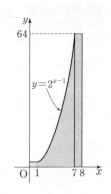

8개의 소구간이 ②－②－②－②－②－①－①－②의 순서로 이어지는 연속함수인 경우도 생각할 수 있는데 이 경우

$$\int_{0}^{8} f(x)dx=\int_{0}^{5} 2^x dx+\int_{5}^{7} 32dx+\int_{7}^{8} 2^x dx=64+\frac{63}{\ln 2}$$

이 되어 풀이와 비교해 보면 최대가 아님을 알 수 있다.

03-2 📘 97

$0\le k\le 6$인 각각의 정수 k에 대하여

① $f(k+t)=f(k)\ (0<t\le1)$인 경우 $x=t+k$라 하면

   $k<x\le k+1$에서 $f(x)=f(k)$ ⇨ 상수함수

② $f(k+t)=2^t\times f(k)\ (0<t\le1)$인 경우 $x=t+k$라 하면

   $k<x\le k+1$에서 $f(x)=f(k)\times 2^{x-k}$ ⇨ 지수함수

이때 구간 $(0, 7)$에서 함수 $f(x)$가 미분가능하지 않은 점이 2개이므로 ①⇨②⇨②⇨ … ⇨① 또는 ②⇨①⇨①⇨ … ⇨② 처럼 상수함수에서 지수함수로 또는 지수함수에서 상수함수로 두 번 변하면 된다.

한편 ②가 6번 이상 나오면 $f(7)=64>60$이 되므로 조건을 만족시키지 않는다.

가능한 경우 중 상수함수와 지수함수를 비교해 생각해 보면 ②가 나타나는 구간이 많을수록 $\displaystyle\int_{0}^{7} f(x)dx$의 값이 커진다.

즉 7개의 소구간이 ①－②－②－②－②－②－①의 순서로 이어지는 연속함수일 때, $\displaystyle\int_{0}^{7} f(x)dx$가 최대가 된다.

즉 $f(x)=\begin{cases} 1 & (0<x\le1) \\ 2^{x-1} & (1<x\le6) \\ 32 & (6<x\le7) \end{cases}$ 일 때

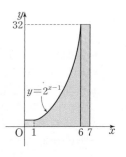

$\displaystyle\int_{0}^{7} f(x)dx$가 최대이고, 그림과 같이 나타낼 수 있다.

따라서 $\displaystyle\int_{0}^{7} f(x)dx$의 최댓값은

$$\int_0^1 \overset{\bullet}{\underline{1}}\,dx + \int_1^6 \overset{\bullet}{\underline{2^{x-1}}}\,dx + \int_6^7 \overset{\bullet}{\underline{32}}\,dx$$

$$= \Big[\,x\,\Big]_0^1 + \Big[\,\frac{2^{x-1}}{\ln 2}\,\Big]_1^6 + \Big[\,32x\,\Big]_6^7$$

$$= 1 + \frac{32-1}{\ln 2} + 32(7-6) = 33 + \frac{31}{\ln 2}$$

$$\therefore 2m+n = 66+31 = 97$$

참고

$\int_0^7 f(x)dx$가 최대가 되는 경우 구간별로 $f(x)$ 구하기

함수 유형	k값	x의 범위	$f(x)$
①	$k=0$	$0 < x \le 1$	$f(x)=f(0)=1$
②	$k=1$	$1 < x \le 2$	$f(x)=2^{x-1} \times f(1) = 2^{x-1}$
②	$k=2$	$2 < x \le 3$	$f(x)=2^{x-2} \times f(2) = 2^{x-1}$
②	$k=3$	$3 < x \le 4$	$f(x)=2^{x-3} \times f(3) = 2^{x-1}$
②	$k=4$	$4 < x \le 5$	$f(x)=2^{x-4} \times f(4) = 2^{x-1}$
②	$k=5$	$5 < x \le 6$	$f(x)=2^{x-5} \times f(5) = 2^{x-1}$
①	$k=6$	$6 < x \le 7$	$f(x)=f(6)=2^5 = 32$

$$\therefore f(x) = \begin{cases} 1 & (0 < x \le 1) \\ 2^{x-1} & (1 < x \le 6) \\ 32 & (6 < x \le 7) \end{cases}$$

04 답 4

㈐에서 구간 $(0, 1)$일 때 $f''(x)=e^x$이므로 이 구간에서

$f'(x)=e^x+C_1$이고, $f'(0)=1$이므로

$C_1=0$이고 $f'(x)=e^x$ ……㉠

이때 구간 $(0, 1)$에서 $f(x)=e^x+C_2$이고, $f(0)=1$이므로

$C_2=0$, 즉 구간 $(0, 1)$에서 $f(x)=\overset{\bullet}{\underline{e^x}}$

한편 $f(x)$는 실수 전체에서 미분 가능하므로 연속함수이다.

㈏는 $1 \le x < 3$에서 $f'(x)$가 감소하지 않는 함수임을 보여준다.

즉 $f'(1) \le f'(x)$이고, $f'(1)=e$에서 $e \le f'(x)$이므로

$1 \le x < 3$일 때 $\int_1^x e\,dx \le \int_1^x f'(x)dx$

에서 $ex-e \le f(x)-e$, 즉 $ex \le f(x)$이므로

$\int_1^3 ex\,dx \le \int_1^3 f(x)dx$이 성립한다.

$$\therefore \int_0^3 f(x)dx = \int_0^1 f(x)dx + \int_1^3 f(x)dx$$

$$\ge \int_0^1 e^x\,dx + \int_1^3 ex\,dx$$

$$= (e-1)+4e = 5e-1$$

따라서 구하는 최솟값은 $\overset{\bullet}{\underline{5e-1}}$ 이므로 $p+q=4$

킬러 격파 Tip

$f(x)$는 실수 전체에서 미분 가능하고 $1 \le x < 3$인 구간에서 $f'(x)$는 감소하지 않는 함수이므로 결국 $\int_1^3 f(x)dx$를 최소로 만드는 함수는 그림처럼 $y=e^x$ 위의 점 $(1, e)$에서의 접선이 된다. 이때

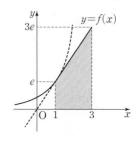

$$\int_1^3 f(x)dx = (\text{색칠한 사다리꼴의 넓이})$$
$$= 4e$$

05 답 71

㈎에 따라 함수 $f(x)$는 주기가 2인 주기함수이다.

㈏에서 $f(0)=f(1)=1$이고, 주기함수 $f(x)$가 연속이므로 한 주기의 양끝이 같아야 한다.

$\therefore f(0)=f(1)=f(2)=1$ ……㉠

㈐에서 $1 < x < 2$일 때 $f'(x) \ge 0$이므로 이 구간에서 $f(x)$는 증가함수이거나 상수함수인데, ㉠을 만족시키려면 $f(x)$는 상수함수이어야 한다. 즉 $1 < x < 2$에서 $f(x)=1$이고, 함수 $f(x)$의 그래프 개형은 그림과 같다.

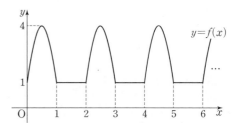

$$\int_0^{17} f(x)dx = \int_0^2 f(x)dx + \int_2^4 dx + \cdots$$

$$\cdots + \int_{14}^{16} f(x)dx + \int_{16}^{17} f(x)\,dx$$

이고, $f(x)$가 모든 실수에서 주기가 2이므로

$$\int_0^2 f(x)\,dx = \int_2^4 f(x)\,dx = \cdots = \int_{14}^{16} f(x)\,dx$$

$$\int_0^2 f(x)dx = \int_0^1 (3\sin \pi x + 1)dx + \int_1^2 1\,dx$$

$$= \Big[\,-\frac{3}{\pi}\cos \pi x + x\,\Big]_0^1 + \Big[\,x\,\Big]_1^2$$

$$= \frac{3}{\pi} + 1 - \Big(-\frac{3}{\pi}\Big) + 1 = \overset{\bullet}{\underline{\frac{6}{\pi}+2}}$$

또 $\int_{16}^{17} f(x)dx = \int_0^1 f(x)dx = \frac{6}{\pi}+1$

$$\therefore \int_0^{17} f(x)dx = 8\int_0^2 f(x)dx + \int_{16}^{17} f(x)dx$$

$$= 8\Big(\frac{6}{\pi}+2\Big) + \Big(\frac{6}{\pi}+1\Big)$$

$$= \overset{\bullet}{\underline{17+\frac{54}{\pi}}}$$

따라서 $m=17$, $n=54$이므로 $m+n=71$

06 답 83

$\int_x^{x+a} f(t)dt = \sin\left(x+\dfrac{\pi}{3}\right)$의 양변을 미분하면

$f(x+a) - f(x) = \cos\left(x+\dfrac{\pi}{3}\right)$ ······ ㉠

$f(x) = f(-x)$이므로 ㉠에 x 대신 $-\dfrac{a}{2}$를 대입하면

$\cos\left(\dfrac{\pi}{3}-\dfrac{a}{2}\right) = \cos\left(\dfrac{a}{2}-\dfrac{\pi}{3}\right) = 0$에서

$a = \dfrac{5}{3}\pi, \dfrac{11}{3}\pi, \cdots$이므로 $a = \overset{\text{❶}}{\underline{\dfrac{5}{3}\pi}}$ ($\because 0 < a < 2\pi$)

(나)에 $x = -\dfrac{a}{2}$를 대입하면 $\int_{-\frac{a}{2}}^{\frac{a}{2}} f(t)dt = \sin\left(\dfrac{\pi}{3}-\dfrac{a}{2}\right)$

이때 $f(x) = f(-x)$이므로

$\int_{-\frac{a}{2}}^{\frac{a}{2}} f(t)dt = 2\int_0^{\frac{a}{2}} f(t)dt$

$\qquad = 2\int_0^{\frac{a}{2}} (b\cos 3x + c\cos 5x)dx$

$\qquad = \sin\left(\dfrac{\pi}{3}-\dfrac{a}{2}\right)$

즉 $2\left[\dfrac{b}{3}\sin 3x + \dfrac{c}{5}\sin 5x\right]_0^{\frac{a}{2}} = \sin\left(\dfrac{\pi}{3}-\dfrac{a}{2}\right)$에서

$a = \dfrac{5}{3}\pi$를 대입하면 $2\left(\dfrac{b}{3}\sin\dfrac{5}{2}\pi + \dfrac{c}{5}\sin\dfrac{25}{6}\pi\right) = -1$

위 등식을 정리하면 $\dfrac{2}{3}b + \dfrac{1}{5}c = -1$ ······ ㉡

한편 ㉠에 $a = \dfrac{5}{3}\pi$를 대입하면

$f\left(x+\dfrac{5}{3}\pi\right) - f(x) = \cos\left(x+\dfrac{\pi}{3}\right)$

양변을 미분하면 $f'\left(x+\dfrac{5}{3}\pi\right) - f'(x) = -\sin\left(x+\dfrac{\pi}{3}\right)$

$f(x) = f(-x)$에서 $f'(x) = -f'(-x)$이므로

x 대신 $-\dfrac{5}{6}\pi$를 대입하면

$f'\left(\dfrac{5}{6}\pi\right) - f'\left(-\dfrac{5}{6}\pi\right) = -\sin\left(-\dfrac{\pi}{2}\right)$에서 $2f'\left(\dfrac{5}{6}\pi\right) = 1$

$\therefore f'\left(\dfrac{5}{6}\pi\right) = \dfrac{1}{2}$

구간 $\left[0, \dfrac{5}{6}\pi\right]$에서 $f'(x) = -3b\sin 3x - 5c\sin 5x$

위 등식에 $x = \dfrac{5}{6}\pi$를 대입하면

$f'\left(\dfrac{5}{6}\pi\right) = -3b - \dfrac{5}{2}c = \dfrac{1}{2}$ ······ ㉢

㉡, ㉢을 연립해서 풀면 $b = \overset{\text{❷}}{\underline{-\dfrac{9}{4}}}$, $c = \overset{\text{❸}}{\underline{\dfrac{5}{2}}}$이므로

$abc = \dfrac{5}{3}\pi \times \left(-\dfrac{9}{4}\right) \times \dfrac{5}{2} = -\dfrac{75}{8}\pi$

이때 $m = 8$, $n = 75$이므로 $m+n = 83$

07 답 35

(가)에 $x = y = 0$을 대입하면 $f(0) = 1$ ······ ㉠

또 $y = h$를 대입하면 $f(x+h) - f(x) = f(h) - 2xh - 1$

$f'(x) = \lim_{h\to 0} \dfrac{f(x+h) - f(x)}{h}$

$\qquad = \lim_{h\to 0} \dfrac{f(h) - 2xh - 1}{h}$

$\qquad = \lim_{h\to 0} \dfrac{f(h) - f(0) - 2xh}{h}$ ($\because f(0) = 1$)

$\qquad = \lim_{h\to 0} \dfrac{f(h) - f(0)}{h} - 2x$ ······ ㉡

$f'(0) = \lim_{h\to 0} \dfrac{f(h) - f(0)}{h} = k$라 하면

$f'(x) = -2x + k$이고 $f(x) = -x^2 + kx + C$에서 $C = 1$

이므로 $f(x) = -x^2 + kx + 1$

한편 함수 $g(x)$가 미분 가능하므로 $x = 1$에서 연속이고 좌우 미분계수가 같아야 한다.

즉 $\lim_{x\to 1+} g'(x) = 2$, $\lim_{x\to 1-} g'(x) = f'(1) = -2 + k$

이때 $2 = -2 + k$에서 $k = 4$ $\qquad \therefore f(x) = \overset{\text{❶}}{\underline{-x^2 + 4x + 1}}$

또 $\lim_{x\to 1+} g(x) = 2 + c$이고

$g(1) = \lim_{x\to 1-} g(x) = f(1) = -1 + 4 + 1 = 4$에서

두 값이 같아야 하므로 $c = \overset{\text{❹}}{\underline{2}}$

같은 방법으로 $x = 0$에서 $g(x)$도 연속이고 좌우 미분계수가 같아야 하므로 $f'(0) = a = \overset{\text{❷}}{\underline{4}}$, $f(0) = b = \overset{\text{❸}}{\underline{1}}$

$\therefore g(x) = \begin{cases} 4x+1 & (x<0) \\ -x^2 + 4x + 1 & (0 \le x \le 1) \\ 2x+2 & (x>1) \end{cases}$

이고, 그래프를 그려보면 일대일 대응인 증가함수이므로

$g(x)$는 역함수 $h(x)$를 가질 수 있다.

즉 $h(g(x)) = x$에서 $h'(g(x))g'(x) = 1$

$\therefore h'(g(x)) = \dfrac{1}{g'(x)}$

$\int_0^2 \dfrac{1}{h'(g(x))\{g(x)\}^2}dx = \int_0^2 \dfrac{g'(x)}{\{g(x)\}^2}dx$

에서 $g(x) = t$라 하면 $g'(x)dx = dt$

$g(0) = 1$, $g(2) = 6$이므로

$42\int_0^2 \dfrac{g'(x)}{\{g(x)\}^2}dx = 42\int_1^6 \dfrac{1}{t^2}dt$

$\qquad = 42\left[-\dfrac{1}{t}\right]_1^6 = 42\left(-\dfrac{1}{6}+1\right) = \overset{\text{❹}}{\underline{35}}$

08 답 25

곡선 $y = \sqrt{2-x^2}$ $(-1 \le x \le 1)$의 양 끝점 $(-1, 1)$, $(1, 1)$을 각각 P, Q라 하고, 직선 m이 점 Q를 지난다고 하자.

점 P에서 곡선 $y = \sqrt{2-x^2}$에 접하는 접선이 x축과 양의 방향과

이루는 각의 크기가 $\frac{\pi}{4}$이므로 다음과 같이 $f(\theta)$를 구해 보자.

(i) $0\le\theta<\frac{\pi}{4}$인 경우

$f(\theta)$는 두 직선 l, m 사이의 거리, 즉 점 Q에서 직선 l에 이르는 거리 $\overline{\text{QH}}$와 같다.

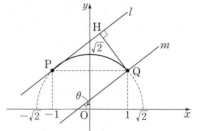

이때 직선 m의 기울기가 $\tan\theta$이므로 직선 l의 방정식

$y=\tan\theta\, x\pm\sqrt{2}\sqrt{\tan^2\theta+1}$에서 직선 l의 y절편이 양수이고,

$\tan^2\theta+1=\sec^2\theta$이므로

직선 l의 방정식은 $\tan\theta\, x-y+\sqrt{2}\sec\theta=0$

$\therefore f(\theta)=\dfrac{|\tan\theta-1+\sqrt{2}\sec\theta|}{\sqrt{\tan^2\theta+1}}=^{❶}\underline{\sin\theta-\cos\theta+\sqrt{2}}$

$\left(\because\ 0\le\theta\le\dfrac{\pi}{4}$에서 $\tan\theta\ge0,\ \sqrt{2}\sec\theta-1\ge0\right)$

(ii) $\frac{\pi}{4}\le\theta\le\frac{\pi}{2}$인 경우

$f(\theta)$는 직선 m이 점 Q를 지나고, 직선 l이 점 P를 지날 때 두 직선 l, m 사이의 거리와 같다. 즉 점 P에서 직선 m에 내린 수선의 발을 H라 하면 $f(\theta)=\overline{\text{PH}}$이다.

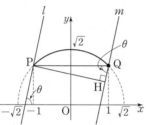

$\angle\text{PQH}=\theta$이므로 삼각비의 정의에서 $f(\theta)=^{❷}\underline{2\sin\theta}$

$\therefore f(\theta)=\begin{cases}\sin\theta-\cos\theta+\sqrt{2} & \left(0\le\theta<\dfrac{\pi}{4}\right)\\[2mm]2\sin\theta & \left(\dfrac{\pi}{4}\le\theta\le\dfrac{\pi}{2}\right)\end{cases}$

함수 $f(\theta)$는 닫힌구간 $\left[0,\dfrac{\pi}{2}\right]$에서 연속이므로

$\displaystyle\int_0^{\frac{\pi}{2}}f(\theta)\,d\theta=\int_0^{\frac{\pi}{4}}(\sin\theta-\cos\theta+\sqrt{2})\,d\theta+\int_{\frac{\pi}{4}}^{\frac{\pi}{2}}2\sin\theta\,d\theta$

$=\Big[-\cos\theta-\sin\theta+\sqrt{2}\,\theta\Big]_0^{\frac{\pi}{4}}+\Big[-2\cos\theta\Big]_{\frac{\pi}{4}}^{\frac{\pi}{2}}$

$=1+\dfrac{\sqrt{2}}{4}\pi$

따라서 $a=1$, $b=\dfrac{1}{4}$이므로 $20(a+b)=25$

참고

원 $x^2+y^2=r^2$에서 $2x\,dx+2y\,dy=0$, 즉 $\dfrac{dy}{dx}=-\dfrac{x}{y}$이므로

원 $x^2+y^2=r^2$ 위의 점 (x_1,y_1)에서의 접선의 기울기는 $-\dfrac{x_1}{y_1}$이다.

따라서 (i)인 범위에서 생각할 수 있는 접선 중 기울기가 가장 큰 경우는 접점이 P$(-1,1)$일 때이다.

09 🔖 68

그림처럼 두 곡선 $y=\sin x$, $y=k\cos x\,(k>0)$가 만나는 점의 x좌표를 각각 a, $b\ (a<b)$라 하자.

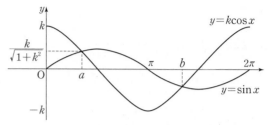

$\sin x=k\cos x$의 양변을 제곱한 $\sin^2 x=k^2\cos^2 x$에서

$\sin^2 x=k^2(1-\sin^2 x)$ 또는 $1-\cos^2 x=k^2\cos^2 x$이므로

$\sin^2 x=\dfrac{k^2}{1+k^2}$, $\cos^2 x=\dfrac{1}{1+k^2}$, 즉

$\cos a=\dfrac{1}{\sqrt{k^2+1}}$, $\cos b=-\dfrac{1}{\sqrt{k^2+1}}$

$\sin a=\dfrac{k}{\sqrt{k^2+1}}$, $\sin b=-\dfrac{k}{\sqrt{k^2+1}}$

이때 ㈎에서 $y=\sin x$, $y=k\cos x$로만 둘러싸인 부분의 넓이

$\displaystyle\int_a^b(\sin x-k\cos x)\,dx=(\cos a-\cos b)+k(\sin a-\sin b)$

$=\dfrac{2}{\sqrt{k^2+1}}+\dfrac{2k^2}{\sqrt{k^2+1}}$

$=2\sqrt{k^2+1}=2\sqrt{17}$

에서 $k=^{❶}\underline{4}$이므로

$\cos a=\dfrac{1}{\sqrt{17}}$, $\cos b=-\dfrac{1}{\sqrt{17}}$

$\sin a=\dfrac{4}{\sqrt{17}}$, $\sin b=-\dfrac{4}{\sqrt{17}}$

$k=4$를 대입하면 조건 ㈏의 등식은

$\{f(x)\}^2+2\sin 2x=(\sin x+4\cos x)f(x)$를

$\sin 2x=2\sin x\cos x$를 이용하여 정리하면

$\{f(x)\}^2-(\sin x+4\cos x)f(x)+4\sin x\cos x=0$

즉 $\{f(x)-\sin x\}\{f(x)-4\cos x\}=0$에서

$f(x)=\sin x$ 또는 $f(x)=4\cos x$

㈐에서 $f(0)=4$, $f(\pi)=0$, $f\left(\dfrac{3}{2}\pi\right)=0$이고,

$f(x)$는 연속이므로 그림에서 색으로 나타낸 부분이어야 한다.

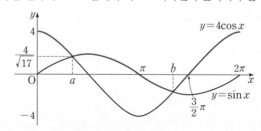

$0\le x<a$일 때 $f(x)=^{❷}\underline{4\cos x}$

$a\le x<b$일 때 $f(x)=^{❸}\underline{\sin x}$

$b\le x\le 2\pi$일 때 $f(x)=^{❹}\underline{4\cos x}$

이므로 구간별로 정적분하면 다음과 같다.

$$\int_0^a 4\cos x\,dx = 4\sin a - 0 = 4 \times \frac{4}{\sqrt{17}} = \frac{16}{\sqrt{17}}$$

$$\int_a^b \sin x\,dx = -\cos b + \cos a = \frac{2}{\sqrt{17}}$$

$$\int_b^{2\pi} 4\cos x\,dx = 4\sin 2\pi - 4\sin b = \frac{16}{\sqrt{17}}$$

$$\int_0^{2\pi} f(x)\,dx = \int_0^a 4\cos x\,dx + \int_a^b \sin x\,dx + \int_b^{2\pi} 4\cos x\,dx$$

$$= \frac{16}{\sqrt{17}} + \frac{2}{\sqrt{17}} + \frac{16}{\sqrt{17}} = \frac{34}{\sqrt{17}}$$

따라서 $p^2 = \dfrac{34 \times 34}{17} = 34 \times 2 = 68$

참고

$\{f(x) - \sin x\}\{f(x) - 4\cos x\} = 0$의 의미가
꼭 $f(x) = \sin x$, $f(x) = 4\cos x$ 중 어느 하나로만 결정될 이유는 없다.
둘 중에 하나만 만족시키면 되므로 구간별로
$f(x) = \sin x$, $f(x) = 4\cos x$ 중 하나를 선택할 수 있다. 다만 연속함수이
므로 $x = a, b$에서만 그 함수를 결정할 수 있고,
$f(0) = 4$, $f(\pi) = 0$, $f\left(\dfrac{3}{2}\pi\right) = 0$을 만족시켜야 하므로 $f(x)$의 그래프는
하나로 결정된다.

10 📑 10

(i) 조건 (나)에서 연속인 함수 $y = f(x)$의 그래프가 두 점 $(2, 3)$,
$(3, 6)$을 지나고, 두 점 사이의 기울기는

$$\frac{f(3) - f(2)}{3 - 2} = 3$$

함수 $f(x)$가 미분 가능하므로 $f'(c_1) = 3$ $(2 < c_1 < 3)$인 c_1이
구간 $[2, 3]$에 적어도 하나는 존재한다. ⇦ 평균값 정리
또 $y = f(x)$의 그래프가 곡선이면 아래로 볼록 아니면 위로 볼
록이고, 두 경우 모두 $f'(x) = 3$이 되는 $x = c_1$의 좌우에서
$f'(x)$가 3보다 큰 값과 작은 값이 존재한다. 그런데 (가)에서
$f'(x) \geq 3$이므로 구간 $[2, 3]$에서 $f'(x) = 3$이다.
즉 구간 $[2, 3]$에서 $f(x)$는 곡선이 아니라 직선이다.
두 점 $(2, 3)$, $(3, 6)$을 지나므로 $f(x) = $ ❶ $\underline{3x - 3}$ $(2 \leq x \leq 3)$

(ii) 조건 (다)의 $f(5) - 1 \geq f(4) + 2e^2$을 정리하면

$$f(5) - f(4) \geq 2e^2 + 1$$

즉 $\dfrac{f(5) - f(4)}{5 - 4} \geq 2e^2 + 1$이고 평균값 정리에서

$$\frac{f(5) - f(4)}{5 - 4} = f'(c_2) \quad (4 < c_2 < 5)$$

인 c_2가 구간 $[4, 5]$에 적어도 하나는 존재한다.

$$\therefore \frac{f(5) - f(4)}{5 - 4} = f'(c_2) \geq 2e^2 + 1$$

그런데 (가)에서 $f'(x) \leq 2e^2 + 1$이므로

$$f'(c_2) = \frac{f(5) - f(4)}{5 - 4} = 2e^2 + 1$$

또 $y = f(x)$의 그래프가 구간 $[4, 5]$에서 곡선이면 아래로 볼
록 아니면 위로 볼록이고, 두 경우 모두 $f'(c_2) = 2e^2 + 1$일 때,
$x = c_2$의 좌우에서 $f'(x)$가 $2e^2 + 1$보다 큰 값과 작은 값이 존
재한다.
그런데 (가)에서 $f'(x) \leq 2e^2 + 1$이므로 구간 $[4, 5]$에서
$f'(x) = 2e^2 + 1$이다.
즉 구간 $[4, 5]$에서 $f(x)$는 곡선이 아니라 직선이다.

(iii) 조건 (라)에서 $f(x) = e^{ax - 3a} + bx + c$ $(3 \leq x \leq 4)$이고, $f(x)$가
실수 전체에서 미분가능하므로 $x = 3$, $x = 4$에서 각각 연속이
고, 좌, 우 미분계수가 같아야 한다.

$$\therefore f(3) = 6, \quad f'(3) = 3, \quad f'(4) = 2e^2 + 1$$

$f'(x) = ae^{a(x-3)} + b$ $(3 < x < 4)$에서

$f(3) = 1 + 3b + c = 6 \qquad \therefore 3b + c = 5$

$f'(3) = ae^{a(3-3)} + b = a + b = 3$

$f'(4) = ae^{a(4-3)} + b = ae^a + b = 2e^2 + 1$

a, b, c는 모두 유리수이므로 연립하면 $a = 2$, $b = 1$, $c = 2$

즉 $f(x) = $ ❷ $\underline{e^{2(x-3)} + x + 2}$ $(3 \leq x \leq 4)$

(i) ~ (iii)에서 $f(x) = \begin{cases} 3x - 3 & (2 \leq x < 3) \\ e^{2(x-3)} + x + 2 & (3 \leq x \leq 4) \end{cases}$

$$\therefore \int_2^4 f(x)\,dx = \int_2^3 f(x)\,dx + \int_3^4 f(x)\,dx$$

$$= \int_2^3 (3x - 3)\,dx + \int_3^4 (e^{2(x-3)} + x + 2)\,dx$$

$$= \text{❸} \frac{19}{2} + \frac{1}{2}e^2$$

따라서 $p + q = \dfrac{1}{2} + \dfrac{19}{2} = 10$

11 📑 8

부등식 $f(x) \leq f(t)$를 만족시키는 x의 범위는 곡선 $y = f(x)$가
직선 $y = f(t)$와 만나거나 아래쪽에 그려지는 실수 x의 범위와
같다. 즉 직선 $y = f(t)$와 곡선 $y = f(x)$가 만나는 점의 x좌표 중
가장 작은 값이 $g(t)$이다.

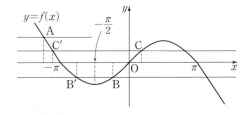

(i) $t \leq -\dfrac{\pi}{2}$일 때 점 A의 x좌표가 t일 때, 점 A를 지나고 x축에
평행한 직선이 그래프와 만나는 점 중 x좌표가 가장 작은 점은
A이므로 $g(t) = $ ❶ $\underline{t}$

(ii) $-\dfrac{\pi}{2}<t\le0$일 때

점 B의 x좌표가 t일 때, 점 B를 지나고 x축에 평행한 직선이 그래프와 만나는 점 중 x좌표가 가장 작은 점은 B'이다. 즉 점 B'의 x좌표가 $g(t)$이다. 두 점 B, B'은 직선 $x=-\dfrac{\pi}{2}$에 대하여 대칭이므로 $\dfrac{t+g(t)}{2}=-\dfrac{\pi}{2}$에서 $g(t)=$ ❷ $\underline{-t-\pi}$

(iii) $0<t\le\pi$일 때

점 C의 x좌표가 t일 때, 점 C를 지나고 x축에 평행한 직선이 그래프와 만나는 점 중 x좌표가 가장 작은 점은 C'이다. 즉 점 C'의 x좌표가 $g(t)$이다. 점 C는 곡선 $y=\sin x$ 위의 점이고 점 C'은 직선 $y=-x-\pi$ 위의 점이므로 $\sin t=-g(t)-\pi$에서 $g(t)=$ ❸ $\underline{-\sin t-\pi}$

$$g(t)=\begin{cases} t & \left(t\le-\dfrac{\pi}{2}\right) \\ -t-\pi & \left(-\dfrac{\pi}{2}\le t\le0\right) \\ -\sin t-\pi & (0<t\le\pi) \end{cases}$$

$$\int_{-\pi}^{\pi}g(t)dt=\left[\dfrac{t^2}{2}\right]_{-\pi}^{-\frac{\pi}{2}}+\left[-\dfrac{t^2}{2}-\pi t\right]_{-\frac{\pi}{2}}^{0}+\left[\cos t-\pi t\right]_{0}^{\pi}$$

$$=-\dfrac{7}{4}\pi^2-2$$

따라서 $p=-\dfrac{7}{4}$, $q=-2$이므로 $\dfrac{7q}{p}=8$

참고

구하려는 $\int_{-\pi}^{\pi}g(t)dt$처럼 $\int_{-a}^{a}f(x)dx$ 꼴이면 대칭인 함수의 정적분 문제라 생각하기 쉬운데, 이 경우는 구간별로 함수가 달라지므로 주의해야 한다.

12 답 ⑤

$\int_{a}^{b}f(x)dx=k\int_{\frac{a}{k}}^{\frac{b}{k}}f(kx)dx$을 [도구 1]이라 하고,

$\int_{0}^{\pi}\sin xdx=2$를 [도구 2]라 하자.

$f(nx)=\pi\sin2n\pi x$는 주기가 $\dfrac{1}{n}$이므로 그래프 개형을 그림처럼 생각할 수 있다.

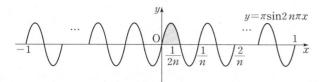

한편 [도구 2], 즉 $\int_{0}^{\pi}\sin xdx=2$에서 [도구 1]을 이용하면

$2n\pi\int_{0}^{\frac{1}{2n}}\sin2n\pi xdx=2$, 즉 $\int_{0}^{\frac{1}{2n}}\pi\sin2n\pi xdx=$ ❶ $\underline{\dfrac{1}{n}}$ 이고,

이것은 그림에서 색칠해서 나타낸 부분의 넓이와 같다.

함수 $g(x)$의 치역이 $\{0,\ 1\}$이므로

좌우 대칭인 $y=\pi\sin2n\pi x$의 그래프와 $\int_{-1}^{1}h(x)dx=2$를 생각하면

$$g(x)=\begin{cases} 1 & (f(nx)\ge0) \\ 0 & (f(nx)<0) \end{cases},\quad h(x)=\begin{cases} f(nx) & (f(nx)\ge0) \\ 0 & (f(nx)<0) \end{cases}$$

즉 $y=h(x)$의 그래프 개형을 그림처럼 생각할 수 있다.

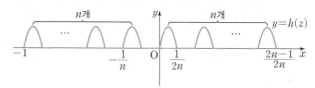

$$\text{한편 } h(x)=\begin{cases} h_1(x) & (x\ge0\text{이고},\ f(nx)>0) \\ h_2(x) & (x\ge0\text{이고},\ f(nx)<0) \\ h_3(x) & (x<0\text{이고},\ f(nx)>0) \end{cases}$$

이라 하면 $h_2(x)$와 $h_3(x)$는 그림처럼 원점에 대하여 대칭이다.

이때 $\int_{-1}^{0}xh(x)dx=\int_{-1}^{0}xh_3(x)dx$

$$=\int_{0}^{1}xh_3(-x)(-dx)$$

$$=\int_{0}^{1}x\{-h_3(-x)\}dx$$

$$=\int_{0}^{1}xh_2(x)dx$$

$\therefore \int_{-1}^{0}xh(x)dx=\int_{-1}^{0}xh_3(x)dx+\int_{0}^{1}xh_1(x)dx$

$$=\int_{0}^{1}xh_2(x)dx+\int_{0}^{1}xh_1(x)dx$$

$$=\int_{0}^{1}x\{h_1(x)+h_2(x)\}dx$$

$$=\int_{0}^{1}xf(nx)dx$$

$$=\ ❷\ \underline{\int_{0}^{1}\pi x\sin2n\pi xdx}$$

이므로 부분적분법을 이용하면

$\int_{0}^{1}\pi x\sin2n\pi xdx$

$$=\left[-\dfrac{x}{2n}\cos2n\pi x\right]_{0}^{1}+\left[\dfrac{\sin2n\pi x}{4n^2\pi}\right]_{0}^{1}$$

$$=-\dfrac{1}{2n}=-\dfrac{1}{32}$$

$\therefore n=16$

13 답 12

$f(x) = a\sin^3 x + b\sin x$에서

$f\left(\dfrac{\pi}{4}\right) = \dfrac{\sqrt{2}}{4}a + \dfrac{\sqrt{2}}{2}b = 3\sqrt{2}$이므로 $a + 2b = 12$

$f\left(\dfrac{\pi}{3}\right) = \dfrac{3\sqrt{3}}{8}a + \dfrac{\sqrt{3}}{2}b = 5\sqrt{3}$이므로 $3a + 4b = 40$

$\therefore a = 16,\ b = -2$

즉 $f(x) = 16\sin^3 x - 2\sin x$이므로 함수 $f(x)$의 주기는 2π이고,

함수 $y = f(x)$의 그래프는 직선 $x = n\pi + \dfrac{\pi}{2}$ (n은 정수)에 대하여

대칭이다. 이때

$f'(x) = 48\sin^2 x \cos x - 2\cos x = 2\cos x(24\sin^2 x - 1) = 0$

이므로 $f'(x) = 0$에서 $\cos x = 0$ 또는 $\sin x = \pm\dfrac{\sqrt{6}}{12}$

함수 $y = f(x)$에서 가장 쉽게 생각할 수 있는 한 주기가 되는 구간

$[0, 2\pi]$일 때의 극댓값과 극솟값을 구해보자.

$\cos x = 0$에서 $x = \dfrac{\pi}{2}$ 또는 $x = \dfrac{3\pi}{2}$이고,

이때 함숫값은 각각 $f\left(\dfrac{\pi}{2}\right) = 14$, $f\left(\dfrac{3\pi}{2}\right) = -14$

$\sin x = \dfrac{\sqrt{6}}{12}$인 $x = \alpha$라 하면

$\sin \alpha = \dfrac{\sqrt{6}}{12}$일 때 $f(\alpha) = -\dfrac{\sqrt{6}}{9}$

$\sin \alpha = -\dfrac{\sqrt{6}}{12}$일 때 $f(\alpha) = \dfrac{\sqrt{6}}{9}$

이고, $\dfrac{\sqrt{6}}{9} < 1$이므로 함수 $f(x)$는 한 주기에서 극댓값은 14와 1

보다 작은 값, 이렇게 극댓값 두 개를 가진다.

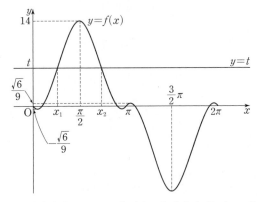

그림처럼 생각하면 $1 < t < 14$인 실수 t에 대하여 $f(x_n) = t$인 해는

한 주기마다 두 개씩 존재한다.

또 $y = f(x)$의 그래프가 구간 $(0, \pi)$에서 $x = \dfrac{\pi}{2}$에 대하여 대칭

이므로 $f'(x_1) = -f'(x_2)$이다. 즉 $f'(x_1) + f'(x_2) = 0$이고, 이것

은 다른 주기, 즉 $[2\pi, 4\pi]$, $[4\pi, 6\pi]$, $\cdots$에서도 마찬가지다.

$\therefore c_1 + c_2 = \displaystyle\int_{3\sqrt{2}}^{5\sqrt{3}} \dfrac{t}{f'(x_1)}\,dt + \int_{3\sqrt{2}}^{5\sqrt{3}} \dfrac{t}{f'(x_2)}\,dt$

$\qquad = \displaystyle\int_{3\sqrt{2}}^{5\sqrt{3}} t\left(\dfrac{1}{f'(x_1)} + \dfrac{1}{f'(x_2)}\right)dt$

$\qquad = \displaystyle\int_{3\sqrt{2}}^{5\sqrt{3}} t\left(\dfrac{1}{f'(x_1)} - \dfrac{1}{f'(x_1)}\right)dt = \text{❶}\ \underline{0}$

위와 같은 방법으로 생각하면

$c_1 + c_2 = c_3 + c_4 = \cdots = c_{99} + c_{100} = 0$이므로

$\displaystyle\sum_{n=1}^{101} c_n = 0 + 0 + \cdots + 0 + c_{101} = \text{❷}\ \underline{c_1}$

한편 $f(x_1) = t$이므로 $f'(x_1)dx_1 = dt$

$c_1 = \displaystyle\int_{3\sqrt{2}}^{5\sqrt{3}} \dfrac{t}{f'(x_1)}\,dt$에서 $f\left(\dfrac{\pi}{4}\right) = 3\sqrt{2}$, $f\left(\dfrac{\pi}{3}\right) = 5\sqrt{3}$이므로

$c_1 = \displaystyle\int_{3\sqrt{2}}^{5\sqrt{3}} \dfrac{t}{f'(x_1)}\,dt = \int_{\frac{\pi}{4}}^{\frac{\pi}{3}} \dfrac{f(x_1)}{f'(x_1)} \times f'(x_1)dx_1 = \int_{\frac{\pi}{4}}^{\frac{\pi}{3}} f(x_1)dx_1$

$\qquad = \text{❸}\ \underline{\displaystyle\int_{\frac{\pi}{4}}^{\frac{\pi}{3}} f(x)\,dx} = \int_{\frac{\pi}{4}}^{\frac{\pi}{3}} (16\sin^3 x - 2\sin x)\,dx$

$\qquad = \displaystyle\int_{\frac{\pi}{4}}^{\frac{\pi}{3}} \{16\sin x(1 - \cos^2 x) - 2\sin x\}\,dx$

$\qquad = 14\displaystyle\int_{\frac{\pi}{4}}^{\frac{\pi}{3}} \sin x\,dx - 16\int_{\frac{\pi}{4}}^{\frac{\pi}{3}} \sin x \cos^2 x\,dx$

$\qquad = 14\displaystyle\int_{\frac{\pi}{4}}^{\frac{\pi}{3}} \sin x\,dx + 16\int_{\frac{\sqrt{2}}{2}}^{\frac{1}{2}} \theta^2\,d\theta \qquad (\Leftarrow \theta = \cos x)$

$\qquad = 14\left[-\cos x\right]_{\frac{\pi}{4}}^{\frac{\pi}{3}} + 16\left[-\dfrac{1}{3}\theta^3\right]_{\frac{\sqrt{2}}{2}}^{\frac{1}{2}}$

$\qquad = 14\left(-\dfrac{1}{2} + \dfrac{\sqrt{2}}{2}\right) + \dfrac{16}{3}\left(\dfrac{1}{8} - \dfrac{\sqrt{2}}{4}\right)$

$\qquad = -\dfrac{19}{3} + \dfrac{17\sqrt{2}}{3}$

따라서 $\displaystyle\sum_{n=1}^{101} c_n = c_{101} = c_1 = -\dfrac{19}{3} + \dfrac{17\sqrt{2}}{3}$이므로

$q - p = \dfrac{17 + 19}{3} = 12$

참고

x_1, x_2가 $x = \dfrac{\pi}{2}$에 대하여 대칭이므로 $\dfrac{x_1 + x_2}{2} = \dfrac{\pi}{2}$에서 $x_1 + x_2 = \pi$

즉 $x_2 = \pi - x_1$이므로 $f(x_1) = f(x_2) = f(\pi - x_1)$이고,

이때 $f'(x_1) = -f'(\pi - x_1) = -f'(x_2)$

핵심 개념부터 실전까지, 고품격 수능 대비서

고등 수능전략
전과목 시리즈

체계적인 수능 대비
하루 6쪽, 주 3일 학습으로
핵심 개념과 유형, 실전까지
빠르고 확실하게 준비 완료!

신유형 문제까지 정복
수능에 자주 나오는 유형부터
신유형·신경향 문제까지
다양한 유형의 문제를 마스터!

실전 감각 익히기
수능과 모의평가 유형의 구성으로
단기간에 실전 감각을 익혀
실제 수능에 완벽하게 대비!

개념과 유형, 실전을 한 번에!

국어: 고2~3(문학/독서/언어와 매체/화법과 작문)
수학: 고2~3(수학 I /수학 II /확률과 통계/미적분)
영어: 고2~3(어법/독해 150/독해 300/어휘/듣기)

사회: 고2~3(한국사/사회·문화/생활과 윤리/한국지리)
과학: 고2~3(물리학 I /화학 I /생명과학 I /지구과학 I)

정답은
이안에
있어!

배움으로 행복한 내일을 꿈꾸는
천재교육 커뮤니티 안내

교재 안내부터 구매까지 한 번에!
천재교육 홈페이지

천재교육 홈페이지에서는 자사가 발행하는 참고서,
교과서에 대한 소개는 물론 도서 구매도 할 수 있습니다.
회원에게 지급되는 별을 모아 다양한 상품 응모에도
도전해 보세요.

구독, 좋아요는 필수! 핵유용 정보 가득한
천재교육 유튜브 <천재TV>

신간에 대한 자세한 정보가 궁금하세요?
참고서를 어떻게 활용해야 할지 고민인가요?
공부 외 다양한 고민을 해결해 줄 채널이 필요한가요?
학생들에게 꼭 필요한 콘텐츠로 가득한 천재TV로 놀러 오세요!

다양한 교육 꿀팁에 깜짝 이벤트는 덤!
천재교육 인스타그램

천재교육의 새롭고 중요한 소식을 가장 먼저 접하고 싶다면?
천재교육 인스타그램 팔로우가 필수!
누구보다 빠르고 재미있게 천재교육의 소식을 전달합니다.
깜짝 이벤트도 수시로 진행되니 놓치지 마세요!